地球の歩き方 D07 ● 2020～2021年版

西安 敦煌 ウルムチ
シルクロードと中国西北部

玄奘三蔵ゆかりの大雁塔（陝西省西安市）　写真:内田事務所

地球の歩き方 編集室

西安 敦煌 ウルムチ  目次

301 旅の準備と技術

インフォメーション

ツアー体験記

コラム＆読者投稿

<table>
<tr>
<td rowspan="12">

歩
き
方
の
使
い
方

</td>
<td>

ヘッダ部分には、該当都市の市外局番、日本漢字と読み、中国語とその発音などを記載

</td>
</tr>
<tr>
<td>

折り込み「シルクロード交通マップ」で見つけやすいよう、都市のおよその位置を●で図示

</td>
</tr>
<tr>
<td>

人口、面積と管轄を記載。データは中華人民共和国民政部公式サイト「全国行政区划信息查询平台」（2018年12月更新）に準拠

</td>
</tr>
<tr>
<td>

Ⓜ地図上の位置
🏠住所（所在地）
☎電話番号
📠ファクス番号
※ヘッダ部分と異なる場合のみ市外局番を明記
🕐開館時間、営業時間
🈺定休（休館）日
💴料金
🚉行き方、アクセス
🌐ウェブサイトのURL
※"http://"と末尾の"/"は省略

</td>
</tr>
<tr>
<td>

都市のアクセスは、概略とデータを飛行機、鉄道、バスに分けて記載。路線や時刻は頻繁に変わるので現地で必ず最新情報の確認を。特に新疆エリアでは季節により運行頻度にも大きな違いがあるので要注意！
※国慶節や春節の前後は鉄道切符の入手が困難。この時期の移動は極力避けたい（祝祭日→P.9）

</td>
</tr>
<tr>
<td>

★の数は観光ポイントのおすすめ度。おすすめ度★★★には観光所要時間の目安を合わせて記載

★★★＝見逃せない
★★＝訪れる価値あり
★＝時間が許せば行きたい

</td>
</tr>
<tr>
<td>

掲載物件は、ホテル、グルメ、ショップ、アミューズメント、旅行会社をそれぞれ色分けして表示

</td>
</tr>
</table>

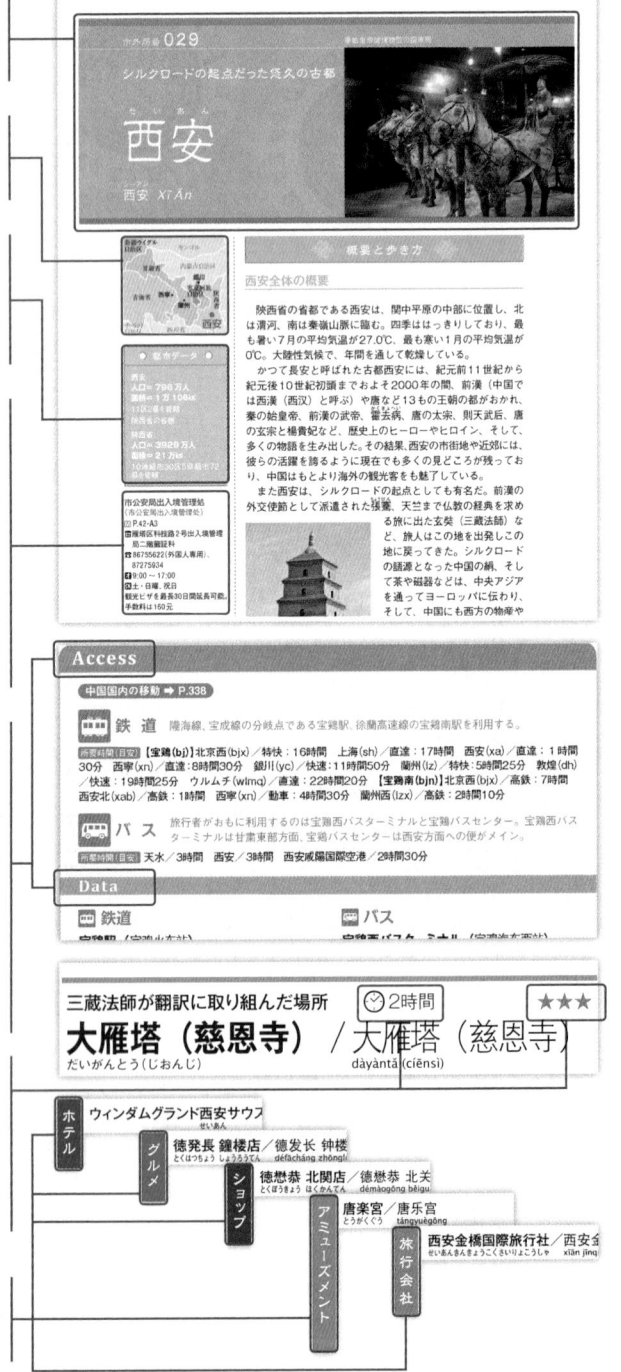

6

上から、省または自治区名、都市名、見出し。エリア（3つ）により色分けして表示

○　編集室より

該当の都市、見どころに関する注意点

インフォメーション

該当の都市、見どころに役立つ情報

読者投稿‥‥‥‥‥

投稿記事は多少主観的でも原文にできるだけ忠実に掲載。（東京都　○○　'19）は寄稿者と旅行年を表す

ホテルの料金表示

付記のないかぎり、1室当たりの料金（ただし「Ｄ＝ドミトリールーム」は1ベッド当たりの料金）を表示。
に記載のある場合、部屋代にその金額が加算される。
掲載料金はホテルが公表する個人宿泊者向けの一般的な料金。特に新疆エリアは季節変動が大きい。また、ホテル予約サイトで大幅なディスカウント料金が提示されることもあるので、宿泊や予約の際には必ずその時点での料金を確認のこと。

両　替　ホテル内で両替可
ビジネスセンター　ビジネスセンターがある
インターネット　インターネット使用可

※グレーは不可またはなし

Ｓシングルルーム
Ｔツインルーム
Ｄドミトリー
サービスチャージや各種税金
使用可能なクレジットカード
　A：アメリカン・エキスプレス
　D：ダイナース
　J：JCB
　M：MasterCard
　V：VISA
⊕URL
✉メールアドレス

旅客号　西安

概要と歩き方

■データの取り扱い
2019年6～9月のデータをもとに編集しています。掲載料金は外国人割増や季節的変動の影響も受けるため目安としてご利用ください。
急速な経済発展により、交通機関の料金、発着時間や経路、あらゆる物件の開場時間、連絡先などが予告なく変更されることがあります。できるかぎり現地でご確認ください。本書掲載の航空路線データは基本的に夏（3月31日～10月26日）の運航スケジュールです。

■地図
地図の凡例は、各図の下部に示してあります。軍事上の理由により、中国の正確な地図は公表されていません。掲載地図はできるかぎり補正していますが、正確性に欠ける点をご了承ください。特に郊外図は概要を把握する程度でご利用ください。
2014年末に開通した蘭新線第二複線については路線や駅の位置が公表されていないため、広域地図に示しておりません。

■中国語の表記
中国では「簡体字」と呼ばれる、漢字の正字を簡略化した文字が採用されています。中国語学習歴のない人にとって理解しにくい文字であるため、下記の対処を取っております。
● 簡体字を日本の漢字に直したものを使用し、必要な場合カッコ書きで併記しています。
　例：蘭山公園（兰山公園）
● 簡体字をそのまま日本漢字にしたのではわかりにくい単語の場合、意訳しているものもあります。
　例：「国際机場」→「国際空港」
● 地名には日本の習慣に従いカタカナ表記しているものがあります。例：「厦门」→アモイ
● 特殊な読みをする地名は、日本式の漢字で記述しています。
● 漢字のルビについて、日本語発音はひらがな、中国語発音はカタカナで区別しています。

■掲載情報のご利用に当たって
編集部では、できるかぎり最新で正確な情報を掲載するよう努めておりますが、現地の規則や手続きなどがしばしば変更されたり、またその解釈の見解に相違が生じることもあります。このような理由に基づく場合、または弊社に重大な過失がない場合は、本書を利用して生じた損失や不都合について、弊社は責任を負いかねますのでご了承ください。本書掲載の情報やアドバイスがご自身の状況や立場に適しているかは、すべてご自身の責任でご判断のうえでご利用ください。

■発行後の更新情報と訂正
発行後に変更された掲載情報や訂正箇所は、『地球の歩き方』ホームページ「更新・訂正・サポート情報」で可能なかぎり案内しています（ホテル、レストランの料金変更などは除く）。ご旅行の前には「サポート情報」もお役立てください。
⊕ book.arukikata.co.jp

中国の基本情報

▶ シルクロードの歴史 →P.359
▶ 旅の中国語会話 →P.362

正式国名
中華人民共和国
People's Republic of China
中华人民共和国
（Zhōnghuá rénmín gònghéguó）

国旗
　五星紅旗と呼ばれている。赤は革命と成功、黄色は光明を象徴する。また、大きい星は共産党を、残りの4つの星は労働者、農民、中産階級者、民族資本家を表す。

国歌
義勇軍進行曲
义勇军进行曲
（Yìyǒngjūn jìnxíngqǔ）

面積
約960万k㎡（日本の約25倍）

人口
約13億8393万人（日本の約11倍）
※世界保健機関（WHO）世界保健統計（2016.5.19発表）

首都
北京（ペキン）
北京（Běijīng）

元首
習近平 国家主席
（しゅうきんぺい　こっかしゅせき）
习近平 国家主席
（Xí Jìnpíng Guójiā zhǔxí）

政治体制
人民民主共和制（社会主義）

民族構成
　全人口の92%を占める漢族と、55の少数民族で構成。

宗教
　イスラム教、仏教（チベット仏教を含む）、キリスト教など。

言語
　公用語は、国民の大多数を占める漢族の言葉である「漢語」のなかの北方方言を主体にして作られた「普通話」。このほか民族ごとにそれぞれの言語をもつ。
　さらに、国土がこれだけ広いため、中国における多数民族の言語である「漢語」も北方方言、呉語（上海周辺）、福建語、広東語、客家語などの方言に分かれており、それぞれの方言は、会話が成り立たないほど大きく異なる。なお、町なかでは、英語はあまり通用しない。

通貨と為替レート

▶ 通貨・両替・カード →P.312

両替可能な銀行の入口には、このようなマークや文字がある

　通貨単位は人民元（人民元／Rénmínyuán）で、中国語では単に元（元／Yuán）と呼び、口語では块（块／Kuài）とも言う。略号の「RMB」は人民元と同意の人民幣（人民币／Rénmínbì）から。補助通貨単位は角（角／Jiǎo。口語では毛／Máo）と分（分／Fēn）。ただし、「分」が使われることは少なくなっている。
　1元＝10角＝100分≒15.4円（2019年9月15日現在）。新旧合わせて紙幣23種類、硬貨10種類が流通している。

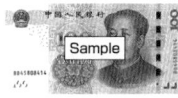 

おもに流通している紙幣は毛沢東に統一されたシリーズ

1元硬貨　5角硬貨　1角硬貨

紙幣は角の単位まである。硬貨は都市部では流通しているが、地方では歓迎されない傾向にあり、受け取ってもらえない場合もある

電話のかけ方

▶ 中国の通信事情 →P.355

日本から中国へ

国際電話会社の番号	＋	国際電話識別番号 010	＋	中国の国番号 86	＋	市外局番の最初の「0」を除いた電話番号
001 KDDI※1						
0033 NTTコミュニケーションズ※1						
0061 ソフトバンク※1						
005345 au（携帯）※2						
009130 NTTドコモ（携帯）※3						
0046 ソフトバンク（携帯）※4						

※1「マイライン」の国際区分に登録している場合は不要
　www.myline.org
※2 auは005345をダイヤルしなくてもかけられる
※3 NTTドコモはWORLD WINGへの事前登録が必要。009130をダイヤルしなくてもかけられる
※4 ソフトバンクは0046をダイヤルしなくてもかけられる

祝祭日

中国の祝日は、西暦と陰暦（農暦）を合わせたもので、毎年日付の異なる移動祝祭日（※）もあるので注意。また特定の国民に対する祝日や記念日もある。

1月1/1		新年　新年
1/25（2020）	※	春節　春节
2月2/12（2021）	※	春節　春节
4月4/4（2020、2021）	※	清明節　清明节
5月5/1		労働節　劳动节
6月6/25（2020）	※	端午節　端午节
6/14（2021）	※	端午節　端午节
9月9/21（2021）	※	中秋節　中秋节
10月10/1（2020）	※	中秋節　中秋节
10/1		国慶節　国庆节

■特定の国民の祝日および記念日

3月3/8	国際勤労婦人デー　三八国際妇女节
5月5/4	中国青年デー　五四中国青年节
6月6/1	国際児童デー　六一国際儿童节
8月8/1	中国人民解放軍建軍記念日　中国人民解放军建军纪念日

ビジネスアワー

ショップやレストランなどは店によって異なるが、公共機関でも休日、業務時間の統制は取れていない。以下の時間はあくまで目安にすぎないので、各都市のデータ欄などで確認すること。
デパートやショップ
10:00〜20:00（休日なしの店が多い）

銀　行（両替業務）
9:00〜12:00、13:30〜17:00
（土・日曜、祝日休み）
レストラン
11:00〜15:00、17:00〜22:00
（春節に休業する店が多い）

電圧とプラグ

中国の電圧は220V、周波数は50Hz。このため、日本の電化製品を使う場合は変圧器が必要となることが多い。なお、現地で使用されているプラグの種類は7種類ほどあるが、B型やC型、O型が多

い。変圧器や変換プラグは日本の旅行用品店や大きい電気店、旅行用品を扱うインターネットショップなどで購入できる。

マルチ変換プラグが便利

ホテルのコンセント

放送＆映像方式

DVD、BD、VCDなどの映像ソフトを買うときは、放送形式とリージョンコードの両方に注意。放送方式は日本がNTSCで中国はPAL。日本で再生するにはPAL対応のプレーヤーとテレビ、またはPALをNTSCに変換できるプレーヤーが必要

（BDは両対応）。DVDのリージョンコードは中国が6で日本が2、BDのコードは中国がCで日本がA（VCDは無関係）。ソフトとプレーヤーのコードが一致しなければ再生できないが、いずれかがオールリージョン対応なら再生できる。

中国から日本へ　📞 (03) 1234-5678 または 090-1234-5678へかける場合

国際電話識別番号 **00** ※5	+	日本の国番号 **81**	+	市外局番と携帯電話の最初の0を除いた番号 **3または90**	+	相手先の電話番号 **1234-5678**

※5 日本の携帯電話の3キャリアは「0」を長押しして「+」を表示し、続けて国番号からダイヤルしてもかけられる
▶**中国国内通話**　市内へかける場合は市外局番は不要。市外へかける場合は市外局番（頭の「0」を取る）からプッシュする
▶**公衆電話のかけ方**　①受話器を取り、カードを矢印の方向に差し込む。カードはシールの貼ってあるほうが上なので注意
　　　　　　　　　　　②「00」を押して相手先の電話番号を押す
　　　　　　　　　　　③通話が終わったら、受話器を置き、カードを受け取る

飲料水

▶体調管理→P.346

中国の水道水は硬水のため、日本人はそのまま飲むことを避けたほうがよい。できるだけミネラルウオーターを飲むようにしよう。ただ、偽物も多いようなので、スーパーなどで購入することをおすすめする。約600mℓで2元〜。

気候

▶シルクロードの気候と服装→P.12

日本の約25倍の国土をもつ中国は、気候も寒帯から亜熱帯まで存在している。エリアによっては高低差で気候も異なってくるので注意!

掲載都市については、その最初のページに気象データを掲載している。

中国各都市と東京の気温と降水量

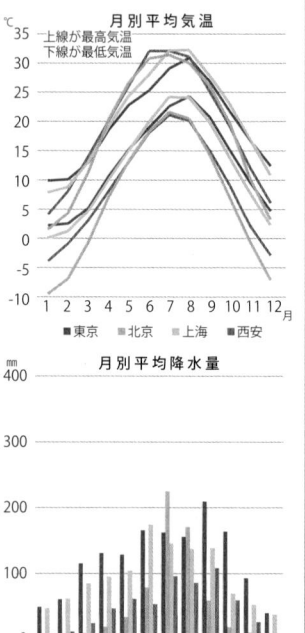

月別平均気温

月別平均降水量

■東京 ■北京 ■上海 ■西安

日本からのフライト時間

日本の主要都市からのフライト時間は下記のとおり。

北京／東京（成田）＝4時間25分
　　　大阪（関西）＝3時間20分
　　　名古屋（中部）＝3時間35分
上海／東京（成田）＝3時間35分
　　　大阪（関西）＝2時間35分
　　　名古屋（中部）＝2時間15分
西安／東京（成田）＝5時間
　　　大阪（関西）＝4時間15分
　　　名古屋（中部）＝4時間40分

時差とサマータイム

日本との時差は−1時間（日本の12:00が北京の11:00）。北京を標準として、国内に時差を設けていないが、国土が広いため、新疆ウイグル自治区などでは非公式に「新疆時間」（北京時間−2時間）を用いる場合もある。サマータイムは導入されていない。

郵便

▶中国の通信事情→P.355

中国の郵便のカラーは深緑で、ポストも赤ではなく、濃いグリーンだ。日本へのエアメールは、はがきが5元、封書が6元（20g以下）から。なお、中国では、郵政事業と通信事業が分割されたため、ほとんどの都市では、郵政局（郵便と電報）と各通信会社に分割された。

出入国

▶パスポートとビザ
　→P.308
▶中国に入国する
　→P.322
▶入出国書類の記入例
　→P.324
▶中国を出国する
　→P.335

ビザ

日本人は15日以内の滞在について、基本的にビザは不要。ただし、16日以上の滞在および特殊な旅行をする者はビザが必要。なお、渡航目的によってビザの種類が異なるので注意。観光の場合は30日間の観光ビザ（Lビザ）を取得する。

パスポート

パスポートの残存有効期間は6ヵ月以上が無難。また、査証欄余白も2ページ以上あったほうがよい。

入国／出国カード

入出国一体型のものだが、切り分けられて置かれているケースも多い。

中国の入国／出国カード。左が出国用、右が入国用

※本項目のデータは中国大使館、中国観光代表処、外務省などの資料を基にしています

10

チップ

中国にはチップの習慣はないので基本的には不要。また、中級・高級ホテルでは宿泊費にサービス料が加算される所が多く、そういった場合は不要。

▶ホテルの手配と利用→P.350

税　金

中国では、ホテルに宿泊する際に税金（サービス税、城市建設税など）がかけられることがある（一律ではない）。付加価値税（VAT）還付制度については、指定店で500元以上購入し、所定の手続きをした場合に、出国時に還付される。

▶ホテルの手配と利用→P.350
▶VATの一部還付→P.361

安全とトラブル

中国では、急激な経済発展のため、貧富の格差が拡大し、それにつれて治安は悪化している。事実がどうであるかにかかわらず、日本人旅行者は金持ちと見られるため、狙われていることを覚えておこう。また、見知らぬ者から日本語で話しかけられたときには警戒するようにしよう。

▶安全対策→P.348

| 警察（公安局） | **110** | | |
| 消防 | **119** | 救急医療センター | **120** |

年齢制限

中国では、車の運転免許証は18歳から。飲酒や喫煙については法律による年齢制限はない。なお、現在のところ、旅行者が気軽に利用できるようなレンタカー制度は存在しない。

度量衡

基本的に日本の度量衡と同じだが、それぞれに漢字を当てている（例：m＝米／mǐ、km＝公里／gōnglǐ、g＝克／kè、kg＝公斤／gōngjīn）。ただし、日常生活では中国独自の度量衡も残っており、特に食べ物関連では斤と両（1斤／jīn＝10両／liǎng＝500g）がよく使われる。

その他

公衆トイレ

トイレ
トイレを中国語で厠所（cèsuǒ）という（建物内では洗手間／xǐshǒujiān）。都市部では水洗トイレも増えており、街頭にも有料の公衆トイレ（公共厠所／gōnggòng cèsuǒ）の設置が進んでいる。ただし、トイレットペーパーを常備している所は少ない（有人の所では入口で購入できる）ので、用を足すときは持っていこう。また、紙を流すとトイレが詰まるケースもあるので、備え付けの籠がある場合はそこに捨てること。

たばこ
2017年3月に喫煙に関する条例が改正施行され、屋内や公共交通機関の車内は全面禁煙、屋外でも学校や病院、競技場、公演会場、文化遺産などの公共施設付近では禁煙。喫煙室も撤去。違反者には罰金が科せられる。

乾燥対策
中国は一部を除き、かなり乾燥しているので、乾燥に弱い人は、季節にかかわらず、リップクリームやのど飴など、保湿対策用品を持参していこう。

道路事情
中国は日本と異なり、車は右側通行。道路には自転車専用レーンが設置された所も多い。このため、車道を横断する際には、自動車のほかに自転車にも注意が必要。また、急増する電動バイクは交通法規を守らず、歩道を運転している人も多い。後ろから音もなくやってくるので、歩道でも注意が必要。

携帯電話やICカード
SIMフリーの端末なら中国で購入したSIMカードに差し替えて使える。中国では、プリペイド式携帯電話やICカードにチャージしたお金について、一定期間使用しないと失効してしまうので注意が必要。

Spring 春

　西安の春は日本と同じような気温なので、観光するときには日本と同じような服装でかまわないだろう。

　一方、ウルムチの春の訪れは遅く、5月中旬を過ぎなければ、観光客も多くない。4月中に甘粛省西部や新疆を旅行する場合は、それなりの防寒具が必要となるだろう。詳細は出発前に旅行会社に確認しておこう。

　日本のような梅雨はないが、西安やウルムチでもそれなりの雨（東京の3分の1程度）はある。敦煌を中心とする河西回廊や新疆南部はほとんど心配はいらない。

　なお、この時期、新疆南部では砂嵐が多く発生するため、飛行機のフライトキャンセルも起こり得る。飛行機利用者は天気予報などに注意しよう。

新緑がまぶしい4月の西安城壁

シルクロードの気候と服装

Summer 夏

　このエリアにおけるベストシーズン。西安は少々蒸し暑いが、敦煌やウルムチでは乾燥しており、思いのほか過ごしやすいだろう。ただし、日中の日差しは半端ではない。帽子、日焼け止め、サングラスなどは必ず持っていこう。

　日中に外出するときは果物（この時期シルクロードではブドウやハミウリなど多くの果物が出回る）やミネラルウオーターなどで十分に水分を補給し、疲労がたまったら、無理をせずきちんと疲れを取ること。

　なお、アルタイなど新疆北部の山岳地帯を訪れるならば、長袖（場合によってはフリース）などが必要となる。

強い日差しを遮るトルファンのブドウ棚

秋

Autumn

　中国西北地区の秋は短く、朝夕が冷え込むようになるとあっという間に冬がやってくる。ただし、その時期や場所によっても気候はかなり異なってくる。したがって、この時期、離れた都市間を見て回る場合、服装は多めに準備する必要がある。出発前に気候について情報収集し、それなりの服装を揃えていこう。なお、西安ならば日本と同じ服装でかまわないだろう。

黒河沿いの紅葉（甘粛省酒泉市金塔県）

旅に出る前に、気になるのが服装のこと。シルクロードは暑いのか、それとも寒いのか。
一体どのような服装で出かけるのがいいだろうか。中国西北地区はとても広いエリアなので、
それぞれの季節の始まりやその期間に違いが見られる。
ここでは、西安、敦煌、ウルムチなどを取り上げ、それぞれの四季の特徴や注意点を挙げてみる。

冬

Winter

　この時期、蘭州以西の旅はつらい。気候的に厳しく、防寒対策をきちんとして立ち向かわないと寒さで観光どころではなくなってしまうことも。さらに、観光地やホテルなど冬休みに入ってしまう所も出てくるので、さびれた印象はぬぐえない。12〜2月に行くならば、ダウンジャケット、セーター、厚手の長袖シャツ、アンダーシャツ、股引、耳まで覆う帽子、厚手の手袋は用意していくこと。もちろん現地でも購入できる。

　なお、西安は気候的に東京と大差はないので、航空券や宿泊費が安くなるこの時期は穴場。ただし、春節（旧正月）期間中は中国人観光客が急増するので、切符の手配などには注意が必要。

冬の月牙泉は観光の人影もまばら（甘粛省敦煌市）

始皇帝と秦帝国へ

紀元前221年、戦国時代の中国を統一した秦国の王・嬴政は、天下の統治者としての称号「皇帝」を名乗る。1912年に清が滅ぶまで2100年以上続いた「中華帝国」の誕生だ。

13歳で秦国の王となり、39歳で天下を統一。旅の途中、50歳で病死するまで激動の時代を駆け抜けた始皇帝の人生の舞台は、陝西省に多く点在している。嬴政と、孤児から秦の大将軍へと駆け上がった青年・李信を中心に、戦国時代の興亡を描いた漫画『キングダム』(「週刊ヤングジャンプ」〈集英社〉連載中)の人気もあって、始皇帝ゆかりの史跡に熱い注目が集まっている。

始皇帝、秦の祖先たち、そして秦の人々が見た風景はどのようなものだったのだろう。史上初めての皇帝を生んだ大地を訪ね、秦帝国の栄華に思いをはせてみたい。

取材・文／金井千絵

かんこくかん／hángǔguān

函谷関

M P.35-D3 :: 河南省霊宝市函谷関鎮王垜村

大地を切り裂くように延びる道は、秦の都・咸陽へと続いている。ここは陝西省との境に位置する、河南省函谷関。戦国時代、函谷関は秦の東の国境で、東方の六国(斉、趙、韓、楚、魏、燕)の侵攻を阻む強固な砦があった。仮に敵が函谷関を突破したとしても、その先には絶壁に挟まれた谷底の道が待っており、崖上から攻撃されることになる。紀元前241年、秦軍はこの天険の要塞で趙、韓、楚、魏、燕の合従軍を迎え討ち、死闘の末に撃破した。

東の洛陽から西の長安へ続く函谷古道は、長い歴史のなかで幾度も戦場となった。
秦の時代、古道を挟む絶壁の高さは現在よりはるかに高く、約30mあったという

秦国 対 合従軍 激戦の地、函谷関

砦側から東を望む。現在は函谷関歴史文化旅游区というテーマパークになっている

復元された砦とはいえ、十分な歴史の重みをまとっている

軍旗がはためく砦上で、合従軍を迎え撃つ秦軍の気分を味わう

多くの兵士が命を落とした道には、今も独特な雰囲気が漂う

さい／zuì

蕞

Ⓜ P.38-B2 田陝西省西安市臨潼区新豊鎮

紀元前241年の函谷関の戦いの際、合従軍の別部隊は、迂回して秦の都・咸陽へ迫った。蕞は、咸陽へ抜ける最後の関門があった場所。敵が抜ければ咸陽が絶体絶命の危機に陥ってしまう、秦にとっての重要地だ。「蕞の戦い」は、司馬遷の『史記』では蕞が落ちなかったことだけをごく簡単に記しているが、漫画『キングダム』では、秦王嬴政自らが戦場に立ち、追い詰められた蕞の住人たちとともに戦う状況を描いた、胸が熱くなる名場面となっている。

蕞の戦いがあった臨潼区の東北部。ここは鴻門宴遺址（→P.66）がある場所。この門は項王（項羽）営の額を付けた鴻門宴遺址の城門

鴻門宴遺址の城壁跡。版築（土を強く突き固めて造った建築物）跡が今も残る

始皇帝が今も見守る 古戦場

城門上から南側を望む。驪山の麓に、古戦場を見守るかのように始皇帝陵が横たわっている。漫画『キングダム』の名シーンを思いながら望む景色は感慨深い

ようじょう／yōngchéng
雍 城

Ⓜ P.38-A2　⊞陕西省宝鸡市鳳翔県馬家荘村

秦の長い歴史のなかで最も長い期間、都がおかれたのが古都・雍だ（紀元前677年から294年間）。陕西省宝鸡市鳳翔県がかつての雍の地で、秦雍城遺址が残っている。雍は城壁に囲まれた都で、中心部には祖先を祀る「宗廟」があった。始皇帝も成人の儀に際して咸陽から雍を訪れている。現在、町の中心には鳳翔県博物館（Ⓜ P.38-A2）があり、隣接して、秦国の第9代目君主穆公の土盛りの墓がある。穆公は、国外の優秀な人材を登用するなどして富国に努めた名君として知られる。

現在は麦畑が広がるだけの平地だが、この高台の上に宗廟があった。神聖な宗廟は、軍事的な決定を行う政治的に重要な場所でもあった

西戎（西方異民族）たちをも服属させ、領土を拡大していった穆公の生涯を描く鳳翔県博物館横の浮き彫り

帝国への礎となった 秦の聖地

鳳翔県博物館前の通りに立つ穆公像

秦雍城遺址から出土した青銅製の香炉。鳳翔県博物館収蔵

19

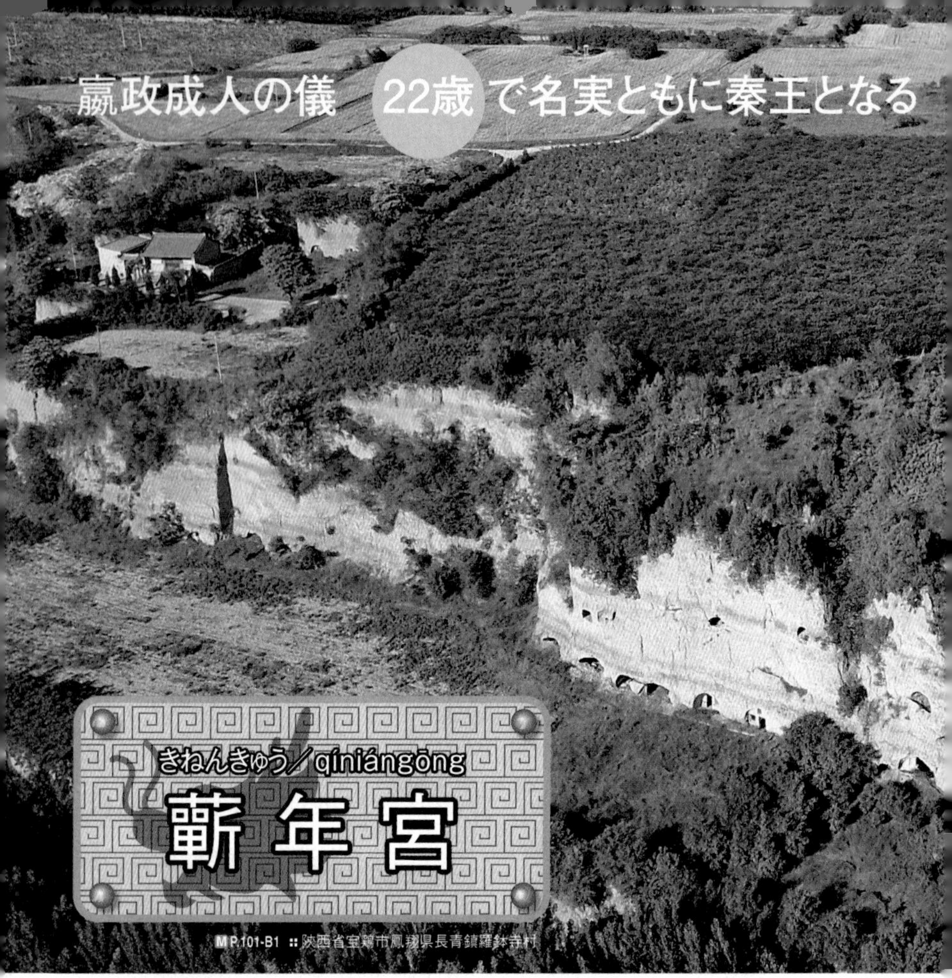

嬴政成人の儀 22歳で名実ともに秦王となる

きねんきゅう／qíniángōng

蘄年宮

M P.101-B1 ∷ 陝西省宝鶏市鳳翔県長青鎮羅鉢寺村

1982年、雍城の西約15kmの所にある、三面が崖になっている高地から、「蘄年宮」の文字が残る瓦当（軒瓦の先端部分に付ける飾り）が出土した。その後の発掘調査から、ここにはかつて雍城の離宮があり、秦の王が神や祖先を祀り、身を清める場所としていたことがわかった。『史記』は、紀元前238年、22歳の秦王嬴政が雍で戴冠（成人の儀）したと記している。その儀式はここ蘄年宮で行われたものとみられている。

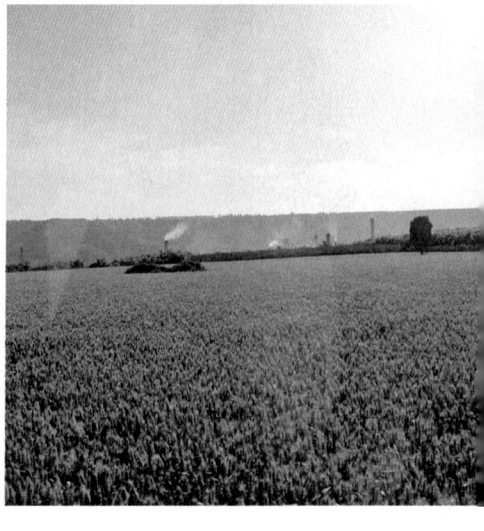

高台から崖の方角を見る。視界を遮るもののない穏やかな地形。空を仰ぎたくなるような気持ちのよい開けた場所だ（写真左）

宮殿の版築跡。上の写真の左端中央あたりに残る（写真右）

蔀年宮跡と推定される場所は、麦畑と植林が広がる高地になっていて、ちょうど突き出した舌のような地形をしている。濃い緑色の部分を中心に宮殿群があったという。手前が西で、土色の部分は断崖絶壁、高地は3段の階段状だ。崖下には川が流れている

秦公一号大墓

しんこういちごうたいぼ／qíngōng yīhàodàmù

M P.38-A2 ⊞ 陝西省宝鶏市鳳翔県南指揮鎮

殉葬者に囲まれた、2500年前 の秦王の墓

殉葬者の棺がむき出しになった埋葬跡は、時が経ってもまだ生々しさが残る。秦の時代の埋葬方法を見られる貴重な遺跡だ

雍城で発見された巨大な墓「秦公一号大墓」。秦の第13代目君主景公の墓とみられている。全長300m、幅38.8m、3層の逆ピラミッド型で、いちばん深い層は8階建ての建物の高さに相当する。中央の墓室を囲む木箱には、殉葬（殉死させられ王とともに埋葬）された妃や臣下たちの遺体が納められていたという。殉葬者は186人で、殉葬の習慣があった当時の墓のなかで最も多い。

墓室を作った柏の木。隣接の博物館には墓室内を再現した展示室もある

秦の天下統一を見つめた 壮大な 咸陽城

一号宮殿跡の6mある基壇上から望む景色。ここを中心に宮殿が立っていた。なだらかな傾斜の先に、新たに建設中の博物館が見える

かんよう／xiányáng
咸陽

M P.38-B2 田陝西省咸陽市

紀元前350年、秦は咸陽へ遷都した。咸陽城は始皇帝を含む歴代の王たちが拡大を続け、都は100万の人口を超える世界でもまれな巨大都市となっていった。現在、咸陽城遺址に建築物はないが、一号宮殿跡に立つことができる。隣接する秦咸陽宮遺址博物館(→P.99)や、咸陽市街地にある咸陽博物館(→P.74、98)には、図案の華やかな出土品があり、咸陽城の繁栄を想像させる。

咸陽博物館付近の古渡廊橋。秦ゆかりの人物像が並ぶ

ところどころに宮殿を構成した一部らしき破片が残る遺址の土壁

23

秦直道

しんちょくどう／qinzhídào

M P.35-D2 ⊞陝西省延安市富県

「史記」によると、旅の途中で崩御した始皇帝を乗せた馬車は、この直道を通り咸陽へ戻ったという。直道の平均道幅は20mで、最も広い部分で60mあるという。現在に残る直道へはアクセスポイントがいくつかある。写真は、直道の特徴がよくわかる延安市富県張家湾鎮からアクセスした部分

尾根をはうように延びる道は「秦直道」と呼ばれる、中国最初の高速道路といえる古道。この道を築いたのは天下統一後の始皇帝で、匈奴（北方異民族）の侵攻を防ぐために、秦の武将蒙恬に命じ造営した。始皇帝の築いた万里の長城は有名だが、直道は咸陽から対匈奴最前線に物資や人材を送る軍用道路であった。尾根や高地を利用した古代にはまれな道で、現在の陝西省淳化県北部（旧雲陽）から内モンゴル自治区のオルドスの北、包頭市九原まで及ぶ、直線距離約700kmの圧巻のハイウエイだ。咸陽市旬邑県石門関の秦直道博物館（M P.38-B1）を訪れると、直道の全体像がよくわかる。

直道は唐の時代まで1000年余り使用され、以降しだいに廃れていった

始皇帝が造った2200年前のハイウエイ

直道近くの現代の高速道路のサービスエリアに設けられた像 　秦直道博物館脇でも整備された直道の一部を見ることができる

秦始皇帝陵博物院

しんしこうていりょうはくぶついん
qínshǐhuángdìlíng bówùyuàn

M P.38-B2 ⊞陝西省西安市臨潼区

始皇帝は、偉大なる皇帝の存在を人々に知らしめるととも
に、土地の神々に参拝するために全国を巡り続けた。その5
度目の旅の途上で病に倒れ、生きて再び咸陽に戻ることは
なかった。兵馬俑は、その死から約2200年後に発見された。
始皇帝は、兵馬俑から2kmほど離れた秦始皇帝陵・麗山園
の地下深くに今も静かに眠っている。

秦始皇兵馬俑博物館の1号坑。等身大の兵士俑はすべて東を向いている。黄土をこねて焼いた陶製の像で、顔、ヘアスタイル、装束が1体1体すべて異なる

始皇帝を守り続ける秦の**精鋭部隊**

Excavated site of the bronze ha

Inscription on the weapons

秦の相国（最高職）であった呂不韋の名を刻む武器
（秦始皇兵馬俑博物館2号坑）

最高指揮部隊に当たる秦始皇兵馬俑博物館3号坑

矢の先に付ける銅の鏃（やじり）、秦始皇兵馬俑博物館2号坑

旅の終わりに　兵馬俑と始皇帝陵

秦始皇帝陵・驪山園の坑道で西向きに埋まっていた1号銅車馬（秦始皇兵馬俑博物館文物陳列庁）

始皇帝陵のかたわらにも兵士俑を埋葬した地下坑道がある

始皇帝陵を離れて見た眺め かつての秦の国土が広がる

驪山（→P.66）の麓に広がる始皇帝陵の復元俯瞰図

秦始皇兵馬俑博物館からシャトルバスで10分ほどだが、混雑している秦始皇兵馬俑博物館と比べると秦始皇帝陵・麗山園を訪れる観光客は意外に多くない。この丘の地下深くに始皇帝は眠っているとみられている

味の思い出も もって帰ろう！ 秦のグルメ

陝西省は麺やパンなど小麦粉を使った料理がおいしい。中国では紀元前3000年には小麦が栽培されていたといわれ、秦の時代の人々も小麦粉製品を食べていたことだろう。2200年を超える遠い時代に生きた人々を思いながら、小麦粉グルメをいただきます。

岐山麺

秦人の故郷ともいわれる宝鶏県の名物麺。色は赤いが辛みは少ない

ビャンビャン麺

丼が大ぶりなのは秦人の心の大きさを表すのだとか。関中老碗（→P.91）

水盆羊肉

羊の骨でだしをとった羊肉入りスープ。塩みが強くパンと一緒に食べるとよい

焼餅挟肉

醤油で軟らかく煮込んだ豚肉をサクサク食感のパンで挟んでいる

飴餎

うどんのようだがコシが強く食感は固めの麺。黒く細い麺はそば粉を原料にしている。食感は固めでさっぱりとした味わい

さまざまなパン

焼いたり揚げたりした香ばしいパンは、辛いおかずや肉を挟んで食べるとおいしい

丸くふっくらと揚げた油餅（写真左上、下）。月牙焼餅は水盆羊肉とよく合う（写真右上、下）

飲料

西安生まれの「冰峰」は周辺地域でもよく飲まれる味のオレンジ味のソーダ

ホップの苦味を利かせたノンアルコールフルーツビール。通称「果啤（グオピー）」

秦始皇兵馬俑博物館の出口周辺エリアには、みやげ店や陝西料理、ファストフードの店が並ぶ（写真右、左）

始皇帝LOVE！ 贈っても喜ばれる

秦のグッズ

始皇帝や兵馬俑をデザインしたグッズなら、やはり秦始皇兵馬俑博物館内のみやげ店が品揃え豊富。みやげ店は、博物館の敷地内（入場券が必要なエリア）と、博物館の出口周辺エリアに分かれている。

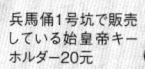

兵馬俑1号坑で販売している始皇帝キーホルダー20元

出口周辺エリアの郵便局出張所でポストカードや切手を販売。はがきの切手代は日本まで5元ほどで約2週間で届く

兵馬俑1号坑で販売している、大雁塔や始皇帝などの絵入り灰皿35元

スターバックスの兵士俑柄のマグカップ139元と、タンブラー225元。博物館出口周辺エリアの店舗と、西安市内などの一部店舗で販売

スマフォカバー30元〜は博物館の文物陳列庁横のショップで販売

「兵馬俑1号坑」の文字入り栓抜き20元。裏は始皇帝像の図柄

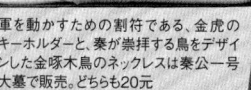

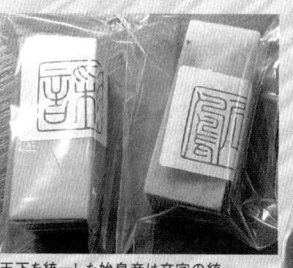

天下を統一した始皇帝は文字の統一も行った。その際の字体（小篆文字）で彫った印鑑。書院門にある刻印店でオーダーメイドできる。1本100元前後〜（→P.79、94）

軍を動かすための割符である、金虎のキーホルダーと、秦が崇拝する鳥をデザインした金啄木鳥のネックレスは秦公一号大墓で販売。どちらも20元

西鳳酒は鳳翔県の特産品。「雍酒」「秦酒」ともいわれた白酒。コンビニやスーパーで購入できる

旅のエキスパートに聞く！ 「始皇帝と秦帝国への旅」の情報

今回紹介した見どころは西安を起点にした。見どころによってはアクセスが極めて不便な場所もあるので、現地の旅行会社で旅のアレンジを依頼するといいだろう。ここでは、現地旅行会社の日本語ガイドの倪さんに旅の情報を聞いてみた。

始皇帝や秦の人物たちにゆかりある見どころは、陝西省の各地に点在しているので、東コース、北東コース、西コースなどのルートに分けて回るとよいでしょう。日帰りや、土日だけで回るツアーがあるので、旅の日程に合わせてアレンジも可能です。もちろん、プライベートツアーなので、ご自身が特に興味のある人物や場所を絞ったうえで、同じ方向の別の見どころをプラスするのもよいでしょう。ご要望に沿ったルートをご提案いたしますので、ぜひ、われわれ旅のプロにご相談ください。

秦の歴史を育んだ陝西省には、まだまだ見どころがたくさんあります。広大な大地を長時間かけて移動し、本物の歴史の舞台を目の前にしたとき、感動の涙を流す方は少なくありません。そんな場面に居合わせると、ガイドでお供した私も胸が熱くなります。ぜひ陝西省にいらしてください。

（西安金橋国際旅行社 外連部、日本部 倪小軍）

西安金橋国際旅行社のプライベートツアーの一例
土日（2泊3日）で行ける！　始皇帝と秦帝国への旅

東 コース
① 始皇帝の息子秦二世胡亥の墓
② 始皇帝の父秦荘襄王の墓
③ 坑儒谷遺跡
④ 始皇帝の曾祖父秦昭王の墓
⑤ 始皇帝の高祖母宣太后の墓
⑥ 秦始皇帝陵・麗山園
⑦ 秦始皇兵馬俑博物館
⑧ 蕭の戦いの跡地（鴻門宴遺址）
⑨ 函谷関
⑩ 秦の相国呂不韋の墓

北東 コース
① 秦の武将王翦の墓
② 秦の武将王賁の墓
③ 王翦が老後を過ごした美原鎮
④ 美原塔（法源寺塔）
⑤ 王翦の大秦将軍野菜畑
⑥ 秦の武将司馬錯と司馬靳の故郷と墓
⑦ 戦国時代の魏国長城
⑧ 前漢の史家司馬遷の墓
⑨ 秦国と魏国の間を流れる黄河
⑩ 趙の武将李牧の故郷と墓

西 コース
① 秦の武将李信の故郷
② 始皇帝の母の愛人嫪毐の墓
③ 秦王贏政成人の儀の地、秦雍城遺址
④ 始皇帝の先祖、秦穆公の墓
⑤ 秦公一号大墓
⑥ 中国西北部の少数民族「羌族」の故郷
⑦ 咸陽城遺址

上記旅行の問い合わせ
西安金橋国際旅行社（→P.95）
（中国金橋国際旅行社西安支社）

西安市蓮湖区西大街276号安定広場
4号楼2単元4階418室（外連部、日本部）倪小軍
⊕wagamamatabi.muragon.com（ブログ）
✉xiaojunn@gmail.com（日本語可）

陝西省
青海省
寧夏回族自治区

ライトアップされた大雁塔〔陝西省西安市〕
写真：金井千絵

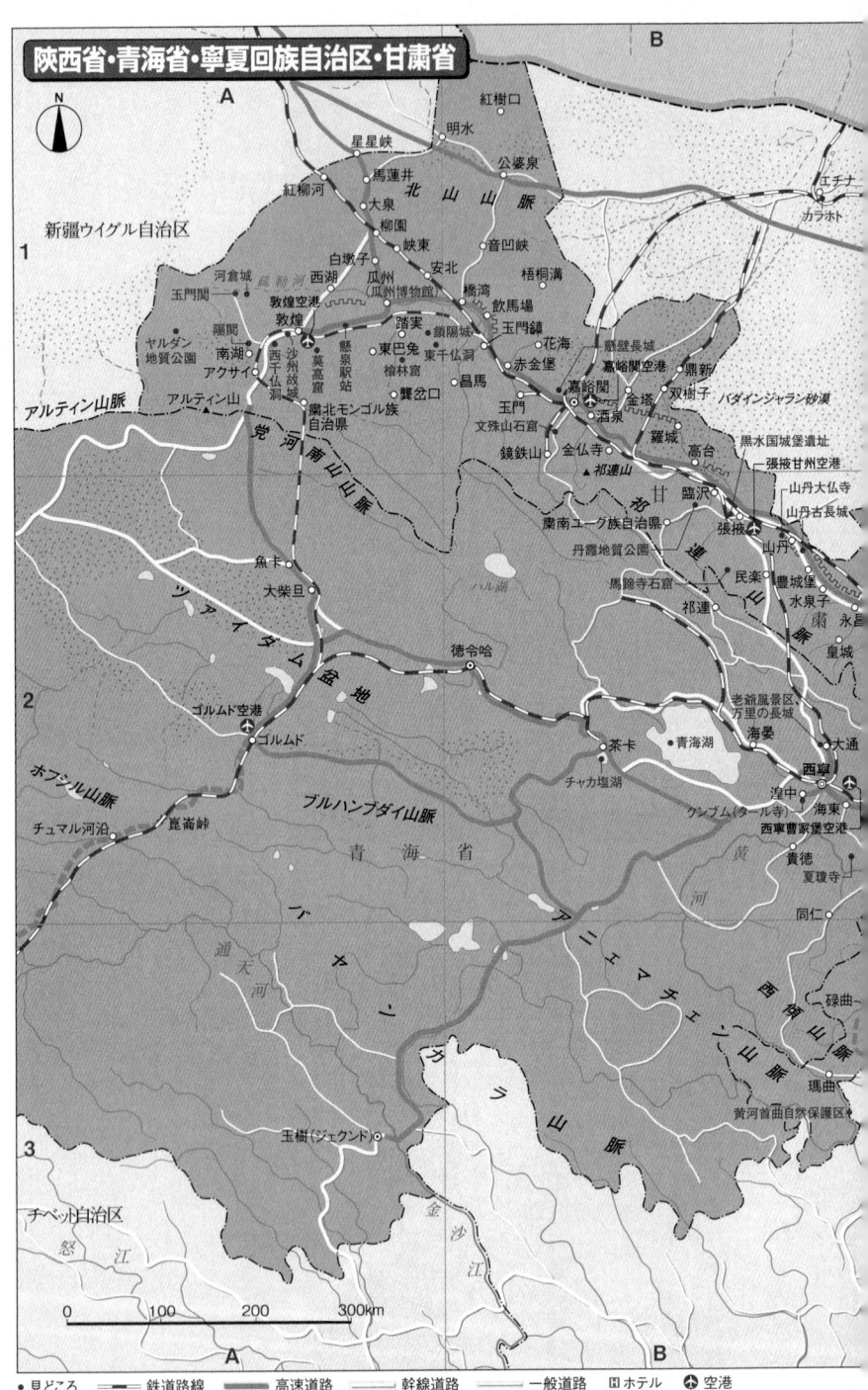

陝西省・青海省・寧夏回族自治区・甘粛省

新疆ウイグル自治区

北　山　山　脈

紅樹口
明水
星星峡
公婆泉
馬蓮井
紅柳河
大泉
柳園
峡東
音凹峡
梧桐溝
河倉城
白墩子
西湖
瓜州
（瓜州博物館）
安北
橋湾
飲馬場
敦煌空港
敦煌
踏実
玉門鎮
玉門関
欄関
花海
懸壁長城
南湖
西千仏洞
東巴兎
鎖陽城
東千仏洞
赤金堡
嘉峪関空港
鼎新
ヤルダン地質公園
黄泉駅站
莫高窟
昌馬
嘉峪関
金塔
双樹子
アクサイ
糞岔口
玉門
西泉
バダインジャラン砂漠
アルティン山
嶺北モンゴル族自治県
文殊山石窟
鏡鉄山
金仏寺
羅城
高台
黒水国城堡遺址
張掖甘州空港
アルティン山脈

党　河　南　山　山　脈

▲祁連山
臨沢
山丹大仏寺
山丹古長城
隴南ユーグ族自治県
丹霞地質公園
張掖
山丹
水泉子
魚卡
馬蹄寺石窟
民楽
豊城堡
皇城
大柴旦
祁連
永昌

ツ　ァ　イ　ダ　ム　盆　地

ハル湖

徳令哈
老爺鳳景区万里の長城
海晏
大通

ゴルムド空港
ゴルムド
茶卡
青海湖
西寧

ホフシル山脈
ブルハンブダイ山脈
チャカ塩湖
湟中
クンブム（タール寺）
海東
西軍曹家堡空港

チュマル河沿
崑崙峠
青　海　省
貴徳
夏瓊寺

チュマル河沿

黄　河

同仁

バ　ヤ　ン　ハ　ラ　山　脈

通　天　河

西傾山脈
碌曲

バ　ヤ　ン　ハ　ラ　山　脈

瑪曲
黄河首曲自然保護区

玉樹（ジェクンド）

チベット自治区

怒　江
金　沙　江

0　　100　　200　　300km

● 見どころ　━━ 鉄道路線　━━ 高速道路　━━ 幹線道路　━━ 一般道路　Ｈ ホテル　✈ 空港

34

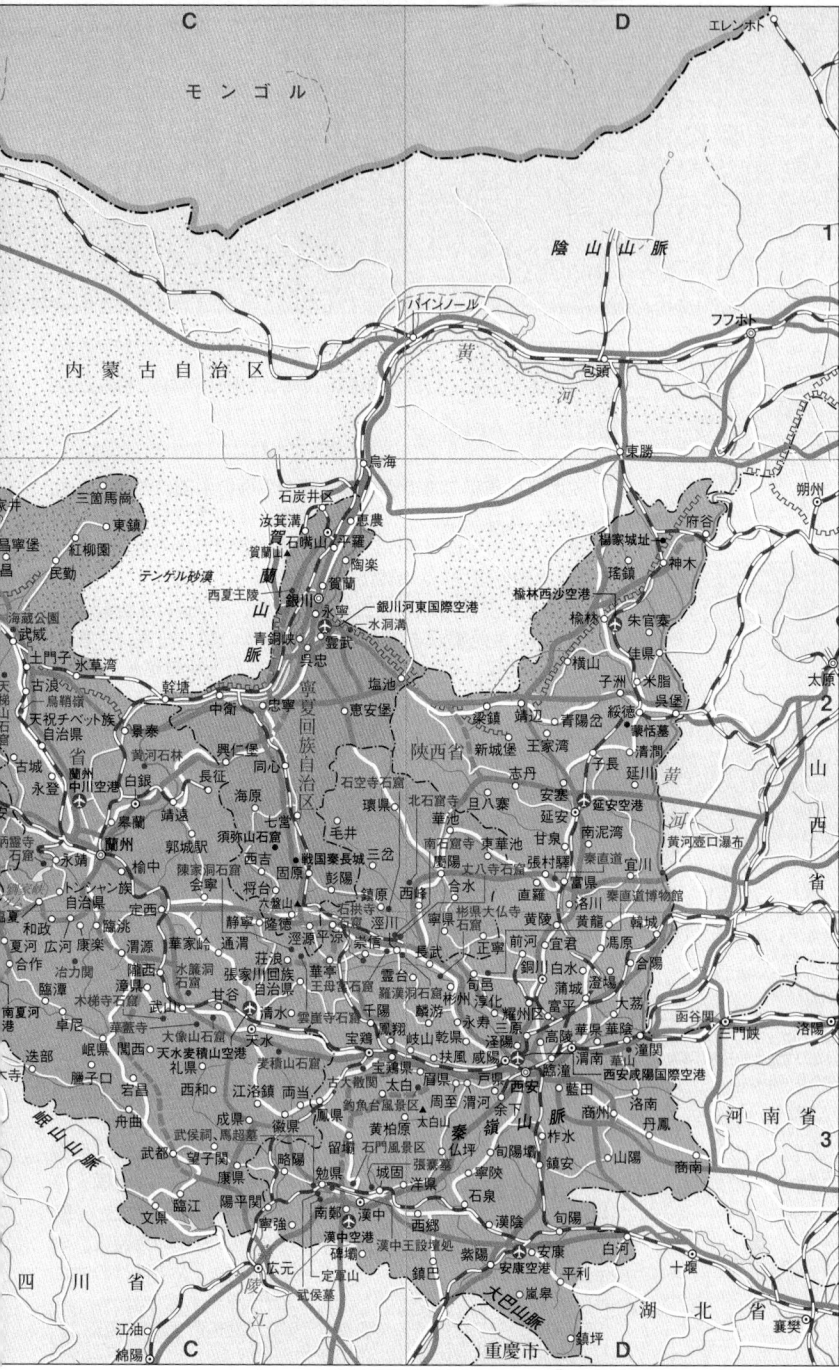

秦始皇帝陵博物院の銅車馬

シルクロードの起点だった悠久の古都

西安
せいあん

シーアン
西安 *Xī Ān*

新疆ウイグル自治区
モンゴル
甘粛省
内蒙古自治区
銀川
寧夏回族自治区
青海省　西寧●
蘭州
陝西省
チベット自治区
四川省
西安

◉ 都市データ ◉

西安
人口＝ 796 万人
面積＝ 1 万 106㎢
11区2県を管轄
陝西省の省都

陝西省
人口＝ 3929 万人
面積＝ 21 万㎢
1地10地級市30区5県級市72県を管轄

市公安局出入境管理処
（市公安局出入境管理処）
Ⓜ P.42-A3
🏠 雁塔区科技路2号出入境管理局二階籤証科
☎ 86755622（外国人専用）、87275934
🕐 9:00 ～ 17:00
🚫 土・日曜、祝日
観光ビザを最長30日間延長可能。手数料は160元

省人民医院
（省人民医院）
Ⓜ P.42-B2 ～ 3
🏠 碑林区友誼西路256号
☎ 85251331
🕐 24時間
🚫 なし

◆ 概要と歩き方

西安全体の概要

　陝西省の省都である西安は、関中平原の中部に位置し、北は渭河、南は秦嶺山脈に臨む。四季ははっきりしており、最も暑い7月の平均気温が27.0℃、最も寒い1月の平均気温が0℃。大陸性気候で、年間を通して乾燥している。

　かつて長安と呼ばれた古都西安には、紀元前11世紀から紀元後10世紀初頭までおよそ2000年の間、前漢（中国では西漢（西汉）と呼ぶ）や唐など13もの王朝の都がおかれ、秦の始皇帝、前漢の武帝、霍去病、唐の太宗、則天武后、唐の玄宗と楊貴妃など、歴史上のヒーローやヒロイン、そして、多くの物語を生み出した。その結果、西安の市街地や近郊には、彼らの活躍を誇るように現在でも多くの見どころが残っており、中国はもとより海外の観光客をも魅了している。

　また西安は、シルクロードの起点としても有名だ。前漢の外交使節として派遣された張騫、天竺まで仏教の経典を求め

玄奘ゆかりの大雁塔

る旅に出た玄奘（三蔵法師）など、旅人はこの地を出発しこの地に戻ってきた。シルクロードの語源となった中国の絹、そして茶や磁器などは、中央アジアを通ってヨーロッパに伝わり、そして、中国にも西方の物産や文化が伝わった。

　唐代の西安（長安）は、西方からやってきた多くの外国人でにぎわうメトロポリスとして繁栄を極めた。唐代の大詩人、李白の七言絶句『少年行』の中に

	1月	2月	3月	4月	5月	6月	7月	8月	9月	10月	11月	12月
平均最高気温（℃）	4.0	8.0	14.0	20.0	26.0	32.0	32.0	31.0	25.0	19.0	12.0	6.0
平均最低気温（℃）	-4.0	-1.0	8.0	8.0	13.0	18.0	21.0	20.0	15.0	9.0	2.0	-3.0
平均気温（℃）	0.0	2.0	8.0	14.0	19.0	25.0	27.0	25.0	19.0	14.0	7.0	1.0
平均降水量（mm）	6.4	10.6	23.9	46.3	60.7	53.1	95.2	85.2	107.5	59.0	26.0	6.0

も、碧眼の美女が登場する。西安の中心部には、当時の歌舞を鑑賞しながらディナーができる専用シアターもあり、いにしえの長安の面影を実際に目にすることもできる。

　西安と日本との交流も古い。隋唐時代には、日本から遣隋使や遣唐使が派遣され、日本の文化に多大な影響を及ぼした。興慶宮公園の阿倍仲麻呂紀念碑や青龍寺の空海紀念碑などは、日本と中国の交流の古さを物語るものだ。

　現代の西安は、国内外の多くの観光客が訪れる観光都市として、また中国北西部の政治と経済の中心地として発展を続けている。2019年9月現在、地下鉄は東西を結ぶ1号線、南北を結ぶ2号線、北東から南西を結ぶ3号線、おもに2号線の東側を並走する4号線が走っている。将来的には、西安咸陽国際空港まで通じる空港線の開通も予定されている。

各エリアの紹介

　悠久の都西安には、大小合わせると100ヵ所以上もの見どころがあり、すべてを見て回るとなると、ゆうに1ヵ月はかかってしまう。西安の魅力を堪能できるよう、滞在日数を含め、観光を始める前にしっかりと計画を練って、効率的に見学できるルートづくりをしよう。

　旅行者が訪れるおもな見どころは、エリアによって大きく4つに分けることができる。

◎西安市街地

　陝西歴史博物館、大雁塔、鐘楼など多くの見どころがあり、ホテル、レストラン、ショップなども多い。西安観光の拠点として、ほとんどの人がこのエリアに滞在するだろう。

　繁華街は、鐘楼を中心として東西南北に延びる東大街、西

ライトアップされた南門の城壁。西安の中心部は周囲14kmの城壁に囲まれている

市内交通

【地下鉄】 4路線が運行している。2～8元。各路線の運行区間、運行時間は以下のとおり。

1号線＝紡織城～後衛寨
6:00～23:30

2号線＝北客站～韋曲南
6:00～23:50

3号線＝魚化寨～保税区
6:00～23:00（魚化寨→保税区）
6:10～23:15（保税区→魚化寨）
4号線＝北客站(北広場)～航天新城
6:00～23:00

最新情報は公式ウェブサイトで確認できる

西安地鉄
🌐 www.xianrail.com

【路線バス】 運行時間の目安は6:00～23:00。市内1～2元、郊外行き1～9.5元

【観光専用バス】 西安駅前東側の広場などから各観光地に向かうバスが出ている（→P.41）

【タクシー】 普通車＝6:00～23:00は初乗り3km未満8.5元、3km以上1kmごとに2元、12km以上1kmごとに3元加算。23:00～6:00は初乗り3km未満9.5元、3km以上1kmごとに2.3元、12km以上1kmごとに3.45元加算。高級車＝6:00～23:00は初乗り2km未満8.5元、2km以上1kmごとに2.4元、8km以上1kmごとに3.6元加算。23:00～6:00は初乗り2km未満9.5元、2km以上1kmごとに2.7元、8km以上1kmごとに4.05元加算

夜の南門から見る鐘楼

大街、南大街、北大街。いずれも鐘楼に近づくほど便利になり、宿泊施設も多い。世界各地から旅行者の集まる西安には、高級ホテルばかりでなく、ビジネスホテルやゲストハウスなども数多くあり、リーズナブルに宿泊できる。地下鉄駅に近いホテルに泊まれば、各所へのアクセスも便利だ。

市街地は城壁内と城壁外に大きく分けられる。いわゆる見どころとしての観光スポットは城壁の内外に点在していて、見て回るには乗り物を利用する必要がある。町歩きとしての散策に向いているのは、もちろん城壁内。小物を取り扱う化覚巷や書院門、回族の文化を垣間見るイスラム通り、食べ歩きが楽しい回坊風情街もおもしろい。また城壁上を自転車や徒歩で一周するのも高い位置から町並みを望めて楽しい。中国北西部の重要都市として発展を続ける西安でも、地下鉄やバスで素通りしてしまうにはもったいない趣のある路地がまだまだ残っているので、時間が許すなら徒歩や自転車でゆっくりと散策したい。

西安周辺の見どころ

甘粛省

陝西省

宝鶏県

甘粛省

秦嶺山脈

●● 見どころ　▲▲ 陵墓　■■ 博物館　▲▲ 山　✈ 空港　━━ 鉄道　━━ 高速鉄道　━━ 高速道路　━━ 幹線道路

渋滞しやすい市街地を効率的に回るには、地下鉄やバス、タクシーをうまく利用しよう。目的地へは、付近まで渋滞のない地下鉄で行き、あとは徒歩、またはシェアサイクル（→P.78）などに乗り換えれば移動がスムーズだ。また、路線バスでも西安駅前や鐘楼付近を起点にすれば、効率よく回れるだろう。游5（306）路などの観光専用バスもある。市販されている西安の地図には地下鉄路線やバス路線も記してあるので、現地に到着したら最新地図を入手するとよい。駅周辺や繁華街の歩道にあるスタンドの売店で売られていて、値段は1部5～10元程度だ。また、城壁内外のバスターミナルには、各方面に向かうさまざまなバスがあるので、案内所で行き先を告げて、どれに乗ればよいか尋ねてみよう。

そのほか、高速鉄道専用の西安北駅は市街地北部にある。地下鉄2号線と4号線が直結しているので、他都市へのアクセスも便利だ。

南門は市街地の観光拠点

市中心部は城壁に囲まれている

清代を代表する最高学府があった書院門

回坊風情街一帯の通りでは回族文化を垣間見られる

西安ゆかりの人物たちのモニュメントが並ぶ大唐不夜城

華清池で上演中の『長恨歌』
ショーは根強い人気のある演目

◎東線ルート

　西安観光のハイライトともいえるエリア。世界遺産に登録された秦始皇帝陵博物院や、歴代の皇帝が訪れた湯治場である華清池、その南にそびえる景勝地の驪山などがある。

　これらの観光地を効率的に回るには、西安駅前東側の広場から発車している観光専用バスの游5（306）路を利用するか、旅行会社のツアーもしくは中国人向けツアーを利用するのがおすすめだ。游5（306）路の料金は、西安駅から秦始皇帝陵博物院までは片道7元、華清池までは片道6元。ツアー参加の場合、観光地の入場料

西安を代表する観光スポットの秦始皇兵馬俑博物館

込みで外国人向けのものは400元くらいから、中国人向けは300元前後。観光客の少ない冬場には料金が安くなる。タクシーをチャーターするなら半日で500元前後が目安だ。

◎西線ルート

彬県大仏寺石窟の大仏。高さ
20mで迫力ある容姿

　仏陀の指骨（仏舎利）や美しい珍宝を納める法門寺、漢の武帝の陵墓である茂陵、則天武后とその夫高宗の陵墓である乾陵など、歴史を彩ったヒーローやヒロインの陵墓が多い。またさらに北西に進めば、世界遺産「シルクロード」を構成する計33物件の遺産のひとつ彬県大仏寺石窟も西線の見どころ。

　これらの観光地に行くには、タクシーをチャーターする、旅行会社が主催するツアーに参加する、西安市街から近郊バスを利用する、などといった方法がある。また、漢陽陵博物館へは游4路のバスが運行している。

　西線ルートの見どころは西安から遠く、観光ポイントも多いので、じっくり見て回ると最低でも3〜4日はかかるし、おもな見どころだけでも丸1日かかってしまう。主要観光ポイントすべてを網羅している旅行会社の1日ツアーはなく、それぞれに訪問先が異なっている。したがって、西線ルートは、見学先を絞るか何日かに分けて行くことになる。

　タクシーを1日チャーターするなら、料金は800元が目安。ツアー参加の場合、観光地の入場料込みで外国人向けツアーは1000元くらいから、中国人向けツアーは法門寺、乾陵と、漢陽陵博物館または茂陵を回るコースで400元前後。

武帝の陵墓である茂陵。周囲は歩いて回れるようになっている

◎南線ルート

玄奘の遺骨が埋葬されている興教寺、日本の浄土宗とかかわりの深い香積寺、中国への仏教伝来に多大な貢献があった鳩摩羅什ゆかりの地、草堂寺がおもな見どころ。

見どころには、車をチャーターして行く方法と公共バスを利用する方法とがある。公共バスを利用する場合、下車後歩くことになる。タクシーのチャーター料金は、1日500元前後が目安。

◎そのほかのエリア

前述のエリアのほか、西安の約120km東にある華山への1日ツアーもある。ただし、前述した3つのエリアと比べると利用者が少ないこともあり、冬などのオフシーズンには、一定数の参加者が集まらないと催行されないケースもある。また、ほとんどが中国国内の観光客を対象としたものなので、

中国語ができないといろいろと不便なことがあるので要注意。

料金は華山1日ツアーが700元前後（車代、入山料、ロープウエイ往復料金込み）。

華山へは西安北駅から高速鉄道を利用するのが便利。市の東にある紡織城バスターミナルから華山行きバスを利用することも可能だ。

草堂寺に立つ鳩摩羅什像。周囲は山々を望むすばらしい景観

中国五岳のひとつ華山。ロープウエイを利用して頂上へアタックするのもよい

インフォメーション

観光専用バス「旅游车」

安い料金でおもだった観光地へアクセスできる観光専用バスは、路線バスと同様にさまざまな停留所を経由しているので便利な場所で乗降可能。例えば、游4路なら地下鉄2号線「市図书馆」出口付近（M地図外P.42-B1上）、游5路なら西安駅前東側広場（MP.45-D1）、游6路なら大雁塔北側（MP.43-C3）など。なお、游5（306）路の発着地点付近には、客引きをしている私営バスもある。国営バスには「游5（306）」と掲示されていて観光客の人気も高い。料金は1～7元。

▼游4路　漢陽陵博物館など。8:30 10:20、12:00、13:40、15:20、17:00発。復路は9:30、11:10、12:50、14:30、16:10、18:00発。現金のみ

▼游5（306）路　驪山、華清池、臨潼博物館、秦始皇帝陵博物院など。7:00～19:00、復路は8:10～19:00の間15分に1便

▼游6路　大雁塔、青龍寺、唐苑など。7:00～19:30の間15分に1便

▼游7路　鐘楼、小雁塔、西安城壁（南門）など。6:30～21:00の間20分に1便

▼游8（610）路　大唐芙蓉園、小雁塔、大雁塔、陝西歴史博物館、大興善寺、西安博物院、鐘楼、鼓楼、清真大寺、高家大院など。6:30～19:30の間15分に1便

▼游9（320）路　大雁塔、香積寺、西安秦嶺野生動物園など。6:00～19:30の間15～20分に1便

▼游10路　西安城壁（北門）、西安城市運動公園など。6:20～19:30の間15～20分に1便

西 安

A

B

大白楊南路
永安路
小白楊
大白楊南路

大興西路
大興東路
紅廟坡路
星火路
永興路
興中路
振華路

大興中学
工農路

未央区
省交通学校
自強西路

🅱観光専用バス乗り場(游4路)へ
農興路

1
博蜂巣酒店・漢城未央宮遺址・西安咸陽国際空港・西安未来テルホテル西安・精品店酒店sleepbox・へ
西安西駅

学儒北路
西苑路
「玉祥門」駅
環城北路
公仁寺
習武館
西北金橋
糧坊街
楊虎城紀念館
「北大街」駅
山園飯店

絲綢之路起点群像
開遠門駅
「労働路」駅
南方酒店
大慶路
地下鉄1号線

新園路
桃園東路
労働西路
労働西路
鉄塔寺路
凄都酒店
大唐時代
大酒店
華泰賓館
紫金山大道
古都文化
大酒店
薬都酒店
玉祥門
環城西路北段
恒佳好世界
大酒店

蓮湖区

西電集団医院
桃園東路

桃園西路
国結中路
桃園西路
国結西路
国結東路
国結路
豐鎬西路
豐鎬東路

第四十二中学
西関正街

児童公園
大慶市街
朝後街
西羊市
大皮院
化覚巷
北院門
回坊街

市公安局

シェラトン西安ホテル

西門橋西巷
創新路

桃園南路

安定門
(西門)
橋梓口
梆子市街
五味什字
府院街
碗水井街
南院門

2

西電公司技校
昆明路

豐登南路

豐慶公園

労働南路

空港商務酒店
(エアポートバス発着地点)

西安市バスターミナル
豊慶路

環城西路南段

環城南路西段

西北大学

グランドパーク西安

大白北路
大学南路
大唐西市博物館
大唐西市

永明岐山麺
高新店
西北工業大学

友誼医院

友誼西路
友誼西路
友誼南路
省人民医院
西安体育学院
西安烤鴨店
西荷花園店

小雁塔
(薦福寺)
西安博物

郵電北巷
紅綾路
郵電南路
合流路
朱雀大街
雁塔寺街
振興路

「延平門」駅
北京銀行
志誠・屋柏酒店
(エアポートバス発着地点)
大香港酒楼
西安電子科技大学
体育場北

省体育

3

シャングリ・ラ
ホテル 西安
「科技路」駅
光華路
雲城大道店
科技路

雁塔区

西安中国画院

「太白南路」駅

市公安局出入境管理処
(市公安局出入境管理処)
大白南路
西斜七路

大白北路
朱雀大街
二環南路西段
西安音楽学院
唐城賓館
第九十八中学
大興善寺
興善寺西街

「吉祥村」駅
西安東方大酒店
小寨東路
🛍賽格国際購物中心 小寨
海底捞火鍋 賽格国際購物中
城南
バスターミナル

科技一路
陝西銀行学校
吉祥路
西安美術学院

科技四路

西北税務学校
西北大学

A

↓中国東方航空西北支店マーケット部へ

B

● 見どころ　H ホテル　🅖 グルメ　🅐 ショップ　🅐 アミューズメント　B 銀行　🅧 学校　🖂 郵便局　⊞ 病院　〰〰 繁華街

42

地下鉄1号線 　地下鉄2号線 　地下鉄3号線 　地下鉄4号線

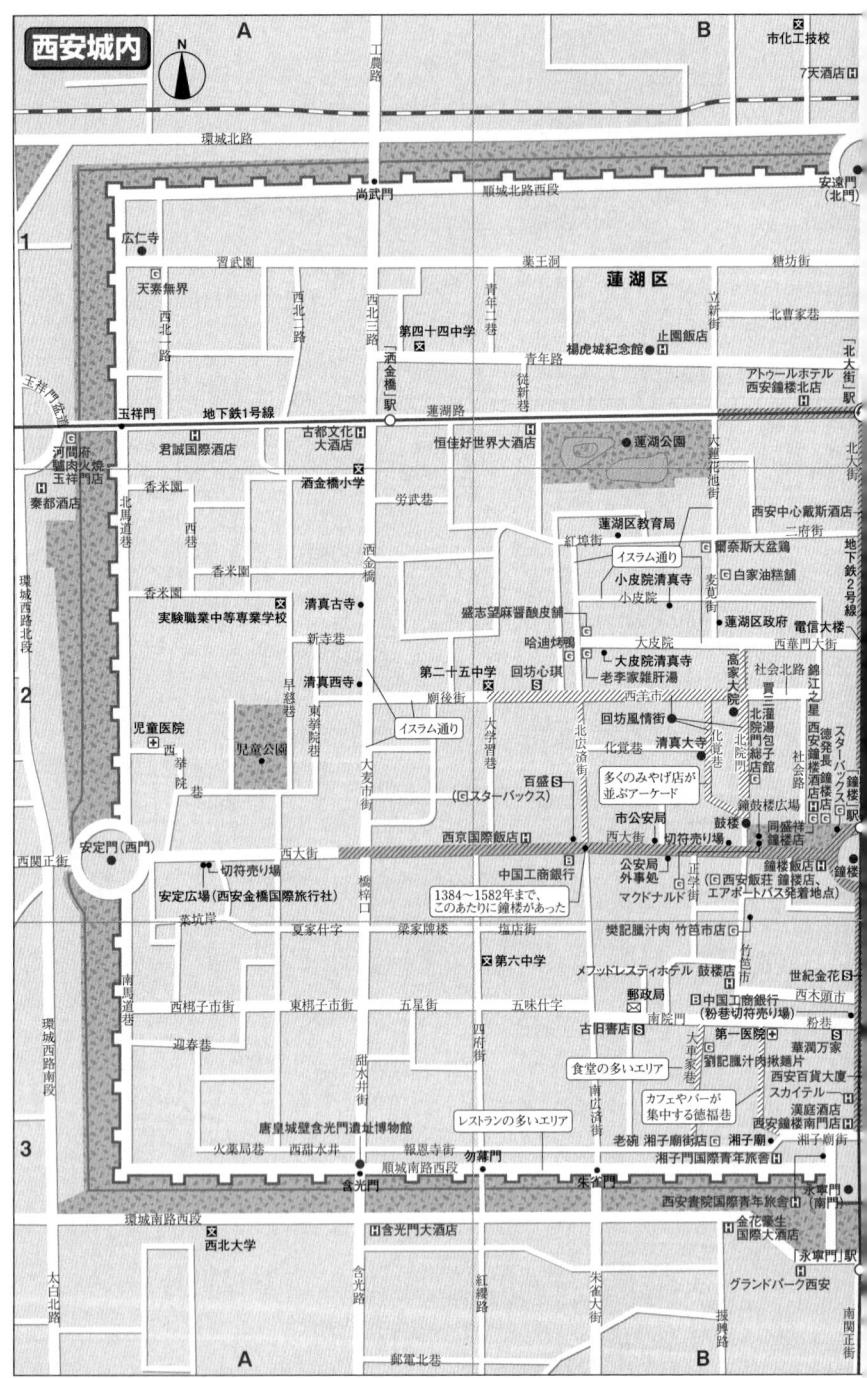

西安城内

A	B

N

環城北路

工農路
尚武門　順城北路西段

市化工技校
7天逸門
安遠門
（北門）

1

広仁寺
天素無界
習武園
西北三路
西北一路
薬王洞
第四十四中学
青年三巷
青年路
玉祥門街
西金橋駅
蓮湖路
蓮湖区
糖坊街
北曹家巷
立新街
楊虎城紀念館　止園飯店
アトゥールホテル
西安鐘楼北店
北大街駅

玉祥門
地下鉄1号線
古都文化大酒店
君誠国際酒店
恒佳好世界大酒店
蓮湖公園
地下鉄2号線

河間府驢肉火焼玉門店
秦都酒店
香米園
西巷
香米園
北馬道巷
香米園
酒金橋小学
酒金橋
労武巷
紅埠街
蓮湖区教育局
イスラム通り
小皮院清真寺
小皮院
盛志望麻醤酸皮舖
哈迪烤鴨
西安中心戴斯酒店
二府街
爾泰斯大盆鶏
白家油糕舖
蓮湖区政府
電信大楼
大皮院清真寺
老李家雑肝湯
高家大院
社会北路
貫三灌湯包子館
錦江之星
西安鐘楼酒店
スターバックス
西安鐘楼駅

2

実験職業中等専業学校
清真古寺
新寺巷
清真西寺
早慈巷
東新院巷
児童医院
西華院巷
児童公園
大麦市西街
第二十五中学
廟後街
大学習巷
大学習巷清真寺
北広済街
化覚巷
大皮院
回坊心旗
回坊風情街
化覚巷
清真大寺
社会北路
北院門
西羊市
鼓楼
同盛祥
鼓楼
鐘鼓楼広場
鐘楼
イスラム通り
百盛
スターバックス
多くのみやげ店が並ぶアーケード
市公安局
西大街
切符売り場
西京国際飯店
公安局外事処
マクドナルド
正学街
鐘楼飯店　鐘楼店、エアポートバス発着地点

安定門（西門）
西関正街
安定広場（西安金橋国際旅行社）
切符売り場
葉坑岸
中国工商銀行
1384～1582年まで、このあたりに鐘楼があった
西大街
鐘楼飯店
教場門
竹笆市街
樊記臘汁肉　竹笆市店
メフッドレスティホテル　鼓楼店
郵政局
中国工商銀行（粉巷切符売り場）
西木頭市
粉巷
世紀金花

3

南馬道巷
西椀子街
東椀子市街
五星街
夏家什字
梁家牌楼
五味什字
塩店街
四府街
四府街
古旧書店
南院門
大車家巷湘橋麺片
食堂の多いエリア
第一医院
劉記臘汁肉
華潤万家
西安百貨大廈・スカイテル一
老碗　湘子廟商店
カフェやバーが集中する徳福巷
湘子廟
湘子廟街
唐皇城壁含光門遺址博物館
甜水井
報恩寺街
博物清街
レストランの多いエリア
迎春巷
火薬局巷
西甜水井
湘子廟国際青年旅舎
西安書院国際青年旅舎
含光門
順城南路西段
勿幕門
朱雀門
永寧門（南門）

環城南路西段
西北大学
含光門天酒店
含光路
紅纓路
甜水井
朱雀大街
振興路
金花養生国際大酒店
グランドパーク西安
永寧門駅

太白北路
南関正街

A
郵電北巷
B

●見どころ	Ｈホテル	Ｇグルメ	Ｓショップ	Ａアミューズメント	Ｂ銀行	Ｃ学校	⊠郵便局	⊞病院	▨▨▨繁華街

44

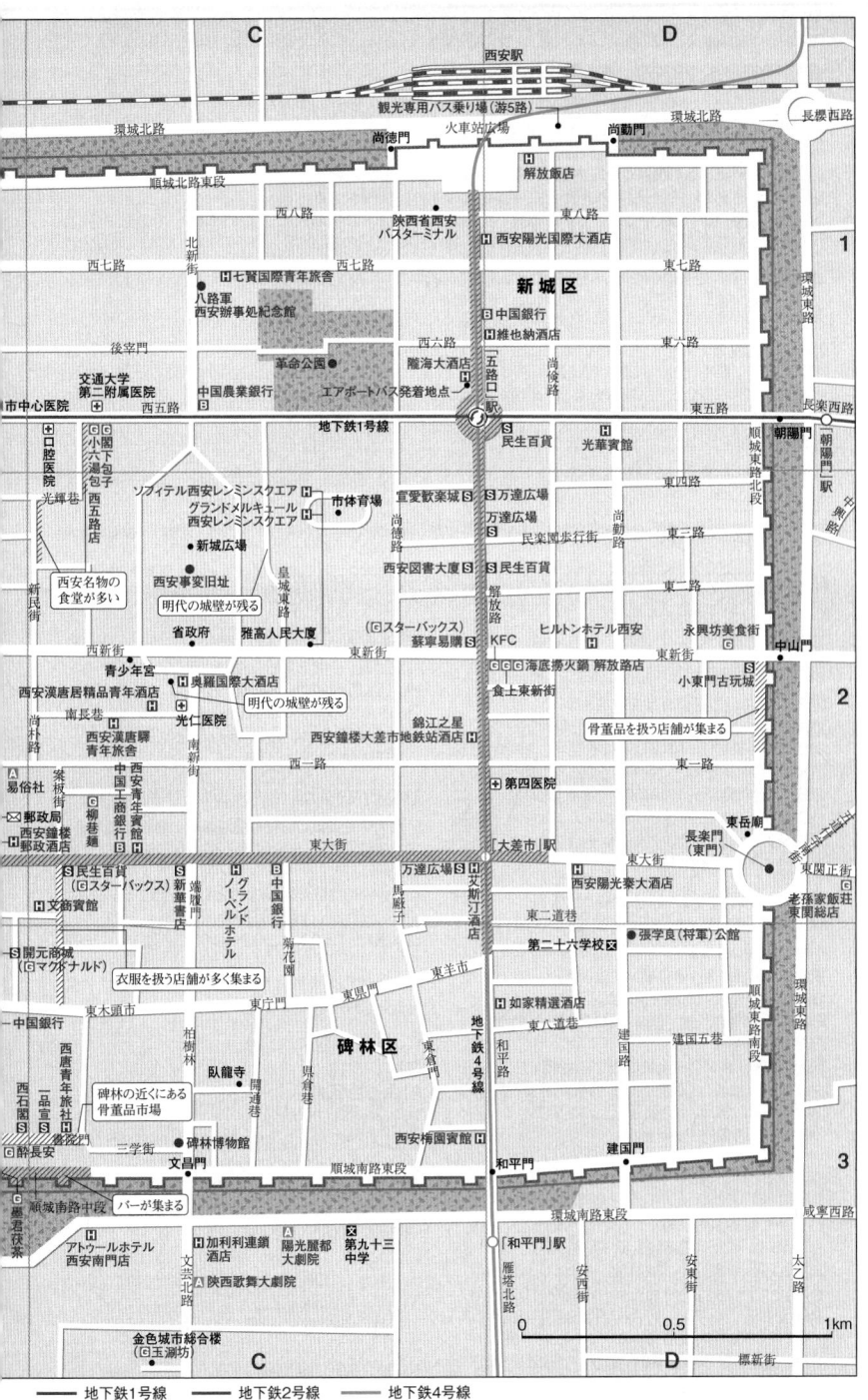

西安駅

C　　　　　　　　　　D

観光専用バス乗り場 (游5路)

火車站広場

環城北路　　　　　　　　　　　長標西路

尚徳門　　尚勤門

順城北路東段　　　　　　　　　解放飯店

西八路　　　　　東八路

西七路　　陝西省西安　　　　　西安陽光国際大酒店
バスターミナル

七賢国際青年旅舎　　　西七路　　　　新城区　　東七路

八路軍　　　　　西六路　　　中国銀行
西安辦事処紀念館　　　　　　　　雑也納酒店

後宰門　　革命公園　　隴海大酒店　　西六路
交通大学　　　　　　　エアポートバス発着地点　五路口駅
第二附属医院　中国農業銀行　　　　　　　　　尚倹路
市中心医院　　　　　　西五路　　　　　　　　　東五路

環城東路

朝陽門 朝陽門駅

口腔医院　園六溜包子　地下鉄1号線
小園六溜包子　　　　　民生百貨　光華賓館　順城東路北段
西五路店

光輝巷　ソフィテル西安レンミンスクエア　市体育館　宣愛歓楽城　万達広場　　東四路
グランドメルキュール　　　　　万達広場
西安レンミンスクエア　尚徳路　民楽園歩行街　尚勤路　東三路

新城広場
西安名物の　西安事変旧址　皇城東路　西安図書大廈　民生百貨
食堂が多い　明代の城壁が残る　　　　　　解放路　　　　東二路

省政府　雅高人民大廈　　スターバックス　KFC　ヒルトンホテル西安　永興坊美食街
蘇寧易購　　　　　　　　中山門
青少年宮　奥羅国際大酒店　　東新街　海底撈火鍋 解放路店　小東門古玩城
西安漢唐精品青年酒店　明代の城壁が残る　　　食上東新街
南長巷　光仁酒店　　　　錦江之星　骨董品を扱う店舗が集まる
西安漢唐驛　南新街　西安鐘楼大差市地鉄站酒店　東一路
青年旅舎
易俗社　中国工商銀行　　西一路
郵政局　柳巷酒店　第四医院
西安鐘楼　　　　　　　　　　　　東岳廟
郵政局
民生百貨　大大街　万達広場　艾斯汀酒店　東大街　長楽門 (東門)
スターバックス　新華書店　中国銀行　　　　西安陽光豪大酒店　老孫家飯荘
文鑫賓館　臙脂地　グランド　馬廠子　　　　　　　　　　　東関総店
ノーベル　　　　　菊花園　　東二道巷
開元商城　ホテル　衣服を扱う店舗が多く集まる　第二十六学校　張学良 (将軍) 公館
マクドナルド　　　　　　　東県門　　東羊市
中国銀行　　柏樹林　碑林区　如家精選酒店
西石閣　西唐青年旅社　臥龍寺　隋通巷　東倉巷　和平路　建国五巷
一品宣　盛府巷　　　　碑林の近くにある　県臯巷　　　　　　建国門
酔長安　　　　　骨董品市場
順城南路中段　三学街　碑林博物館　順城南路東段　和平門　環城南路東段
文昌門
バーが集まる
魁君伏茶
アウールホテル　加利利連鎖　陽光麗都　第九十三　　　　安西街
西安南門店　酒店　大劇院　中学　　　雁塔北路　安東路
陝西歌舞大劇院　　　　　　和平門駅
金色城市総合楼　　　　　　　　　　0　　0.5　　1km
玉瀾坊　　　　　　　　　　　　　　　　　　太乙路

C　　　　　　　　　D　　標新街

地下鉄1号線　　　地下鉄2号線　　　地下鉄4号線

45

Access

空港見取り図 ➡ P.327　中国国内の移動 ➡ P.338

 飛行機

西安の北西約25kmの所にある西安咸陽国際空港（XIY）を利用する。ターミナル1〜3があり、1階が国内線と国際線の到着、2階が出発ロビー。国際線の発着はターミナル3（T3）を利用する。

国際線 成田（6便）、関西（10便）、中部（11便）、静岡（4便）、沖縄（2便）。

国内線 北京、蘭州、敦煌、ウルムチなど主要都市との間に運航便がある。

所要時間（目安） 北京首都（PEK）／1時間55分　上海浦東（PVG）／2時間15分　西寧（XNN）／1時間30分　銀川（INC）／1時間20分　蘭州（LHW）／1時間15分　敦煌（DNH）／2時間35分　ウルムチ（URC）／3時間35分

 鉄道

隴海線や西康線などの西安駅、西成線や大西線など高速鉄道専用の西安北駅を利用する。発着本数はどちらの駅からも多数あるので切符は入手しやすい。ただし、寝台切符は別。確実に手に入れるには、なるべく早く旅行会社に依頼しよう。

所要時間（目安）【**西安（xa）**】北京西（bjx）／直達：12時間30分　上海（sh）／直達：15時間20分　宝鶏（bj）／直達：1時間35分　西寧（xn）／直達：10時間　銀川（yc）／快速：14時間　蘭州（lz）／直達：7時間30分　敦煌（dh）／快速：22時間10分　ウルムチ南（wlmqn）／直達：25時間　【**西安北（xab）**】北京西（bjx）／高鉄：5時間40分　上海虹橋（shhq）／高鉄：6時間　宝鶏南（bjn）／高鉄：1時間　西寧（xn）／動車：5時間30分　蘭州西（lzx）／高鉄：3時間10分

バス

市区にはおもだったバスターミナルが5ヵ所あり、西北エリア各地と西安とを結ぶバスが運行している。

所要時間（目安） 宝鶏／2時間30分　銀川／10時間　華陰／1時間20分　法門寺／2時間　扶風／2時間　乾県／1時間10分　興平／45分

Data

飛行機

西安咸陽国際空港（西安咸阳国际机场）

Ⓜ P.38-B2　田咸阳市渭城区底张镇

☎問い合わせ＝96788　航空券売り場＝96780

🕒始発便〜最終便　休なし　🈲不可

[移動手段] エアポートバス（空港〜市内）／15〜25元、所要1時間〜1時間30分。14路線あり。詳細→www.xxia.com「トップ画面」＞メニューバー「机场交通」＞「机场大巴」　タクシー（空港〜鐘楼）／120〜150元、所要1時間が目安

中国東方航空西北支店マーケット部
（中国东方航空西北分公司市场部）

Ⓜ地図外（P.42-A3下）

田雁塔区錦業一路1号東航大廈B座1階

☎問い合わせ＝95530（24時間）

🕒8:30〜17:00（土・日曜、祝日9:00〜17:00）

休なし　🈲不可

[移動手段] タクシー（中国東方航空西北支店マーケット部〜鐘楼）／35元、所要30分が目安　路線バス／6、271、324、411路「唐延路錦業路口」

3ヵ月以内の航空券を販売。

鉄道

西安駅（西安火车站）

Ⓜ P.45-C〜D1　田新城区環城北路44号

☎共通電話＝12306　🕒24時間　休なし　🈲不可

[移動手段] タクシー（西安駅〜鐘楼）／所要15分が目安　地下鉄／1、4号線「五路口」　路線バス／游5（306）、游7、游8（610）、5、14、17、30、42、103、201、511、603、607、611、703路「火车站」

28日以内の切符を販売。

西安北駅（西安北站）

Ⓜ地図外（P.43-B1上）　田未央区尚新路李家街村

☎共通電話＝12306　🕒5:30〜24:00　休なし　🈲不可

[移動手段] タクシー（西安北駅〜鐘楼）／50元、所要45分が目安　地下鉄／2号線「北客站」

28日以内の切符を販売。

粉巷切符売り場（粉巷售票处）

市内には多数切符売り場がある。列車の切符売り場を意味する「火车票代售点（鉄道切符売り場）」の看板が目印。

Ⓜ P.44-B3　田碑林区南大街50号（中国工商銀行南大街支店粉巷側）　☎予約電話＝96688

🕒9:00〜12:00、13:00〜16:30　休なし　🈲不可

[移動手段] タクシー（粉巷切符売り場〜鐘楼）／10元、所要3分が目安　徒歩／5分

バス

陝西省西安バスターミナル
（陕西省西安汽车站）

Ⓜ P.45-C1　田新城区西八路19号火车站广场対面

☎問い合わせ＝87427420

🕒6:00〜20:00　休なし　🈲不可

[移動手段] タクシー（陝西省西安バスターミナル〜鐘楼）／10元、所要15分が目安　地下鉄／1、4号線「五路口」　路線バス／游5（306）、游7、游8（610）、5、14、17、30、42、103、201、511、603、607、611、703路「火车站」

15日以内の切符を販売。宝鶏（7:00〜20:00の間40分〜1時間に1便）、銀川6便（8:00、12:00、13:00、15:30、16:30、19:30発）。

紡織城バスターミナル（纺织城客运站）

Ⓜ地図外（P.43-D1右） 🏠灞橋区長楽東路283号
☎問い合わせ＝83460000
🕐6:30〜19:30 🈑なし 🈂不可
[移動手段] タクシー（紡織城バスターミナル〜鐘楼）／45元、所要40分が目安 地下鉄／1号線「紡織城」

　15日以内の切符を販売。華陰（7:30〜19:30の間1時間に1便）。

城西バスターミナル（城西客运站）

Ⓜ地図外（P.42-A1左） 🏠蓮湖区棗園東路92号
☎問い合わせ＝84630000
🕐6:30〜19:50 🈑なし 🈂不可

[移動手段] タクシー（城西バスターミナル〜鐘楼）／25元、所要25分が目安 地下鉄／1号線「汉城路」

　15日以内の切符を販売。法門寺4便（9:00、10:00、11:40、16:30発）、扶風（7:15〜19:25の間30分に1便）、乾県（7:00〜19:30の間20分に1便）、興平（7:30〜19:30の間20分に1便）。

城壁の北側にある西安駅

インフォメーション

地下鉄、バスで利用可能なICカード「長安通」

　車が多く、渋滞しやすい西安市街地では、地下鉄での移動がスムーズだ。乗車の際は、現金で磁気カード状の切符の購入もできるが、交通系ICカード「長安通」やフリーパスの利用がキャッシュレスで便利。「長安通」は、地下鉄駅構内の専用販売機で購入でき、料金はカード代18元を含む50元から（利用可能料金は32元）。チャージは専用販売機、構内の窓口で可能で、西安市内の地下鉄やバス、エアポートバス、咸陽市の路線バスなどで使用できる。カード内の残額返金は、市内数ヵ所のサービススポット（詳細→⊕www.xaykt.com（トップ画面）＞05服务网点＞售后服务网点）でしかできないので、チャージ金額に注意が必要。長安通のほかには、駅構内の窓口で購入できる地下鉄乗り放題のフリーパスがある。1日券15元、3日券40元。

「長安通」販売機

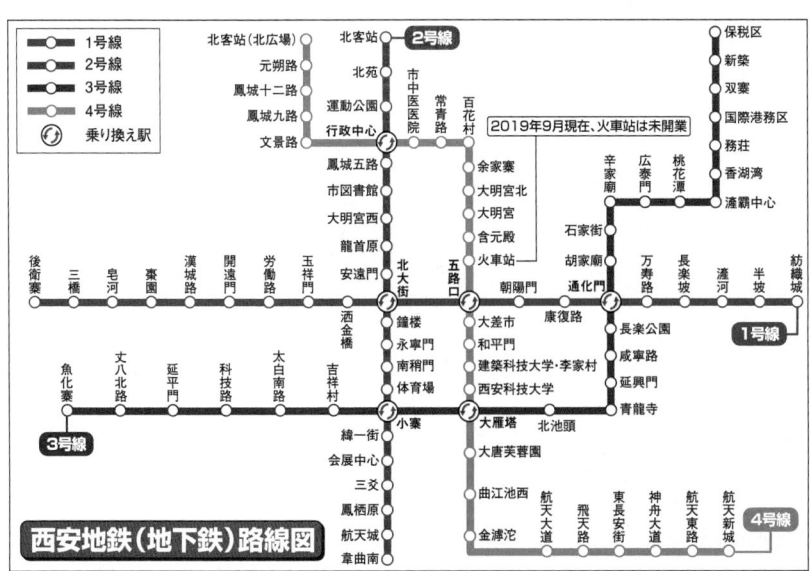
西安地鉄（地下鉄）路線図

碑林博物館

M P.45-C3
田 碑林区三学街15号
☎ 87210764
🕐 3～6月、9～11月
　8:00～18:30
　7・8月8:00～19:00
　12～2月8:00～18:00
※入場は閉館45分前まで
休 なし
图 3～11月=65元
　12～2月=50元
※西安城壁との共通券は100元
🚇 ①地下鉄2号線「永寧門」
　②14、23、40、208、216、221、
　258、402路バス「文昌門」
🌐 www.beilin-museum.com

※1　唐の太宗
　第2代皇帝(在位626～649年)。
実質的に唐王朝を建国した。有
能な部下に恵まれ、貞観の治と呼
ばれる理想的な治世を現出した

※2　唐の玄宗
　第6代皇帝(在位712～756年)。
則天武后、韋后による政治的混
乱を収拾し、開元の治と呼ばれ
る治世を生み出したが、晩年は
政治を厭い、安史の乱の遠因と
なった。楊貴妃とのロマンスで
も有名

※3　顔真卿
　709～786年頃。唐の忠臣で、安
史の乱のときに功を挙げた。書
の大家でもあり、「顔体」と呼ば
れる新しい作風を生み出した

貴重な石刻を多数展示する新石
刻芸術館

貴重な石碑が林立する博物館　🕐2時間　★★★

碑林博物館／碑林博物馆
ひりんはくぶつかん　bēilín bówùguǎn

　1950年創建の陝西省立の博物館。もともと孔子廟(文廟とも呼ばれる)だった所を博物館とした。現在、8万点以上の収蔵物があり、孔子廟、碑林、石刻芸術室の3部分からなっている。

　博物館の東端にある石刻芸術室では、石像やレリーフが時代順に展示されてい

孔子廟の面影が残る照壁

る。漢、唐代の墓石類と宗教石刻類の2種類に大別できる。唐の太宗※1の六頭軍馬のレリーフ昭陵六駿が最も有名だが、展示のうち2点は複製品で、オリジナルはアメリカにある。

　また、碑林博物館一帯は、北魏から唐の時代にかけて多くの寺院が建ち並んでいた地であり、仏像の制作が盛んに行われた。2011年に中国建築の最高賞である「魯班賞」を受賞した新石刻芸術館では、西安地域の典型的な様式をもつ幅広い時代の貴重な石刻の仏像を展示している。

　博物館の中心をなすのが、いちばん奥にある碑林。創建は、1087(北宋の元祐2)年。多くの石碑が林立するところから碑林という名がついた。敷地内に、秦漢代から近代までの石碑や墓碑碑文など4000点余りが収蔵され、7つの陳列室、6つの廊下、8つの碑亭で構成されている。唐の玄宗※2が自ら儒家の経典孝経に注解を加えて隷書で書いた石台孝経(碑亭)、114個の石の両面に65万字の儒家経典を刻した開成石経(第一陳列室)などが有名。顔真卿※3ら唐代の大書家による石碑、キリスト教ネストリウス派の布教代表団との交流を記述した大秦景教流行中国碑、空海の師匠の恵果が師事したインド僧、不空和尚の一生を記した不空和尚碑なども見逃せない。

第一陳列室に収蔵されている開成石経

三蔵法師が翻訳に取り組んだ場所　⊘2時間　★★★

大雁塔（慈恩寺）／大雁塔（慈恩寺）
だいがんとう（じおんじ）　dàyàntǎ (cíēnsì)

玄奘三蔵院の玄奘像

慈恩寺は、唐の第3代皇帝高宗（628～683年）が、648（唐の貞観22）年に母である文徳皇后を供養するために建立した仏教寺院。慈恩寺の名は「慈愛深い母の恩徳を追慕する」という意味で名づけられた。慈恩寺の前身は隋代に建立された無漏寺。隋末の戦乱で焼失したため、高宗が再建した。

　唐代の慈恩寺は、大殿、大仏殿、塔北殿、翻経院、元果院、太真院、東院、西院、浴室院などから構成され、敷地面積も現在の7倍以上あった。唐末の戦乱で大雁塔だけになったが、後に修復、拡張が繰り返されてきた。

　現在、寺の面積は3万2314㎡で、これは唐代の西院の部分に当たり、山門、鐘楼、鼓楼、大殿、二殿、大雁塔、玄奘三蔵院などで構成されている。

　院内に立つ四角7層、高さ64mの塔が大雁塔。塔に上ると、西安市内を一望できる。大雁塔は、玄奘がインドから持ち帰った大量のサンスクリット語経典や仏像などを保存するため、652（唐の永徽3）年に建立された。創建時はインド様式の5層仏塔だったが、その後修復が繰り返し行われ、明代に現在の姿になった。塔の南側には、唐代の名書家褚遂良の手による石碑が立っている。

　また、慈恩寺一帯は曲江新区という観光エリアになっていて、唐代を再現したテーマパーク大唐芙蓉園、長安の名園として名高い唐大慈恩寺遺跡公園、唐にゆかりの人物像が並ぶ大唐不夜城などもあり、夜間にはライトアップされ多くの観光客でにぎわっている。

大雁塔の周囲は夜間もにぎわう。園内には電動カートも走る

大雁塔（慈恩寺）
Ⓜ P.43-C3
🏠 雁塔区慈恩路1号
☎ 85527958、85518039
🕐 3～10月8:00～18:30
　11～2月8:00～18:00
※入場は閉門30分前まで
🈳 なし
💴 40元
※塔に上る場合は別途料金が必要。販売は閉門15分前まで
3～10月＝25元
11～2月＝20元
🚇 ①地下鉄3、4号線「大雁塔」②游6、游8（610）、21、22、23、24、41、601、606路バス「大雁塔南广场」
🌐 www.xiandayanta.cn

塔の内部。四方に窓がある

●電動カート
大雁塔北広場と玄奘広場の南北間を結ぶ。10:00～22:30、1乗車10元

●大唐不夜城
玄奘広場の南側にある、彫像と商業施設などで構成された広場。西安の歴史にゆかりある人物たちの彫像が並び、夜は華やかにライトアップされる。周遊観光列車は1周15元（支払いはモバイル決済のウィーチャットペイのみ）

●周辺で行われるふたつのショー
▼『再回大雁塔』
シルクロードを経て西域から経典を得た玄奘三蔵の生涯を描く
🏠 大雁塔北広場
🕐 21:00～22:00
💴 380、580元（舞台東側のスタンドで販売）
▼『再回長安』
唐代から現代にいたる西安の文化、生活、飲食、風俗を描く
🏠 開元広場
🕐 19:30～20:00
💴 280元（舞台西側のスタンドで販売）

陝西省　西安

見どころ

49

陝西歴史博物館
Ｍ P.43-C3
囲 雁塔区小寨東路91号
☎ 85253806
🕙 3月15日～11月14日
　8:30～18:00
　11月15日～3月14日
　9:00～17:30
※入場は閉館1時間30分前まで
休 月曜（月曜が特定の記念日や祝
　日の場合は開館）、陰暦大晦日
料 無料
※大唐遺宝展＝30元
　唐代壁画珍品館＝300元
※入館は予約制。有料チケットは
　常設展示の入場も含む
※入館はすべて予約制となって
　おり、直接行っても入館するこ
　とはできない。予約にはウィー
　チャットアカウントが必要。ま
　ず自分のアカウントで陝西歴史
　博物館の公式アカウントを追加
　し、「我要预约（予約する）」から予
　約する（中国語のみ）。表示画面
　で、希望入館日時と希望展種（無
　料入場券、大唐遺宝展＝30元、
　唐代壁画珍品館＝300元の3種）
　を選択し、氏名、電話番号、パス
　ポート番号を入力する。予約が
　確定すると「查看订单（予約を調
　べる）」で、予約番号を確認でき
　る。入館当日は予約時間内に、入
　場ゲート東側の8番窓口（外国人
　専用）で、予約番号とパスポート
　を提示し入場券と引き換える。
　上記の予約手続きが困難な場合
　は旅行会社へ代行を依頼すると
　よい
🚇 ①地下鉄2、3号線「小寨」、3、4号
　線「大雁塔」
　②游8（610）路バス「翠华路」、游
　8（610）、5、19、24、26、30、401、
　701路バス「陕西历史博物馆」
🌐 www.sxhm.com

西安博物院
Ｍ P.42-B3
囲 碑林区友誼西路72号
☎ 87803591
🕙 3月15日～10月31日
　9:00～18:00
　11月1日～3月14日
　9:00～17:30
※入場は閉館1時間前まで
休 火曜（火曜が特定の記念日や祝
　日の場合は開館）
料 無料
※小雁塔の敷地内には、西安伝統
　の影絵劇などを上演する小劇場
　もある。9:00～17:00の毎正時
　から約25分間上演、30元
🚇 ①地下鉄2号線「南稍门」
　②游7、游8（610）、18、21、29、
　32、40、46、203、218、224、407、
　410、521路バス「小雁塔」
🌐 www.xabwy.com

3000点もの逸品が展示されている　🕙2時間　★★★

陝西歴史博物館／陕西历史博物馆
せんせいれきしはくぶつかん　　shǎnxī lìshǐ bówùguǎn

秦代の青銅龍

伝統的宮殿様式の外観をもつ陝西歴史博物館は、中国で最も施設が整っている博物館のひとつ。博物館の敷地面積は約7万㎡、床面積は5万㎡。参観ルートは1500mにも及ぶ。

1階の第一展覧室には先史時代から秦代、2階の第二展覧室には漢代から魏晋南北朝時代、同じく2階の第三展覧室には隋、唐、宋、明、清各時代の文物が陳列されている。

見逃せない展示物として、則天武后の母、楊氏の陵墓から出土した巨大な獅子像、先史時代の彩陶瓶、殷周代の複雑な文様の青銅器、朱雀や玄武が彫り込まれた前漢時代の瓦、永泰公主墓（→P.71）をはじめとする唐代の陵墓から出土した壁画や唐三彩、人間の殉葬代わりにされた俑陶などが挙げられる。

仏僧義浄ゆかりの地　🕙1時間　★★★

西安博物院／西安博物院
せいあんはくぶついん　　xīān bówùyuàn

文物展館区と歴史名勝区、園林遊覧区の3つからなる見どころ。文物展館区には円錐形の屋根が特徴的な西安博物院があり、西安周辺から出土した青銅器や仏像、陶器、玉器、書画、印章などの文物を展示している。

静かな公園内に立つ小雁塔

観光の中心となるのは、薦福寺と小雁塔がある歴史名勝区。薦福寺は684（唐の文明元）年創建。唐の第4代皇帝中宗（657～710年）が、父高宗の供養のため建造した。高僧の義浄（635～713年）は、ペルシアの商船に乗り込んでインドネシアやインドなどを回り、695（唐の証聖元）年に400余りのサンスクリット語の経典を携えて帰国。この薦福寺で翻訳作業を行った。

小雁塔は、大雁塔が建てられた半世紀後の707（唐の景龍元）年創建。正式名称は薦福寺塔だが、形や構造が大雁塔より小ぶりなことから小雁塔と呼ばれるようになった。軒と軒の間が狭い造りは密檐式と呼ばれ、小雁塔の特徴となっている。当初は15層の塔だったが、地震で上部の2層が壊れ、13層43mの塔となった。

回族文化でにぎわう、西安中心部の一大エリア　🕐1時間 ★★★

回坊風情街／回坊风情街
かいぼうふぜいがい　huífāng fēngqíngjiē

西羊市の牌坊

鼓楼の北側に広がる回坊風情街は、イスラム教を信仰する回族の食文化を体感できる繁華街。国内外の観光客でいつもにぎわっており、通りが人であふれて歩きにくいこともある。

　唐と元の時代を通じて、長安には西域から多くのイスラム教徒がやってきた。彼らが西安に住む回族の祖先といわれる。回族は、清真寺を中心にして固まって居住したことから、町の中にはいくつもの回民街と呼ばれるエリアができた。回坊風情街は清真大寺（→P.56）の周りに住む回族の居住エリアから発展した商業街で、30年ほど前に通りに面した家を店舗にして食べ物などを売り始めたのが始まりといわれる。その後、露店なども増え、回族の小吃（軽食）を味わえるエリアとして観光地化していった。

　回坊風情街と呼ばれるエリアは、おもにメインストリートの北院門、北院門から西へ延びる通りの西羊市、さらに北院門に平行し、清真寺につながる通りの化覚巷の3つの通りからなる。北院門の最南端には鼓楼があり、最北端には回坊風情街の牌坊がある。通りの両側に建ち並ぶ飲食店は、明清代の建築様式を採っていて、明の四合院である高家大院（→P.58）は、北院門の見どころにもなっている。イスラム料理を指す「清真」の看板を掲げた店舗では、羊肉の串焼き「羊肉串」や、羊肉とパンと春雨のスープ「羊肉泡馍」などの豚肉を使わない料理をはじめ、緑豆あんの伝統的なおやつ「緑豆糕」や、柿ペースト入りの揚げ餅「黄桂柿子餅」などのスイーツを売っている。

回坊風情街
Ⓜ P.44-A～B2
🏠 北院門、西羊市、化覚巷一帯
☎ なし
🕐 24時間
✖ 店舗により異なる
💴 無料
🚇 ①地下鉄2号線「鐘楼」
　②游8（610）、7、15、32、43、45、205、221、251、300、618、622路バス「鐘楼西」

唐辛子や山椒でスパイシーな味つけをした羊肉串

看板の「清真」の文字はイスラム料理を意味する

陝西省　西安

見どころ

夜の回坊風情街。週末や観光シーズンは旅行客でごった返す

鐘楼
Ⓜ P.44-B2
🏢 碑林区東大街、西大街、南大街、
北大街交差点
☎ 87214665、87274580、87288397
🕐 5月～10月上旬8:30～20:30
　10月中旬～4月8:30～18:00
※入場は閉門30分前まで
🈺 なし
💴 30元
※鼓楼との共通券は50元。共通券
販売は閉門の1時間30分前まで
🚇 ①地下鉄2号線「鐘楼」
　②游7、4、12、26、36、37路バス
「鐘楼北」、6、11、16、26、29、35、
36、46、203、208、215、603、605、
608路バス「鐘楼南」、游8（610）、
7、15、32、43、45、205、221、251、
300、618、622路バス「鐘楼西」

南門から見た鐘楼。徒歩で約15
～20分の距離

鼓楼
Ⓜ P.44-B2
🏢 蓮湖区西北院門47号
☎ 87214665、87274580、87288397
🕐 5月～10月上旬8:30～20:30
　10月中旬～4月8:30～18:00
※入場は閉門30分前まで
🈺 なし
💴 30元
※鐘楼との共通券は50元。共通券
販売は閉門の1時間30分前まで
🚇 ①地下鉄2号線「鐘楼」
　②游8（610）、7、15、32、43、45、
205、221、251、300、618、622路
バス「鐘楼西」

●太鼓の演奏時間（約10分間）
9:30、10:15、11:00、11:45、14:00、
14:45、15:30、16:20

町の中心に鎮座する重要建築物 ★★

鐘楼／钟楼
しょうろう　　zhōnglóu

　市街の中心部、東西
南北の4つの大通りが交
わる場所に立つ。時を
知らせる、戦時に物見
台や司令部になる、町
の中心としての機能を
果たすなど、西安の町
にとって非常に重要な
役割を担っていた。楼

鼓楼側から望む鐘楼

閣に上り、眼下を望むと、道路が東西南北の門に通じていて、
ここが町の中心であることを確認することができる。

　1384（明の洪武17）年の創建当時は、現在の西大街と
広済街の交わるあたり（Ⓜ P.44-B2）にあったが、1582（明
の万暦10）年に現在の場所に移された。当時は唐代の景雲
年間（710～711年）に鋳造された景雲鐘が使われていたが、
現在の場所に鐘楼が移された際、音が響かなくなり、ほかの
鐘に替えられた。現在、鐘楼の北西角に陳列されている重さ
5トンの鐘は、景雲鐘より小さい。景雲鐘は碑林博物館にあ
るので、大きさを比べてみよう。

　鐘楼の高さは36m。鐘楼は多くの都市に残っているが、
西安のものは、北京などと並ぶ最大級のもの。石の土台の上
に楼閣が建てられている。

　楼閣は重檐複屋という造りで、屋根は3層だが、実際は2
階建てになっている。楼閣の扉には有名な故事をモチーフに
した浮き彫りがある。

太鼓の音で時を告げていた ★★

鼓楼／鼓楼
ころう　　gǔlóu

　鐘楼の西側、西大街と北
院門を隔てて立つ。西安
の鼓楼が建てられたのは、
1380（明の洪武13）年で、
鐘楼の創建より4年早い。
高さは33m。現在、楼閣
の周囲は鐘鼓楼広場になっ
ており、市民の憩いの場と
なっている。

回坊風情街にも近い鼓楼

　鼓楼の中には大太鼓がつるされており、かつてはそれを鳴
らして時刻を知らせていた。楼閣の周囲に並べられた太鼓に
は、それぞれ季節や天候を表す文字が書かれている。楼上で
は太鼓の演奏を楽しむことができる。

西安古城のシンボル　　　　　　　　　　★★
西安城壁／西安城墙
せいあんじょうへき　　xiān chéngqiáng

城壁上は市街地の喧騒を感じさせない

　　　　　　　　　現存する城壁は、唐の長安城を基礎にして、1370～1378（明の洪武3～11）年にかけてれんがを積み上げて築かれたもの。その後たびたび修理が行われ、現在の姿になった。
　　　　　　　　　城壁は東西に長く、南北に短い長方形で、周囲の長さは約14km。高さは12m、上部の幅が12～14m、底部の幅は15～18mある。東には朝陽門、中山門、長楽門（東門）、西には玉祥門、安定門（西門）、南には建国門、和平門、文昌門、永寧門（南門）、朱雀門、勿幕門、含光門、北には尚武門、安遠門（北門）、尚徳門、尚勤門の門が残っており、東門、西門、南門、北門の4つには、物見櫓に当たる城楼や矢を射る窓をもつ箭楼などが設置されている。また、西門は西方のシルクロードを望む最大の城門で、ここから多くの人たちが西を目指して出立した。
　　観光ポイントになっているのは南門。ここから城壁に上り、市内を見渡すことができる。城壁の上を歩くのもいいが、結構な距離があるのでレンタサイクル、または電動カートで一周するのもよい。また、南門では『夢長安』と題したナイトショーを上演している。ライトアップされた城壁を背景に、唐代の衣装を身に着けた演者たちが舞い踊る。含光門には、城壁の歴史を紹介する唐皇城壁含光門遺址博物館がある。

西安城壁
Ⓜ P.44～45
🏠 南門＝碑林区南大街2号
☎ 南門＝87272792
🕐 南門＝8:00～24:00
　　中山門＝8:00～21:00
　　上記以外の城門＝
　　5～10月8:00～19:00
　　11～4月8:00～18:00
　　※『夢長安』の上演は火～日曜、
　　　20:00～21:00
🈳 なし
💴 54元
　　※『夢長安』の観覧込みの入場料＝260元
　　※碑林博物館との共通券は100元
🚇 ① 地下鉄2号線「永寧门」
　　② 游7、6、11、12、23、26、35、40、46、215、608、609路バス「南门外」
🌐 www.chinaxiancitywall.com

●レンタサイクル
🕐 南門＝8:00～22:00
　　東門、西門、北門＝8:15～20:00
💴 1人乗り＝3時間45元
　　2人乗り＝3時間90元
　　※保証金100元が必要

●電動カート
💴 1周＝120元
　　1区間＝30元（乗降地点は南門、西門、北門、東門）

●唐皇城壁含光門遺址博物館
🕐 3～11月8:00～19:00
　　12～2月8:00～18:00
🈳 なし
💴 西安城壁の入場料に含まれる
　　※唐皇城壁含光門遺址博物館のみの入場は不可

町明かりを眺めつつ散策するのもよい。日没後の城壁上は暗いので足元に注意

大興善寺
Ⓜ P.42-B3
🏠 雁塔区興善寺西街55号
☎ 85227071、85252721
🚶 8:00 ～ 17:00
休 なし
料 無料
🚌 ①地下鉄2、3号線「小寨」
②游8（610）、5、12、14、19、24、
26、30、34、36、215、239、616路
バス「小寨」

繁華街に近く訪れる参拝客は多い

仏教経典翻訳の中心地 ★★

大興善寺 / 大兴善寺
だいこうぜんじ　dàxīngshànsì

5体の如来像を安置する大雄宝殿

　創建は西晋の武帝（司馬炎）治下の泰始泰康年間（256 ～ 289年）とされ、西安で最も古い仏教寺院のひとつで、中国密教発祥の地としても有名。

　隋の文帝治下の開皇年間（589 ～ 600年）に拡張工事が行われ、大興善寺と改名された。その後、戦乱により破壊されたが、1949年の中華人民共和国成立後に修復が行われ、現在にいたっている。敷地内には、山門、天王殿、大雄宝殿、平安地蔵殿、鼓楼、鐘楼、転輪古経殿遺址、観音菩薩殿、方丈殿などが点在している。

　隋唐代（6世紀後期～ 10世紀初頭）、長安で仏教が盛んになった際、インドから長安に布教に訪れた高僧などがこの地で経典の翻訳や密教の伝授に携わったといわれている。なかでもインド僧不空和尚（705 ～ 774年）は、法理や戒律を伝え、500余りの密教の経典を訳した。これにより、大興善寺は長安における仏教経典翻訳の一大中心地となった。

大唐芙蓉園
Ⓜ P.43-C3
🏠 雁塔区芙蓉西路99号
☎ 85511888
🚶 4月～ 10月上旬
9:00 ～ 22:00
10月中旬～ 3月
9:00 ～ 21:00
※入場は閉園1時間前まで
休 なし
料 3 ～ 11月＝120元
12 ～ 2月＝90元
🚌 ①地下鉄4号線「大唐芙蓉園」
②游9（320）、23、24、212、224、
307、609路バス「大唐芙蓉園（西
门）」
🌐 www.tangparadise.cn

湖畔の長廊

唐代の御苑跡に造られたテーマパーク ★★

大唐芙蓉園 / 大唐芙蓉园
だいとうふようえん　dàtáng fúróngyuán

　市の南部エリアは曲江新区と呼ばれるが、それは秦漢代、この地に宜春苑という庭園が造られた際、池の形が「之」の字形に曲がっていたことから名づけられたもの。唐代には芙蓉苑（皇室専用の庭園）や紫雲楼、青龍寺、慈恩寺、大雁塔、曲江池（民衆も利用できた）といった建築物なども造営され、当時の文化の中心地としてにぎわいを見せた。

　大唐芙蓉園は、芙蓉湖のほとりに造られた、唐代の文化と仏教文化を中心に据えた広さ約66万7000㎡のテーマパーク。紫雲楼など当時を再現した建築物や、唐代を意識したショーのほか、園内の各所でアトラクションを鑑賞できる。

芙蓉湖を見下ろす紫雲楼

空海が学んだ仏教寺院

★★

青龍寺 / 青龙寺
せいりゅうじ　qīnglóngsì

景区内の東側に位置する空海紀念碑

前身は隋の文帝治下の582（開皇2）年に建てられた霊感寺。唐の睿宗治下の711（景雲2）年に、現在の青龍寺と改名された。

唐の徳宗治下の804（貞元20）年、当時日本から入唐した多くの留学僧のひとりだった空海（774～835年）は、この地で恵果和尚に弟子入りし、密教の教義を学んだ。帰国後、高野山に金剛峯寺を建立し、真言宗を開いた。また、空海は中国文字の書道や灌漑技術も日本に伝えている。

唐末の戦乱により廃寺となっていたが、1973年に塔の土台と殿堂が発掘された。その後、空海紀念碑、恵果空海紀念堂、青龍寺遺址博物館などが建てられ、青龍寺は再建された。境内には日本から贈られた桜の木1000株が植えられており、春になると桜の花でいっぱいになる。

阿倍仲麻呂の石碑が立つ

★★

興慶宮公園 / 兴庆宫公园
こうけいきゅうこうえん　xīngqìnggōng gōngyuán

唐代三大宮殿[4]のひとつである興慶宮跡地に造られた公園。敷地面積は約50万㎡。敷地の大部分を占める興慶湖のほか、玄宗皇帝と楊貴妃が遊んだ沈香亭、玄宗が宴会を開いた花萼相輝楼などの建築物が再建されている。また、園内には、玄宗が政務を執った勤務本楼遺址も残っている。

日本の旅行者にとって興味深いのは、公園内の南東にある石碑、阿倍仲麻呂紀念碑だろう。716（唐の開元4）年、遣唐使に選ばれた阿倍仲麻呂（698～770年）は、翌年に海を越え入唐し、科挙にも合格した。唐の玄宗にその才を認められ、晁衡という中国名を賜り、政府の要職を歴任した。いったんは日本へ帰ろうとしたが、帰途台風に見舞われ南海に漂流した後、再び長安へ戻った。結局彼は中国で53年間暮らし、逝去した。

石碑には阿倍仲麻呂の生涯の業績、彼が望郷の念を詠った望郷詩、親友の李白が彼の死を悼み詠った『哭晁卿衡』詩などが刻まれている。

阿倍仲麻呂紀念碑へは南門から入ると近い

青龍寺
Ⓜ P.43-D3
🏠 雁塔区西影路鉄炉廟村北1号
☎ 85521498
🕐 青龍寺景区＝8:30～17:30
　青龍寺遺址博物館＝
　9:00～17:00（入場は閉門30分
　前まで）
🈳 なし
※青龍寺遺址博物館は月曜
💴 無料
🚇 ①地下鉄3号線「青龙寺」
　②游6、19、25、41、45、48、221、
　237、242、400、521路バス「青龙
　寺」

納経所は青龍寺山門の売店内にある

恵果空海紀念堂にはふたりの像が立つ

興慶宮公園
Ⓜ P.43-C～D2
🏠 碑林区咸寧西路55号
☎ 82485349
🕐 5～8月5:30～20:00
　11～2月6:30～18:30
　3、4、9、10月6:00～19:30
🈳 なし
💴 無料
🚇 ①地下鉄3号線「咸宁路」
　②7、45、910路バス「兴庆公园南
　门」、402、410、512、607、800路
　バス「兴庆公园」
🌐 www.xingqinggong.com

※4 唐代三大宮殿
　残るふたつは大極宮宮殿と大明
　宮宮殿（→P.58）

牡丹園を眼下にする沈香亭

清真大寺

M P.44-B2
田 蓮湖区化覚巷30号
☎ 87219807、87272541
オ 5月～10月上旬8:00～19:00
　 10月中旬～4月8:00～18:00
休 なし
料 3～11月＝25元
　 12～2月＝15元
交 ①地下鉄2号線「鐘楼」
　 ②游7、4、12、26、36、37路バス
　 「鐘楼北」、游8（610）、7、15、32、
　 43、45、205、221、251、300、618、
　 622路バス「鐘楼西」

礼拝を行う大殿は最も奥にある

漢長安城未央宮遺址

M P.38-B2
田 未央区郎六路
☎ 84112322
オ 24時間
休 なし
料 無料
交 地下鉄1号線「汉城路」。下車後、
　 186路バスに乗り換え「大兴西
　 路・汉城遗址」。2元、所要約5分

●電動カートと中国語ガイド
遺址は広大な敷地内に点在してい
るうえに所在がわかりにくい。電
話予約をすれば、電動カートやガ
イドを利用できる
☎ 13572586615、18700919197、
　 15319454272（携帯）
オ 5月～10月上旬9:00～18:00
　 10月中旬～4月9:00～17:00
休 なし
料 電動カート＝1人当たり1時間30
　 元
　 ガイド料（中国語のみ）＝1グ
　 ループ当たり1回70元

前殿の遺構から北方向を望む

西安最大のイスラム寺院　　　　　　　　　　★★

清真大寺 / 清真大寺
せいしんだいじ　　qīngzhēndàsì

八角の跳ね上がった屋根をもつ省心楼

西安にはモスク（イスラム教寺院のこと）が多いが、ここは最も有名かつ規模の大きなモスク。化覚巷にあるため、化覚巷清真大寺とも呼ばれる。寺院は東西250m、南北50m、敷地面積約1万3000㎡、建築面積約6000㎡で、4つのブロック（進院）に分かれている。建築様式の基調は中国風だが、偶像がない、殿内に動物模様を使用しないなど、院内の一切の装飾はイスラムの教えに従っている。

世界遺産に登録された漢代の宮殿　　　　　　★★

漢長安城未央宮遺址 / 汉长安城未央宫遗址
かんちょうあんじょうみおうきゅういし　　hàn chángānchéng wèiyānggōng yízhǐ

　前漢（紀元前202～8年）の政治、経済、文化の中心地であった長安城は、現在の西安市北西郊外、渭河の南にあった。その長安城の南西隅にあった宮殿が未央宮だ。紀元前200（前漢の高祖7）年、劉邦の丞相、蕭何により造営が開始されたが、完成の約2年後に劉邦は死去。実際には未央宮に入ることはなく、息子の恵帝以降の皇帝が住まう宮殿となった。

　2014年、未央宮は「シルクロード：長安＝天山回廊の交易路網」を構成するひとつとして世界遺産に登録された。総面積は4.8㎢の方形をしている。主要な遺址は、前殿、椒房殿、中央官署、少府、西南角楼、天禄閣、石渠閣、滄池、城壁、城門、外堀など。なかでも未央宮の中心にある前殿はいちばんの見どころ。武帝はこの前殿に軍隊の指揮中枢をおいた。張騫はこの前殿で武帝から命を受け、古代シルクロードを開拓すべく西域へと旅立ったのだろう。

未央宮の南側に残る御道跡。幅は両側の礎石跡を含め8m

陝西省唯一のチベット仏教寺院 ★

広仁寺 / 广仁寺
こうじんじ　　guǎngrénsì

広仁寺
M P.44-A1
田 蓮湖区西北一路152号
☎ 87341676、18302969999（携帯）
⏰ 8:00 ～ 17:00
休 なし
料 なし
🚇 ①地下鉄1号線「玉祥門」
　　②703路バス「广仁寺」
🌐 www.guangrensi.com

西安城壁の北西角に位置する陝西省で唯一のチベット仏教寺院で、俗称を喇嘛寺という。

寺院内の経輪（マニ車）

1705（清の康熙44）年、康熙帝により創建されたもので、宗派はチベット仏教最大宗派のゲルク派（黄帽派）。この寺院が完成してからは、チベット、モンゴル、青海、甘粛方面からチベット仏教の高僧が、清朝の皇帝に謁見するため北京に向かう際の滞在所として利用されることが多かった。

境内の主殿には、康熙帝が記した「慈雲西蔭」という扁額が今も残されている。

寺院は城壁内の最も北西の角にある

西安事件の中心人物、張学良が暮らした家 ★

張学良（将軍）公館 / 张学良（将军）公馆
ちょうがくりょう（しょうぐん）こうかん　　zhāngxuéliáng (jiāngjūn) gōngguǎn

張学良（将軍）公館
M P.45-D3
田 碑林区建国路甲69号
☎ 87418265
⏰ 8:30 ～ 17:00
※入場は閉館30分前まで
休 月曜
料 無料
🚇 ①地下鉄4号線「大差市」
　　②7路バス「省委招待所」、8、27、29、37、43、45、47、102、182、203、218、252、602路バス「东门里」

この公館は、1932年に建てられた3棟3階建ての洋館を中心としたもので、総面積は7700㎡ある。1935年、国民党に西北剿匪司令に任命された張学良がここで暮らした。

東楼（A楼とも呼ばれた）は司令部に勤務した職員の住居で、西安事件のときには周恩来が宿泊した。中楼（B楼）は秘書や護衛官の住居で、西楼（C楼）は張学良とその家族の住居であった。現在では、それぞれが展示を行っており、東楼には周恩来の宿泊した部屋が復元されている。

街路樹の建ち並ぶ通りに面した張学良公館の外観

西安事件とは、1936年12月12日、共産党討伐のため、西安を訪れていた国民党の蒋介石が、共産党の説いた日本軍に挙国一致で立ち向かうという主張に同意した張学良や楊虎城らによって捕らえられ、抗日戦のため、共産党と国民党の内戦を停止し、統一戦線で日本に立ち向かうことを要求された事件。これによって、翌年第2次国共合作が成立した。

3棟の洋館が直線上に並ぶ

大明宮国家遺址公園

丹鳳門の御道と間にある土台跡

唐代の壮麗な宮殿を復元した公園 ★

大明宮国家遺址公園／大明宮国家遺址公园
だいめいきゅうこっかいしこうえん　　dàmínggōng guójiā yízhǐ gōngyuán

　唐代の大明宮は長安城のなかで最も荘厳といわれた建築群で、総建築面積は3.2㎢。唐王朝の21皇帝中17人がここで政務を執り、生活した。大明宮の建造が始まったのは634（唐の貞観8）

大明宮の南正門である丹鳳門

年。第2代皇帝太宗（李世民）が父のために夏の宮殿を建て永安宮と名づけ、翌年大明宮と改名した。主要な建築物は含元殿、麟徳殿、梨園、丹鳳門、人造の太液池など。

　現在は広大な遺跡公園として、これらの宮殿や池が現代風に復元されている。丹鳳門内部は、丹鳳門を紹介する博物館になっており、5本の御道跡も見られる。また、含元殿北側の遺址博物館では、大明宮から出土した文物などを展示している。そのほか、かつての大明宮を15分の1の大きさに縮小した微縮景観というミニチュア模型もあり、当時の宮殿のにぎわいを想像しつつ建物の間を歩くことができる。

四合院で見る西安伝統の影絵劇 ★

高家大院／高家大院
こうかだいいん　　gāojiā dàyuàn

　科挙に第2の成績で及第し、「榜眼」と呼ばれた高岳崧の住居。明代の崇禎年間（1628～1644年）に建造された4つの中庭をもつ四合院。

　建物の内部では、西安伝統の色付き影絵劇（皮影劇）や民間伝統歌劇（老腔）が上演される。ドラと太鼓をたたく人がひとり、人形を操る人がひとりの計ふたりで演じる10分ほどの影絵劇は、レトロムードたっぷりでかわいらしい。内部ではさまざまな影絵の販売もしている。このほか、内部にはチャイナドレスをはじめ、明清代の服飾文化を紹介する古典服飾博物館もある。

四合院内部にある舞台では民間伝統歌劇を上演

中国共産党の活動を展示する記念館

八路軍西安辦事処紀念館／八路军西安办事处纪念馆
はちろぐんせいあんべんじしょきねんかん　bālùjūn xīān bànshìchù jìniànguǎn ★

　1936年12月に起きた西安事件後、中国共産党によって開設された事務所。1937年9月から1945年8月の共産党と国民党による第2次国共合作の間、国民党の管轄区にあった合法的な共産党機構として機能していた所で、抗日戦線拡大のための宣伝、共産党革命に賛同する青年たちを延安へ輸送する業務、前線に対する後方勤務などが行われ、抗日戦に多大な貢献を果たした。

　周恩来、劉少奇、朱徳、鄧小平といった共産党のリーダーたちがこの地を訪れている。また、カナダ人医師ベチューンやアメリカの女流作家スメドレーといった、中国に関わりの深い外国人もこの地を訪れている。

　敷地内には周恩来や葉剣英などの居室があり、貴重な写真や革命関係の資料を用いて当時の様子が説明されている。

八路軍西安辦事処紀念館
M P.45-C1
田 新城区北新街七賢荘1号
☎ 87214661
⌚ 9:00 ～ 17:00
※入場は閉館30分前まで
休 月曜
料 無料
🚇 ①地下鉄1、2号線「北大街」
　②511、703路バス「北新街」

居室や会議室跡などが敷地奥まで連なる

シルクロードへの出発点

絲綢之路起点群像／丝绸之路起点群像
しちゅうしろきてんぐんぞう　sīchóuzhīlù qǐdiǎn qúnxiàng ★

　大慶路にあるシルクロードをテーマにした石像。ここには唐代には開遠門があった場所で、シルクロードへの出発地だった。石像には、彫りの深い、ひげを伸ばした西域商人とラクダのキャラバンが彫られており、当時のシルクロードを往来した隊商の情景を思い浮かべることができる。

公園内にある像は西に向かって立つ

絲綢之路起点群像
M P.42-A1
田 蓮湖区大慶路579号
☎ なし
⌚ 24時間
休 なし
料 無料
🚇 ①地下鉄1号線「开远门」、「汉城路」
　②12、23、103、106、108、210、222、223、224、252、301、606路バス「丝绸群雕」

西安事件の立役者の功績を伝える

楊虎城紀念館／杨虎城纪念馆
ようこじょうきねんかん　yánghǔchéng jìniànguǎn ★

止園の額を掲げる正門

　西安事件で張学良とともに中心となった楊虎城が暮らしていた止園別荘を修復し、彼の功績を展示する記念館。張学良（将軍）公館などと合わせて西安事変旧址に指定されている。

　楊虎城は国民党の将軍であったが、中国共産党と協力して抗日戦線を展開すべきだと考え、西安事件のときには周恩来と平和的な解決に向け話し合った。

楊虎城紀念館
M P.44-B1
田 蓮湖区青年路117号
☎ 87333971
⌚ 9:00 ～ 17:00
※入場は閉館20分前まで
休 月曜
料 無料
🚇 ①地下鉄1、2号線「北大街」、1号線「洒金橋」
　②10、12、28、102、103、235、301、606、702路バス「蓮湖公園」

荘厳なたたずまいの外観

回坊風情街でおやつ探し

自転車で路地を走る

地下鉄1、2号線「北大街」の駅近ホテルに到着したのは、ちょうど午後2時を回った頃だった。「小腹がすいたなあ」と思いながらチェックインしていると、「回坊風情街(→P.51)には行った?」とフロントの女性に聞かれた。

回坊風情街といえば、イスラム文化を体感できる観光グルメストリート。いつもは観光客でごった返す鼓楼側(→P.52)からアクセスしていたが、女性が言うには、鼓楼から北側にだいぶ離れた北大街方面からアクセスするのも楽しいらしい。そこで、すいた小腹を満たすために、おいしいムスリムのおやつを探して回坊風情街を目指すことにした。

シェアサイクル(→P.78)に乗って大蓮花池街の路地に入った。道幅が狭くなり、ムスリムの料理店を表す「清真」の看板や、ウイグル語の看板、白い民族帽子をかぶった人たちが増え始めた。さらに自転車で路地を抜けて行くと、回坊風情街の北側の入口に到着した。

自転車を降りて回坊風情街のメインストリートに入る。まず購入したのは、回坊風情街の定番お菓子「黄桂柿子餅」だ。これは柿ペーストを練り込んだ揚げ餅で、もっちりと甘く、食べ応えのあるお菓子だ。小さな紙に包んでもらって、温かいまま食べ歩いた。

さらに甘い物を探して西羊市の路地に入ると、道幅は狭く、メインストリートより小さな商店が軒を連ねている。

西羊市の路地に入ってすぐの所に「蜂蜜涼糕粽子」の店がある。「涼糕」は冷たいお餅の意味で、甘いジャムやきな粉などをまぶして食べる。もちもちしたくず餅のような食感で、これも甘さはあっさり

素朴な味の「蜂蜜涼糕粽子」

している。ホテルへ持ち帰ってあとで食べようと、紙のパックに入れてもらった。

ナッツ好きにはたまらない

おみやげ用にと購入したのは、砕いたクルミを飴で固めた「胡桃糖」だ。日本の雷おこしに似たお菓子でハードな食感。ゴマやピーナッツを固めたものもある。

のどが渇いたら「酸梅湯」がおすすめだ。ゴロゴロした大きな梅の果肉入りで、ほどよい甘酸っぱさ。飲むと口の中がすっきりする。

さらに「緑豆糕」も購入した。回坊風情街でよく売られている定番おやつだ。緑豆あんの中に、ゴマ、ピーナッツ、干しブドウなどを入れて固めたお菓子だ。ほろほろした食感で、コーヒーやお茶にも合いそうだ。

自然な甘さがいい「緑豆糕」

購入したお菓子を持って自転車に乗り、帰りはもと来た道の1本西側の路地を走ってホテルを目指した。回坊風情街へは鼓楼側から入るのもいいが、北大街側から路地を抜けてアクセスするほうが、路地裏の庶民的な町並みを見ることができて楽しいことがわかった。帰る途中の北広済街で、いりたてのピーナッツを購入した。回坊風情街一帯ではクルミやナッツ類も多く売られている。ホテルに帰って購入したお菓子と、ピーナッツをおやつに食べた。帰国後に思い出すとどれもまた食べたくなる、おいしいものばかりだった。

(金井千絵)

自然な塩味があとを引くピーナッツ

中国のインターネット規制と Wi-Fi の注意点

中国にはインターネット規制がある

中国では、「金盾」と呼ばれる国家プロジェクトのインターネット規制により、インターネットの規制や検閲が広範囲に、しかも厳格に実施されている。日本や諸外国で不自由なく使えているサービスが中国に入国したとたんに使えなくなり、特にビジネスの場合は非常に困ることになるので要注意だ。

2019年9月現在、下記のような日本でなじみの深い多くのサービス（いずれも代表例）が中国では遮断されていて利用できない。

【SNS】
Twitter（ツイッター）
Facebook（フェイスブック）
Instagram（インスタグラム）
LINE（ライン）

【検索サイト】
Google（グーグル）
Yahoo!（ヤフー）

【動画サイト】
YouTube（ユーチューブ）
ニコニコ動画

【メールサービス】
Gmail（ジーメール）

【その他】
Googleマップ
Dropbox（ドロップボックス）
Flicker（フリッカー）
Messenger（メッセンジャー）
Wikipedia（ウィキペディア）
5ちゃんねる

Wi-Fiルーターの借用時はVPNを付けよう

日本でWi-Fiルーターを借りて中国で使うときは、対策をしないと上記のようなサービスにはつながらない。ホテルなどのWi-Fi経由で接続する場合も同じだ。使い慣れたSNSなどを使えないのは不便なので、レンタルルーター各社でオプションの有料VPNサービスを利用すれば中国の規制を受けずに各種サービスを使える。

特にビジネスの場合は事前対策を

VPNなどの知識がない人は金盾の影響を受けるサービスはなるべく使わないように工夫するとよいだろう。特にGmailを常用している人は、日本の送り手が中国にいる受信者にメールが届いているかどうかを確認する方法がないので要注意だ。

中国のWi-Fiと携帯事情

中国では老若男女、あらゆる層にスマートフォンが普及している。ショップやレストランでは

Alipay（アリペイ／支付宝）やWeChat Pay（ウィーチャットペイ／微信支付）という決済サービスを使いキャッシュレス。出前サービスやネット通販もアプリで注文、決済するのが常識だ。こうしたアプリはアカウントは作れても、中国国内の銀行口座とひもづけしないと原則利用できないものがほとんど。観光客は気軽に利用できないのが現状だ。

WeChat PayアプリでQRコードをスキャンすれば入場券もキャッシュレスで購入可能

中国で使える旅行者用SIM

SIMフリーのスマートフォンを持っていれば、中国で有効なSIMに差し替えてデータ通信できる。ただし、中国では空港で短期旅行者用に販売しているSIMはなく、通信会社でパスポートを提示して契約する必要があるうえ、金盾の影響を受ける。一方、香港で販売されている中国大陸でも使えるSIM（「大中華」、「跨境王」など）や、タイの旅行者用SIM「SIM2FLY」の中国用をネット通販で購入すれば金盾の影響を受けずにデータ通信が可能だ。

香港のSIM。日本国内でもインターネット通販サイトなどを通じて購入することができる

秦始皇帝陵博物院
Ⓜ P.38-B2
🏠 臨潼区秦陵北路
☎ 81399127
🕐 3月16日～11月15日
　8:30～18:00
　11月16日～3月15日
　8:30～17:30
※いずれも入場券販売は閉館1時間前まで
🈳 なし
💴 120元
※シャトルバス
　秦始皇兵馬俑博物館と秦始皇帝陵・麗山園の間に無料のシャトルバスが運行されている。片道約10分
※電動カート
　秦始皇兵馬俑博物館＝5元
　秦始皇帝陵・麗山園＝15元
🚌 游5（306）、307、914、915路バス「兵馬俑」
🌐 www.bmy.com.cn

○ 編集室より

広大な敷地内を見学
兵馬俑は広い敷地をぐるっと移動し見学する。大きな荷物がある場合は、無料手荷物預かり所がチケット売り場の東側にある。入口から坑道までは徒歩約10分。坑道見学後は、みやげ店をはじめKFCやスターバックス、食堂などの飲食店がずらりと並ぶ通りを抜けて最初の入口地点へと戻る。

===== 東線ルート =====

西安観光のハイライト　🕐 3時間～　　　★★★
秦始皇帝陵博物院 / 秦始皇帝陵博物院
しんしこうていりょうはくぶついん　　qínshǐhuángdìlíng bówùyuàn

秦始皇兵馬俑博物館の入場ゲート前の碑

西安最大の見どころが、1987年に世界遺産に登録された秦始皇兵馬俑博物館と、その西およそ1.5kmの所にある秦始皇帝陵・麗山園だ。これらを合わせた広大な敷地は風景区に指定されている。

1974年、井戸を掘っていた農民によって偶然発見された兵馬俑は、中国初の皇帝である始皇帝の陵墓を守る副葬品として造られた兵士や馬の陶製の像だ。兵士俑は平均身長178cmと等身大であるうえ、顔の表情も一体ずつ微妙に異なるといった凝りようで、この造営にいかに莫大な労力が投入されたかをうかがい知ることができる。

秦始皇兵馬俑博物館は1号坑、2号坑、3号坑、文物陳列庁などの部分から構成されており、それぞれの展示区域ではそこから出土した兵馬俑をそのままの姿で見ることができる。

1号坑は東西230m、南北62mの範囲に5mの深さに掘られた地下坑道で、総面積1万4200㎡の中には約2000体の武装した兵士俑が38列にわたって並び、中国を統一した秦軍の威容を現在に伝えている。

2号坑は、1号坑の北側20mの地点にある東西96m、南北84m、総面積6000㎡の坑道。ここの兵馬俑は、正方形に布陣した弓を持った歩兵隊、正方形に布陣した戦車隊、長方形に布陣した歩兵と戦車の混成部隊、長方形に布陣した騎馬隊の4つの組織からなり、その総数は、戦車89両と馬336体、騎兵と騎馬116対、歩兵562体にも及ぶ。

表情、頭髪、装備など1体ごとに異なる兵士俑が整然と並ぶ1号坑

3号坑の兵士俑

3号坑は1号坑西端の北25mの地点にあり、東西18m、南北22m、5.2～5.4mの深さに掘られた坑道。総面積520㎡と最も規模の小さいものだが、兵馬俑の最高指揮部隊に当たると考えられる場所となっている。坑道には64体の兵士俑、指揮車1両（4頭の馬付き）、作戦本部と思われる部屋などが残されており、1号坑、2号坑と合わせ、秦軍の構成を忠実に再現したさまには、ただ驚くばかりだ。

驪山を背に立つ始皇帝像（秦始皇兵馬俑博物館）

文物陳列庁の銅製車馬

文物陳列庁に隣接するミュージアムショップ

文物陳列庁では、実際の2分の1サイズで制作された2組の銅製車馬を展示しており、その製造技術のすばらしさを知ることができる。

　秦始皇帝陵・麗山園には、中国最初の皇帝である秦の始皇帝の陵墓がある。秦始皇兵馬俑博物館からは無料のシャトルバスが出ており、秦始皇帝陵・麗山園との間を約10分で結んでいる。始皇帝は、皇帝即位後から驪山に陵墓用の穴を掘り始め、天下統一後は70万人の労力を動員して王墓の造営を行ったといわれている。この陵墓は1987年、兵馬俑とともにユネスコの世界遺産に登録された。

　秦の始皇帝（紀元前259～紀元前210年）は13歳で即位し、成人後、宮廷内での実権を掌握するや、およそ10年という短い期間で周囲の国々を制圧し、中国初の統一王朝、秦を建国した。彼は皇帝という称号の創出だけでなく、天下を36郡に分けた郡県制と呼ばれる中央集権体制を確立したり、全国の法律、文字、度量衡を統一したりするなど、大きな功績を挙げ、以後の中国歴代王朝に多大な影響を及ぼした。

　しかし、過酷な法律や刑罰、秦阿房宮や陵墓の建築のための使役、焚書坑儒による思想の弾圧などに対する人民の不満も大きく、始皇帝の死後には大規模な反乱が起こり、統一王朝秦は3代15年で滅びた。

　前漢の史家司馬遷が記した『史記』には、秦の始皇帝陵墓に関する記載があるが、それによると、秦始皇陵の地下宮殿は、地下深く穴を掘り、銅を敷き詰め、棺を納められるようにした。また、珍宝が墓室を満たし、盗掘を防ぐためさまざまな仕掛けが設けられた。天井には太陽や月など天文図が描かれ、底には水銀で川や海を造り、魚類の脂を使った燭台で墓室内を照らしたという。

○　　編集室より

便利な電動カート
秦始皇帝陵・麗山園の副葬坑は緩く長い勾配の先にあるため、見学は徒歩よりも電動カートの利用が適している。

鴻門宴遺址へのシャトルバス
秦始皇兵馬俑博物館と鴻門宴遺址とを結ぶ無料シャトルバスが出ている（→ P.66）。

驪山を背にした右奥の小高い山が始皇帝の陵墓

63

人面魚紋を描いた器

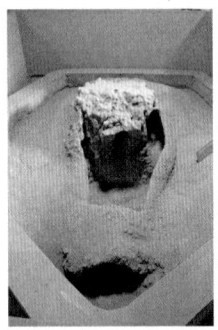

陶窯遺跡では陶器制作跡を保存している

母系氏族社会の遺跡　🕐1時間　★★★

半坡博物館 / 半坡博物館
はんぱはくぶつかん　　bànpō bówùguǎn

居住区を囲む深い溝

1953年に発掘された約6000年前の母系氏族社会の村落遺跡で、時代的には新石器時代に属する。発掘された遺跡は、居住地、公共墓地、陶器製造場に分けられる。

住居区は2本の小さな溝によって、ふたつの母系家族もしくは同家族内のふたつの氏族を区分しており、現在見られる小さな溝は境界線だったと考えられている。また、居住区を取り囲む深さ5〜6mの大きな溝は、すべての居住区の境界線であると同時に、野獣の侵入を防いだり、雨水を排し居住区の乾燥を保持したりするものだった。住居は、地上に建てられた住居、竪穴式住居、丸形住居、方形住居の4種類に分類できる。さらに道具を収納したり糧食を貯蔵したりするための穴蔵があることから、ここが共同分配社会であったことがわかる。

遺跡の北側は、公共墓地だった場所。大人と子供では埋葬地と埋葬方法が異なり、大人は仰向けで手足を曲げる格好で公共墓地に副葬品とともに埋葬され、子供は円筒状の陶器やかめに入れられ住居の横に埋葬された。

母系氏族社会の大きな発明に陶器があるが、防御用の溝の外側の東側には、陶器を作る窯の遺跡が残っている。

博物館には陳列室が設けられており、人面魚紋が描かれた器や底のとがった尖底瓶などを見ることができる。

側面に紋様の残る尖底瓶

約6000年前の人々の生活の跡を間近に見る

楊貴妃が温泉浴をした所

華清池／华清池
かせいち　huáqīngchí

★★

驪山を背景に立つ玄宗皇帝と楊貴妃像

　驪山の北麓に位置する温泉と風景の美しさが有名な観光地。温泉は2700年余り前に発見され、歴代の王朝によって離宮が造られた。特に有名なのが、唐の天宝年間（742～756年）に造られた華清宮で、温泉は池ほどの大きさになり、宮殿内に設けられた。当時の皇帝であった玄宗は、寒さを避けるためにほとんど毎年この地を訪れたといわれている。

　華清池は、玄宗（685～762年）と楊貴妃（719～756年）のロマンスでも有名だ。楊貴妃がここの温泉で美しい肌にみがきをかけたというエピソードは、白居易の『長恨歌』に詠われている。敷地内にある御湯遺址博物館では、楊貴妃が使った海棠湯をはじめ、蓮花湯、太子湯、尚食湯、星辰湯など温泉の跡を見ることができる。また、敷地内には入浴施設やシアターも備えている。なかでも毎晩上演される舞踊劇『長恨歌』（→P.95）は、見応えのあるエンターテインメントとして人気が高い。玄宗皇帝と楊貴妃のロマンスを本物の驪山を舞台背景に、音、光、水、火、映像を駆使してダイナミックに演出している。そのほかこの場所は、1936年の西安事件で、国民党の蒋介石が滞在していたことでも知られる。彼が滞在した五間庁のガラスには弾痕が残っている。

驪山側から見た華清池の全容

華清池
M P.38-B2
田 臨潼区華清路38号
☎ 83812004
『長恨歌』チケット予約（→P.95）
☼ 3～11月7:00～19:00
　 12～2月7:30～18:00
※入場は閉門30分前まで
休 なし
¥ 120元
※驪山の入山料を含む
※『長恨歌』＝238～988元
🚌 游5（306）、307、914、915路バス『華清池』
🌐 www.hqc.cn

園内の九龍湖を水上舞台にした『長恨歌』ショー

温泉跡の東側にふたつある源泉

玄宗皇帝の専用風呂、蓮花湯

西安事件に関する史跡は東側の津陽門近くに集中する

驪山
M P.38-B2
田 臨潼区華清路3号
☎ 83812004
オ 3～11月7:00～19:00
　12～2月7:30～18:00
※入場は閉門の30分前まで
休 なし
料 120元
※華清池の入場料を含む
交 游5（306）、307、914、915路バ
　ス「華清池」
🌐 www.hqc.cn

●ロープウエイ
オ 3～11月8:00～18:00
　12～2月8:30～17:00
休 なし
料 3～11月＝上り35元、下り
　30元、往復60元
　12～2月＝上り25元、下り
　20元、往復40元

華清池の西端奥にあるロープウエイ
乗り場

鴻門宴遺址
M P.38-B2
田 臨潼区新豊鎮鴻門堡村鴻門宴路
　2号
☎ 83979818
オ 8:30～17:30
※入場は閉門の30分前まで
休 なし
料 3～11月＝40元
　12～2月＝30元
交 914、915路バス「東三岔」。下車
　後、301路バスに乗り換え「鴻門
　宴」。2元、所要約20分。下車後、
　徒歩約5分

●シャトルバス
秦始皇兵馬俑博物館と鴻門宴遺址
とを結ぶシャトルバスが運行され
ている。秦始皇兵馬俑博物館の游5
（306）、307路バス乗降所で入場券
を購入し、乗車する。無料、所要約
10分

臨潼博物館
M P.38-B2
田 臨潼区環城東路1号
☎ 83812071
オ 9:00～17:00
※入場は閉館30分前まで
休 なし
料 無料
交 游5（306）、307、914、915路バ
　ス「華清池」

東線ルートが見渡せる山　★★

驪山／骊山
りざん　　lìshān

ロープウエイからの眺め。奥の緑地が始皇帝陵墓

　華清池の南にそびえる海抜1301.9mの山。秦始皇陵・麗山園や秦始皇兵馬俑博物館まで見渡せる景勝地で、国家AAAA級観光地に指定されている。徒歩でも登れるが、華清池の長生殿の裏手にロープウエイ乗り場がある。ただし、ロープウエイを降りてからもかなり歩くことになるので、時間と体力をよく考えよう。
　道はきれいに整備されているが、階段の上り下りが多い。華清池まで歩いて下ることも可能だ。
　見どころは、西秀嶺の頂上にある西周時代の烽火台。階段は狭いが上ることができ、絶景を楽しめる。

鴻門の会が開かれた歴史的舞台　★

鴻門宴遺址／鸿门宴遗址
こうもんえんいし　　hóngményàn yízhǐ

敷地内の封王殿前には劉邦像が立つ

　始皇帝の死後、天下を争っていた項羽（紀元前232～紀元前202年）と劉邦（紀元前256～紀元前195年）が、宴を開いた場所。項羽側の参謀であった范増は、宴席で項荘に剣舞をさせ、劉邦の暗殺を企んだ。しかし、劉邦側の武将であった樊噲の機転により、暗殺は防がれた。『史記』でこの場面を記述した部分は名文の誉れが高い。

貴重な仏教文化財を展示する　★

臨潼博物館／临潼博物馆
りんとうはくぶつかん　　líntóng bówùguǎn

　華清池の東約100mの所にある博物館。展示面積約600㎡、歴代石彫碑廊、石彫明墓保護室など4つの展示エリアに分け、5000年にわたる中国各時代の文物を陳列している。
　なかでもおすすめは金棺銀棺珍宝展の展示。1985年に唐代慶山寺遺跡から出土したものを中心に、宝帳、金棺、銀棺などを間近に見られる。

世界的に有名な仏舎利が保存されている名刹　⏱3時間 ★★★

法門寺 / 法门寺
ほうもんじ　fǎménsì

法門寺
Ⓜ P.38-A2
🏠 宝鶏市扶風県法門鎮
☎ (0917)5258888
🕐 法門寺景観区8:30〜18:30
　法門寺、博物館8:30〜17:30
※入場券の販売は17:30まで
🈳 なし
💰 3〜11月＝100元
　12〜2月＝90元
※園内カートは30元(何度でも乗車可)
🚌 ①城西バスターミナルで「法門寺」行きバスに乗る。37.5元、所要約2時間。西安へ戻る最終バスは16:00頃発(日によって異なる)
②城西バスターミナルで「扶風」行きに乗る。37.5元、所要約2時間。「扶風客運站」下車後、「法門寺路口」行きバスに乗り換える。4元、所要約30分。タクシーの利用の場合は20元。扶風バスターミナルから西安へ戻る最終バスは18:00頃発
🌐 www.famensi.com

　後漢の桓帝から霊帝にかけての時代（147〜189年）に創建され、1800年以上の歴史をもつ古刹。

繊細な細工を施した八重宝函

　約2000年前、インドのアショカ王（中国語で阿育王）が仏法を広めるため、仏舎利（釈迦牟尼の遺骨）を各地に送り、塔を建てて安置したという言い伝えがある。法門寺もその場所のひとつに数えられ、創建当初は阿育王寺と呼ばれていた。

　この話が実話だと証明されたのが1987年。明代に建てられた法門寺の仏塔を再建する際、1100年余り密閉されていた地下宮殿が見つかり、調査が行われた結果、指の仏舎利と多くの貴重な仏教文化財が発見されたのだ。

　敷地内にある法門寺博物館は、歴史文化陳列や大唐珍宝陳列などの展示室に分かれ、絹織物、磁器、瑠璃、金銀の供え物、僧侶が用いる器物など、発見された珍宝を数多く陳列している。なかでも注目したいのが、仏舎利を納めた八重の宝箱八重宝函。金、銀、真珠、白檀などで作られた宝箱は、図案と細工がすばらしい。

　2009年、3年を要した工事の末、法門寺の敷地内に高さ148mの合十舎利塔が建てられ、仏舎利は現在ここに納められている。金色を多用したモダンなデザインの建築物で、この新しい一角にはどこか未来的な独特の雰囲気が漂っている。合十舎利塔の前には長さ1230m、広さ108mの仏光大道が延びている。

地下宮殿跡に再建された仏塔

陝西省 **西安**

郊外の見どころ

○　編集室より

仏舎利の公開時間
合十舎利塔の仏舎利は、普段は地下宮殿内にあるが、土・日曜、祝日と陰暦の初一・十五日の10:00〜16:00の間のみ地下宮殿から上がってきて見ることができる。

高さ148mの合十舎利塔

釈迦の生涯を表す園内の石像

彬県大仏寺石窟

M P.38-A1
田 彬州市城関鎮大仏寺村
☎ 34791605
🕐 9:00 ～ 17:00
🈂 なし
💰 3 ～ 11月＝35元
　12 ～ 2月＝20元
🚌 車をチャーターして行くのが一
　般的。往復1500 ～ 1600元が目
　安
🌐 www.bxdfssk.com

大仏の西側に立つ観世音菩薩像

千仏洞は戦禍を逃れた庶民がここ
で煮炊きしたあとで黒く煤けている

寺院前はかつて人々が往来したシ
ルクロード

世界遺産に登録された陝西省最大の石窟群　🕐 1時間　★★★

彬県大仏寺石窟 / 彬县大佛寺石窟
ひんけんだいぶつじせっくつ　bīnxiàn dàfósì shíkū

　西安の北西約130km、彬州市に位置する陝西省最大の仏教石窟群。開窟は北朝の時代に始まり、628（初唐の貞観2）年、浅水原（現在の長武県）の戦で大敗した唐の太宗李世民が、戦死した将兵たちの亡魂救済のため、大規模な寺院を造営した。約400m続く切り立った崖には、130を超える窟が穿たれ、446の龕に、1980体余りの塑像が残されている。かつてシルクロードを往来する人々は、この大仏寺を見て旅の安全を祈り、また長安が近づいたことを知ったという。

大小の仏を安置する千仏洞

　唐代仏教芸術の典型的な作品を残す大仏寺は2014年、「シルクロード：長安＝天山回廊の交易路網」を構成するひとつとして世界遺産に登録された。石窟は大仏窟、千仏洞、仏洞、丈八仏窟、修行窟の5つの部分からなる。主石窟は大仏窟。鮮やかな彩色が残る大仏は、像高20m、頭部5.2m、手のひら4.5m、指2m。その両側には17.6mの菩薩像が立っている。半円形の窟内は、70の龕に1001体の塑像が見事に彫り上げられている。窟頂の千仏など、細部にいたるまで鑑賞したい。また、千仏洞は大小696体の仏像を安置している。唐代の仏像の特徴である、豊満で、立体的な体躯をした美しい作品ばかりだが、大部分の仏像は頭部を破壊されている。これは、唐代後期に武宗が行った仏教弾圧によるものである。

大仏の顔の高さほどに設けられた通路から大仏窟を鑑賞する

唐代の代表的な陵墓

乾陵／乾陵
けんりょう　qiánlíng

★★

整然と並ぶ首のない六十一番臣

唐の第3代皇帝高宗と、中国唯一の女帝となった則天武后（624～705年）の合葬墓。

則天武后（武則天）は14歳で第2代皇帝太宗の後宮に入り、太宗の死後一時尼僧になっていたが、高宗の即位により再度宮中入りし、高宗の寵愛を得た。則天武后は頭脳明晰で、実行力、政治的能力ともに恵まれており、高宗が病気がちになると、朝廷の政務のほとんどを裁決するようになった。そして高宗が崩御すると皇太后の身分で実権を握り、ついに聖神皇帝として即位し、国名を周と改めた。しかし、則天武后は82歳で死去する前に自ら天子の称号を廃し、則天大聖皇后と名乗り、死後は高宗とともに乾陵に埋葬された。

乾陵は、梁山の主峰と南の峰を利用して造られている。陵内には、神道（墓前にいたる道）に通じる18の平台（踊り場）をもつ526段の石段や、神道の石柱である華表、伝説上の動物翼馬（ペガサス）、馬と馬を引く人の石像、述聖記碑、無字碑、六十一番臣などがある。

石段は、全長575.8m。18座の平台は唐代の皇帝の陵墓が18あること、2番目の21段の階段は則天武后が政務を執った期間が21年であることを意味しているという。

無字碑は、建てられた当時から何も刻まれていなかったが、これには、自分の功績は文字で表すことはできないという説、功績は後の人々が決めるという説などさまざまな説がある。

乾陵のなかでも目を引くのが、首を切り落とされた六十一番臣だろう。これらの像は、服装や携帯品から辺境の少数民族のものだということがわかっている。彼らは少数民族のリーダーであると同時に、唐王朝の政府の官吏だった。

陵墓の東南には、高宗と則天武后ゆかりの章懐太子墓、永泰公主墓、懿徳太子墓（→P.70、71）などがあり、永泰公主墓の入口脇には、乾陵の未発掘の内部を推測して造られた乾陵地宮がある。チケットはすべて共通なので、合わせて見学したい。

勾配のある神道を上がり、闕楼を経て正面の陵墓へ向かう

乾陵
Ⓜ P.38-A2
🏠 乾県乾陵旅游区
☎ 乾陵博物館＝(0910)35510222
　電動カート＝(0910)35510268
🕐 3～11月8:00～18:00
　12～2月8:00～17:30
🈚 なし
🎫 乾陵、懿徳太子墓、永泰公主墓、乾陵地宮、章懐太子墓の共通入場券
　3～11月＝102元
　12～2月＝82元
※上記すべてを周遊する専用ミニバス＝30元
🚌 城西バスターミナルで「乾県」行きに乗る。24元、所要約1時間10分。「乾県高速汽車站」下車後、タクシーに乗り換え「懿徳太子墓」。片道約5.5km、15～20元。「懿徳太子墓」を観光後、専用ミニバスに乗り「永泰公主墓」と「乾陵地宮」、「章懐太子墓」「乾陵」を回った後、「乾陵」から再び「懿徳太子墓」へ戻りタクシーで「乾県高速汽車站」。西安へ戻る最終バスは18:30頃発
🌐 www.tangwenhua.com

○　編集室より

専用ミニバス

乾陵、乾陵南門駐車場、懿徳太子墓、永泰公主墓と乾陵地宮、章懐太子墓を巡回する。乗車は巡回1回かぎり、人数が集まり次第発車する。上記のどこから乗車を開始してもよい。

路線バスの利用

「乾県高速汽車站」の前から出ている2路線に乗り換え「乾陵」下車。1元、所要約25分。路線バスは乾陵の南門駐車場に到着する。そこから長い階段で乾陵へ上がることもできる。

参道脇にある無字碑

茂陵博物館
M P.38-B2
田 興平市道常村
☎ 38456140
オ 3～11月8:00～18:00
　　12～2月8:00～17:30
※入場は閉門30分前まで
休 なし
料 茂陵博物館、茂陵の共通入場券
　　3～11月＝75元
　　12～2月＝55元
交 城西バスターミナルで「興平」行きに乗る。15元、所要約45分。終点下車後、興平市の11路バスに乗り換え「茂陵博物館」。5元、所要約30分。「興平」から西安へ戻る最終バスは18:00頃発
⊕ www.maoling.com

茂陵の副葬墓から出土した鎏金銀高竹節薫爐（複製品）

章懐太子墓
M P.38-A2
田 乾県乾陵旅游区
☎ 乾陵博物館＝(0910)35510222
　　電動カート＝(0910)35510268
オ 3～11月8:00～18:00
　　12～2月8:00～17:30
休 なし
料 乾陵、懿徳太子墓、永泰公主墓、乾陵地宮、章懐太子墓の共通入場券
　　3～11月＝102元
　　12～2月＝82元
※上記すべてを周遊する専用ミニバスは30元
交 城西バスターミナルで「乾県」行きに乗る。24元、所要約1時間10分。「乾県高速汽車站」下車後、タクシーに乗り換え「懿徳太子墓」。片道約5.5km、15～20元。「懿徳太子墓」を観光後、専用ミニバスに乗り「永泰公主墓」と「乾陵地宮」「章懐太子墓」「乾陵」を回った後、「乾陵」から再び「懿徳太子墓」へ戻りタクシーで「乾県高速汽車站」。西安へ戻る最終バスは18:30頃発

前漢王朝の陵墓群　　　　　　　　　　★★

茂陵博物館 / 茂陵博物馆
もうりょうはくぶつかん　máolíng bówùguǎn

正面の霍去病墓の墳上から陵墓群を望める

　前漢の11皇帝のうち9人の皇帝の陵墓が東西50kmにわたってほぼ一直線に並んでいる。渭河の北岸にある前漢時代の陵墓群で、このうち、高祖劉邦の長陵、武帝の茂陵、景帝の陽陵、恵帝の安陵、昭帝の平陵を合わせて五陵と呼ぶ。そのなかでも最大規模を誇るのが前漢の第7代皇帝武帝（紀元前156～紀元前87年。在位は紀元前141年から）の陵墓である茂陵だ。高さ46.5m、東西39.5m、南北35.5mで、基底部の四辺が240mもある。茂陵から東へ約1.2km離れた所には、匈奴征伐で活躍した霍去病墓があり、現在は茂陵博物館となっている。博物館には、規模の大きい石刻群と武帝が寵愛した武将霍去病の墓を中心に、4000点以上の文化財（国宝級は14点）を収蔵し、展示を行っている。目玉は国宝の鎏金銀高竹節薫炉。

武帝の陵墓、茂陵

封建社会統治階級の生活を壁画に見る　　★

章懐太子墓 / 章怀太子墓
しょうかいたいしぼ　zhānghuái tàizǐmù

　高宗と則天武后の次男である李賢の眠る陵墓。675（唐の上元2）年に皇太子となった李賢は、著名な学者を集め、後漢の歴史を記した後漢書に注釈を加えたことでも知られる。しかし、母である則天武后の専横に対して不満を隠すことができず、ついに則天武后により皇太子を廃されて四川への流刑に処され、最後には自害させられた。

　則天武后の死後、中宗が皇帝に復位すると、李賢の棺は四川から戻され、乾陵に埋葬された。

　陵墓は、皇太子より下位の雍王の身分で造られたため、永泰公主墓や懿徳太子墓に比べると規模は小さい。しかし、後に章懐太子の称号を贈られたため、墓内には王の身分の壁画と太子の身分の壁画が描かれている。墓内の壁画のなかでは、狩猟出行図や馬毬図などが有名。

ひんやりとした墓内

則天武后の孫娘が眠る陵墓

永泰公主墓 / 永泰公主墓
えいたいこうしゅぼ　　yǒngtài gōngzhǔmù ★

墓室への参道は建物内部にある

乾陵の主要な副葬墓のひとつ。永泰公主は高宗と則天武后の孫娘で、唐の第4代皇帝中宗（656〜710年）の子。則天武后の甥の子と結婚したが、17歳のとき則天武后の情夫に対する批判を口にし、夫とともに殺されてしまった。

陵墓の参道や四方の壁には壁画が描かれている。特に有名な壁画が侍女図で、そこに描かれている女官たちの顔はふっくらしており、肩に織物を羽織り、肌着とスカートをまとっている。

宮中侍女図の一部

この壁画は実物を忠実に模写したもので、実際に描かれていた壁画は陝西歴史博物館（→P.50）に収蔵されている。

また、永泰公主墓の敷地内にある3つの展示棟では、おもに永泰公主墓、章懐太子墓、懿徳太子墓など、乾陵付近の陵墓から出土した文化財や則天武后の生涯を展示紹介している。

永泰公主墓に隣接する乾陵地宮

永泰公主墓
M P.38-A2
田 乾県乾陵旅游区
章懐太子墓（→P.70）と同じ

規模の大きい副葬墓

懿徳太子墓博物館 / 懿徳太子墓博物館
いとくたいしぼはくぶつかん　　yìdé tàizǐmù bówùguǎn ★

高宗と則天武后の孫で、中宗の長男である懿徳太子の陵墓。懿徳太子は、永泰公主の事件で則天武后によって殺された。

墓陵の外観と内部の構造は、永泰公主墓に似ているが、造りはこちらのほうが優れている。参道や前後の墓室などからなり、全長は100.8mある。墓室内の壁画は、青龍、白虎などが描かれているが、最も注目したいのが闕楼儀仗図。描かれた内容から、当時の儀礼の様子がよくわかる。残念なことに、これらの壁画は陝西歴史博物館（→P.50）に移されてしまった。

懿徳太子墓博物館の参道

懿徳太子墓博物館
M P.38-A2
田 乾県乾陵旅游区
章懐太子墓（→P.70）と同じ

旅游区を巡回する専用ミニバス

いちばん奥の墓室まで、勾配のある参道を下る

陝西省 西安

郊外の見どころ

71

昭陵
M P.38-B2
田 咸陽市礼泉県煙霞鎮九嵕山
☎ なし
オ 3～11月9:00～18:00
12～2月9:00～17:00
休 なし
料 3～11月＝30元
12～2月＝20元
交 公共機関はないので車をチャーターして行く。昭陵博物館からは往復100～150元が目安だが、車は非常に少ない。そのため、昭陵まで行く場合は、西安から車をチャーターしての観光がおすすめ。往復1100～1200元が目安

唐代の名君が眠る陵墓　★

昭陵 ／ 昭陵
しょうりょう　zhāolíng

牌坊の奥に見える山が昭陵のある九嵕山

　昭陵は咸陽市礼泉県の北東22kmの所にある九嵕山を利用して造られた陵墓で、唐の第2代皇帝太宗李世民（在位626～649年）とその皇后が埋葬されている。唐王朝の陵墓が山を利用して造られるようになったのはこの昭陵から。九嵕山が石灰質であるため風雨に浸食されたことと、盗掘によって原形をとどめていないのが残念だ。

　李世民は、隋末の混乱期、父である唐の初代皇帝高祖李淵や兄弟たちとともに太原で挙兵し、唐王朝の天下統一に多大な貢献を果たした。建国後兄弟との皇位争いを制した李世民は、唐の第2代皇帝として即位し、有能な家臣団を率いて、唐王朝の最盛期を生み出し、その繁栄ぶりは貞観の治として、後世にたたえられてきた。

　昭陵は昭陵博物館から15kmほど山を上った所にある。観光の所要時間は昭陵のみでも1時間30分ほどかかるだろう。

昭陵博物館
M P.38-B2
田 咸陽市礼泉県煙霞鎮
☎ なし
オ 3～11月9:00～18:00
12～2月9:00～17:00
休 なし
料 3～11月＝40元
12～2月＝25元
交 城北バスターミナルで「袁家村」行きに乗る。22元、所要約1時間。8:00～19:00の間1時間に1便。バス停はなく、昭陵博物館から約300m離れた省道107号線と県道214号線の交差点で下車する。あらかじめ運転士に目的地を伝えておこう。下車後、徒歩約5分。西安へ戻る最終バスは18:00頃発が目安だが、往路の運転士に発車時間を確認しておこう

昭陵に関する展示を行う博物館　★

昭陵博物館 ／ 昭陵博物館
しょうりょうはくぶつかん　zhāolíng bówùguǎn

　昭陵博物館は、李勣墓とふたつの石碑陳列室、唐墓壁画陳列室、出土文物や彫刻絵画の展示ホールで構成された博物館。
　石碑陳列室では、昭陵の周辺から出土した石碑などを展示している。欧陽詢、褚遂良といった唐代の名書家の著した墓碑や死者の事績などを墓石に刻んだ墓誌などを見ることができる。また、出土文物と彫刻絵画の展示ホールでは、副葬墓からの出土品が展示され、陶俑（壁画や、殉死者の代わりに埋められた陶器の人形）、金・銀器、鎮墓獣、銅鏡などを見ることができる。

　ちなみに、有名な軍馬のレリーフ昭陵六駿は、碑林博物館（→P.48）で見学することができる。

昭陵博物館の外観。このはるか後方に九嵕山が横たわる

唐墓壁画陳列室では、長楽公主（唐太宗の第五女）墓などから出土した壁画を数多く展示

皇帝の陵墓から出土した貴重な品々を展示

漢陽陵博物館／汉阳陵博物馆
かんようりょうはくぶつかん　　hànyánglíng bówùguǎn ★

　陽陵は、西安市区の北約25kmに位置する前漢の第6代皇帝景帝（劉啓。紀元前188～141年）とその皇后を葬った合葬墓。紀元前153年から28年の歳月をかけ築かれた陵園で、面積は約20㎢に及ぶ。30年近い発掘で、200余りの副葬坑と1万余りの副葬墓が見つかり、その中から武士や女官などの陶製俑が発見された。

　漢陽陵博物館は陽陵を中心にした観光スポットで、出土品約1800点を展示する考古陳列館、副葬墓を整備して公開する地下博物館、陵墓の南の門に当たる南闕門遺址、宗教的な遺構である宗廟建築遺址などで構成されている。

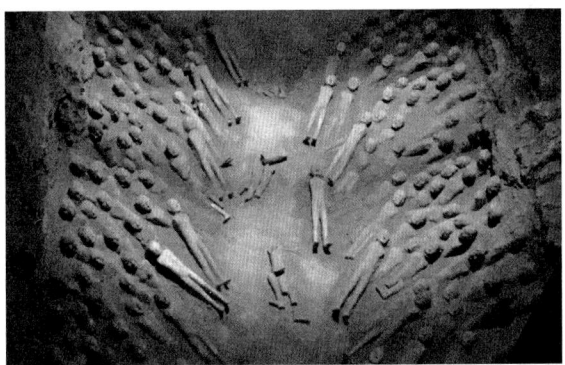

地下博物館では坑道上に張られたガラスの上に立ち、陶製俑を間近に見学できる

悲劇のヒロイン楊貴妃の墓

楊貴妃墓／杨贵妃墓
ようきひぼ　　yángguìfēimù ★

　唐の第7代皇帝玄宗の愛妃楊貴妃の墓。楊貴妃はもともと玄宗の息子の妃だったが、後に玄宗の妃となって寵愛を受け、貴妃（皇后に次ぐ地位を指す）の称を与えられた。玄宗は天宝年間（742～756年）、彼女の親類である楊国忠らを任用して政務を執らせ、自らは酒色に溺れ、国政は腐敗しきった。その結果、755（唐の天宝14）年、安禄山が楊氏一族専横の排除を名目として反乱（安史の乱）を起こした。この反乱はすぐに華北一帯に広がり、洛陽や長安も反乱軍の手に落ちた。翌年、玄宗一行が長安を脱出し、西へ逃げる途中、随行の将兵たちの楊氏一族に対する不満が爆発し、楊国忠は殺され、楊貴妃はここ馬嵬坡で自害を命じられた。

　以前は土の塚だった楊貴妃墓だが、その土に美容効果があるとされ、多くの人が持ち去り、土は瞬く間に減ってしまった。そのため、現在の楊貴妃墓は、塚の消失を防ぐため、盛り土はブロックで固められている。

漢陽陵博物館
M P.38-B2
田 咸陽市渭城区国際機場専線公路東段
☎ 62657530
⏰ 3～11月8:30～18:30
　12～2月8:30～18:00
※入場は閉館1時間30分前まで
休 なし
料 3～11月=70元
　12～2月=65元
※入場券は游4路バスが景区内で最初に停車する駐車場と、景帝墓東側で購入できる
※ミニシアターは通年10元
🚇 地下鉄2号線「市図书馆」。下車後、游4路バスに乗り換え終点「汉阳陵」。2元（現金のみ）、所要約50分
※西安へ戻るバスは景帝墓東側広場から発車する
🌐 www.hylae.com

規模の大きさに迫力を感じる南闕門遺址

楊貴妃墓
M P.38-B2
田 興平市馬嵬鎮
☎ 38240024
⏰ 8:30～18:00
休 なし
料 3～11月=45元
　12～2月=30元
🚌 城西バスターミナルで「興平」行きに乗る。15元、所要約45分。終点下車後、興平市の1路バスに乗り換え「杨贵妃墓」。3元、所要約35分。「興平」から西安へ戻る最終バスは18:30頃発

楊貴妃墓のある庭園と馬嵬坡の田園風景

咸陽博物館
Ⓜ P.38-B2
🏠 咸陽市渭城区中山街53号
☎ 33231998
🕐 9:00 ～ 17:30
※入場は閉館30分前まで
🈺 月曜(月曜が特定の祝日の場合
は開館)
💴 無料
🚇 地下鉄1号線「后卫寨」。下車後、
13路バスに乗り換え「市中心医
院」。1元、所要約40分
🌐 www.xybwg.cn

高祖劉邦の副葬墓から出土した
楊家湾西漢彩絵兵馬俑

興教寺
Ⓜ P.38-B2
🏠 長安区東江坡村
☎ なし
🕐 8:00 ～ 18:00
🈺 なし
💴 無料
🚇 地下鉄2号線、「韦曲南」。下車
後、917路バスに乗り換え「兴教
寺」下車。西安へ戻る最終バスは
19:30頃発

三蔵院に祀られている玄奘像

玄奘の遺骨を納めた舎利塔

咸陽から出土した文化財を展示する博物館 ★

咸陽博物館 / 咸阳博物馆
かんようはくぶつかん　　xiányáng bówùguǎn

　明代に建てられた文廟
(孔子を祀る廟) を利用し
て1962年に開館した総合
博物館で、4000点余りの
文物が展示されている。

　咸陽は秦の都だったた
め、秦王朝と漢王朝の文化
財が多いところに特徴があ

秦咸陽一号宮殿の模型

る。館内は秦咸陽歴史文物陳列室、前漢帝陵文物陳列室、前
漢三千彩絵兵馬俑陳列室、臨時展示室、宗教文物展で構成さ
れている。

 南線ルート

三蔵法師が眠る場所 ★

興教寺 / 兴教寺
こうきょうじ　　xīngjiàosì

　唐代の名僧、玄奘 (602 ～ 664年) の遺骨が埋葬されて
いることで知られる興教寺には、大雄宝殿、蔵経院、慈恩塔
院などがある。清の同治年間に兵火に遭ったため、唐代の建
築物は慈恩塔院内に残る3つの舎利塔のみとなった。

　玄奘は、インドに仏法そして経典を求め旅すること17年、
657部のサンスクリット語の経典を携え、645 (唐の貞観
19) 年に長安に帰国した。その後、弟子たちと仏教経典の
翻訳や著作の執筆に打ち込み、中国仏教に多大な貢献をなし
た。また、玄奘が見た国々の歴史や文化などを記した旅行記
『大唐西域記』は、後世に残る文化遺産となった。玄奘は小
説『西遊記』の三蔵法師のモデルにもなっている。

高台にある寺院の山門

浄土宗発祥の地

香積寺 / 香积寺

こうせきじ　xiāngjīsì　★

創建当時の姿を残し高くそびえる善導塔

　　　706（唐の神龍2）年、浄土宗の門徒が第2代祖師善導和尚を記念して建立した仏教寺院で、西安市区の南約18kmに位置する。浄土宗発祥の地として国の内外に知られる場所だ。唐代の大詩人王維が『過香積寺』という詩を詠んだことでも有名。

　　　善導和尚は、613（隋の大業9）年に現在の山東省で生まれ、姓を朱といった。生涯を浄土念仏の布教活動に費やし、681（唐の開耀元）年に没した。

　善導和尚が記した『観経四帖疏』は、日本の浄土宗の開祖法然に大きな影響を与えた。そのため、日本の浄土宗信者もここ香積寺を祖庭としており、1980年には善導和尚の円寂1300周年を記念して善導大師像を寄贈している。

　創建当初の建築物はほとんど焼失し、善導塔だけが残っている。善導塔は高さ33mの11層の塔で、清代には星の定点観測場所としても使われていた。

鳩摩羅什が経典翻訳を行った寺院

草堂寺 / 草堂寺

そうどうじ　cǎotángsì　★

　　　もともとは、後秦時代（5世紀初頭）に姚興という人が造った逍遙園の中にあった寺院で、唐代の半ば、宗密という高僧が寺院を拡張して棲禅寺とし、寺院はいつの頃からか草堂寺と呼ばれるようになった。唐代以降、何度も兵火に遭ったため、現存する建築物は明、清代に再建されたもの。

　　　この寺は、クチャ出身の名僧鳩摩羅什がサンスクリット語の仏典を翻訳した場所としてよく知られている。中国で初めて大量の中国語仏典が作られた所で、ここで実に97部427巻の仏典が中国語に翻訳され、3000人の僧が翻訳事業に携わった。

　　　現在の草堂寺は風光明媚な場所にある。南に終南山の諸峰を望み、周囲は幽玄な雰囲気に包まれている。夕日が沈む頃に霧が立ち込める風景は草堂煙霧として知られ、古来より多くの文人を魅了してきた。

香積寺

Ⓜ P.38-B2
🏠 長安区郭杜郷香積寺村
☎ 85973209
🕐 8:00～18:00
🚫 なし
💴 無料
🚌 ①地下鉄2号線「韋曲南」。下車後、334路または4-03路バスに乗り換え「香积寺景区」。1～2元、所要約40分
②金花南路（Ⓜ P.43-D2）で游9（320）路バスに乗る。2元、所要約1時間50分。「香积寺村」下車後、徒歩約10分
🌐 www.xiangjisi.com

大雄宝殿の善導大師像

草堂寺

Ⓜ P.38-B2
🏠 鄠邑区草堂鎮
☎ 84953437
🕐 8:30～17:00
🚫 なし
💴 3～10月＝25元
　 11～2月＝15元
🚌 大雁塔北広場（Ⓜ P.43-C3）で環山旅游1号線バスに乗り、「草堂寺」下車。下車後、徒歩約10分。大雁塔北広場発＝8:30～11:00（土・日曜は7:30～11:00）の間40分～1時間に1便、8元、所要1時間45分。西安へ戻る最終バスは17:30頃発が目安だが、往路の運転士に発車時間を確認しておこう
🌐 www.caotangtemple.com

草堂寺の朱色の門

陝西省　西安

郊外の見どころ

華山

華山
M P.38-C2
⊞ 華陰市華山風景区
☎ 問い合わせ＝4000913777
🕐 24時間
休 なし
💴 3～11月＝160元
　12～2月＝100元
※チケットは2日間有効
🚃 ①地下鉄2号線「北客站」。下車後、直結している西安北駅で高鉄または動車組に乗り換え「華山北站」。1等89.5元、2等54.5元、所要30～40分。下車後、華山北駅前で1、2路バスに乗り換え「华山游客中心」、無料、所要約15～20分。タクシー利用の場合は20元、所要約10分が目安。歩き登山の場合は「华山游客中心」でシャトルバスに乗り換え「玉泉院」。無料、所要約5分。
②紡織城バスターミナルで「华阴」行きに乗り、「华山游客中心」。39.5元、所要約1時間20分。歩き登山の場合は「玉泉院」。39.5元、所要約1時間15分。あらかじめ運転士に目的地を伝えておこう。西安へ戻る最終バスは18:30頃発
🌐 huashan16.com

※5 五岳
五岳の残り4つは北岳恒山（山西省）、東岳泰山（山東省）、中岳嵩山（河南省）、南岳衡山（湖南省）。

● シャトルバス
華山ビジターセンター（华山游客中心）から、北峰または西峰ロープウエイ駅へはシャトルバスで向かう
▼北峰ロープウエイ駅行き
所要約20分
💴 片道＝20元
▼西峰ロープウエイ駅行き
所要約40分
💴 片道＝40元

● 手荷物預かり所
華山北駅前や華山ビジターセンター（华山游客中心）で手荷物を預けられる。1日預かり料金はバックパック（大）20元、（小）10元が目安

希望者は有料で歩ける長空桟道

五岳のひとつ　🕐 1日　★★★

華山 / 华山
かざん　huàshān

　西安市の東約120kmにある華山は、五岳[5]の西岳に当たり、険峻さが特徴。古くは太華山と呼ばれていた。北峰（雲台峰1614.9m）を経て、中峰（玉女峰2037.8m）、東峰（朝陽峰2096.2m）、南峰（落雁峰2154.9m）、西峰（蓮花峰2082.6m）の峰々がぐるりと輪のように連なる。

　絶壁に沿って造られた登山道が少なくなく、華山の険しさを物語っている。なかでも格別なのが蒼龍嶺。北峰から金鎖関に向かう途中にある南

蒼龍嶺から北峰方向の眺め

北1500m、幅1mの断崖絶壁の道だ。唐の文人の韓愈がここを登り、周囲を見回したとき、あまりに急峻な山道に身がすくみ、遺書を書き谷底に投げたという伝説も残っている。

　西峰は華山一の奇観といわれる峰で、その頂には翠雲宮が立つ。この前にある石がハスの花の形をしていることから蓮花峰とも呼ばれるようになった。

華山ルート概略図

長空桟道
東峰 2096.2m
南峰 2154.9m
西峰 2082.6m
金鎖関
2037.8m
中峰
蒼龍嶺
五雲峰
西峰ロープウエイ
北峰 1614.9m
西峰ロープウエイ下駅へ
千尺幢
青柯坪
北峰ロープウエイ
華山峪進山路（北峰まで4～5時間）
登山専用のルート
黄甫峪公路
←華山駅へ
瀧海線
東門
西安へ→
華山游客中心（チケット売り場、シャトルバス乗り場）
玉泉院（道教寺院）
N
国道G310
華山北駅へ
西峰ロープウエイへ→

東峰は朝陽峰という別名のとおり、御来光参拝のスポット。南峰は華山最高峰で、松が茂り幽寂な雰囲気が漂う。

　玉泉院からの歩き登山を含めルートはいくつかある。一般的に観光客はロープウエイで北峰か、西峰まで上がり、登山道を歩いたら、再び、いずれかのロープウエイで下山する。ルートの例として、北峰→蒼龍嶺→金鎖関→中峰→東峰→南峰→西峰の順で歩くことができるが、自分の体力に合わせポイントを省略するなど無理は禁物だ。また、登山道は自然の岩肌を利用した階段が続く。そのためスニーカー、登山靴、軍手などの装備にも配慮が必要。そのほか天気の急変、ロープウエイの運行終了時間などにも注意し、時間に余裕をもって行動しよう。

西峰ロープウエイ山頂駅から西峰頂上までは約15分

●ロープウエイ
北峰行きと西峰行きのふたつのロープウエイがある。運行時間は3～11月7:00～19:00、12～2月8:00～18:00（西峰行きは17:00まで）。悪天候、冬季のメンテナンス(10日間)時は運行を停止する。
▼北峰ロープウエイ(三特索道)
图3～11月＝片道80元
　　12～2月＝片道45元
▼西峰ロープウエイ(太華索道)
图3～11月＝片道140元
　　12～2月＝片道120元

●登山時間の目安
あくまでも目安のため、体力に合った登山計画を立てよう
北峰～中峰＝2時間
中峰～東峰＝40分
東峰～南峰＝1時間
南峰～西峰＝30分
西峰～中峰＝1時間
玉泉院～北峰＝4時間

中央のいちばん高い部分が華山の主峰

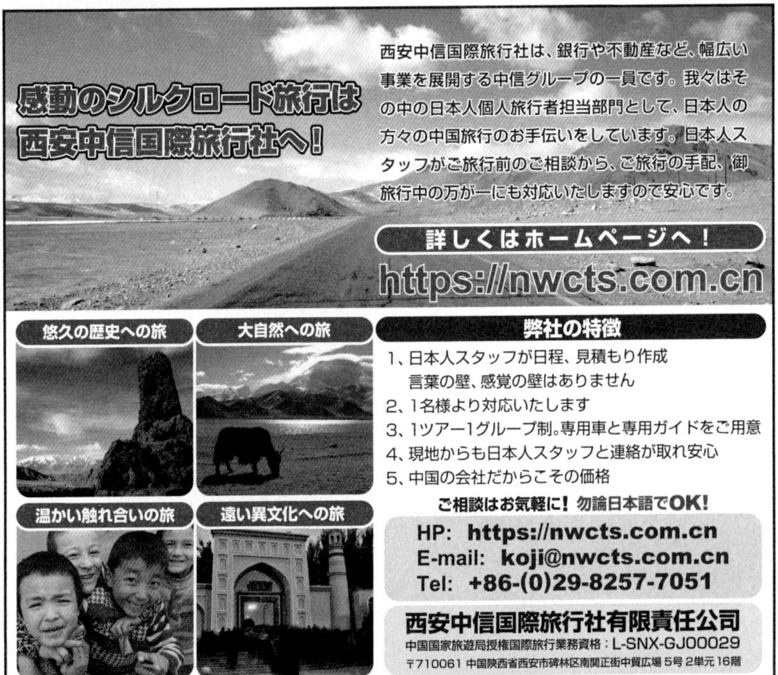

シェアサイクルで、町巡りをスイスイ楽しむ！

中国では市民の足としてシェアサイクルが盛ん。渋滞しがちな町なかも自由に走れて、旅行者でも気軽に利用できる。料金は30分で1元（約16円）。ここでは、シェアサイクル「モバイク（mobike ／摩拝単車）」を説明しよう。⊕mobike.com/jp

モバイクを利用するにはまず、スマフォを中国でも使えるように定額データローミングに申し込むか、Wi-Fiルーターを準備しよう。

①専用アプリをダウンロード

アプリには日本語版がある。ダウンロードしたら登録画面で、携帯番号を入力→ショートメッセージで送付された認証コードを入力→クレジットカード情報を登録→メニューの「Myウォレット」で適当な金額をチャージする。短期滞在なら500円で十分だろう。これで乗車前の準備は完了。

②乗る自転車を決め、解錠する

モバイクはどこからでも乗れて、乗り捨て自由。自転車は駅やバス停付近など、人の多く集まる場所近くに駐輪されている。それらの車両のなかから、故障を避けるために、なるべくきれいな車両を選び、アプリを起動し、カメラでハンドルやサドルにあるQRコードをスキャン。するとロックが自動解錠するのでこれで乗車可能！

③目的地で下車。施錠する

モバイクは変速ギア付きではないが、乗り心地はスイスイと快適。降車する際はモバイクや、他社のシェアサイクルが駐輪しているスペースに並べるか、交通の邪魔にならないような場所に駐輪する。サドル下の鍵を手動で施錠すると、スマフォに料金が表示される。これで利用終了だ。

④楽しいアプリ機能と注意事項

モバイクのアプリには「ライド履歴」機能がついている。乗車時間、消費カロリーなどを記録していて、乗降した位置もマップにマーキングして表示されるので、旅の記録としてあとから見返しても楽しめる。

モバイク利用の注意点としては、降車後にロックを忘れると、次に乗車した人の料金も払うことになってしまうので施錠を忘れないこと。モバイクを乗りこなして、楽しい町巡り体験を！

（金井千絵）

オレンジ色がモバイクカラー。十数台が整然と並んでいる場合もあれば、歩道に自由に乗り捨てられた車両もある

①アプリは日本語なので気軽に操作できる。付近に置いてある車両を表示するマップ機能もある

②QRコードをスキャンすると「ピピッ」と音が鳴り、ロックが外れる

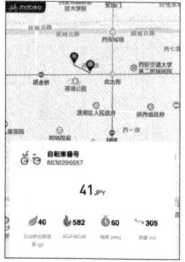

③サドルの下の黒い部分がロックになっている。解錠は自動だが、施錠は手動

④マップとともに表示される「ライド履歴」。CO_2排出削減への貢献指数も数値化されている

印鑑を作ってみよう

石選びから書体選びまで、文字だけでなく好きな図柄も彫ってくれるオーダーメイド印鑑を作ってみよう。碑林博物館（→P.48）に近い書院門通りには印鑑を作ってくれる店が集まる。小さくてかさばらない印鑑はおみやげにもぴったりだ。

①石を選ぶ

印鑑の土台となる石を選ぶ。大きさ、形、材質によって料金は異なるが、今回は印面が約1.5cm角の正方形の白い石をチョイス（オーダーメイド料金を含め150元）。店先に並んだたくさんの石から自分好みの1本を探すのも楽しい。

②石に彫る文字を決める

印面に彫る漢字の書体を選ぶ。いくつかある書体のなかから「小篆」文字を選択。「小篆」は秦の始皇帝が中華統一後に行った文字統一で採用された書体だ。現代使っている漢字を「小篆」文字ではどう書くかを店の人が字典で調べてくれる。

③④職人さんが彫りあげる

「西石閣」（→P.94）の主人、高志遠さんはこの道40年の篆刻家。やすりをかけて平らになった印面に鉛筆で下書きをし、彫りの作業がスタート。石を固定した作業台をクルッ、クルッと回転させながら手際よく彫っていく様子を眺めつつ、店先の丸椅子に腰掛けて待つ。

⑤⑥できあがり

15分ほどで完成。試し押しをして、最後に印面の上下がわかりやすいように、石を持ったとき左にくる面に高さんの名前を彫ってくれる。今回は大きめの印面だが、小さめならば名刺などに押しても素敵だろう。またぜひオーダーメイドで作ってみたい。

（金井千絵）

①仕上がり例を見ながら自分好みの石を探す

②書体を選ぶ。絵柄の印鑑も彫ってくれる

③④篆刻家の高さん。西安出身の映画監督、張芸謀に似ている

⑤小篆文字で「定鳳」と彫ると、このように仕上がる

⑥世界にひとつの「マイ印鑑」のできあがり

ウィンダムグランド西安サウス／西安豪享来温徳姆至尊酒店
せいあん　xiān háoxiǎnglái wēndémǔ zhìzūn jiǔdiàn　★★★★★

Ⓜ地図外（P.43-C3下）
田雁塔区慈恩東路208号
☎68219999
FAX65692666
Ⓢ718〜805元
Ⓣ718〜805元
サ10%＋6%
カADJMV
🌐www.wyndhamgrandxian.com

市中心から南側に位置し、大雁塔、大唐芙蓉園、大唐不夜城に近く、ショッピングセンターも付近にある。客室や施設内は、中国伝統様式にモダンさを取り入れた豪華なデザイン。

両　替　ビジネスセンター　インターネット

グランメリア西安／西安盛美利亜酒店
せいあん　xiān shèngměilìyà jiǔdiàn　★★★★★

Ⓜ地図外（P.43-C3下）
田雁塔区曲江池西路1666号
☎68216666
FAX68685999
Ⓢ755〜825元
Ⓣ755〜825元
サ10%＋6%
カADJMV
🌐www.melia.com

スペイン拠点のホテルグループが経営するホテル。館内は明るい開放感に満ちている。周辺の見どころには大唐芙蓉園があり、落ち着いた環境に立地している。

両　替　ビジネスセンター　インターネット

ウェスティン西安／西安威斯汀酒店
せいあん　xiān wēisītīng jiǔdiàn　★★★★★

Ⓜ P.43-C3
田雁塔区慈恩路66号
☎65686568
FAX65680999
Ⓢ862〜962元
Ⓣ862〜962元
サ10%＋6%
カADJMV
🌐www.marriott.co.jp

ホテルの目の前は大雁塔の玄奘広場で、大唐芙蓉園にも近い。観光スポットに位置するだけあって、周辺は夜間までとてもにぎやか。1階にはスターバックスコーヒーの大型店舗がある。

両　替　ビジネスセンター　インターネット

シェラトン西安ホテル／西安喜来登大酒店
せいあん　xīān xǐláidēng dàjiǔdiàn

★★★★★

Ⓜ P.42-A2
🏠 蓮湖区灃鎬東路262号
☎ 84261888
🄵 84262188
Ⓢ 440〜568元
Ⓣ 440〜568元
🈂 10%＋6%
🄺 ADJMV
🌐 www.sheraton.com/xian

西安城壁の西門である安定門から、さらに西へ約2.5kmの位置にある。ビュッフェの朝食の種類が多いと評判がいい。日本での電話予約は、☎0120-00-3535。

両替　ビジネスセンター　インターネット

シャングリ・ラ ホテル 西安／西安香格里拉大酒店
せいあん　xīān xiānggélǐlā dàjiǔdiàn

★★★★★

Ⓜ P.42-A3
🏠 雁塔区科技路38号乙
☎ 88758888
🄵 88759999
Ⓢ 780〜1130元
Ⓣ 780〜1130元
🈂 10%＋6%
🄺 ADJMV
🌐 www.shangri-la.com

市中心部から南西方向のビジネス街区に位置するホテル。入口を入ると、床から天井まである大きな窓の明るいロビーラウンジが広がる。日本での電話予約は、☎0120-944-162。

両替　ビジネスセンター　インターネット

ヒルトンホテル西安／西安富力希尔顿酒店
せいあん　xīān fùlì xīěrdùn jiǔdiàn

★★★★★

Ⓜ P.45-D2
🏠 新城区東新街199号
☎ 87388888
🄵 83389999
Ⓢ 800〜900元
Ⓣ 800〜900元
🈂 10%＋6%
🄺 ADJMV
🌐 www.hilton.com

西安城壁内にある豪華なホテル。城壁の東側の門である中山門や、陝西省の名物料理を集める食のテーマパーク、永興坊美食街へは徒歩圏内。周囲にはローカルなレストランも多い。

両替　ビジネスセンター　インターネット

リーガルエアポートホテル西安／空港大酒店
せいあん　kōnggǎng dàjiǔdiàn　★★★★★

Ⓜ 地図外（P.42-A1左）
🏠 咸陽市渭城区底張鎮西安咸陽国際機場 空港西一路1号
☎ 38011111
🖶 38101888
Ⓢ 735〜975元
Ⓣ 735〜975元
🈂 10%＋6%
🌐 www.airport-hotel-xian.com

西安咸陽国際空港に直結しており、ホテル2階と国際線ターミナルのT3とは連絡通路で往来できる。早朝や深夜のフライトには非常に便利。

[両替] [ビジネスセンター] [インターネット]

ソフィテル西安レンミンスクエア／西安索菲特人民大厦
せいあん　xīn suǒfēitè rénmín dàshà　★★★★★

城内の中心部のやや北東に位置するホテル。敷地内にはソフィテルのコンベンションセンター、劇場、1953年創建でバロック建築の人民大廈ホテルとその庭園などを有する。

Ⓜ P.45-C2
🏠 新城区東新街319号
☎ 87928888
🖶 87928400
Ⓢ 850元
Ⓣ 850元
🈂 10%＋6%
🅙 ADJMV
🌐 www.accorhotels.com

[両替] [ビジネスセンター] [インターネット]

グランドパーク西安／西安君乐城堡酒店
せいあん　xīn jūnlè chéngbǎo jiǔdiàn　★★★★★

西安城壁の観光拠点、南門（永寧門）外に立地するホテル。城壁を望める部屋もある。地下鉄2号線「永寧门」へは徒歩約1分、バス停も至近。周囲には大型商業施設が立つ。

Ⓜ P.44-B3
🏠 碑林区環城南路西段12号
☎ 87608888
🖶 87231500
Ⓢ 698〜898元
Ⓣ 698〜898元
🈂 なし
🅙 ADJMV
🌐 www.parkhotelgroup.com

[両替] [ビジネスセンター] [インターネット]

西安陽光国際大酒店／西安阳光国际大酒店
せいあんようこうこくさいだいしゅてん　xīn yángguāng guójì dàjiǔdiàn　★★★★★

西安駅前の大通りに面し、駅まで徒歩約5分。陝西省西安バスターミナルまでもほぼ同距離で、他都市への移動に便利。周囲は陝西名物を売る雑貨店や食堂、ファストフードレストランなどが多数ある。

Ⓜ P.45-D1
🏠 新城区解放路177号
☎ 87358888
🖶 87358899
Ⓢ 498〜568元
Ⓣ 498〜568元
🈂 なし
🅙 ADJMV
🌐 www.yangguanghotel.cn

[両替] [ビジネスセンター] [インターネット]

ゴールデンフラワー ホテル 西安／西安金花大酒店
せいあん　xīn jīnhuā dàjiǔdiàn　★★★★★

地下鉄1、3号線「通化门」駅に近く、周囲には飲食店や商業施設もありにぎやか。屋内プールを備えている。茶葉や茶器の専門店を集める西北国際茶城はホテルの目の前。

Ⓜ P.43-D1
🏠 新城区長楽西路8号
☎ 83232981
🖶 83235477
Ⓢ 428〜528元
Ⓣ 428〜528元
🈂 なし
🅙 ADJMV

[両替] [ビジネスセンター] [インターネット]

奥羅国際大酒店／奥罗国际大酒店
おうらこくさいだいしゅてん　àoluó guójì dàjiǔdiàn

★★★★

省政府に近く、落ち着いたロケーションにある23階建てのホテル。ホテル前の通りは東大街へ続いている。近くには公園やかつての城壁もあり散策が楽しい。

MP.45-C2
田 新城区南新街30号
☎ 87672888
FAX 87672770
S 398～550元
T 398～550元
サ なし
力 ADJMV

両替　ビジネスセンター　インターネット

鐘楼飯店／钟楼饭店
しょうろうはんてん　zhōnglóu fàndiàn

★★★★

MP.44-B2
田 碑林区南大街110号鐘楼西南角
☎ 87600000
FAX 87271217
S 408～598元
T 408～598元
サ なし
力 ADJMV
⊕ www.belltowerhtl.com

鐘楼に面し、鼓楼、回坊風情街へも徒歩圏内。付近には大小のレストラン、商業施設がありにぎやか。エアポートバスの発着地点で、1階には西安飯荘 鐘楼店（→P.89）がある。

両替　ビジネスセンター　インターネット

隴海大酒店／陇海大酒店
ろうかいだいしゅてん　lónghǎi dàjiǔdiàn

★★★

地下鉄1、4号線「五路口」駅から至近距離で西安駅へも歩いて行ける。エアポートバスの発着地点と隣接しており、繁華街の解放路には商業施設もあり食事や買い物に便利。

MP.45-C1
田 新城区解放路306号
☎ 87416090
FAX なし
S 248～278元
T 238～268元
サ なし
力 MV

両替　ビジネスセンター　インターネット

空港商務酒店／空港商务酒店
くうこうしょうむしゅてん　kōnggǎng shāngwù jiǔdiàn

エアポートバスの発着地点で、空港へのアクセスに便利。西安城壁の西門（安定門）の外側、約2kmの位置にある。周辺には飲食店が多く、食事には困らない。

MP.42-A2
田 蓮湖区労働南路207号
☎ 81323322
FAX 89349196
S 268～358元
T 268～358元
サ なし
力 不可

両替　ビジネスセンター　インターネット

西安中心戴斯酒店／西安中心戴斯酒店
せいあんちゅうしんたいししゅてん　xiān zhōngxīn dàisī jiǔdiàn

地下鉄1号線と2号線の乗り換え駅「北大街」から近い。アメリカ系ホテルチェーンDays Innのホテル。部屋は広く快適。北大街に面し、周囲は買い物、食事に非常に便利。

MP.44-B2
田 蓮湖区北大街99号
☎ 87398800
FAX 62811777
S 239～388元
T 239～388元
サ なし
力 MV

両替　ビジネスセンター　インターネット

グランドメルキュール西安レンミンスクエア／西安豪华美居人民大厦
せいあん　　　　　　　　　　　　　　　xīān háohuá měijū rénmíndàshà

Ⓜ P.45-C2
🏠 新城区東新街319号
☎ 87928888
🆚 87928999
Ⓢ 560～640元
Ⓣ 640元
🈂 10%＋6%
🈂 ADJMV
🌐 www.accorhotels.com

ソフィテル西安レンミンスクエアと同じ敷地内にあるホテルで、クラスは5つ星相当。1950年代のスターリン建築様式の外観をもつ。客室は機能的でありながらクラシカルな魅力にあふれている。

両替　ビジネスセンター　インターネット

メフッドレスティホテル 未央路店／美豪丽致酒店 未央路店
みおうろてん　　　　　　　　　　　měiháolìzhì jiǔdiàn wèiyānglùdiàn

Ⓜ 地図外（P.43-B1上）
🏠 未央区未央路149号
☎ 89609666
🆚 なし
Ⓢ 398～686元
Ⓣ 398～686元
🈂 6%
🈂 ADJMV

地下鉄2号線「市图书馆」駅から徒歩約5分。禁煙フロアを設けるホテル。客室は落ち着いた色調。隣接する陝西料理のレストランで提供される朝食ビュッフェは内容豊富。

両替　ビジネスセンター　インターネット

アトゥールホテル 西安南門店／亚朵酒店 西安南门店
せいあんなんもんてん　　　　　　　yàduǒ jiǔdiàn xīān nánméndiàn

Ⓜ P.45-C3
🏠 碑林区環城南路東段331号
☎ 87878555
🆚 なし
Ⓢ 459～879元
Ⓣ 459～879元
🈂 10%＋6%
🈂 ADJMV

地下鉄2号線「永宁门」駅から500m。城壁のすぐ外側に立つホテル。城壁側の客室からは南門や城壁上を往来する人、高層階からは城壁内の景色を望め、西安らしい景観を楽しめる。

両替　ビジネスセンター　インターネット

ホリデイ・イン エクスプレス 西安ノース／西安经开智选假日酒店 西安北
せいあん　　　　　　　　　　　　　　　　　　　　　xīān jīngkāi zhìxuǎn jiàrì jiǔdiàn xīān běi

Ⓜ地図外(P.43-B1上)
田 未央区未央路170号
☎ 81529888
🆕 86212999
Ⓢ 397〜469元
Ⓣ 397〜469元
サ なし
カ ADJMV
🌐 www.hiexpress.com.cn

高速鉄道の西安北駅から地下鉄2号線で3駅目の「行政中心」駅から約400m。無料コインランドリーを完備。大型商業施設に隣接する。市中心部の混雑を避けて滞在できる機能的な宿。

両替　ビジネスセンター　インターネット

美豪酒店 兵馬俑華清宮店／美豪酒店 兵马俑华清宫店
びごうしゅてん へいばようかせいきゅうてん　　mēiháo jiǔdiàn bīngmǎyǒng huáqīnggōngdiàn

Ⓜ地図外(P.43-D1右)
田 臨潼区書院東路8号
☎ 68068888
🆕 なし
Ⓢ 398〜686元
Ⓣ 398〜686元
サ 10％＋6％
カ 不可

華清池の東端から約200m、ホテルの裏手は驪山で山景を望む客室もある。『長恨歌』ショー、臨潼博物館、兵馬俑など東線ルートの見どころ、華山への足がかりの宿に適している。

両替　ビジネスセンター　インターネット

泊舎精品酒店／泊舎精品酒店
はくしゃせいひんしゅてん　　bóshē jīngpǐn jiǔdiàn

Ⓜ地図外(P.42-A1左)
田 咸陽市渭城区渭陽東路中山街53号
☎ 32099999
🆕 なし
Ⓢ 277〜566元
Ⓣ 277〜566元
サ 3％
カ 不可

咸陽博物館から徒歩で2、3分、渭河沿いのホテル。古渡廊橋(→P.23)はホテルの目の前。付近には飲食店もあり便利。西安咸陽国際空港への送迎や朝食、軽食の無料サービスをしている。

両替　ビジネスセンター　インターネット

西安曲江国際飯店／西安曲江国际饭店
せいあんきょくこうこくさいはんてん　xīān qūjiāng guójì fàndiàn

MP.43-C3
田雁塔区西影路46号
☎68799999
FAX68496666
S750～800元
T750～800元
サなし
力ADJMV
⊕www.qjintlhotel.com

地下鉄3、4号線「大雁塔」の隣駅、「北池头」から300m。青龍寺や大唐芙蓉園などの観光に便利なだけでなく、市中心部へのアクセスもよい5つ星相当のホテル。

[両替] [ビジネスセンター] [インターネット]

大唐博相府酒店／大唐博相府酒店
だいとうはくそうふしゅてん　dàtáng bóxiàngfǔ jiǔdiàn

MP.43-C3
田雁塔区芙蓉東路6-1号
☎85563333
FAX85563310
S800～900元
T800～900元
サなし
力ADJMV

大雁塔北広場に隣接するホテル。もとは博物館だった建物をホテルに改築した。中国様式の平屋建ての客室が中庭を囲んでいる。バルコニー付きの部屋は、特に人気が高い。中庭では伝統音楽の演奏も行われる。

[両替] [ビジネスセンター] [インターネット]

グランド ノーベル ホテル／皇城豪门酒店
huángchéng háomén jiǔdiàn

繁華街の東大街に面し、ショッピングや食事に便利な5つ星相当のホテル。レストラン、バー、カフェなどの館内施設をはじめ、スパトリートメントも充実し快適に滞在できる。

MP.45-C2
田碑林区東大街334号
☎87690000
FAX87690008
S539～639元
T539～639元
サなし
力ADJMV
⊕www.gnhotel.com

[両替] [ビジネスセンター] [インターネット]

アトゥールホテル 西安鐘楼北店／亚朵酒店 西安钟楼北店
せいあんしょうろうほくてん　yàduǒ jiǔdiàn xīān zhōnglóu běidiàn

地下鉄1、2号線「北大街」駅へ徒歩約3分。交通はもちろん、周囲の飲食店、商店の多さで利便性は高い。回坊風情街やイスラム街エリアの散策に適した禁煙フロアのある宿。

MP.44-B1
田蓮湖区蓮湖路23号
☎86717777
FAXなし
S375～909元
T375～909元
サ10％＋6％
力不可

[両替] [ビジネスセンター] [インターネット]

金花豪生国際大酒店／金花豪生国际大酒店
きんかごうせいこくさいだいしゅてん　jīnhuā háoshēng guójì dàjiǔdiàn

南門（永寧門）の外側、ツインタワーが目印のホテル。地下鉄2号線「永宁门」駅に近く、ホテル前にはバス停もある。ハワードジョンソン系列で、施設は5つ星に相当する。

両替　ビジネスセンター　インターネット

M P.44-B3
碑林区環城南路西段18号
☎88181111
FAX 82069999
S 498〜588元
T 498〜588元
サ なし
カ ADJMV
www.whghotels.cn

スカイテル／天阅酒店
tiānyuè jiǔdiàn

鐘楼と南門を結ぶ、非常ににぎやかな南大街に面したホテル。南門までは徒歩5分足らずで、骨董や書画用品を売る書院門通りも近い。客室はシンプルでコンパクトな造り。

両替　ビジネスセンター　インターネット

M P.44-B3
碑林区南大街32号
☎87632222
FAX 87632211
S 358〜558元
T 358〜558元
サ なし
カ ADJMV
www.skytelhotels.com

錦江之星 西安鐘楼酒店／锦江之星 西安钟楼酒店
きんこうしせい せいあんしょうろうしゅてん　jǐnjiāngzhīxīng xiān zhōnglóu jiǔdiàn

中国全土に1300を超える店舗を展開する「経済型」チェーンホテル。西安市内にはここ以外にも数十店舗あり、店舗名も似通っているので、予約やチェックインする際は注意すること。

両替　ビジネスセンター　インターネット

M P.44-B2
蓮湖区社会路1号
☎87389900
FAX 87387700
S 239〜299元
T 239〜309元
サ なし
カ 不可
www.hotel.bestwehotel.com

イビス 西安青龍寺店／宜必思 西安青龙寺店
せいあんせいりゅうじてん　yíbìsī　xiān qīnglóngsìdiàn

地下鉄3号線「青龙寺」駅へ徒歩約10分。青龍寺景観区に隣接するシンプルな客室の「経済型」チェーンホテル。1階のドリンクスタンドではコーヒーなどをテイクアウトできる。

両替　ビジネスセンター　インターネット

M P.43-D3
雁塔区雁翔路附18号
☎85256688
FAX なし
S 219〜279元
T 219〜279元
サ なし
カ MV
www.huazhu.com

都市春天酒店／都市春天酒店
としじゅんてんしゅてん　dūshì chūntiān jiǔdiàn

鐘楼や、地下鉄2号線「钟楼」駅の出入口はホテルの目の前。現金支払いの際、ユースホステルの会員証を見せると220元の部屋のみ10元引きとなる。

両替　ビジネスセンター　インターネット

M P.44-B2
碑林区北大街1号（西安郵政局北側）
☎87233005、87259988
FAX 87218222
S 320元
T 220元
サ なし
カ ADJMV

漢庭酒店 西安鐘楼南門店／汉庭酒店 西安钟楼南门店
かんていしゅてん せいあんしょうろうなんもんてん　hàntíngjiǔdiàn xiānzhōnglóu nánméndiàn

西安城壁の南門（永寧門）のすぐ内側に位置する中国全土に展開している「経済型」チェーンホテル。バーやカフェの多い徳福巷、食堂の多い湘子廟街、骨董街の書院門通りにも近い。

両替　ビジネスセンター　インターネット

M P.44-B3
碑林区南大街6号
☎87378899
FAX 87907766
S 389〜449元
T 449元
サ なし
カ 不可
www.huazhu.com

蜂巣酒店sleepbox／蜂巣酒店sleepbox
ほうそうしゅてん　　　　　fēngcháo jiǔdiàn

Ⓜ地図外(P.42-A1左)
田渭城区底張鎮西安咸陽国際機場空港西
　　一路1号ターミナル3　1、2階
☎68886888
🈳なし
Ⓢ240元
Ⓣ360元
サなし
力不可

西安咸陽国際空港の国際ターミナル(T3)にある宿泊施設。部屋はベッドとテレビを完備した独立式のボックス型とカプセル型の2種。共同シャワーもあり利用時はフロントへ申請する。

両替　ビジネスセンター　インターネット

西安漢唐驛青年旅舍／西安汉唐驿青年旅舍
せいあんかんとうえきせいねんりょしゃ　xiān hàntángyì qīngnián lǚshè

1階のトラベラーズカフェは飲み物や軽食メニューを多種揃える。同じ通りにある西安漢唐居精品青年酒店や、南門に近い西安書院国際青年旅舍は関連ホステルで共通のツアーもある。

ビジネスセンター　インターネット

Ⓜ P.45-C2
田新城区南長巷7号
☎87287772
🈳なし
Ⓢ270元
Ⓣ270元
③300元
Ⓓ70元
サなし　力AJMV

西安書院国際青年旅舍／西安书院国际青年旅舍
せいあんしょいんこくさいせいねんりょしゃ　xiān shūyuàn guójì qīngnián lǚshè

目の前は南の城壁。南門は城壁観光の拠点のため、周囲はとてもにぎやか。鐘楼へと続く南大街、骨董通りの書院門、福徳巷や城壁沿いのバーやカフェ、食堂の集まる一帯へも近い。

両替　ビジネスセンター　インターネット

Ⓜ P.44-B3
田碑林区南門里順城南路西段2号
☎87280092
🈳なし
Ⓢ180元
Ⓣ180元
③240元
Ⓓ40～60元
サなし　力MV

湘子門国際青年旅舍／湘子门国际青年旅舍
しょうしもんこくさいせいねんりょしゃ　xiāngzǐmén guójì qīngnián lǚshè

南門近くの静かな路地に面し、湘子廟の向かいに位置する。明代の屋敷を改装した建物で、レトロな吹き抜け建築に宿泊できるユースホステル。バーやカフェが並ぶ徳福巷や食堂の多い大車家巷に近い。

両替　ビジネスセンター　インターネット

Ⓜ P.44-B3
田碑林区南門里湘子廟街16号
☎62867888、87370456
🈳なし
Ⓢ188～238元
Ⓣ188～238元
③238～258元
Ⓓ50～55元
サなし　力ADJMV　⊕www.yhachina.com

七賢国際青年旅舍／七贤国际青年旅舍
しちけんこくさいせいねんりょしゃ　qīxián guójì qīngnián lǚshè

中国の伝統建築である四合院を利用したユースホステル。城壁内の北側にあり八路軍西安辦事紀年館の隣に位置する。周辺は落ち着いた環境。

両替　ビジネスセンター　インターネット

Ⓜ P.45-C1
田新城区北新街七賢荘北院2号
☎87444087　🈳なし
Ⓢ318元
Ⓣ318元
Ⓓ60元
サなし
力ADJMV
⊕www.yhachina.com

徳発長 鐘楼店／德发长 钟楼店
とくはつちょう しょうろうてん　défācháng zhōnglóudiàn

MP.44-B2
田 蓮湖区鐘鼓楼広場
☎87218187、87214060
オ10:30～14:00、17:00～21:00
休なし
カ不可
⊕www.dfc.com.cn

西安に来たら必ず訪れたい餃子の有名店。その味は、千古風味（千年の味）、華夏美食（中華の美食）と賞賛されている。2階席で食べる餃子宴は128元～。ひとりでも注文できる。1階席はカジュアルな雰囲気で、各種餃子や小皿料理をアラカルトで注文できる。オーダーは、1階席はレジで、2階席は座席です。

西安飯荘 鐘楼店／西安饭庄 钟楼店
せいあんはんそう しょうろうてん　xiān fànzhuāng zhōnglóudiàn

MP.44-B2
田 碑林区南大街110号（鐘楼飯店1階）
☎87680880
オ月～金曜10:30～14:00、16:30～21:00
　土・日曜、祝日10:00～21:00
休なし
カ不可

1936年に西安事件が起きた際、周恩来が張学良らを招いたことで知られる陝西料理のレストラン。現在は当時の場所から移転し、鐘楼飯店1階と市内数ヵ所に店舗を構える。鶏をまるごとゆでて蒸し、油で揚げた「葫芦鸡」98元のほか、「泡泡油糕」、「金线油塔」、「黄桂柿子饼」などのスイーツも有名。

賈三灌湯包子館 北院門総店／贾三灌汤包子馆 北院门总店
かさんかんとうほうずかん ほくいんもんそうてん　jiǎsānguàn tāngbāozǐguǎn běiyuànmén zōngdiàn

MP.44-B2
田 新城区北院門93号
☎87257507
オ8:00～22:30
休なし
カ不可
⊕www.jiasanfood.com

西安で包子といえばこの店というほどの有名店。あんは羊肉（17元）、牛肉（16元）、三鮮（16元）などから選べる。皮が薄く、ボリュームたっぷりのあんがスープを含み、味が濃厚なところが特徴。西羊市街に本店があるが、北院門のこの店がおすすめ。

天下第一麺 大雁塔広場店／天下第一面 大雁塔广场店
てんかだいいちめん だいがんとうこうじょうてん　tiānxiàdìyīmiàn dàyàntǎ guǎngchǎngdiàn

M P.43-C3
田 雁塔区小寨東路8号
☎ 88101818
オ 9:00〜22:30
休 なし
カ 不可
⊕ www.txdym.net

麺料理の人気チェーン店。麺の長さ3.8m、幅6cmの「天下第一面」38元は、海鮮ベースの「海鲜汤」と、酸味と辛さの「酸辣臊子汤」の、2種のスープで食べるつけ麺。長い麺は丼の縁を使い、麺を箸で押さえて擦り切るようにしてスープ碗へ入れる。

玉涮坊／玉涮坊
ぎょくさつぼう　yùshuànfāng

M P.45-C3
田 碑林区文芸北路金色城市総合楼1階
☎ 89355505
オ 11:00〜23:00
休 なし
カ 不可

北京名物の羊肉のしゃぶしゃぶ専門店。注文は、肉や好みの具材、ベースとなるスープを選び、オーダーシートに記入する。羊肉にはクセもなく、野菜もたっぷり取れる。ゴマだれで食べる。ひと皿の具材の量は多いので、スタッフに適当な量を聞き注文するとよい。肉のランクによるが、予算はひとり80元ほど。

老孫家飯荘 東関総店／老孙家饭庄 东关总店
ろうそんかはんそう とうかんそうてん　lǎosūnjiā fànzhuāng dōngguānzǒngdiàn

清真料理（イスラム料理）の老舗。おすすめは「羊肉泡馍」35元。「馍」という素焼きのパンを自分でちぎって渡すと、春雨スープを入れて煮込んでくれる。パンは細かくちぎるほどスープがしみてよい。好みで薬味の香菜、ニンニク、豆板醤を加える。

M P.45-D2
田 碑林区東関正街78号
☎ 82403204
オ 10:30〜22:00
休 なし
カ 不可

同盛祥 鐘楼店／同盛祥 钟楼店
どうせいしょう しょうろうてん　tóngshèngxiáng zhōnglóudiàn

羊肉の入ったスープの中に、春雨とパンを入れた料理「羊肉泡馍」の老舗。世界各地の観光客がこの料理を食べに訪れる。「牛肉泡馍」30元、「羊肉泡馍」35元。店舗は餃子料理の徳発長鐘楼店と同じ並びにあり、周囲には鐘楼、鼓楼、回坊風情街など見どころが多い。

M P.44-B2
田 蓮湖区鐘鼓楼広場西大街5号
☎ 87218711、87233480
オ 1階 7:30〜22:00
　 2〜4階 10:30〜14:30、17:00〜21:00
休 なし
カ 不可
⊕ www.xatsx.com

グルメ

永興坊美食街／永兴坊美食街
えいこうぼうびしょくがい　yǒngxīngfáng měishíjiē

Ⓜ P.45-D2
🏠 新城区東新街小東門(中山門内)
☎ なし
🕙 10:00～22:00
休 なし
カ 不可

陝西省の料理、甘味、飲み物を集めた食のテーマパーク。園内での支払いはウィーチャットペイなどの決済アプリか、入園ゲート付近で購入できるデポジット10元のプリペイドカードのみ。カードに適当な額をチャージし、余ったらカード返却時に返金してくれる。

関中老碗 臨潼店／关中老碗 临潼店
かんちゅうろうわん りんとうてん　guānzhōng lǎowǎn líntóngdiàn

Ⓜ 地図外(P.43-D1右)
🏠 臨潼区東関正街と会昌路交差点南西角
☎ 83430878
🕙 11:00～21:30
休 なし
カ 不可

華清池から約1km。ビャンビャン麺をはじめ、陝西省の素朴な伝統料理を食べられる(→P.30)。「特色三合一加油泼」18元は幅広麺にトマトと卵のソース、肉味噌などの具をのせ、沸かした油をかけた麺。好みで酢やラー油をかけて食べる。緑の麺は、ほうれん草を練り込んだもの。

永明岐山麺 高新店／永明岐山面 高新店
えいめいきさんめん こうしんてん　yǒngmíng qíshānmiàn gāoxīndiàn

Ⓜ P.42-A2
🏠 碑林区友誼西路128号
☎ 88485961
🕙 10:00～22:00
休 なし
カ 不可

「岐山面」は酸味のあるピリ辛スープで食べる陝西省の伝統麺。麺は細く、平らで薄く、豆腐やニラ、きくらげなどの具が入っている。1杯12元。ミニサイズの「一口香」6元でも十分味わえるので、違うメニューと合わせて注文するのもよい。辛いのが苦手な人は先に伝えるとよい。

河間府驢肉火焼 玉祥門店／河间府驴肉火烧 玉祥门店
かけんふろにくかしょう　ぎょくしょうもんてん　héjiānfǔ lǘròu huóshāo yùxiángméndiàn

生地を発酵させずに焼き上げたパンに、ロバ肉を挟んだサンドイッチの店。外皮がカリッとしたパンは味わい深い。ピリッとくる具材の野菜がアクセントになって、コクのあるロバ肉のクセも気にならない。テイクアウトも可能。6元〜。

Ⓜ P.44-A1
🏠 蓮湖区玉祥門広場玉祥門盆道南東角2号楼
☎ 15133722223（携帯）
🕐 8:30〜21:00
休 なし
🅿 不可

酔長安／醉长安
すいちょうあん　zuìchángān

陝西省の名物料理を味わえる専門店。丸鶏をゆでて蒸し、油で揚げた「葫芦鸡」68元、豚のひじ肉料理「大荔肘子」88元、3000年以上昔からあるといわれる辛い麺「油泼扯面」12元など。店舗は南門近くの書院門にあるが、通りに面した入口は狭く見つけにくい。

Ⓜ P.45-B3
🏠 碑林区書院門56号
☎ 87281828
🕐 11:00〜14:30、17:00〜21:30
休 なし
🅿 不可

海底撈火鍋 賽格国際購物中心店／海底捞火锅 赛格国际购物中心店
かいていろうかな　さいかくこくさいこうぶつちゅうしんてん　hǎidǐlāo huǒguō sàigéguójì gòuwùzhōngxīndiàn

日本にも支店をもつ大人気の火鍋店。昆布、干しエビ、干し牡蠣で取ったあっさりしただしで食べる「三鮮鍋」は日本人好みの味。たれのベースや薬味は、好みの味に調節できるセルフサービス方式。

Ⓜ P.43-B3
🏠 雁塔区長安中路123号9階
☎ 89329383
🕐 9:00〜翌7:00
休 なし
🅿 不可
🌐 www.haidilao.com

老碗 湘子廟街店／老碗 湘子庙街店
ろうわん　しょうしびょうがいてん　lǎowǎn xiāngzǐmiàojiēdiàn

陝西省の伝統的な家庭料理店。形状をひょうたんに見立てた丸鶏をゆで、醤油などで味つけしながら蒸して揚げた「葫芦鸡」68元は看板メニュー。細かく切った野菜や、卵などを麺とあえて食べる「三合一面」は18元〜。量は多めなのでシェアして食べるとよい。

Ⓜ P.44-B3
🏠 碑林区湘子廟街55号
☎ 68893666
🕐 11:00〜21:30
休 なし
🅿 不可

樊記臘汁肉 竹笆市店／樊记腊汁肉 竹笆市店
はんきろうじゅうにく　ちくはしてん　fánjì làzhīròu zhúbāshìdiàn

素焼きのパンに醤油煮の豚肉を挟んだ西安の小吃「肉夹馍」の老舗。肉の部位や量で値段は変わる。11元〜。うどんに似た「涼皮」、あっさり味の春雨スープ「粉丝汤」、原料はもち米で、ほのかな甘味と酸味のある西安の酒「黄桂稠酒」などと一緒にオーダーするとよい。

Ⓜ P.44-B2
🏠 碑林区竹笆市53号
☎ 87273917
🕐 9:00〜21:00
休 なし
🅿 不可

劉記臘汁肉揪麺片／刘记腊汁肉揪面片
りゅうきろうじゅうにくしゅうめんへん　liújì làzhīròu jiūmiànpiàn

薄く長方形に伸ばした麺に、軟らかく煮込んだ豚肉をのせた「腊汁肉揪面片」の人気店。ほかの具はニラ、豆腐のみで、醤油ベースのスープとあえて食べる。肉は2種あり、普通は1杯15元、より質のいい優質肉は21元。店のある大車家巷は食堂の多いエリア。

Ⓜ P.44-B3
🏠 碑林区大車家巷33号
☎ 87272647
🕐 11:20〜24:00
休 なし
🅿 不可

柳巷麺／柳巷面
りゅうこうめん　liǔxiàngmiàn

清真（イスラム）の麺料理店。コシのある
うどんのような麺の下に、細かく切った
牛肉やきくらげ、豆もやし、ブロッコリーな
どの具材が隠れている。小碗15元でも
量は多め。レジで注文後、座席で待つと
レシートの番号が呼ばれる。写真は野菜
トッピング4元付き。

Ⓜ P.45-C2
🏠 新城区案板街18号
☎ 15399482351（携帯）
🕐 10:00〜20:30
休 なし
カ 不可

新徳里餐庁／新徳里餐厅
しんとくりさんちょう　xīndélǐ cāntīng

玄奘三蔵がインドから持ち帰った経典を
保存していた大雁塔。そのすぐ西側にあ
る通り、大唐通易坊にあるインド料理の
レストラン。チキンや羊肉、野菜などベー
シックなカレーは40元前後。サモサ15
元などのサイドメニューも豊富で、店は
夜遅くまでにぎわっている。

Ⓜ P.43-C3
🏠 雁塔区雁塔西路大唐通易坊東頭3号
☎ 85355258
🕐 10:30〜23:00
休 なし
カ 不可

天素無界／天素无界
てんそむかい　tiānsùwújiè

城壁内北西角にチベット仏教寺院の広
仁寺がある。その正面にある素食のレス
トラン。野菜を中心にしたメニューと中国
茶を揃える。「天素蒸饺」22元は、豆腐な
どをあんにした蒸し餃子で、あっさりと優し
い味わい。タッチパネルで画像を見ながら
オーダーできる。

Ⓜ P.44-A1
🏠 蓮湖区西北一路152号広仁寺対面
☎ 87365585
🕐 10:00〜21:30
休 なし
カ 不可

徳懋恭 北関店／德懋恭 北关店
とくぼうきょう　ほくかんてん　démàogōng běiguāndiàn

創業1872年の中国菓子の老舗店。市
内に数店舗ある。清朝末期の動乱で北
京から西安へ逃れた西太后が食べて
絶賛したと伝わる水晶餅をはじめ、パイ
菓子やカステラなど、甘味の点心を販売
している。種類は多く、バラ売りもしてお
り、1個2元くらいから購入できる。

Ⓜ P.43-B1
🏠 蓮湖区北関正街十字東南角華茂商廈1階
☎ 89368688
🕐 8:30〜21:30
休 なし
カ 不可

西北国際茶城／西北国际茶城
せいほくこくさいじょう　xīběiguójiǎchéng

地下鉄1号線と3号線が交わる「通化
門」駅から徒歩1分。1棟のビルに中国
茶の問屋や専門店を集めた大型施設。
各種中国茶葉や茶器など、中国茶に関
連するものなら何でも揃う。中国風のイ
ンテリアに合いそうな品のよい小物も多
い。上階にはレストラン街もある。

Ⓜ P.43-D1
🏠 新城区長楽中路242号
☎ 83266707
🕐 8:00〜20:00（レストラン街は22:00まで）
休 なし
カ 店舗により異なる

賽格国際購物中心 小寨店／赛格国际购物中心 小寨店
さいかくこくさいこうぶつちゅうしん　しょうさいてん　sàigé guójì gòuwù zhōngxīn xiǎozhàidiàn

地下鉄2、3号線「小寨」駅直結の大型
ショッピングモール。ファッション、コスメ、
グルメなどの人気ブランドが集結する。
各国料理の店舗を多数集める6、7階の
レストラン街は、若者が集まる町らしく、
休日は特ににぎわっている。

Ⓜ P.43-B3
🏠 雁塔区長安中路123号
☎ 86300000
🕐 月〜木曜10:00〜22:00
　　金〜日曜、祝日10:00〜22:30
休 なし
カ 店舗により異なる
🌐 www.sagabuy.com

和運茶業／和运茶业
わうんちゃぎょう　héyùncháyè

漢中仙豪、茯茶など、陝西省特産の茶葉をはじめ、中国各地の黒茶、紅茶、緑茶などを揃える。店内にはお茶の知識に長けたスタッフがいて、味の好みを伝えると、茶葉を選び、店内のテーブルで味見させてくれる。優雅な茶芸を見ながら好みのお茶をゆっくり選べる。

Ⓜ P.43-D1
🏠 新城区長楽中路242号西北国際茶城北門1-03
☎ 89539686
🕐 8:30〜20:00
休 なし
カ V

西石閣／西石阁
さいせきかく　xīshígé

西安城壁の南門近く、書院門にある刻印店。ハンコの土台となる石選びから、書体、デザインなどオーダーメイドで、世界にひとつのハンコを彫り上げてくれる（→P.79）。如来や菩薩などを彫った小さなハンコも味わい深い。料金は100元前後〜。

Ⓜ P.45-B3
🏠 碑林区書院門105号蘭宝齋
☎ 15596659816
🕐 9:00〜21:00
休 なし
カ 不可

一品宣／一品宣
いっぴんせん　yīpǐnxuān

書院門の通り沿いにある店で、書画や伝統の切り絵、皮の影絵、文房四宝などを扱う。切り絵は陝西省に伝わる民話を題材にしたものなど、いろいろある。軽くてかさばらないのでおみやげに最適。

Ⓜ P.45-C3
🏠 碑林区書院門71号
☎ 87271480
🕐 9:00〜19:00
休 なし
カ 不可

唐楽宮／唐乐宫
とうがくぐう　tángyuègōng

唐代を意識したきらびやかなショーと、中洋折衷のディナーを楽しめる。ショーは約1時間5分。開始時間は原則として1日1回公演の場合は19:30、1日2回公演の場合は19:00と20:30。餃子宴付きでひとり500元、ショーのみはひとり268元と388元。

Ⓜ P.43-B3
🏠 碑林区長安北路75号
☎ 87822222、87822238
🕐 チケット販売10:00〜20:30
休 なし
カ MV

陽光麗都大劇院／阳光丽都大剧院
ようこうれいとだいげきいん　yángguāng lìdū dàjùyuàn

唐の都の繁栄をテーマにした豪華なショーを楽しめる。ショーは約1時間10分。開始時間は原則として19:30で1日1回公演。餃子宴付きでひとり388元、ショーのみはひとり268元。

Ⓜ P.45-C3
🏠 碑林区環城南路東段29号
☎ 87859888、87858555
🕐 チケット販売10:00〜20:30
休 3月下旬〜10月下旬=なし　11月〜3月中旬=不定休
カ V

陝西歌舞大劇院／陕西歌舞大剧院
せんせいかぶだいげきいん　shānxī gēwǔ dàjùyuàn

ディナショーを楽しめる劇場。ショーは約1時間10分。開始時間は1日1回公演の場合は19:30、1日2回公演の場合は18:00と20:00。餃子宴付きでひとり418元、ショーのみはひとり268元。

Ⓜ P.45-C3
🏠 碑林区文芸北路161号
☎ 87853295
🕐 チケット販売8:30〜20:30
休 4〜11月=なし　12〜3月=不定休
カ V
🌐 www.tang-dynastyshow.com

長恨歌／长恨歌
ちょうごんか　chánghèngē

M地図外（**P.43-D1**右）
住臨潼区華清路38号
☎83818888
FAX89338076
オチケット販売8:00～開演前まで
休11～3月、強風、雨天、降雪など悪天候日
カ不可
⊕hqc.cn/ChangHenGe/Introduction

華清池の野外舞台で上演される、玄宗皇帝と楊貴妃を描いた歴史舞踊劇。上演時間は1時間10分。開始時間は原則として20:10と21:40。料金は238～988元。2回目は20～30元安くなる。観劇後、バスで西安に戻るなら、終演後すぐ914、915路バスに乗車するとよい。余裕があれば華清池付近での宿泊がおすすめ。

易俗社／易俗社
いぞくしゃ　yìsúshè

「秦腔」は中国北西部発祥で、中国伝統演劇の祖といわれる。その「秦腔」を毎週金・土曜の夜、中国語字幕付きで上演している。易俗社は1912年創設の劇場でかつては魯迅も訪れた。前方席100元、後方席50元。上演時間は演目によるが約2時間30分が目安。

MP.45-B2
住新城区西一路282号
☎87255749
オ19:30～（終了時間は演目により異なる）
休日～木曜
カ不可
⊕www.xaqqjy.cn

旅行会社

西安金橋国際旅行社／西安金桥国际旅行社
せいあんきんきょうこくさいりょこうしゃ　xīān jīnqiáo guójì lǚxíngshè

個人の趣味に合わせたアレンジ旅行を得意とする、リピーターの多い会社（→P.32）。鉄道、バス、ショーなどの切符手配代行料は1枚70元。車チャーターは市内1日400元～、日本語ガイドは1日400元～。希望の行き先をメールすれば、効率のいいルートで見積もりをしてくれる。

MP.44-A2
住蓮湖区西大街276号安定広場4号楼2単元4階418室（外連部、日本部）
☎日本部=87611350、85657531、83710118
　日本語24時間対応=13772192936（携帯）
FAX89338076（日本語可）
オ4～10月9:00～18:00、11～3月9:00～17:30
休なし　**カ**不可　**⊕**d.hatena.ne.jp/xiaojun
✉xiaojunn@gmail.com（日本語可）

西安中信国際旅行社／西安中信国际旅行社
せいあんちゅうしんこくさいりょこうしゃ　xīān zhōngxìn guójì lǚxíngshè

西安在住歴の長い日本人スタッフが常駐している旅行会社。車チャーターは市内1日400元～、兵馬俑までは1日600元～、市内日本語ガイドは1日300元～。料金は参加人数によって異なるので、希望の行き先や参加人数をメールで連絡すれば、料金を見積もりしてくれる。

MP.43-B2
住碑林区南関正街中貿広場5号楼2単元16階1612
☎日本語対応=13991114109（携帯）、82577051
FAX87881980（日本語可）
オ10:00～19:00　**休**土・日曜、祝日
カMV　**⊕**nwcts.com.cn
✉koji@nwcts.com.cn（日本語可）

西安海外旅游有限責任公司／西安海外旅游有限责任公司
せいあんかいがいりょゆうゆうげんせきにんこうし　xīān hǎiwài lǚyóu yǒuxiànzérèngōngsī

よりよいツアーのアレンジをしてくれる旅行会社。車チャーターは市内1日580元～、日本語ガイドは1日400元～。オプショナルツアーや現地発着ツアーなど、行き先や参加人数によって異なるさまざまなツアーをホームページで紹介している。

MP.43-B3
住碑林区長安北路89号中信大廈6階
☎62800091
　日本語24時間対応=13991338396（携帯）
FAX62800092
オ9:00～17:30
休なし　**カ**不可
⊕otcxian.com
✉450680108@qq.com（日本語可）

Column

華清池『長恨歌』ショー鑑賞

6月のさわやかな夕べに華清池を訪ね、満席の盛況のなか、『長恨歌』ショーを鑑賞した。『長恨歌』は唐の詩人の白居易によって作られた長編の詩。唐の玄宗皇帝と楊貴妃のラブロマンスを七言120句（840字）で歌った名作だ。この詩をもとにした歴史舞踏劇『長恨歌』は2007年に上演が始まって以来、350万人の観客を魅了してきた（→P.95）。

池の中に設けられた可動式ステージ上で繰り広げられる、全10幕の迫力ある舞踏劇を堪能した。場内のナレーションは中国語のため、簡単に各幕の内容を紹介し、感想を付した。

日が沈む頃に入場開始。連日の盛況だ

序幕
「楊家の年頃の娘」

〈内容〉華清池の九龍湖に美しい蓮が咲く。艶やかな姿の楊玉（楊貴妃）が蓮華から姿を現し、妖精のように夜空を舞う。
〈感想〉闇のなか、楊玉が空中を舞う幻想的な光景に、早くも鳥肌が立った。

第1幕
「皇帝の側に召される」

〈内容〉楊玉は玄宗皇帝に召されて宮廷に入り、楊貴妃と呼ばれる。楊貴妃を得たうれしさに、玄宗皇帝は宮殿で盛大な祝賀会を開く。大勢の臣下が集まるなか、歌舞が催され、玄宗と楊貴妃は幸せに浸る。
〈感想〉唐の宮殿を再現した大規模なセットがライトアップされ、歓声が上がる。絢爛豪華なダンスショーが圧巻。

第2幕
「真夜中、ふたりで愛を誓い合う」

〈内容〉天上に星がきらめき、月が輝いている。7月7日の真夜中、華清宮の長生殿で玄宗と楊貴妃は銀河を仰ぎ見ながら誓い合う。「天にあっては比翼の鳥（2羽が常に一体となって飛ぶという空想上の鳥）となり、地にあっては連理の枝（2本の木が合わさって1本になった木）になりたい」と。
〈感想〉お楽しみのために詳しくは語れないが、驪山を利用した夜空の演出が見事。玄宗と楊貴妃の華麗なダンスに魅了される。

第3幕
「まだ寒い春の日、華清池で湯浴みを賜る」

〈内容〉華清池の温泉で、大勢の女官を従えて楊貴妃が湯浴みをする。
〈感想〉噴水による水のカーテンの向こうで湯浴みする楊貴妃のシルエットは一幅の絵画のよう。水上ステージを最大限に生かした場面だ。

第4幕
「驪山の離宮は雲に隠れる高さ」

〈内容〉安禄山が兵を率いて長安に入り、玄宗皇帝に拝謁。西域の人々によるダンスを披露する。おおいに喜んだ玄宗と楊貴妃は自らも踊り始め、宮殿は華やかな雰囲気に包まれる。
〈感想〉アラビア風の音楽に乗って安禄山がアクロバティックなダンスを繰り広げ、国際色豊かな唐の長安を彷彿とさせる（P.97写真）。

第5幕
「宴のあと、酔って春の気分に浸る」

〈内容〉宴で酒に酔った楊貴妃は朦朧として、ふらふらと歩む姿は春風に揺れる柳のよう。
〈感想〉楊貴妃の腰に結ばれた、色とりどりの長いシルクを使った優美なダンスを楽しめる。

第6幕
「美しい音楽が風に乗って聞こえてくる」

〈内容〉驪山の麓の離宮では仙境の音楽のような美しい音色が聞こえてくる。玄宗は太鼓を勇壮に打ち鳴らし、楊貴妃は多くの女官とともにフヨウの花の中で舞う。
〈感想〉玄宗率いる太鼓チームの迫力あるパ

フォーマンスから楊貴妃率いるダンスチームへの展開が鑑賞を飽きさせない。

第7幕
「反乱軍の進軍の太鼓が鳴り響く」

〈内容〉安禄山が造反して兵を挙げ、長安に迫ってきた。戦火が飛び交い、宮中は大混乱。戦乱の烈火は玄宗皇帝と楊貴妃との甘い生活も焼き尽くしてしまった。

〈感想〉第6幕から一転して、ステージ全体が燃え上がるような赤い照明に包まれ、安禄山の兵たちが乱入してくる。火器を使った大迫力の演出に身がちぢむ。

第8幕
「額の飾りは地に落ちて、拾う者なし」

〈内容〉玄宗皇帝と楊貴妃は西へ逃げ、馬嵬坡（ばかいは）にいたった。警護の兵たちは不満をあらわにして楊貴妃に死を賜うように玄宗に迫る。無情にも楊貴妃に白い布が巻き付けられ、月光の下で楊貴妃は死ぬ。玄宗の悲嘆の声が山々に響く。

〈感想〉楊貴妃の遺骸を抱いて悲しむ玄宗から、ゆっくりと楊貴妃の魂が天上へ昇ってゆくシーンが悲壮感にあふれ、涙を誘う。

第9幕
「住む世界は違っても、きっとまた会える」

〈内容〉玄宗皇帝は長安に戻ることができたが、常に楊貴妃の笑顔が頭に浮かび、断腸の苦しみを味わう日々。ある日、玄宗は夢の中で仙境に暮らす楊貴妃と再会する。

〈感想〉クライマックスは玄宗と楊貴妃の仙境での感動の再会。詳しくは語れないが、「比翼の鳥」を表現する演出にあっと驚くこと間違いなしだ。

　事前の知識なしで鑑賞しても十分おもしろいが、あらかじめ白居易の『長恨歌』（現代語訳もある）を読んでおけば、いっそう理解が深まることだろう。西安の夜は華清池で楽しみたい。
　　　　　　　　　　　　　　　　　（内田和浩）

300名を超える出演者が華麗で力強いダンスを披露する。きらびやかな照明効果や可動式舞台による演出も見ものだ

Column

陝西省の博物館巡り

　国内外の観光客であふれる陝西歴史博物館（→P.50）以外にも、陝西省には特色ある博物館が数多い。観光客が比較的少なく、ゆっくりと見学できる博物館を紹介しよう。

大唐西市博物館
Ⓜ P.42-A2　🏠蓮湖区労働南路118号

　唐の時代、長安城内の西にあった市場「西市」の遺跡の上に立っている。当時、役人たちのために開かれた市場「東市」に対して、庶民のために開かれた市場が「西市」だった。「西市」はシルクロードの西の起点でもあり、外国人商人たちがもたらす珍しい服、食べ物、果物にあふれ、異国のダンスや音楽が長安の人々を魅了していたという。博物館のエントランスは、床の一部がガラス張りになっていて、長安城を碁盤の目のように区切っていた道路や、馬車の轍、水路の跡を見ることができる。展示室では「西市」から出土した当時の生活用品や通貨なども展示している。

発掘された西市の水路の遺構

漢陽陵博物館
（→P.73）

　漢陽陵（漢の第6代皇帝景帝の陵墓）の副葬墓が博物館として公開されている。副葬墓の地下に入り、死者（皇帝）のために埋められた何体もの陶製俑（死者とともに埋められた陶器の人形）を見学できる。

　遺跡保護のために、靴の上にナイロンカバーを履いて墓の中へ入っていく。巨大な陵墓の中は、最低限の照明があるだけでとても暗い。ガラス張りの床の下に、坑道が大きく口を開けて横たわっている。坑道の陶製俑は

どれも裸体で腕がない。埋納された当時は服を着ていたのかもしれない。時期にもよるが、観光客が少なめでゆっくりと見学できるのはうれしいが、暗闇の坑道内はあまりにも静かすぎて、自分が墓の中にいるのだと思うと、恐怖が湧き上がってきた。

暗闇の坑道に横たわる陶製俑

咸陽博物館
（→P.74）

　西安から北へ向かうと、黄河支流の渭河が流れ、そこを渡ると咸陽の町に入る。咸陽博物館は咸陽の町なかにあり、渭河から徒歩数分の距離にある。川のほとりには遊歩道があり、始皇帝の巨大な像が立っている。

　咸陽は144年間にわたって秦の都があった場所だ。始皇帝をはじめ、歴代の王たちが住んだ咸陽城は渭河の北側に位置していた。それゆえに咸陽博物館の展示は咸陽城遺址（→P.23）からの出土品が多い。宮殿の屋根を飾っていた瓦当（軒丸瓦の先端の円形部分）には華やかな紋様が残り、どれも見飽きない。

蝉の紋様のある瓦当

秦咸陽宮遺址博物館

MP.38-B2　咸陽市渭城区窯店中学東

　咸陽博物館から東へ15kmほど離れた場所に咸陽城遺址がある。凝った展示方法もなく、出土品が陳列されているだけの素朴な博物館だが、やはり宮殿が実際にあった場所に立ち、当時の遺物を身近に感じられるのはうれしいかぎりだ。

中庭に展示されている五角形の水道管の遺物と博物館が飼っている子犬

鳳翔県博物館

MP.38-A2　宝鶏市鳳翔県文化路西段

　秦の歴史上、最も長く都がおかれた雍(現在の鳳翔県)にある博物館。雍城についての情報や、秦雍城遺址(→P.18)からの出土品を展示している。秦雍城遺址を訪れた際に、合わせて見学するとよいだろう。

さまざまな紋様の瓦当。左下の瓦当は秦雍城遺址の出土品

宝鶏青銅器博物館

(→P.104)

　秦に興味のある人なら、ここもぜひ訪ねてほしい。「帝国之路」と題した展示エリアでは、西域での秦の発祥と、秦が東へと遷都を繰り返しながら始皇帝による中華統一へと向かっていく過程を詳しく紹介している。2000年以上も前の美しい青銅器が、秦の壮大な歴史に華を添えている。

春秋時代の青銅の楽器「秦公鐘」

　このほか「鄭国渠遺址博物館」(MP.38-B2　泾陽県王橋鎮)は、秦王に即位して間もない贏政(のちの始皇帝)が韓出身の水利技術者、鄭国(秦に送り込まれた韓の間者)に造営させた灌漑水路について紹介している。また、「秦直道博物館」(MP.38-B1　咸陽市旬邑県)は、中華統一後の始皇帝が武将蒙恬に命じて造営した秦直道(咸陽郊外から北へ700kmに及ぶ軍用道路)の全容を紹介する。鄭国渠遺址と秦直道はともに当時の遺構が残っているので、現地訪問の際は博物館へも足を運ぶとよい。

(金井千絵)

歴史に彩られた陝西省第2の都市

宝鶏
（ほうけい）

バオジー　**Bǎo Jī**
宝鸡

● 都市データ ●

宝鶏
人口＝384万人
面積＝1万8162㎢
3区9県を管轄

市公安局出入境管理処
（市公安局出入境管理处）
Ⓜ地図外（P.102-B2右）
🏢金台区代家湾行政中心4号楼
☎3268238
　土・日曜、祝日は18992797215
　（携帯）
🕐8:30～12:00、14:00～17:00
🈲土・日曜、祝日
観光ビザを最長30日間延長可能。
手数料は160元

市中医医院
（市中医医院）
Ⓜ P.102-A1
🏢金台区宝福路43号
☎救急＝3653666
🕐24時間
🈲なし

市内交通
【路線バス】運行時間の目安は
6:00～21:00、1～2元

【タクシー】初乗り2.5㎞未満7
元、2.5㎞以上1㎞ごとに1.7
元加算

❖ 概要と歩き方 ❖

　宝鶏は関中平原の西端、甘粛省との境に位置する陝西省第2の都市。古くは陳倉と呼ばれており、宝鶏と改称されたのは唐代になってから。

　宝鶏は西と南北の三方を山で囲まれ、渭河（黄河の支流）の流れる東側のみに平地が広がる山がちな地形だ。気候は四季の区別がはっきりした比較的温和なもの。また、宝鶏は黄河文明発祥地点のひとつであり、これまで多くの遺跡が発掘されている。

　西安⇔宝鶏間の交通は、鉄道だけでなく、高速道路を利用した車での移動も非常にスムーズだ。宝鶏市区は渭河を挟んで両岸に広がるが、中心部は北岸にある。この地域は東西に走る鉄道（隴海線）を境に、金台区と渭濱区に分けられる。北側を占める金台区には公共機関が揃っているほか、見どころも多く、高台にある金台観からは宝鶏市街地を一望できる。南側の渭濱区には、宝鶏一の繁華街である経二路が東西に延びている。ここにはホテルやレストランが集中している。

宝鶏駅前の通りに出るナイトマーケット。食べ物の露店が連なる

	1月	2月	3月	4月	5月	6月	7月	8月	9月	10月	11月	12月
平均最高気温(℃)	4.7	7.3	13.0	19.6	24.7	30.0	30.6	29.2	23.3	18.2	11.5	6.1
平均最低気温(℃)	-4.1	-1.5	3.3	8.9	13.3	18.1	20.7	19.8	14.8	9.3	2.9	-2.5
平均気温(℃)	0.9	2.7	7.7	14.2	19.5	23.3	25.3	24.0	19.2	14.0	7.3	2.1
平均降水量(mm)	6.4	10.6	23.9	46.3	60.7	53.1	95.2	85.2	107.5	59.0	26.0	6.0

Access

中国国内の移動 ➡ P.338

🚆 **鉄道** 隴海線、宝成線の分岐点である宝鶏駅、徐蘭高速線の宝鶏南駅を利用する。

所要時間(目安)【宝鶏(bj)】北京西(bjx)／特快：16時間　上海(sh)／直達：17時間　西安(xa)／直達：1時間30分　西寧(xn)／直達：8時間30分　銀川(yc)／快速：11時間50分　蘭州(lz)／特快：5時間25分　敦煌(dh)／快速：19時間25分　ウルムチ(wlmq)／直達：22時間20分　【宝鶏南(bjn)】北京西(bjx)／高鉄：7時間　西安北(xab)／高鉄：1時間　西寧(xn)／動車：4時間30分　蘭州西(lzx)／高鉄：2時間10分

🚌 **バス** 旅行者がおもに利用するのは宝鶏西バスターミナルと宝鶏バスセンター。宝鶏西バスターミナルは甘粛東部方面、宝鶏バスセンターは西安方面への便がメイン。

所要時間(目安)　天水／3時間　西安／3時間　西安咸陽国際空港／2時間30分

Data

🚆 鉄道

宝鶏駅（宝鸡火车站）
Ⓜ️P.102-B1　⊞渭濱区迎賓路1号
☎共通電話=12306　🕐24時間　休なし　カ不可
[移動手段] タクシー（宝鶏駅〜人民商場）／7元、所要5分が目安　路線バス／5、7、8、10、28、37、38、42、51路「火车站」
　28日以内の切符を販売。

宝鶏南駅（宝鸡南站）
Ⓜ️P.101-B1　⊞渭濱区蟠龍路南端
☎共通電話=12306　🕐7:00〜22:30
休なし　カ不可
[移動手段] タクシー（宝鶏南駅〜人民商場）／35元、所要30分が目安　路線バス／7、28、30路「宝鶏南站」
　28日以内の切符を販売。

🚌 バス

宝鶏西バスターミナル（宝鸡汽车西站）
Ⓜ️P.102-A1　⊞渭濱区経二路106号
☎問い合わせ=3212694、3213443
🕐5:40〜19:00　休なし　カ不可
[移動手段] タクシー（宝鶏西バスターミナル〜人民商場）／7元、所要1分が目安　路線バス／4、5、7、9、35、36、39、40、43路「汽车西站」
　2日以内の切符を販売。蔡家坡(6:20〜18:40の間15〜20分に1便)など。

宝鶏バスセンター（宝鸡汽车客运中心）
Ⓜ️地図外(P.102-B2右)　⊞金台区斗中路1号
☎問い合わせ=3419000、3419979
🕐5:30〜18:30　休なし　カ不可
[移動手段] タクシー（宝鶏バスセンター〜人民商場）／20元、所要15分が目安　路線バス／7、22、33、34路「高速客运中心」
　7日以内の切符を販売。西安(7:00〜18:30の間40〜50分に1便)、西安咸陽国際空港(6:00〜11:10、12:00〜19:00の間1時間に1便)など。

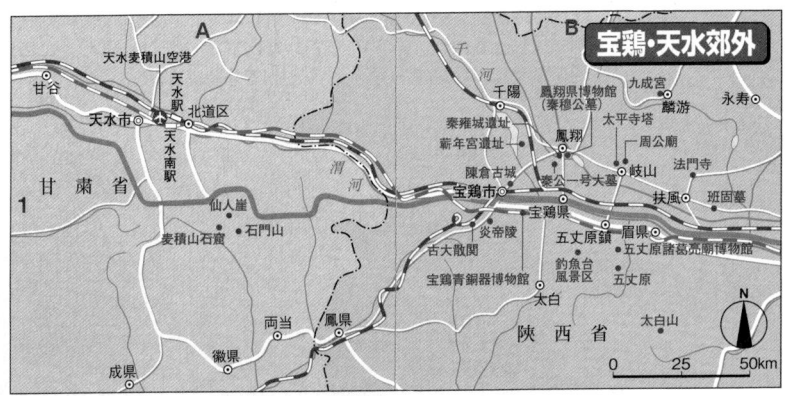

● 見どころ　━━ 鉄道　━━ 高速鉄道　━━ 高速道路

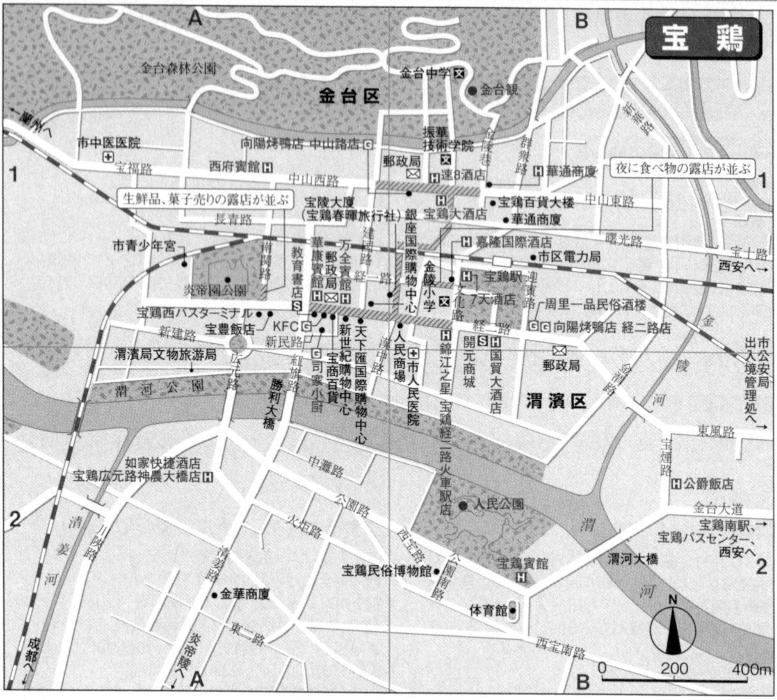

宝鶏
A
B
金台森林公園
金台中学
金台観
金台区
蘭州へ
市中医医院
宝福路
向陽烤鴨店 中山路店
振華技術学院
郵政局
速8酒店
西府賓館
中山西路
華通商廈
夜に食べ物の露店が並ぶ
生鮮品、菓子売りの露店が並ぶ
宝陵大廈（宝鶏春暉旅行社）
宝鶏大酒店
宝鶏百貨大楼
中山東路
長青路
華通商廈
市青少年宮
嘉隆国際酒店
曙光路
市区電力局
宝十路
西安へ
炎帝園公園
教育書店
華康賓館
郵政局
万全賓館
経一路
銀座国際購物中心
金陵小学
宝鶏駅
7天酒店
周里一品民俗酒楼
宝鶏西バスターミナル
KFC
宝豊飯店
新建路
新民路
向陽烤鴨店 経二路店
新世紀購物中心
宝商百貨
司家小厨
天下匯国際購物中心
人民商場
市人民医院
錦江之星 宝鶏経二路火車駅店
開元商城
国貿大酒店
郵政局
市公安局出入境管理処へ
渭濱区文物旅游局
渭河公園
広元路
紅旗路
勝利大橋
渭濱区
金陵河
東風路
中灘路
宝煙路
公爵飯店
如家快捷酒店 宝鶏広元路神農大橋店
公園路
人民公園
金台大道
宝鶏南駅、宝鶏バスセンター、西安へ
火炬路
西宝路
清姜河
川陜路
清姜路
宝鶏民俗博物館
公園南路
宝鶏賓館
渭河大橋
渭河
金華商廈
体育館
N
東二路
炎帝陵へ
成都へ
西宝南路
0
200
400m
1
2

● 見どころ　H ホテル　G グルメ　S ショップ　⊠ 学校　✉ 郵便局　⊕ 病院　▨ 繁華街

見どころ

金台観
Ⓜ P.102-B1
住 金台区金台巷陵塬路112号
☎ 2952566
開 8:30 ～ 17:30
※入場は閉門30分前まで
休 なし
料 無料
交 5、10、28、35、37、38、42、51路バス「华通商厦」。下車後、高台に向かって徒歩約10分
🌐 www.bjjtg.org.cn

※1　塬
黄土高原地区に多い、雨に押し流されてできた、頂上が平らな高地をいう
※2　道観
道教の宗教施設。宮観ともいう。仏教の寺院に当たる
※3　張三豊
元末明初の著名な伝説的道士。明の永楽帝が会おうとしたがかなわなかった。湖北省の武当山では武術の祖としても知られている

全国的にも非常に重要な道観　★★

金台観（きんだいかん） / 金台观（jīntáiguàn）

宝鶏駅から約600m、市街地の北側に広がる塬（げん）[※1]の中腹に位置する道観（どうかん）[※2]。元末（14世紀中頃）に楊軌山（ようきざん）という人物によって創建され、明初に張三豊（ちょうさんほう）[※3]という道士が修行した場所として有名になった。観内は中院、東・西偏の3つの部分からなる。明の万暦年間（1573～1619年）に創建された玉皇殿（ぎょくこうでん）は、彫刻の施された梁やそり庇が見事だ。ここから宝鶏市街地を一望することもできる。

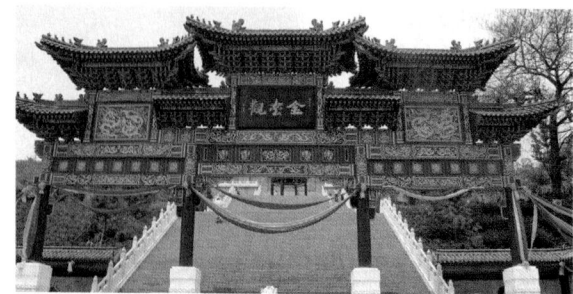

金台観の牌坊。観内へは急な階段を登る

諸葛亮を祀った祠廟

五丈原諸葛亮廟博物館／五丈原诸葛亮庙博物馆 ★★
ごじょうげんしょかつりょうびょうはくぶつかん　wǔzhàngyuán zhūgéliàngmiào bówùguǎn

　岐山県県城の南約20kmの所にあるのが、三国志で名高い五丈原だ。五丈原は東西1km、南北3.5kmの範囲に広がる高さ120mの塬で、西は菱里河、東は石頭河、北は渭河、南は棋盤山に臨む険要の地勢にある。

　名前の由来は、最も狭い場所が5丈（約11m）しかないためともいわれている（幅が5丈というのはもちろん誇張）。

　三国時代、蜀の宰相であった諸葛孔明は、勢力的に劣る蜀を率い、この地で5度にわたって、中原をおさえていた魏に戦いを挑んだが、大志を果たすことなく、ここで病没した。彼の忠臣ぶりは民衆にもたたえられ、五丈原の北端に彼を祀る諸葛亮廟が建てられた。

　諸葛亮廟は、元初の創建後、明、清代にたびたび修復された。祠廟には鼓楼、鐘楼、八卦亭などの建物、趙雲や馬超など彼にゆかりのある武将の彫像や三国志演義の壁画があるほ

諸葛亮の装束を埋めた衣冠塚

か、南宋の武人岳飛が刻んだと伝えられる前・後出師表※4は一見の価値がある。また、落星亭には、諸葛亮逝去の際に空から降ったとされる落星石が祀られている。

農業と医学の元祖

炎帝陵／炎帝陵 ★★
えんていりょう　yándìlíng

　市区中心から南西に5kmほど行った常羊山にある炎帝の陵墓。炎帝は、中国古代伝説上の王で、三皇（ほかは伏羲と女媧）のひとりに数えられており、初めて人々に農業を教え、医薬を作ったとされている。

　面積は約3300㎡で、最も高い所にある墓塚区からは、宝鶏の町並みと険しい秦嶺山脈を一望できる。

広い祭祀区の後ろが墓塚区で、階段で上まで登れる

陝西省 宝鶏

宝鶏マップ／見どころ／郊外の見どころ

五丈原諸葛亮廟博物館
Ⓜ P.101-B1
🏠 岐山県蔡家坡鎮周五路五丈原村
☎ 8770456
🕗 8:30～18:00
※入場は閉門30分前まで
休なし
💴 30元
🚌 ①宝鶏西バスターミナルで「蔡家坡」行きに乗る。18.5元、所要約1時間。「蔡家坡汽车站」下車後、五丈原方面行きのバスに乗り換え「诸葛亮庙」。3元、所要約35分。「蔡家坡」から宝鶏へ戻る最終バスは18:30頃発
②宝鶏南駅で高鉄または動車に乗り「岐山站」。1等18.5元、2等11.5元、所要約15分。下車後、タクシーに乗り換え「诸葛亮庙」。20元、所要約10分

※4　前・後出師表
諸葛亮が、北伐に際し、時の皇帝劉禅に上奏したとされる名文

出師表。拓本を売店で購入できる

炎帝陵
Ⓜ P.101-B1
🏠 渭濱区清姜路80号常羊山
☎ 3351311
🕗 8:00～18:00
休なし
💴 30元
🚌 2、6、20、39、40、48路バス「宝鶏桥梁厂」。下車後、宝鶏総合市場に隣接する炎帝陵への登り口から徒歩約40分
🌐 www.yandi.cn

巨大な炎帝像を祀る

宝鶏青銅器博物館

ⓂP.101-B1

🏠渭浜区濱河大道東段中華石鼓園内

☎2769016

🕐9:00～17:00

🈺月曜（月曜が特定の記念日や祝日の場合は開館）

💰無料

🚌10、20、71路バス「中華石鼓園」

🌐www.bjqtm.com

手法を凝らし古代中国を紹介

古大散関

ⓂP.101-B1

🏠渭濱区212省道古大散関遺址森林公園

☎13709276612（携帯）

🕐8:00～18:00

🈺なし

💰45元

🚌①宝鶏西バスターミナルで「鳳県」方面行きのバスに乗り、車掌もしくは運転士に古大散関へ行きたいことを告げる。バス停はなく、古大散関の景区入口で下車する。7元、所要約40分
②タクシー利用の場合、市区から50～60元が目安

古大散関を詠った陸游の詩の文言が山肌に大きく彫られている

国宝の青銅器を多数展示する

宝鶏青銅器博物館／宝鸡青铜器博物馆
ほうけいせいどうきはくぶつかん　bǎojī qīngtóngqì bówùguǎn

★★

中国古代の青銅器をテーマにした博物館。宝鶏一帯は周、秦王朝の発祥の地であり、そのためこの地では、古代青銅器時代の遺物が多数出土している。博物館の収蔵品は、青銅器をはじめ1万2761点に上り、青銅器の博物館としては国内最大の規模を誇る。

何尊。高さ38.8cm、口径28.8cm、重さ14.5kg

館内の常設展示は「青銅器之郷」「周礼之邦」「帝国之路」「知恵之光」と題した4つのエリアからなる。1500点の展示物のなかには、「中国」の文字が刻まれたものとしては最古の「何尊」（西周早期の祭祀に使われた酒器）や、「秦公鎛」（春秋時代に祭祀に使われた楽器）など、国宝100点余りを含む。

また、博物館は石鼓が出土した石鼓山に立つ。石鼓とは、春秋時代の狩猟や祭祀などについての詩が刻まれた、太鼓の形をした花崗岩のこと。博物館の外観で目を引く円形のデザインは、石鼓をイメージしている。

兵家必争の地

古大散関／古大散关
こだいさんかん　gǔdàsānguān

★

宝鶏市の南西約13kmの大散嶺にある関中四大関（東の函谷関、南の武関、西の大散関、北の蕭関）のひとつで、周囲の地形は険しく、麓と最高峰の高低差は1000mにも及ぶ。

大散関は、秦蜀（それぞれ陝西省と成都盆地地区の略称）交通の要衝で、古来より兵家必争の地であった。項羽と劉邦もここで争い、三国時代には、曹操や諸葛亮もここを抜けて戦場に赴き、宋代には、宋将呉玠・呉璘兄弟が南下する金軍を破った。

なお川陝公路や宝成線がここを通るので、通過の際その周囲の険峻な景観を眺めることもできる。

間際まで険しい山が迫る古大散関の楼閣

ホテル

嘉隆国際酒店／嘉隆国际酒店
かりゅうこくさいしゅてん　jiālóng guójì jiǔdiàn

宝鶏駅のすぐ西側にあり、高速鉄道専用駅の宝鶏南駅からはタクシーで約30分。周囲には飲食店や商店、夜には食べ物の露店が立ち並ぶ。ホテル内には陝西料理を食べられるレストランがあり便利。

ビジネスセンター　インターネット

Ⓜ P.102-B1
🏠 渭濱区経一路294号
☎ 2708888
📠 2708877
Ⓢ 208元
Ⓣ 198元
サ なし
カ 不可
🌐 www.jlhotel.net

錦江之星 宝鶏経二路火車駅店／锦江之星 宝鸡经二路火车站店
きんこうしせい ほうけいけいにろかしゃえきてん　jǐnjiāngzhīxīng bǎojī jīngèrlù huǒchēzhàndiàn

中国全土に店舗を展開する「経済型」チェーンホテル。立地は宝鶏駅前の経二路で、周囲に飲食店や商業施設、銀行なども多い繁華街エリア。通りのバス停にも近い。

ビジネスセンター　インターネット

Ⓜ P.102-B1
🏠 渭濱区経二路151号
☎ 3507888
Ⓢ 180～218元
Ⓣ 218～227元
サ なし
カ 不可
🌐 www.jinjianginns.com

グルメ

向陽烤鴨店 経二路店／向阳烤鸭店 经二路店
こうようこうおうてん けいにろてん　xiāngyáng kǎoyādiàn jīngèrlùdiàn

Ⓜ P.102-B1
🏠 渭濱区経二路11号
☎ 3235988
オ 9:30～14:00、17:00～21:00
休 なし
カ 不可

北京ダックを看板メニューにするレストラン。麺や炒め物などもあり値段は手頃。ほどよく肉の付いた皮が食欲をそそる「烤鸭」は、1羽68元、半羽35元（17:00以降は1羽のみ）。肉を包む「薄饼」15元。ガラでスープをとった「鸭汤」は、頼めば無料で付けてくれる。食べきれない場合は持ち帰り用に包んでもらうとよい。

司家小厨／司家小厨
しかしょうちゅう　sījiāxiǎochú

陝西省各地で食べられている「臊子面」は、宝鶏の岐山県が本場の麺。スープは赤色をしているが見た目ほど辛くない。「大碗臊子面」8元、辛味のある「大碗辣子面」10元。アルコールによく合う冷菜や炒め物、小吃もある。麺をはじめ、料理はテイクアウトも可能。

Ⓜ P.102-A1
🏠 渭濱区新民路19号
☎ 3508377
オ 9:00～22:00
休 なし
カ 不可

旅行会社

宝鶏春暉旅行社／宝鸡春晖旅行社
ほうけいしゅんきりょこうしゃ　bǎojī chūnhuī lǚxíngshè

各種切符手配代行や近郊への現地ツアーのアレンジを行っている。五丈原諸葛亮廟博物館、古大散関などを回る車のチャーター料は1日1000元が目安。料金は行き先、参加人数、車種によって異なる。

Ⓜ P.101-A～B1
🏠 渭濱区漢中路205号宝陵大廈5階
☎ 3236525
📠 3219107
オ 8:30～18:00
休 なし
カ 不可

シルクロードの主要な民族

多くの民族が暮らすエリア

シルクロードがある中国の西北部は民族の興亡が繰り返されたエリアで、時代により居住民族が異なる。

紀元前にはアーリア系民族が住んでいたと考えられている。タリム盆地周辺にあった天山南路の諸国は、北の遊牧民族、東の漢族、南のチベット系民族の脅威にさらされていた。東西貿易の要路にあったタリム盆地のオアシス都市には、ソグド人やイラン人などさまざまな民族が暮らしていた。

9世紀、キルギス族に追われたウイグル族が天山山脈南部や東部に定住するようになり、タリム盆地周辺の主要民族はウイグル族となった。18世紀になると、西北エリアは清の領土となった。清朝政府は新疆地区の治安維持のために、回族、満洲族、東北地方に住んでいたシボ族などを新疆各地に移住させてウイグル族を分断した。

現在の民族分布や民族構成は、漢族（清代は漢族の新疆への入植が禁止されていた）の存在を別にすれば、基本的に清代に作り上げられたもの。

以下の説明中の行政区や人口は、新疆ウイグル自治区におけるもの。

ウイグル族（维吾尔族）

新疆ウイグル自治区最大の民族で、人口は約1130万人と中国の少数民族のなかで4番目に多い。

ウイグル族の老人たち

自治区全域に住むが、特にカシュガルやホータンなど新疆南部に多い。

トルコ系民族でウイグル語を話し、ウイグル文字をもつ。男性は刺繍を施したドッパという四角いキャップをかぶり、女性はカラフルなスカーフを巻き、鮮やかな色や柄物のワンピースを着ている。顔立ちは彫りが深くはっきりしている。

カザフ族（哈萨克族）

人口約160万人。新疆北部や東部の草原地帯で暮らしている。カザフ語を話し、イスラム教を信仰する。

トルコ系遊牧民であるカザフ族は、草原にフェルト製の移動式住居であるゲル（カザフ語ではキーグズイ）を建てて住む。春から秋にかけては遊牧をし、冬場は町で定住生活をしている。

男女ともに乗馬が得意で、男性の正装は羊皮の服を着てブーツを履く。女性は赤いワンピースと銀の装飾品を好む。男は鷹狩りをすることでも有名。

カザフ族によるダンスショー

漢族（汉族）

人口約860万人。自治区全域に暮らしているが、1949年以降に入植した人がほとんどで、文化習慣は他地域の漢族と大差ない。

回族（回族）

人口は約100万人で、昌吉回族自治州、焉耆回族自治県、ウルムチ、トルファン、イーニンなどに住む。シルクロード全域に多数居住している。

回族はアラブ系・ペルシア系民族と漢族の融合した民族といわれ、イスラム教を信仰している。男性の正装は白い帽子に白い服、女性はカラフルな柄のワンピースを着て、ピアス、ネックレス、指輪をしている。独特の訛りがある中国語を話し、見た目は漢民族とほとんど変わらない人が多い。しかし豚肉はもちろんのこと、馬、犬、猛禽類などの肉も口にしない。

回族の男性と女性

モンゴル族（蒙古族）

人口約18万人。天山山脈北側の草原地帯やバインゴル・モンゴル自治州などに住む。彼らはモンゴル帝国がアジア全土を支配したときに移住してきた、もしくは明代に権勢を誇ったジュンガル部モンゴル族の末裔で、モンゴル語を話しモンゴル文字を使っている。チベット仏教を信仰し、羊や馬の放牧で生計を立てている人が多い。

キルギス族（柯尔克孜族）

人口約20万人。トルコ語系のキルギス語を話し、牧畜業を主産業としている。クズロス・キルギス自治州やアクスなどに住み、イスラム教を信仰している。米と麺が主食で、羊、牛、馬、ラクダなどの肉を食べるが、野菜はあまり食べない。

シボ族（錫伯族）

人口約4万3000人。大部分がイリ河南岸のチャプチャル・シボ自治県およびその周辺に居住している。もともと遼寧省等の東北地方に住んでいたツングース系の狩猟民族だが、1764年にイリ地区防衛のために4000人が移住させられ、新疆に定住することになった。

タジク族（塔吉克族）

人口約5万人で、その6割がタシュクルガン・タジク自治県に住む。イラン語系のタジク語を話し、イスラム教を信仰。多くが標高3000m以上の高地に住み、半遊牧半農の生活を営む。山鷹を崇拝し、民族舞踊にも山鷹の動きを模したものがある。

タシュクルガンのタジク族の女性

ウズベク族（乌孜别克族）

人口約1万8000人。新疆各地に散住している。おもに手工業と商業に従事し、イスラム教を信仰する。

生活習慣はウイグル族とほぼ同じだが、核家族を好み、結婚すると実家を出て若夫婦だけで暮らすところに特徴がある。

満洲族（満族）

人口約2万7000人。約300年前に清朝政府の八旗兵として東北地方から移住した満洲族の末裔。おもに農業に従事している。犬肉を食べないこと以外は、漢族とほとんど変わらない。

（地球の歩き方編集室）

チベットへの起点となる青海省の省都

西寧
（せいねい）

シーニン
西宁 *Xī Níng*

新疆ウイグル
自治区
モンゴル
甘粛省
内蒙古自治区
銀川
寧夏回族
自治区
陝西省
蘭州
西安
青海省
西安
四川省
チベット
自治区

● 都市データ ●

西寧
人口=199万人
面積=7679km²
4区2県1自治県を管轄
青海省の省都

青海省
人口=569万人
面積=約69万6000km²
2地級市6自治州6市轄区
4県級市27県7自治県を管轄

市公安局出入境接待大庁
（市公安局出入境接待大庁）
Ⓜ P.110-B2
🏢 城中区北大街35号
☎ 8251763
🕗 8:30～12:00、14:30～18:00
休 土・日曜、祝日
観光ビザを最長30日間延長可能。
手数料は160元。

省人民医院
（省人民医院）
Ⓜ P.111-C1
🏢 城東区共和路2号
☎ 救急=8177911
🕗 24時間
休 なし

市内交通
【路線バス】運行時間の目安は
6:30～21:00、1元

【タクシー】初乗り3km未満8元、
3km以上1kmごとに1.6元加算

❖ 概要と歩き方

　青海省の省都西寧市は、四方を山に囲まれた盆地に開けた都市で、市区中心部の北側には黄河支流の湟水（こうすい）が流れており、町は川に沿って東西に開けている。古くはシルクロードの南ルートといわれる唐蕃古道（とうばんこどう）の要衝として発展し、五胡十六国時代（304～439年）には、南涼（397～414年）の都となった。標高2275mの高地にあり、夏は涼しく過ごしやすいが、冬の寒さは厳しい。

　西寧はイスラム教徒である回族の色合いが強い。人口の8割は漢民族が占めるが、町では白い帽子をかぶった回族がいたるところで見られ、レストランにはイスラム料理を示す「清真」の名を掲げた店が目立つ。西寧市公交バスターミナルが西寧駅正面の広場にあり、ここから路線バスに乗れば市内の行きたい所にはだいたい行ける。

　近郊にはクンブム（タール寺）や青海湖など見どころも多く、陸路を西に進めば敦煌や新疆ウイグル自治区のチャルクリクに到達できる。

東関清真大寺。礼拝の時間は多くの信者が集まる

	1月	2月	3月	4月	5月	6月	7月	8月	9月	10月	11月	12月
平均最高気温(℃)	1.2	4.1	9.8	15.8	19.8	22.7	24.5	23.8	18.7	14.0	7.3	2.3
平均最低気温(℃)	-14.5	-10.8	-4.1	1.4	6.2	9.2	11.6	11.1	7.4	1.5	-0.0	-12.5
平均気温(℃)	-6.7	-3.3	2.9	8.6	12.9	16.0	18.1	17.5	13.1	7.7	0.6	-5.0
平均降水量(mm)	0.9	1.8	5.4	20.3	42.9	51.2	77.5	80.3	56.0	25.0	1.6	1.4

Access

中国国内の移動 ➡ P.338

✈ **飛行機** 市区の東南約30kmに位置する西寧曹家堡空港（XNN）を利用する。エアポートバスは3路線あり。

国際線 日中間運航便はないので、北京や上海で乗り継ぐとよい。
国内線 北京、上海、西安など主要都市との間に運航便がある。
所要時間(目安) 北京首都(PEK)／2時間30分 上海浦東(PVG)／3時間 西安(XIY)／1時間30分 ウルムチ(URC)／2時間45分

🚃 **鉄道** チベット方面へ向かう青蔵線と蘭新線第二複線のターミナル駅である西寧駅を利用する。

所要時間(目安)【西寧(xn)】北京西(bjx)／直達：19時間 上海(sh)／直達：26時間 西安(xa)／直達：11時間 西安北(xab)／動車：5時間20分 銀川(yc)／直達：12時間20分 蘭州(lz)／動車：2時間 柳園南(lyn)／動車：5時間10分 ウルムチ南(wlmqn)／動車：9時間20分

🚌 **バス** 長距離便はおもに西寧バスセンターを利用する。クンブム（タール寺）がある湟中へは西寧新寧路バスターミナルを利用する。

所要時間(目安) 蘭州／3時間30分 武威／7時間 青海湖151基地／3時間30分 湟中／45分

Data

✈ 飛行機

西寧曹家堡空港（西宁曹家堡机场）
Ⓜ地図外(P.111-D2右) 🏠海東市互助土族自治県高寨郷曹家堡 ☎8188114
🕐始発便〜最終便 休なし 力不可
[移動手段] **エアポートバス**（空港〜西寧バスセンター〜八一路バスセンター、空港〜中心広場〜銀龍酒店、空港〜ソフィテル西寧）／21元、所要50分が目安。空港→市内＝到着便に合わせて運行（※西寧バスセンターは降車のみ。18:00以降、ソフィテル西寧行きバスはない）。市内→空港＝八一路バスセンター発は5:30〜20:00の間30〜40分に1便、銀龍酒店発は8:00〜18:00の間1時間に1便、ソフィテル西寧発は8:00〜18:00の間2時間に1便。**タクシー**（空港〜中心広場）／120元、所要40分が目安

西寧曹家堡空港航空券売り場
(西宁曹家堡机场民航售票处)
Ⓜ地図外(P.111-D2右) 🏠海東市互助土族自治県高寨郷曹家堡西寧曹家堡空港T2出発ロビー
☎8133333 🕐6:30〜最終便 休なし 力不可
3ヵ月以内の航空券を販売。

中国東方航空西寧営業部
(中国东方航空西宁营业部)
Ⓜ P.111-D2 🏠城東区八一西路32号民航大廈3階
☎6100888 🕐8:30〜11:30 13:00〜17:00
休なし 力不可
[移動手段] **タクシー**（中国東方航空西寧営業部〜中心広場）／15元、所要20分が目安 **路線バス**／2、10、25、28、101、102路「康西路口」
3ヵ月以内の航空券を販売。

🚃 鉄道

西寧駅（西宁火车站）
Ⓜ P.111-C1 🏠城東区祁連路
☎共通電話＝12306 🕐24時間 休なし 力不可
[移動手段] **タクシー**（西寧駅〜中心広場）／15元、所要20分が目安 **路線バス**／1、3、5、9、11、16、20、31、103、909路「火車站」

西寧駅

西寧駅切符売り場（西宁火车站售票处）
Ⓜ P.111-C1 🏠城東区祁連路西寧火車站内
☎共通電話＝12306 🕐6:00〜23:00
休なし 力不可
28日以内の切符を販売。

青蔵鉄路公司切符売り場
(青藏铁路公司火车票代售处)
Ⓜ P.110-A2 🏠城西区五四大街70号運管局1階
☎6155203 🕐8:00〜17:00 休なし 力不可
[移動手段] **タクシー**（青蔵鉄路公司切符売り場〜中心広場）／10元、所要15分が目安 **路線バス**／9、13、16、24、25、31、37、58、69、82、85、104、303、503路「新宁广场北」
28日以内の切符を販売。手数料は1枚につき5元。

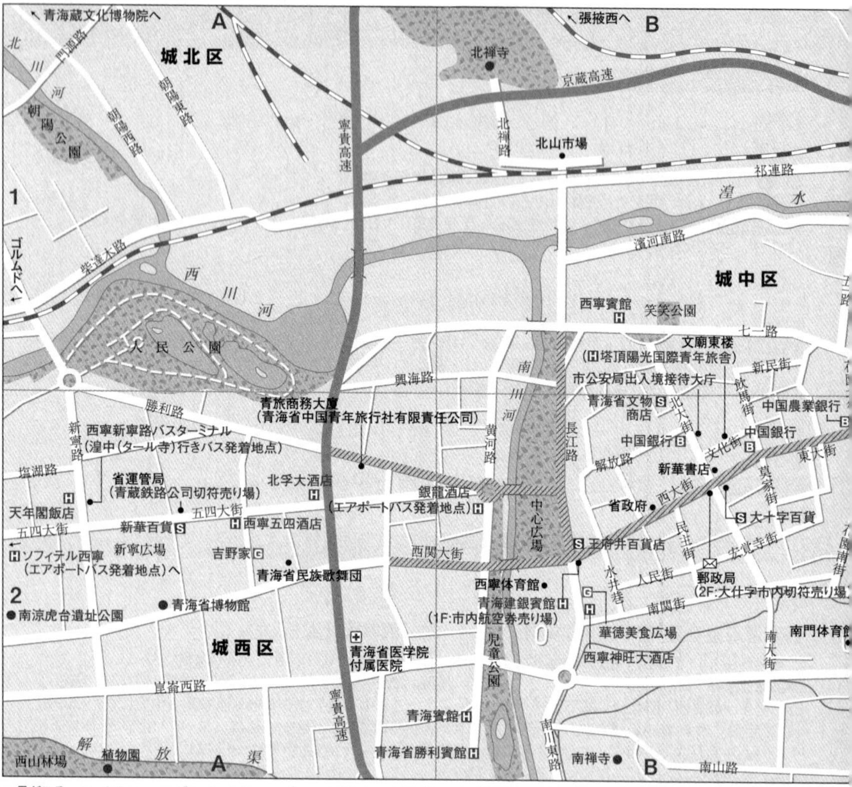

青海蔵文化博物院へ
張掖西へ
A
B
城北区
城中区
城西区
北禅寺
京蔵高速
北山市場
北禅路
寧貫高速
朝陽公園
朝陽西路
朝陽東路
門源路
北川河
祁連路
湟水
濱河南路
柴達木路
ゴルムドへ
西川河
人民公園
西寧賓館
笑笑公園
七一路
文廟東楼
(H塔頂陽光国際青年旅舎)
市公安局出入境接待大庁
新民街
飲馬街
中国農業銀行
青海省文物商店
北大街
中国銀行
中国銀行
文化街
東大街
解放路
新華書店
莫家街
興海路
勝利路
青旅商務大廈
(青海省中国青年旅行社有限責任公司)
黄河路
南川河
長江路
新寧路
西寧新寧路バスターミナル
(湟中(タール寺)行きバス発着地点)
塩湖路
省運管局
(青蔵鉄路公司切符売り場)
北孚大酒店
銀龍酒店
(エアポートバス発着地点)
省政府
西大街
大十字百貨
天年閣飯店
五四大街
新華百貨
西寧五四酒店
五四大街
中心広場
王府井百貨店
民主街
宏覚寺街
ソフィテル西寧
(エアポートバス発着地点)へ
新寧広場
吉野家
西関大街
青海省民族歌舞団
人民巷
水井巷
郵政局
(2F:大什字市内切符売り場)
西寧体育館
青海建銀賓館
(1F:市内航空券売り場)
南関街
2
南涼虎台遺址公園
青海省博物館
華徳美食広場
西寧神旺大酒店
南門体育館
青海省医学院付属医院
南大街
児童公園
崑崙西路
青海賓館
寧貫高速
南川東路
西山林場
植物園
解放渠
青海省勝利賓館
南禅寺
南山路
1

● 見どころ　H ホテル　G グルメ　S ショップ　B 銀行　学校　郵便局　病院　繁華街　高速道路

大什字市内切符売り場（大什字市内售票处）

M P.110-B2　住 城中区西大街218号郵政局2階
☎なし　オ 9:00～12:00、13:30～17:00
休 なし　カ 不可
[移動手段] **タクシー**（大什字市内切符売り場～中心広場）／8元、所要5分が目安　**路線バス**／1、2、14、20、22、25、32、103、105路「大十字」

28日以内の切符を販売。手数料は1枚につき5元。

バス

西寧バスセンター
（西宁汽车客运中心）

M P.111-C1　住 城東区祁連路西寧火車站東側
☎6333006　オ 7:00～18:30
休 なし　カ 不可
[移動手段] **タクシー**（西寧バスセンター～中心広場）／15元、所要20分が目安　**路線バス**／1、3、5、9、11、16、20、31、103、909路「火车站」

5日以内の切符を販売。蘭州(7:40～16:30の間に7便)、武威3便(7:40、9:00、12:00発)、青海湖151基地(7:45～16:30の間に16便)など。

西宁
汽车客运中心
旅游集散中心

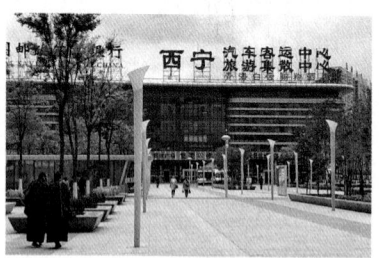

西寧バスセンター

西寧新寧路バスターミナル(西宁新宁路客运站)

M P.110-A2　住 城西区新寧路19号　☎6155795
オ 6:50～19:00　休 なし　カ 不可
[移動手段] **タクシー**（西寧新寧路バスターミナル～中心広場）／15元、所要20分が目安　**路線バス**／13、18、25、31、40、106路「盐湖巷口」

5日以内の切符を販売。湟中(7:00～19:00の間20分に1便)

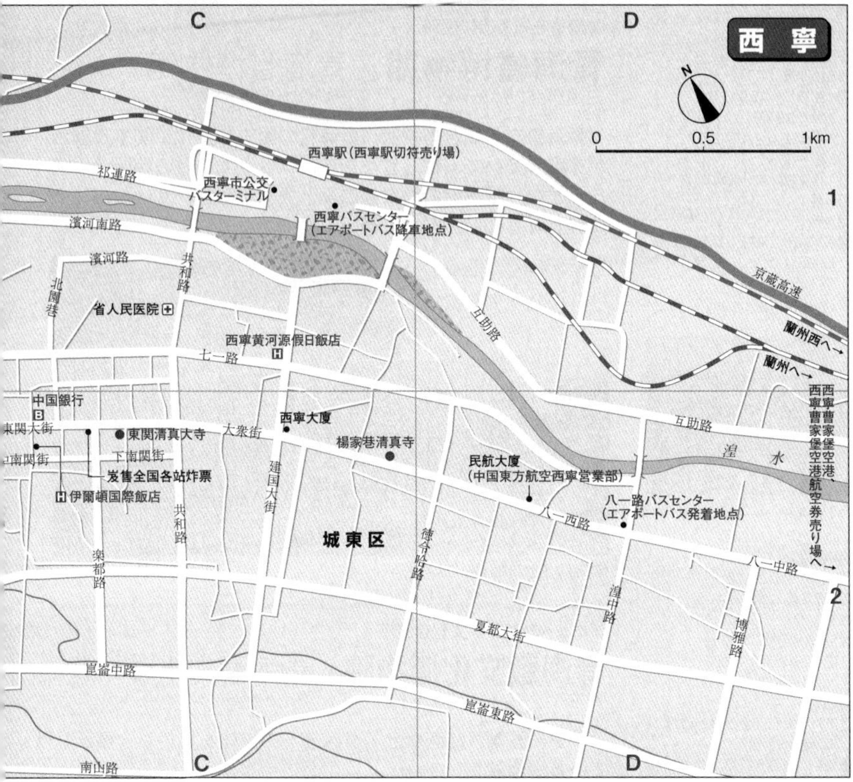

西寧

```
C          D
```

郝連路
西寧駅(西寧駅切符売り場)
西寧市公交
バスターミナル
濱河南路
西寧バスセンター
(エアポートバス降車地点)
濱河路
共和路
京蔵高速
北関路
省人民医院✚
西寧黄河源假日飯店 H
蘭州西へ→
蘭州へ→
七一路
互助路
大衆街
中国銀行
B
西寧大廈
互助路
湟 水
東関大街
●東関清真大寺
楊家巷清真寺
西寧曹家堡空港航空券売り場へ→
西寧曹家堡空港
下南関街
建国大街
民航大廈
(中国東方航空西寧営業部)
西寧曹家堡空港
南関街
発售全国各站炸票
八一路バスセンター
(エアポートバス発着地点)
H 伊爾頓国際飯店
共和路
城東区
西路
一中路
奥都路
博雅路
崑崙中路
夏都大街
湟中路
1
2
崑崙東路
南山路
```
C          D
```

━━━ 高速鉄道 ━━━ 車輌通行不可能な道

0   0.5   1km

● ✦ 見どころ ✦ ●

青海省最大のイスラム寺院   ★★

東関清真大寺 / 东关清真大寺
とうかんせいしんだいじ   dōngguān qīngzhēndàsì

　青海省最大のイスラム教寺院。1380（明の洪武13）年
の創建で、約640年の歴史をもつ。

　入口に当たる左右のミナレット（尖塔）をくぐると広大な
広場となっており、建築の中心となる大殿は間口5間の入母
屋造りで、チベット様式の宝瓶を配している。

夜間はライトアップされる

　厳粛な宗教空間であり、
礼拝時の立ち入りは禁止。
旅行者などの外部の者（非
信者）の訪問をこころよ
く思わない信者もいるの
で、迷惑のかからないよ
う注意して見学しよう。

東関清真大寺
Ⓜ P.111-C2
🏠 城東区東関大街31号
☎ 8177126
🎫 5～9月8:30～18:00
　10～4月8:30～17:00
🈺 なし
🎫 無料
🚌 1、2、5、10、14、17、22、23、25、
26、33、62、81、83、101、102、103
路バス「东稍门」
※毎週金曜11:00～14:30の礼拝
時は信者以外は見学不可。また、
肌が露出した服装での入場も禁
止されているので十分に注意す
ること

青海省博物館
Ⓜ P.110-A2
🏠 城西区西関大街58号
☎ 6111164
📅 4月15日〜10月15日
9:00〜16:30
10月16日〜4月14日
9:30〜16:00
※入場は閉館30分前まで
休 月曜
料 無料
🚌 9、13、16、24、25、31、37、58、69、82、85、104、303、503路バス「新宁广场北」
🌐 www.qhmuseum.cn

チベット仏教の仏像

青海蔵文化博物院
Ⓜ 地図外(P.110-A1左上)
🏠 城北区経二路36号
☎ 5317881
📅 4〜9月9:00〜18:00
10〜3月9:00〜17:00
※入場は閉館30分前まで
休 なし
料 無料。ただし、全長618mのタンカ参観は60元
🚌 1路バス「新乐花园」、72、504路バス「青藏博物館」
🌐 www.tbtmm.com

外観からその大きさに圧倒される

青海省を知るのに便利　★★

青海省博物館 / 青海省博物馆
せいかいしょうはくぶつかん　qīnghǎishěng bówùguǎn

　青海省立の総合博物館。青海省の歴史や文化に関する展示が充実していて、青海省を知るにはうってつけの場所といえる。また、博物館の前には広場と公園があり、文化イベントが行われるなど、市民の憩いの場になっている。

博物館は宮殿風の建物

チベットの奥深い文化を展示　★★

青海蔵文化博物院 / 青海藏文化博物院
せいかいぞうぶんかはくぶついん　qīnghǎi zàngwénhuà bówùyuàn

　歴史、医学、絵画など、チベットの文化を集約し、展示している博物館。
　1階部分にはチベットの歴史のほか、薬草や病気治療を図解した絵図などチベット医学についての展示がある。この博物館の最大の魅力は、広大な建物の2階部分全体を使って展示されたタンカと呼ばれるチベットの宗教画。その全長は618mにも及び、歴代のダライ・ラマの肖像や、マンダラ、チベットの歴史を絵解きにしたもの、中国各地にある代表的なチベット寺院の絵地図など、多岐にわたる絵が描かれている。

　現代の最高レベルの絵師を集めて完成させたもので、ギネスブックにも掲載されている壮大なタンカは、この博物館から動かすことはできないスケール。市の中心部からは離れておりアクセスがよいとはいえないが、ぜひ一度足を運んでみたい。

チベットの歴史を絵解きにしたタンカ

チベット仏教寺院では最大規模 🕐2時間 ★★★

クンブム（タール寺）／塔尔寺
じ　　tǎěrsì

クンブムはチベット語で「十万の獅子吼仏像の寺」の意味。デプン寺（ラサ）、セラ寺（ラサ）、ガンデン寺（タクツェ）、タシルンポ寺（シガツェ）、ラブラン寺（夏河）と並ぶチベット仏教ゲルク派六大寺院のひとつで、1560（明の嘉靖39）年創建。一般的にはタール寺の名で知られる。アムド地方のチベット仏教の学問センターとして重要な地位を占め、500人以上の修行僧が生活している。

クンブムの建物は山の斜面に並んで立つ。麓にある入口には如来八塔があり、仏の八大功徳を表している。

寺院のほぼ中央に立つのが大経堂。大経堂の隣にあるのが、クンブムで最も有名な建物である大金瓦殿。中にはツォンカパの大銀塔が立っている。塀の外では熱心な信者が五体投地で大金瓦殿の周囲を回っている。

酥油花館には、バター彫刻（酥油花）がたくさんある。おもに仏教を題材にしたもので、内容は毎年変わる。

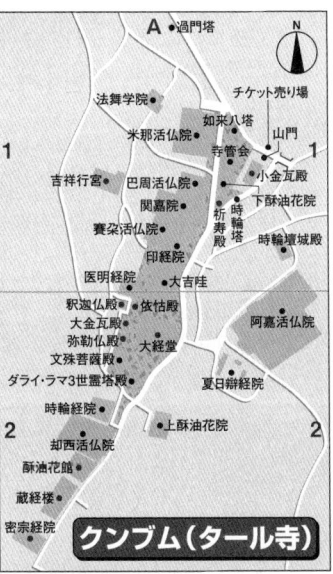

● 内部参観できる寺廟

クンブム（タール寺）

📍 P.34-B2、P.113、P.115-B1
🏠 湟中県魯沙爾鎮金塔路南端金塔巷2号
☎ 2232357
🕐 4〜10月8:00〜18:00
　11〜3月8:00〜17:30
休 なし
💰 4〜10月＝70元
　11〜3月＝40元
🚌 ①西寧市公交バスターミナル（📍 P.111-C1）で909路バスに乗る。4元、所要約1時間10分。「塔尓寺」（終点）下車後、徒歩10分。6:40〜19:00（5〜9月6:40〜19:30）の間15分に1便
②西寧新寧路バスターミナル（📍 P.110-A2）で湟中行きのバスに乗る。5.5元、所要約45分。終点（909路の終点と同地点）下車後、徒歩10分。西寧へ戻る最終バスは19:30発
🌐 www.kumbum.org

●タール寺祭事の日程
※下記の日程は西暦にすると毎年変わるので、事前に必ず確認すること
【モンラム法会】（大祈願会）
▽陰暦正月14日
＝ツェチュ（跳金剛怖畏法舞）
▽陰暦正月15日
＝バター彫刻祭（酥油花展）
【サカダワ】（涅槃会）
▽陰暦4月14日
＝ツェチュ（跳金剛怖畏法舞）
▽陰暦4月15日
＝ツェチュ（跳馬首金剛怖畏法舞）、大タンカ開帳
【トゥクパ・ツェーシ】（初転法輪会）
▽陰暦6月初七日
＝ツェチュ（跳馬首金剛怖畏法舞）、大タンカ開帳
▽陰暦6月初八日
＝ツェチュ（跳馬首金剛怖畏法舞）など
【ラバブ・トゥーチェン】（降臨祭）
▽陰暦9月23日
＝ツェチュ（跳馬首金剛怖畏法舞）

貴海省 西寧

見どころ／郊外の見どころ／クンブムマップ

山門(左)と小金瓦殿

金色の瓦の蔵経楼

寺の入口にある如来八塔

青海湖
Ⓜ P.34-B2、P.115
🏛 海北チベット族自治州
☎ (0974)7553555（夏のみ）
🕗 8:00 ～ 17:00
休 なし
🎫 二郎剣景区：4月15日～10月15
日＝90元、10月16日～4月14
日＝45元、観光車20元
🚌①5～10月はハー路バスセン
ターから二郎剣景区行きの観光
専用直通バスがある。5～6月、
9～10月は西寧9:30発、1日3～
6便。7～8月は7:30～9:30の間、
混雑状況に応じて1日約10便。
西寧へ戻る最終バスは青海湖
16:00発。37元、所要約3時間
②市内の旅行会社の青海湖日帰
りツアーに参加する

●青海湖で船に乗る
二郎剣景区周辺の湖上を遊覧す
る。遊覧時間は約50分
▼遊覧船
通常期は1時間に1便、7～8月は
満席次第出発
🕗通 常 期11:00~15:00、7～8月
9:00 ～ 16:00、冬季運休
🎫 180元

湖上から青海湖の大きさを実感で
きる

青海湖 / 青海湖
せいかいこ　qīnghǎihú

　青海湖は中国最大の塩水湖で、周囲約360km、面積4500k㎡
（琵琶湖の6倍）、湖面海抜3195mで、平均深度は19m。
30以上の河川が流れ込み、周囲の草原に豊かな水分を供給
している。その広さを利用し、かつては魚雷発射実験が行わ
れていた。

　おもな観光ポイント
は西寧からのツアーの
バスの到着地点でもあ
る湖の南岸の二郎剣景
区。レストランやホテ
ル、みやげ物店などが
並ぶ。景区内にはバス
や車は入れないので、
専用の観光車で移動す
る。7月から8月初め
のオンシーズンには湖
岸が菜の花で一面黄色
く彩られる。

　このほかのポイント
は東岸の沙島、金沙湾、
達玉部落など。湖の中
心部にある海心山と西
岸にある鳥島は現在は
立入禁止。

菜の花に彩られた湖岸

水上に魚雷発射実験施設が残る

白の世界が広がる

チャカ塩湖 / 茶卡盐湖
えんこ　　　chákǎyánhú

★

西寧の西約300kmに位置する塩水湖で、湖面の海抜は3100m。湖の周囲は山に囲まれており、湖面に風景が鏡のように映ることから「天空の鏡」と称される。

湖岸近くは塩が堆積していて水が浅く、湖水に入って記念写真を撮る人も多い。湖岸には塩でつくられた大きな彫刻がいくつも並んでいる。

湖岸は塩に覆われて雪景色のよう

文成公主が唐に別れを告げた地

日月亭 / 日月亭
にちげつてい　riyuèting

★

青海湖の東に標高3700mの日月山という峠があり、日亭、月亭が立つ。7世紀に吐蕃に嫁いだ唐の文成公主が、振り返って中国に別れを告げたといわれる場所で眺望がよい。西寧から青海湖へのツアーは、この日月亭観光が含まれているプランが多い。

チャカ塩湖
Ⓜ P.34-B2、P.115-A1
🏠 海西蒙古族蔵族自治州烏蘭県茶卡鎮
☎ (0977)8246999
🕐 7:00～19:30
休 なし
料 70元
市内の旅行会社の青海湖・チャカ湖日帰りツアーに参加するのが一般的

塩でつくられた巨大な涅槃仏

日月亭
Ⓜ P.115-B1
🏠 青海省海北チベット族自治州日月山村
☎ なし
🕐 24時間
休 なし
料 40元

色とりどりのタルチョがはためく

青海省　西寧

郊外の見どころ／青海湖マップ

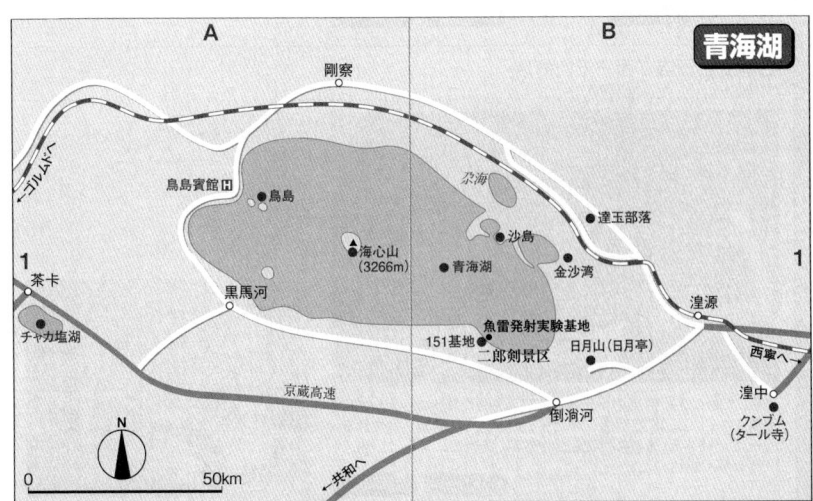

青海湖

剛察

鳥島賓館🏨　●鳥島

ゴルムドへ

▲海心山
(3266m)

沙海

●沙島

●達玉部落

●青海湖

金沙湾

1　茶卡

黒馬河

湟源

西寧へ

チャカ塩湖

魚雷発射実験基地
151基地
二郎剣景区

日月山(日月亭)

湟中

京蔵高速

倒淌河

クンブム
(タール寺)

共和へ

N

0　　　50km

● 見どころ　🏨 ホテル

青海賓館／青海宾馆
せいかいひんかん　qīnghǎi bīnguǎn
★★★★★

Ⓜ P.110-B2
🏠 城西区黄河路158号
☎ 6148999
📠 6148998
Ⓢ 900元
Ⓣ 900元
🧖 なし
🃏 ADJMV
🌐 www.qhhotel.com

西寧を代表する老舗ホテル。ロビーは豪華で、客室はくつろげる雰囲気。中国料理のレストラン、180度展望できるカフェなどが入っている。ジムやサウナなどの施設も充実している。

［両替］［ビジネスセンター］［インターネット］

伊爾頓国際飯店　／伊尔顿国际饭店
いじとんこくさいはんてん　yīěrdùn guójì fàndiàn
★★★★

市区中心部にある4つ星ホテル。東関清真大寺にも近く便利。この地域にはイスラム教徒が多いので、イスラム料理レストランが多数ある。ホテル内には西洋料理、中国料理のレストランがある。

Ⓜ P.111-C2
🏠 城東区東関大街59号
☎ 8160999
📠 8160888
Ⓢ 680元
Ⓣ 550元
🧖 なし
🃏 MV

［両替］［ビジネスセンター］［インターネット］

ソフィテル西寧／西宁新华联索菲特大酒店
せいねい　xīníng xīnhuálián suǒfēitè dàjiǔdiàn

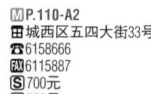

5つ星相当のホテルで、外国人にも人気。日本、西洋、中国料理レストランのほか、バー、ジム、プール、スパなどの施設もある。開発中のエリアにあり、周辺は近代的な町並み。市区中心部からはタクシーを利用する。

Ⓜ 地図外（P.110-A2左）
🏠 城西区五四西路63号
☎ 7666666
📠 7660866
Ⓢ 1400元
Ⓣ 1400元
🧖 なし　🃏 JMV
🌐 www.accorhotels.com

［両替］［ビジネスセンター］［インターネット］

西寧五四酒店／西宁五四酒店
せいねいごししゅてん　xīníng wǔsì jiǔdiàn

Ⓜ P.110-A2
🏠 城西区五四大街33号
☎ 6158666
📠 6115887
Ⓢ 700元
Ⓣ 700元
🧖 なし
🃏 ADJMV

星なしだが4つ星相当のホテル。全室にゆったりとしたバスタブが完備されている。宿泊料金にはビュッフェ形式の朝食も含まれる。バー、フィットネス、スパなどの施設も充実。周辺にはスーパーやレストランが多く便利。

［両替］［ビジネスセンター］［インターネット］

西寧神旺大酒店／西宁神旺大酒店
せいねいしんおうだいしゅてん　xīníng shénwàng dàjiǔdiàn

中国の大手企業が経営するホテル。星なしだが、4つ星相当の設備が整い、ほとんどの部屋にバスタブが付いている。日本からのツアーの利用が多い。すぐそばに王府井百貨店、華徳美食広場があり、買い物や食事に便利。

両替　ビジネスセンター　インターネット

MP.110-B2
城中区長江路79号
☎8201111
FAX8250711
⑤700元
①700元
サなし
カMV
⊕www.sanwant.com.cn

塔頂陽光国際青年旅舍／塔顶阳光国际青年旅舍
とうちょうようこうこくさいせいねんりょしゃ　tǎdǐng yángguāng guójì qīngnián lǚshè

飲食店の多い莫家街まで徒歩約3分の近さなので食事に便利。チベット風のインテリアで居心地のよいカフェもある。夏場は混み合うので要予約。

両替　ビジネスセンター　インターネット

MP.110-B2
城中区文化街18号文廟東楼3階
☎18909788521（携帯）
FAXなし
⑤150元
①50〜75元
サなし
カ不可

華徳美食広場／华德美食广场
かとくびしょくこうじょう　huádé měishí guǎngchǎng

地元の名物料理やスナックを味わえるフードコート。麺片、シシカバブ、火鍋などの店が軒を連ねており、地元の人たちでにぎわう。お碗に入ったヤクのヨーグルトは青海省ならではの逸品。他店では取り扱いの少ない青海湖ビールも販売している。

MP.110-B2
城中区長江路75号青海華徳大厦
☎なし
オ10:00〜21:00頃。店によって異なる
休なし
カ不可

青海省中国青年旅行社有限責任公司／青海省中国青年旅行社有限责任公司
せいかいしょうちゅうごくせいねんりょこうしゅゆうげんせきにんこうし　qīnghǎishěng zhōngguó qīngnián lǚxíngshè yǒuxiànzérèngōngsī

日本語ガイドは4〜10月が1日500〜600元、11〜3月が1日400〜500元。青海湖日帰りツアーはひとり480元、青海湖・チャカ塩湖日帰りツアーはひとり680元（ともに中国語ガイド）。青海湖までの1日車チャーター料は700元。ただし、時期によって価格が変わるため要相談。

MP.110-A2
城西区勝利路53号青旅商務大厦605号
☎日本部＝6128730
FAX日本部＝6128593
オ7・8月8:30〜18:00
　9〜6月8:30〜12:00、14:30〜18:00
休7・8月＝なし
　9〜6月＝土・日曜、祝日
カ不可
⊕qhtbts.com（日本語HP）
✉wangqi@qhtbts.com（日本語可）

西夏王国の首都であった平原の都市

銀川
ぎんせん

インチュアン
銀川 *Yín Chuān*

● 都市データ ●

銀川
人口＝168万人
面積＝8874㎢
3区1県級市2県を管轄
寧夏回族自治区の首府

寧夏回族自治区
人口＝659万人
面積＝約6万6000㎢
5地級市9区2県級市11県を
管轄

市公安局出入境管理局
（市公安局出入境管理局）
Ⓜ地図外(P.121-A1上)
⊞金鳳区万寿路117号市民大庁
☎5555011、5555019
🕐9:00～12:00、13:00～17:00
休土・日曜、祝日
観光ビザを最長30日間延長可能。
手数料は160元

市第一人民医院
（市第一人民医院）
ⓂP.121-B3
⊞興慶区利群西街2号
☎6997021
🕐24時間
休なし

概要と歩き方

　寧夏回族自治区の首府、銀川は平原の中の緑豊かな都市。郊外には南から北に黄河が流れ、灌漑水源としてこの地に恵みをもたらしてきた。町の北西約30kmにある万里の長城がそのまま寧夏回族自治区と内蒙古自治区との境界になっているとおり、この地では、秦漢の時代から中国王朝と遊牧民族との攻防が繰り広げられた。

　銀川が中国史の中で存在を際立たせたのは、西夏王国の首都興慶府であったときだろう。現在の寧夏回族自治区、甘粛省、内蒙古自治区の大半などを領土とした西夏王国は、井上靖の小説『敦煌』の時代背景となったことでも知られる。賀蘭山麓の広大な平原に点在する西夏王陵と、彼らが残した表音、表意文字の西夏文字は、この謎の王国へのロマンをかきたてる。

　銀川にはイスラム教徒である回族が人口の約25％と多く住み、モスクに代表される回族のイスラム文化を町のいたるところで見ることができる。イスラム料理の世界を探訪してみるのもおもしろい。

南門周辺は地元の人の憩いの場となっている

	1月	2月	3月	4月	5月	6月	7月	8月	9月	10月	11月	12月
平均最高気温(℃)	-1.3	3.0	10.3	18.4	24.3	28.0	29.6	27.7	23.0	16.7	7.0	-0.2
平均最低気温(℃)	-14.7	-10.9	-3.6	3.3	9.5	14.6	17.6	16.4	10.3	2.9	-3.9	-11.5
平均気温(℃)	-8.6	-4.6	2.8	10.6	17.0	21.3	23.4	21.6	16.1	9.1	0.8	-6.5
平均降水量(mm)	1.1	2.0	5.6	11.9	17.0	20.3	39.8	52.1	26.2	12.1	3.9	0.6

年間を通して晴れの日の多い寧夏回族自治区は、日照時間が長いことから、果物が豊富に取れる。また、滋養強壮効果があるとされる枸杞が名産。そのほか、良質の羊肉の産地として知られ、北京などの高級しゃぶしゃぶ店でも、寧夏産の羊肉が使われるという。

　銀川は古くからの市街地区である旧市街と新中国成立以後に工業地区として建設された新市街に分かれている。ホテルや見どころが多いのは旧市街で、鉄道駅のある新市街とは7km離れている。駅前からはバスが頻繁に出ており、約30分で旧市街の西門に着く。ここから旧市街を東西に貫くのが解放西街、解放東街で、銀行、郵便局のほか、多くのホテルがこのメインストリート沿いにある。西安や甘粛省主要都市からの長距離バスが到着するのは旧市街の南約5kmに位置する銀川バスターミナル。バスターミナルと旧市街中心部との間は路線バスが運行しているので不便は感じない。また、銀川バスターミナルと西夏区の寧朔街との間にはBRTが運行されている。銀川駅の最寄りの停留所は「中西医結合医院」。

市内交通

【路線バス】運行時間の目安は6:30～20:00（BRT1号線のみ6:30～22:00）、市区内1元

【タクシー】初乗り3km未満7元、3km以上10km未満1kmごとに1.2～1.4元加算。10km以上1kmごとに1.8～2.1元加算

○　　**編集室より**

銀川のBRT

Bus Rapid Transit の略で、バスによる高速輸送システムのこと。専用の停留所と車線が設けられており、料金は停留所で支払う。2019 年 7 月現在、1 号線（寧朔街～銀川バスターミナル）の1路線のみ運行。

回族の焼く羊肉串を味わいたい

旧市街と新市街を結ぶBRT1号線の停留所

Access

中国国内の移動 ➡ P.338

✈ **飛行機**　市区の南東約26kmに位置する銀川河東国際空港（INC）を利用する。国内主要都市との間に運航便がある。

国際線 関西（7便）。
国内線 便数の多い北京や西安とのアクセスが便利。
所要時間（目安） 北京首都（PEK）／2時間　上海浦東（PVG）／2時間40分　西安（XIY）／1時間10分　蘭州（LHW）／1時間10分　ウルムチ（URC）／3時間

🚃 **鉄道**　包蘭線の銀川駅を利用する。駅は新市街にあり、観光スポットの多い旧市街とは7kmほど離れているが、路線バスで移動できる。

所要時間（目安） **【銀川（yc）】**北京西（bjx）／直達：11時間40分　上海（sh）／快速：28時間　西安（xa）／快速：12時間10分　西寧（xn）／快速：11時間25分　蘭州（lz）／快速：7時間15分　柳園（ly）／直達：13時間25分　ウルムチ（wlmq）／特快：20時間30分

🚌 **バス**　銀川バスターミナルを利用する。北西エリア各地へのバスが出ている。

所要時間（目安） 西安／10時間　西寧／8時間　蘭州／6時間　天水／10時間　武威／7時間　固原／4時間　西峰／8時間

Data

✈ 飛行機

銀川河東国際空港（银川河东国际机场）

Ⓜ P.124-A2　田霊武市臨河鎮黄河東岸
☎インフォメーション＝96111
［移動手段］エアポートバス（空港～西港航空酒店）／20元、所要40分が目安。空港→市内＝到着便に合わせて運行。市内→空港＝5:30～21:30の間30分に1便　タクシー（空港～鼓楼）／80元、所要35分が目安

市内民航航空券売り場（市内民航售票処）

Ⓜ P.121-B3　田興慶区長城東路540号西港航空酒店
☎4090008　🕐9:00～19:00　🈳なし　🅿不可
［移動手段］タクシー（航空券売り場～鼓楼）／7元、所要8分が目安　路線バス／12、28、29、43、45、102路「南門广場」、21路「公路局」

3ヵ月以内の航空券を販売。

🚃 鉄道

銀川駅（银川火车站）

Ⓜ地図外（P.121-A2左）　田金鳳区上海西路710号
☎共通電話＝12306　🕐24時間　🈳なし　🅿不可
［移動手段］タクシー（銀川駅～鼓楼）／25元、所要25分が目安　路線バス／BRT1号線「中西医结合医院」、15、30、45路バス「銀川火车站」

28日以内の切符を販売。

郵政大厦切符売り場（邮政大厦售票処）

Ⓜ P.121-B3　田興慶区解放西街9号　☎なし
🕐8:00～12:00、13:00～18:00　🈳なし　🅿不可
［移動手段］タクシー（切符売り場～鼓楼）／7元、所

要3分が目安　路線バス／1、11、12、34路「老大楼」、19、23、27、29、40、49路「邮电大楼」

28日以内の切符を販売。手数料は1枚につき5元。

🚌 バス

銀川バスターミナル（银川汽车站）

Ⓜ地図外（P.121-B3下）　田興慶区清和南街1382号
☎5613927　🕐6:00～19:00　🈳なし　🅿不可
［移動手段］タクシー（銀川バスターミナル～鼓楼）／15元、所要20分が目安　路線バス／BRT1号線、3、15、101路「银川汽车站」、12、23路「银川汽车站西门」

3日以内の切符を販売。西安（8:30～19:00の間に5便）、西寧1便（8:10発）、蘭州（8:05～17:05の間45分に1便）、天水2便（16:30、18:40発）、武威1便（9:00発）、固原（7:15～18:30の間30分に1便）、西峰（6:40～13:00の間に6便）など。

銀川バスターミナル。窓口が多く、待合室も広い

◆◆◆　見どころ　◆◆◆

寧夏博物館
Ⓜ地図外（P.121-A2左）
田金鳳区人民広場東街6号
☎5085093
🕐9:00～17:00
※入場は閉館30分前まで
🈳月曜
🈯無料
🚌1、2、33、38、301路バス「宁夏博物馆」

寧夏の歴史や文化がよくわかる　★★

寧夏博物館／宁夏博物馆
ねいかはくぶつかん　ningxià bówùguǎn

2008年に寧夏回族自治区成立50周年を記念してオープンした博物館。市の中心部からはやや離れているが、広々とした3階建てで、1階は賀蘭山岩画を中心とした石刻文化を紹介する展示、2階は寧夏回族自治区の歴史を紹介する展示、3階は回族文化を紹介する展示が中心。充実した内容ながら無料で開放されているので、訪れる価値はある。

寧夏博物館の正面外観

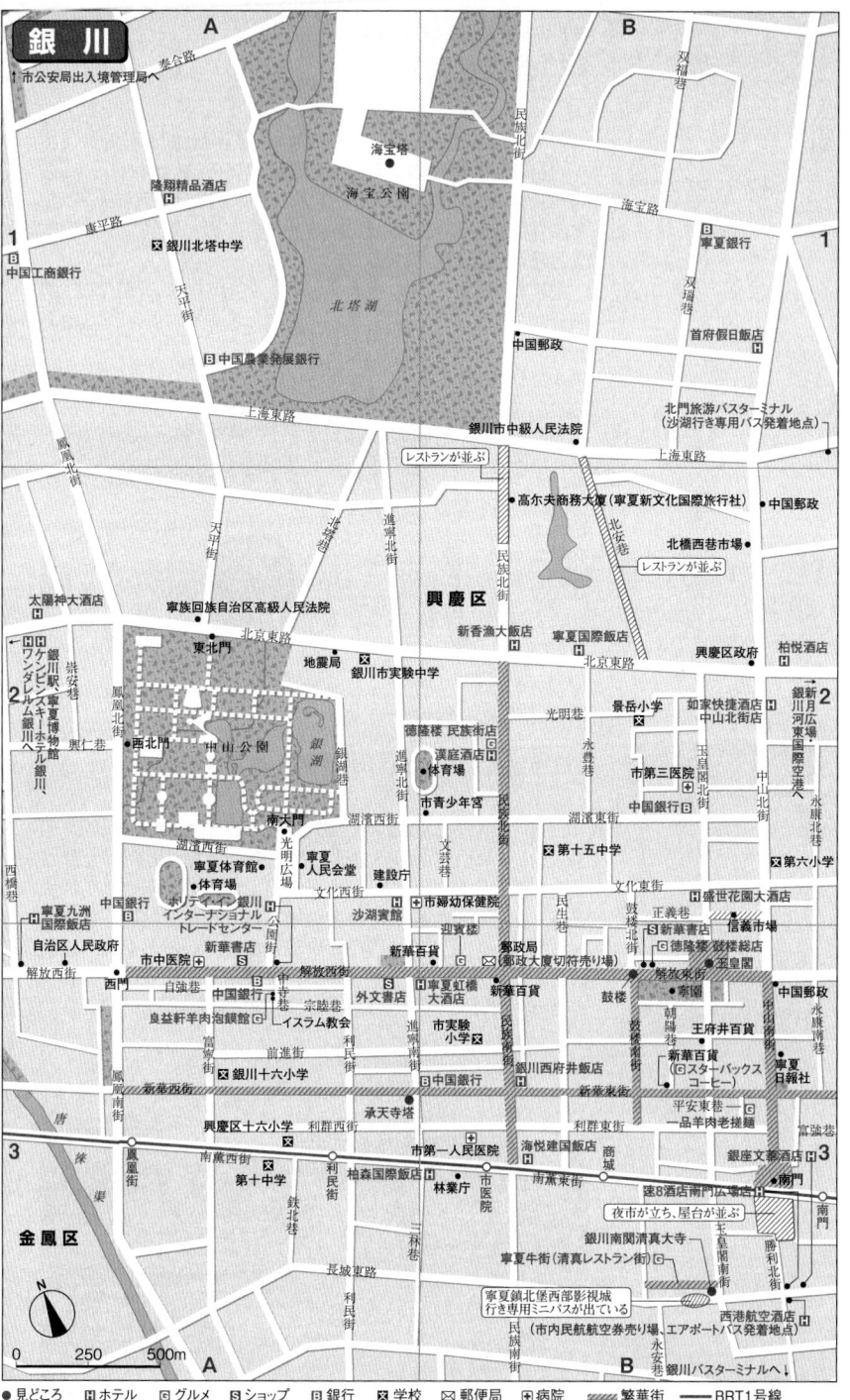

銀 川

↑市公安局出入境管理局へ

中国工商銀行

隆翔精品酒店

銀川北塔中学

海宝塔

海宝公園

海宝路

双福巷

民族北街

寧夏銀行

双瑞巷

首府假日飯店

中国農業発展銀行

中国郵政

北塔湖

上海東路

銀川市中級人民法院

レストランが並ぶ

北門旅游バスターミナル
（沙湖行き専用バス発着地点）

上海東路

高尓夫商務大厦（寧夏新文化国際旅行社）

中国郵政

北橋西巷市場

レストランが並ぶ

太陽神大酒店

寧族回族自治区高級人民法院

東北門

地震局

銀川市実験中学

新香漁大飯店

寧夏国際飯店

興慶区政府

柏悦酒店

興慶区

銀川駅、寧夏博物館
ケンピンスキーホテル
ワンダレルム銀川
ホテル銀川

西北門

中山公園

銀湖

南大門

德隆楼　民族街口

漢庭酒店

体育場

市青少年宮

如家快捷酒店
中山北街店

景岳小学

光明巷

市第三医院

中国銀行

湖濱東街

玉皇閣北街

新月広場
銀川河東国際空港へ

中山北街

水康北街

寧夏九洲
国際飯店

中国銀行

体育場

寧夏人民会堂

寧夏
体育館

建設庁

湖濱西街

文芸路

第十五中学

文化東街

盛世花園大酒店

第六小学

自治区人民政府

市中医院

ポリテイン銀川
インターナショナル
トレードセンター

新華書店

市婦幼保健院

沙湖賓館

迎賓楼

民生巷

郵政局
（郵政大厦切符売り場）

鼓楼北巷

正義巷

新華書店

徳隆楼燧総店

信義市場

玉皇閣

西門

中国銀行

自強巷

外文書店

新華百貨

鼓楼

解放東街

寧園

中国郵政

良益軒羊肉泡饃館

イスラム教会

進寧南街

市実験
小学

南薫中街

新華百貨

鼓楼東巷

鼓楼南巷

朝陽巷

楽園

王府井百貨

新華百貨

Sスターバックス
コーヒー

寧夏
日報社

水康博物館

銀川十六小学

銀川西府井飯店

中国銀行

平安東巷一
一品羊肉老撮題

富強巷

承天寺塔

利群東巷

興慶区十六小学

利群西街

市第一人民医院

海悦建国飯店

城城

銀座文華酒店

南門

南薫西街

第十中学

利民街

鉄北巷

柏森国際飯店

林業庁
市医院

南薫東路

夜市が立ち、屋台が並ぶ

銀川南関清真大寺

連8酒店南門広場店

玉皇閣南街

勝利北巷

金鳳区

长城东路

寧夏牛街（清真レストラン街）

寧夏镇北堡西部影视城
行き専用ミニバスが出ている

（市内民航航空券売り場、
エアポートバス発着地点）

西港航空酒店

銀川バスターミナルへ↓

利民街

民族南街

水安巷

N

0　　250　　500m

A

● 見どころ　H ホテル　G グルメ　S ショップ　B 銀行　X 学校　⊠ 郵便局　⊞ 病院　▨▨▨▨ 繁華街　── BRT1号線

銀川の町を見守ってきた楼閣 ★

鼓楼 / 鼓楼
ころう　　gǔlóu

　銀川の旧市街の中心に立つ鼓楼は玉皇閣と並ぶ町のシンボル的存在。石造りの土台の上に3階建ての楼閣があり、高さ約36m。4つの面には東に「迎恩」、西に「挹爽」、南に「来薫」、北に「拱極」の字の石刻がある。このため、四鼓楼、十字鼓楼と呼ばれることもある。

　創建は1821（清の道光元）年。1908年に3階建て楼閣部分が建てられ、その後1917年に四隅の角坊が増築されて現存の姿になった。なお、外から見るだけで、上ることはできない。

風格を備えた鼓楼

旧市街に鎮座する楼閣 ★

玉皇閣 / 玉皇阁
ぎょっこうかく　　yùhuánggé

　旧市街東部にある明代の楼閣。高さ19m、幅が東西37.6m、南北25mの長方形の基壇の上に主楼と角亭が建ち並んだ姿は重厚感がある。また銀川において、伝統建築様式を残した数少ない楼閣のひとつであり、精巧で熟達した高度な技術は、明代建築の貴重な資料となっている。なお、以前はここに展示物もあったが、現在では寧夏博物館に移管されており、外から見るだけで中には入れない。

旧市街の東に位置する楼閣。北側は広場になっている。

銀川の仏教の聖地
承天寺塔 / 承天寺塔
しょうてんじとう　chéngtiānsìtǎ
★

承天寺塔
Ⓜ P.121-A3
⊞興慶区進寧南街76号
☎なし
🕐9:00～17:00
休月曜
💴10元(塔に上る場合は別途20元)
🚌19、23、40路バス「西塔」

塔の上から市街を望める

　旧市街の南西に位置する承天寺塔は通称「西塔」とも呼ばれる。創建は11世紀の西夏時代だが、清代に地震によって倒れ、現存の塔は1820（清の嘉慶25）年に再建されたもの。当時は武威の護国寺、張掖の大仏寺と並ぶ仏教の聖地として崇拝されていた。塔は八角11層で高さは64.5m。塔に上ると市内を一望できる。

園内には緑が多く、静かな空間が広がっている

緑色の屋根が印象的なモスク
銀川南関清真大寺 / 银川南关清真大寺
ぎんせんなんかんせいしんだいじ　yínchuān nánguān qīngzhēndàsì
★

銀川南関清真大寺
Ⓜ P.121-B3
⊞興慶区玉皇閣南街288号
☎4106714
🕐8:00～18:00
休なし
💴12元
🚌12、28、29、43、45、102路バス「南門广场」

礼拝堂にはイスラム教徒以外は入れない

　銀川南関清真大寺は旧市街の南東、長城東路と玉皇閣南街の交わる角に位置する。寧夏回族自治区で最大級のモスクで、同自治区内のイスラム教徒の中心的活動拠点である。

　創建は明代末。1916年に現在の場所に移築された。文化大革命で破壊されたが、1981年に再建され、現在のアラビア風建築の建物となった。門は白い壁に金色のアラビア文字と緑の屋根が映えて美しい。敷地内には庭と噴水やイスラム文化を紹介する資料室があり観覧できる。

銀川南関清真大寺は、市内最大のモスク

西夏王陵
Ⓜ P.124-A2
田 西夏区西夏王陵景区
☎ 5668960、
　13995088610(携帯)
🕐 5月～10月上旬8:00～18:30
　10月中旬～4月9:00～17:00
　※入場は閉場1時間前まで
休 なし
🎫 5～10月＝88元
　11～4月＝54元
　※風景区内の電動専用車料金含む
🚌 ①市北東部の新月広場(Ⓜ地図
　外P.121-B2右)から観光専用バ
　ス「寧夏旅游景区直通車」が出て
　いる。経由する銀川駅からも乗
　車できる。15元、所要1時間20
　分。新月広場8:00、9:00発。銀川
　駅8:40、9:40発。西夏王陵11:40、
　13:45発
　②新月広場から観光専用バス
　「游1」が出ている。8元、所要1
　時間20分。4月21日～10月20
　日は新月広場9:00、9:30発、西夏
　王陵13:30、14:30発。10月21日
　～4月20日は新月広場9:30発、
　西夏王陵14:30発
　③旧市街南門発の101A路バス
　で終点の「西夏广场」(地図外)へ
　行き、そこからタクシーを利用
　する。15～20元が目安
　④車をチャーターする。往復220
　～250元が目安
🌐 www.nxxwl.com

西夏王国の陵墓群　🕐2時間　　　　★★★

西夏王陵 / 西夏王陵
せいかおうりょう　xīxià wánglíng

　市内から西へ約25km行った賀蘭山東麓にある西夏時代
(1038～1227年)の王墓群。遠景に賀蘭山を望む広い平
原から突き出ている盛り土のようなものが西夏王陵で、独特
の形をしている。東西4km、南北10kmのエリア内に9つ
の皇帝陵と70余りの陪葬墓が残っている。

築造当初の陵墓は八角形の塔だった

西夏博物館に展示されている西夏王陵の模型

　建国王李元昊の陵墓である泰陵はひとき
わ大きい。もともとは霊台という八角形を
した塔だったが、風化して現在のような円
錐形になってしまった。墓室は地下に造ら
れた。
　景区内には陵墓のほか、西夏王国の歴史
や陵墓の構造などについての説明や、出土
品が展示されている西夏博物館もある。

中国でも珍しい風格を備える塔

海宝塔 / 海宝塔
かいほうとう　hǎibǎotǎ
★★

海宝塔は北塔、黒宝塔などの別名をもつ

旧市街の北郊外に位置する海宝塔寺に立つ塔で、北塔とも呼ばれる。五胡十六国時代の5世紀初頭に、夏王朝（407 ～ 431年。匈奴が建国）初代皇帝の赫連勃勃が建立したとも伝わるが、詳細は不明。現在の建物は、18世紀末に地震で倒壊した後に再建されたもの。

塔は11層で高さは53.9m。かつては9層まで上ることができたが、2008年の四川大地震の影響でわずかに傾いたため、2019年7月現在、塔に上ることはできない。

海宝塔
M P.121-A1
田 興慶区民族北路海宝公園内
☎ 5038045
カ 海宝塔寺9:00 ～ 17:00
　海宝公園24時間
休 なし
料 海宝塔寺＝10元
　海宝公園＝無料
交 4、30、311路バス「海宝塔寺」

海宝塔寺の大雄宝殿内部

渓谷に刻まれた原始絵画

賀蘭山岩画 / 贺兰山岩画
がらんさんがんが　hèlánshān yánhuà
★★

手のような絵柄の岩画

銀川市区から西北約40kmの所にある岩画群。渓谷の岸壁に600mにわたって、人、動物そして狩猟の様子などの素朴な絵が線刻や磨刻で描かれている。

これらの絵は、春秋戦国時代（紀元前8世紀〜紀元前3世紀）以降、長期間にわたって刻まれ続けてきたもので、西夏文字による題記もある。

いずれも素朴な作風だが、独特の宗教世界を思わせる絵や、何を意味するのかよくわからないものまで、対象は幅広い。

賀蘭山岩画
M P.124-A1
田 銀川市北郊外賀蘭山東麓賀蘭口
☎ 6011772、18995011798（携帯）
カ 9:00 ～ 18:30
※入場は閉場1時間前まで
休 なし
料 賀蘭山岩画＝60元
　景区内電動専用車＝10元
交 ①市北東部の新月広場（M 地図外P.121-B2右）から観光専用バス「寧夏旅游景区直通車」が出ている。経由する銀川駅からも乗車できる。15元、所要1時間30分。新月広場8:00、9:00、10:00、11:00、12:30発、銀川駅8:40、9:40、10:40、11:40、13:10発、賀蘭山岩画13:30、14:30、15:30、16:30、18:00発
②4月21日～ 10月20日、新月広場から観光専用バス「游2」が出ている。15元、所要約1時間30分。新月広場8:00、9:00発、賀蘭山岩画15:00、15:30発
③車をチャーターする。往復300元が目安
※車をチャーターするなら、同じ方角にある西夏王陵、寧夏鎮北堡西部影視城を一緒に回ると効率がよく割安となる

太陽神といわれる岩画

岩画は渓谷のあちこちに刻まれている

沙湖

M P.124-A1

田 石嘴山市平羅県姚沙公路沙湖景区

☎ (0952)6685530

⏰ 4月下旬～10月中旬8:00～18:00
10月下旬～4月中旬8:30～17:00

休 なし

料 4月下旬～10月中旬＝120元
（電動専用車、遊覧船料含む）
10月下旬～4月中旬＝50元（湖面凍結のため、船の運航はなし）

🚌 ①銀川駅から観光専用バス「寧夏旅游景区直通車」が出ている。経由する新月広場（**M**地図外P.121-B2右）からも乗車できる。20元、所要1時間。銀川駅9:00発、新月広場9:40発、沙湖15:30発
②4月20日～10月20日の間、北門旅游バスターミナル（**M**P.121-B1）から沙湖行き専用バスが出ている。15元、所要1時間。北門旅游バスターミナル8:40、9:20発、沙湖13:30、15:30発
③タクシーを利用する。片道120元が目安

🌐 www.nxshahu.com

寧夏鎮北堡西部影視城

M P.124-A2

田 西夏区鎮北堡西部影視城

☎ 2136068、2136088

⏰ 4月中旬～10月中旬8:00～18:00
11月～4月上旬8:30～17:30
※オープン時間の変更時期は年により異なる

休 なし

料 80元

🚌 ①銀川南関清真大寺の西側の駐車場付近から専用ミニバスが出ている（銀川駅を経由）。6:00～19:00の間、乗客が集まり次第出発。7元、所要約1時間
②市北東部の新月広場（**M**地図外P.121-B2右）から観光専用バス「寧夏旅游景区直通車」が出ている。賀蘭山行きに乗り、寧夏鎮北堡西部影視城で下車。経由する銀川駅からも乗車できる。15元、所要1時間。新月広場8:00、9:00、10:00、11:00、12:30発、銀川駅8:40、9:40、10:40、11:40、13:10発、寧夏鎮北堡西部影視城14:00、15:00、16:00、17:00、18:30発

🌐 www.chinawfs.com

『紅いコーリャン』で使われたセット

砂漠の中にある避暑地 ★

沙湖 / 沙湖
さこ　shāhú

　沙湖は市内から北北東へ約45km、銀川市と石嘴山市の中間にある、名前のとおり砂丘に囲まれた広大な湖で、有名なレジャー地として観光客でにぎわっている。水は青く澄み、アシが島のように群生しており、水鳥も多い。
　船に乗って20分ほどで対岸の砂丘に着く。そこにはリフトや水族館などの娯楽施設があり、ラクダに乗って砂丘に上ることもできる。また、景区内のイスラム料理のレストランでは、沙湖特産の魚料理を食べることができる。

リフトに乗って湖の全景を眺めよう

水上スポーツを楽しめる

中国傑作映画のロケ地 ★

寧夏鎮北堡西部影視城 / 宁夏镇北堡西部影视城
ねいかちんほくほせいぶえいしじょう　níngxià zhènběipǔ xībù yǐngshìchéng

　市内から北西へ約35kmにある明代長城の要塞跡。長方形の城壁の内部は昔の町を再現した映画のセット村となっている。コン・リー（鞏俐）の出世作となった『紅いコーリャン（紅高粱）』をはじめ、世界的な評価を得た中国映画の名作は、ここで撮影された。映画のシーンを思い出しつつ歩いてみたい。

広大な敷地にさまざまな時代のセットが並ぶ

ケンピンスキーホテル銀川／银川凯宾斯基饭店

ぎんせん　yínchuān kǎibīnsījī fàndiàn　★★★★★

Ⓜ地図外（P.121-A2左）
田金鳳区北京中路160号
☎5165888
℻5165999
Ⓢ695～1060元
Ⓣ695～1060元
サなし
カADJMV
⊕www.kempinski.com

ドイツ系列のホテルで、最高品質のサービスと設備を誇る。レストランではドイツ伝統の自家製パン、ケーキ、ソーセージなども楽しめるほか、ドイツブラナビールが提供する生ビールは特に有名である。

両替　ビジネスセンター　インターネット

ワンダレルム銀川／银川万达嘉华酒店

ぎんせん　yínchuān wàndájiāhuá jiǔdiàn　★★★★★

銀川の新市街にある最高級ホテル。ビュッフェ形式のレストランでは、中国料理、西洋料理、日本料理を楽しめる。バー、ジム、スパ、マッサージなどの施設も充実。

Ⓜ地図外（P.121-A2左）
田金鳳区親水北大街9号
☎6858888
℻5923999
Ⓢ700～820元
Ⓣ700～820元
サなし
カADJMV
⊕www.wandarealmyc.cn

両替　ビジネスセンター　インターネット

ホリデイ・イン銀川インターナショナルトレードセンター／银川国贸中心假日酒店 ★★★★★

ぎんせん　yínchuān guómàozhōngxīn jiǎrì jiǔdiàn

旧市街中心部の解放西街にある5つ星ホテル。レストランでは中国各地の麺料理や、アジア各国の料理、羊肉のしゃぶしゃぶも食べられる。中山公園や承天寺塔などの見どころが近くて便利。

Ⓜ P.121-A3
田興慶区解放西街141号
☎7800000
℻7685888
Ⓢ598～818元
Ⓣ598～818元
サなし　カADJMV
⊕www.holidayinn.com

両替　ビジネスセンター　インターネット

太陽神大酒店／太阳神大酒店

たいようしんだいしゅてん　tàiyángshén dàjiǔdiàn　★★★★

重厚な外観の4つ星ホテル。入口を入ると大理石の豪華なロビーが迎えてくれる。ホテル内には屋内プールやカラオケ、サウナ、美容院がある。また、ホテル内に航空券代理販売所がある。

Ⓜ P.121-A2
田興慶区北京東路123号
☎7868888
℻7869999
Ⓢ388～458元
Ⓣ388～458元
サなし
カJMV

両替　ビジネスセンター　インターネット

寧夏虹橋大酒店／宁夏虹桥大酒店

ねいかこうきょうだいしゅてん　níngxià hóngqiáo dàjiǔdiàn　★★★★

タワーのような外観のホテル。解放西街にあり、通り沿いの徒歩圏内に郵政局や書店、銀行などがあり便利。中国料理、西洋料理レストラン、サウナ、美容院などがある。

Ⓜ P.121-A～B3
田興慶区解放西街38号
☎6918888
℻6918590
Ⓢ328～428元
Ⓣ328～428元
サなし
カADJMV

両替　ビジネスセンター　インターネット

ホテル

新香漁大飯店／新香渔大饭店
しんこうりょうだいはんてん　xīnxiāngyú dàfàndiàn

3つ星相当のホテル。ロビーや客室はあたたかみのある色で統一され、落ち着いた雰囲気。1階には広い西洋料理レストランがあり、2～4階には中国料理レストランの個室が多くある。

ビジネスセンター　インターネット

Ⓜ P.121-B2
🏠 興慶区北京東路355号
☎ 3806666
📠 3810566
⑤ 428元
Ⓣ 388元
サ なし
カ 不可

グルメ

徳隆楼 鼓楼総店／德隆楼 鼓楼总店
とくりゅうろうころうそうてん　délónglóu gǔlóu zǒngdiàn

北京東路と民族北街に支店がある、銀川で有名なイスラム料理店。おすすめは羊肉のしゃぶしゃぶで、羊肉が軟らかくておいしいと評判。肉料理のほかに北京料理、山東料理、四川料理、広東料理、寧夏地方料理も味わえる。ひとり当たり100～120元が目安。

Ⓜ P.121-B3
🏠 興慶区解放東街99号
☎ 6022073、6022760
オ 10:00～22:30
休 なし
カ 不可

良益軒羊肉泡饃館／良益轩羊肉泡馍馆
りょうえきけんようにくほうもかん　liángyìxuān yángròu pàomóguǎn

羊肉泡饃とは、羊肉、ネギ、春雨などを煮込んだスープにナンに似た焼きパンを細く刻んだものを入れて食べる代表的なイスラム料理。軽食として地元で人気の店。「羊肉泡饃」18～27元、「优质羊肉泡饃」33～55元。

Ⓜ P.121-A3
🏠 興慶区中寺巷6号
☎ 13709588801 (携帯)
オ 24時間
カ 不可

一品羊肉老搓麺／一品羊肉老搓面
いっぴんようにくろうさめん　yīpǐn yángròu lǎocuōmiàn

羊肉老搓麺の写真

銀川名物の羊肉老搓麺は、羊肉、大根、豆腐を煮込んだ辛いスープで食べる、日本のうどんにそっくりなコシのある太麺で、けっこうなボリューム。「羊肉老搓面」16元。

Ⓜ P.121-B3
🏠 興慶区平安東巷15号
☎ 15226281177 (携帯)
オ 10:00～20:30
休 なし
カ 不可

旅行会社

寧夏新文化国際旅行社／宁夏新文化国际旅行社
ねいかしんぶんかこくさいりょこうしゃ　níngxià xīnwénhuà guójì lǚxíngshè

日本語を話せるスタッフを揃えている。列車の切符手配代行料は1枚50元。日本語ガイド1日800～1000元、半日500元。西夏王陵、承天寺塔、賀蘭山岩画、寧夏博物館を回る車チャーター料1日800元。

Ⓜ P.121-B2
🏠 興慶区民族北街高尔夫商務大廈A座8階
☎ 6199865 (日本語可)
📠 6199232 (日本語可)
オ 8:30～12:00、14:00～18:00
休 土・日曜
カ 不可
✉ 2919456932@qq.com(日本語可)

甘粛省

敦煌の夜市
写真：内田事務所

黄河が流れる甘粛省の省都

蘭州
（らんしゅう）

ランジョウ
兰州 *Lán Zhōu*

● 都市データ ●

蘭州
人口＝ 322 万人
面積＝ 1 万 3083km²
5区3県を管轄
甘粛省の省都

甘粛省
人口＝ 2694 万人
面積＝約 45 万km²
12地級市2自治州17市轄区
5県級市57県7自治県を管轄

市公安局出入境接待大庁
（市公安局出入境接待大厅）
Ⓜ P.133-C1
⊞ 城関区南関十字民安大廈4階
☎ 5167270
🕐 9:00 〜 12:00、13:00 〜 17:00
🈲 土・日曜、祝日
観光ビザを最長30日間延長可能。
手数料は160元

蘭州軍区蘭州総医院
（兰州军区兰州总医院）
Ⓜ P.132-A1
⊞ 七里河区南濱河中路333号
☎ 8994114　🕐24時間　🈲なし

市内交通

【地下鉄】
1号線＝東崗〜陳官営
6:30 〜 22:00、2 〜 7元

【路線バス】運行時間の目安は
6:30 〜 21:30、1 〜 2.5元

【タクシー】初乗り3km未満10元、
3km以上10km未満1kmごとに1.4元、
10km以上1kmごとに2.1元加算

概要と歩き方

　甘粛省の省都蘭州は西安の西北約600kmに位置する海抜1510mの都市で、かつては金城（きんじょう）と呼ばれていた。古代より河西回廊（かせいかいろう）や青海方面への要衝都市として発展してきた。

　蘭州のイメージは何といっても黄河だろう。青海省に発した黄河が初めて通過する大都市が蘭州であり、市内の中山橋は黄河第一橋（こうがだいいちきょう）として有名だ。黄土高原の荒涼とした山肌を流れていく黄河は、野性的な表情をわれわれに見せてくれる。

　蘭州は南北約6km、東西約50kmという、極めて細長い町だ。これは南北に山が迫り、その間を黄河が流れているという地形によるもの。市街地は黄河の南に形成されており、蘭州駅から真っすぐ延びる天水路とそれと交差する東崗西路（とうがんせいろ）がメインストリートだ。ホテルも天水路に集中している。駅前から1路バスに乗れば、天水路、東崗西路を経由し、町を横断して、蘭州西駅まで行くことができる。

　2019年6月、地下鉄（蘭州軌道交通）1号線が開通。市区東郊外と西郊外を結び、全長約26km。東崗西路、慶陽路、西津西路に沿った経路を運行する。2019年7月現在、地下鉄2号線の工事中。2号線は全長約34km。市区北東郊外の黄河南岸を起点とし、南下した後に西へ進み、蘭州駅、東方紅広場などを経て市区西郊外にいたる。2020年開通予定。

白塔山から見た蘭州市街

	1月	2月	3月	4月	5月	6月	7月	8月	9月	10月	11月	12月
平均最高気温(℃)	1.4	5.8	12.5	19.2	24.1	27.5	29.2	27.8	22.2	16.6	9.0	2.4
平均最低気温(℃)	-12.1	-7.9	-0.7	5.2	10.1	13.7	16.4	15.4	10.9	4.3	-3.3	-10.2
平均気温(℃)	-6.3	-1.8	5.3	11.7	16.8	20.5	22.5	21.1	16.0	9.7	1.6	-4.9
平均降水量(mm)	1.8	2.5	8.1	16.7	35.2	37.2	60.4	83.3	47.9	21.0	4.0	1.3

Access

中国国内の移動 ➡ P.338

 飛行機 市区の北西約75kmに位置する蘭州中川空港（LHW）を利用する。

[国際線] 中部（7便）。
[国内線] 北京、上海、西安など主要都市との間に運航便がある。
[所要時間（目安）] 北京首都（PEK）／2時間5分　上海浦東（PVG）／2時間40分　西安（XIY）／1時間15分　銀川（INC）／1時間　張掖（YZY）／1時間　嘉峪関（JGN）／1時間35分　敦煌（DNH）／1時間50分　ウルムチ（URC）／2時間45分　トルファン（TLQ）／2時間25分

 鉄道 包蘭線、蘭新線などの発着地点となる蘭州駅と、蘭新線第二複線の発着地点となる蘭州西駅がある。中国の東西を結ぶ幹線であり、西北エリアやラサとを結ぶ列車がある。

[所要時間（目安）] 【蘭州（lz）】北京西（bjx）／直達：16時間　上海（sh）／直達：23時間20分　西安（xa）／直達：8時間10分　西寧（xn）／直達：2時間30分　銀川（yc）／快速：7時間45分　敦煌（dh）／動車：8時間30分　柳園南（lyn）／動車：7時間55分　ウルムチ（wlmq）／直達：16時間30分　【蘭州西（lzx）】北京西（bjx）／高鉄：7時間15分　上海虹橋（shhq）／高鉄：10時間50分　西安北（xab）／高鉄：3時間10分　西寧（xn）／動車：2時間10分　柳園南（lyn）／動車：7時間35分　ウルムチ（wlmq）／動車：11時間45分

 バス 旅行者がおもに利用する蘭州バスセンターのほか、蘭州南バスターミナル、蘭州西バスターミナル、蘭州東バスターミナルがある。

[所要時間（目安）] 西寧／3時間30分　天水／4時間　夏河／4時間　武威／4時間　張掖／10時間　劉家峡／2時間　白銀／2時間

Data

✈ 飛行機

蘭州中川空港（兰州中川机場）

Ⓜ地図外（P.133-C1上）　🏠蘭州新区中川鎮
☎96556　🕐始発便～最終便　🚫不可
［移動手段］**高速鉄道**（空港→蘭州西駅→蘭州駅、蘭州駅→蘭州西駅→空港）／20～35元、所要40～50分が目安。空港→蘭州駅・蘭州西駅は毎日6:56～23:41の間に約22便。蘭州駅・蘭州西駅→空港は毎日5:20～22:42の間に約22便　**エアポートバス**（空港→東方大酒店→蘭州駅、甘粛省管理局→空港）／30元、所要1時間10分が目安。空港は到着便に合わせて運行。市内→空港は4:40～20:30の間20分に1便　**タクシー**（空港～東方紅広場）／200元、所要1時間が目安

中国東方航空蘭州チケットセンター
（中国東方航空公司兰州售票中心）

Ⓜ P.133-D1　🏠城関区東崗西路586号
☎8732928　🕐8:30～19:00
🈳なし　🚫不可
［移動手段］**タクシー**（中国東方航空蘭州チケットセンター～東方紅広場）／10元、所要7分が目安　**路線バス**／1、4、58、75、81、115路「盤旋路西口」
3ヵ月以内の航空券を販売。

🚃 鉄道

蘭州駅（兰州火车站）

Ⓜ P.133-D2　🏠城関区火車站東路393号
☎共通電話＝12306　🕐24時間　🈳なし　🚫不可
［移動手段］**タクシー**（蘭州駅～東方紅広場）／10元、所要10分が目安　**路線バス**／1、6、9、12、31、33、112、131、137路「兰州车站」
28日以内の切符を販売。

包蘭線、蘭新線などの発着地点となる蘭州駅

蘭州西駅（兰州西客站）

Ⓜ地図外（P.132-A1左）　🏠七里河区西津西路187号
☎共通電話＝12306　🕐6:30～23:00
🈳不可
［移動手段］**地下鉄**／1号線「兰州西站北广场」　**タクシー**（蘭州西駅～東方紅広場）／25元、所要30分が目安　**路線バス**／1、31、35、108、129、137路「兰州西站」
28日以内の切符を販売。

蘭鉄国旅金輪賓館切符売り場
（兰铁国旅金轮宾馆火车票代售点）

Ⓜ P.133-C2　🏠城関区和政路72号金輪賓館1階
☎4921111（金輪賓館）
🕐8:00～12:00、14:00～18:00
🈳なし　🚫不可
［移動手段］**タクシー**（蘭鉄国旅金輪賓館切符売り場～東方紅広場）／10元、所要5分が目安　**路線バス**／12、117、142路「金轮广场」
28日以内の切符を販売。手数料は1枚につき5元。

A | B

安寧区

● 吾穆勒蓬灰牛肉麺

北濱河中路

黄濱河中路

光華街

黄　河

艾力老湯牛肉麺　東方宮中国蘭州牛肉拉麺 | ● 白老七蓬灰牛肉麺 | 金城園 白塔山公園

火車街 | ● 上徐家湾 | 金城関路 | 白塔山 ● 白塔

第一人民医院 | 北濱河中路 | ● 金福蓬灰牛肉麺

蘭州西站北広場へ | 建蘭路 | 蘭州西バスターミナル | ■ 金城関回民中学 | 金城関 | 黄　河　ロ　ー　プ　ウ　ェ　イ

瓜州路 | （劉家峡行きバス発着地点） | 小西湖黄河大橋 | ● 安泊爾牛肉麺 | 中　山　路

第十二中学 | 省中医院 | 建　蘭　路 | 省政府 | ◎ 中医学校 | 蘭州軍区 | ● スターバックスコーヒー | 中　山　路

婦幼保健院 | 体育館 | 蘭州総医院 | 南濱河中路 | 蘭州市 | 「西園」駅

郵政局 | 「西站什字」駅 | 西津西路 | 「七里河」駅 | 「小西湖」駅 | 小西湖公園 | 労働技工学校 | マクドナルド

新華書店 | 中国工商 | 甘粛省 | 省軍倶楽部 | 七里河区医院 | 西津東路 | 「文化宮」駅

蘭州市中医医院 | 銀行 | 博物館 | 蘭州西北中学 | 第十二中学 | 柏樹巷 | 蘭州市工人文化宮

■ 第五十五中学 | 建西東路 | 如家快捷酒店 蘭州西関十字中山路店 | 伏竜坪路

七里河区 | 区中医康復医院

蘭工坪路 | 郵電学校 ■

蘭州理工大学

■ 建三中

N | 蘭州南バスターミナル

0　500m | A | 烈士陵園 B

西果園へ

●見どころ　■ホテル　◎グルメ　⑤ショップ　⑧銀行　■学校　⊠郵便局　■病院　⬚⬚⬚繁華街　━━高速鉄道

🚌 バス

蘭州バスセンター（兰州客运中心）

M P.133-D2　⊞城関区火車站東路338号
☎8807114　🕐6:00〜20:00　休なし　カ不可
［移動手段］タクシー（蘭州バスセンター〜東方紅
広場）／15元、所要15分が目安　路線バス／7、9、
12、16、33、114、124、126路「兰州客运中心」
　2日以内の切符を販売。西寧（10:30〜15:30の
間に5便）、天水3便（8:00、9:00、16:00発）、武威
（7:00〜19:30の間40分に1便）、張掖1便（19:20
発）など。

蘭州南バスターミナル（兰州汽车南站）

M P.132-A2　⊞七里河区晏家坪19号
☎2392525　🕐5:30〜19:00　休なし　カ不可
［移動手段］タクシー（蘭州南バスターミナル〜東
方紅広場）／25元、所要30分が目安　路線バス／
11、45、107、111、129路「汽车南站」
　当日の切符のみ販売。夏河5便（8:30、10:30、
14:00、15:00、16:00発）。

蘭州西バスターミナル（兰州汽车西站）

M P.132-A1　⊞七里河区西津東路456号
☎7836231　🕐6:00〜18:50　休なし　カ不可
［移動手段］タクシー（蘭州西バスターミナル〜東
方紅広場）／15元、所要20分が目安　路線バス／1、
2、6、18、32、50、106、136、137、158路「公交集団」
　当日の切符のみ販売。劉家峡（7:00〜18:40の間
20分に1便）。

蘭州東バスターミナル（兰州汽车东站）

M P.133-D2　⊞城関区平涼路276号
☎8418411　🕐7:00〜19:00　休なし　カ不可
［移動手段］徒歩／（蘭州東バスターミナル〜東方
紅広場）／約5分
　当日の切符のみ販売。白銀（7:17〜9:47の間5
便）。

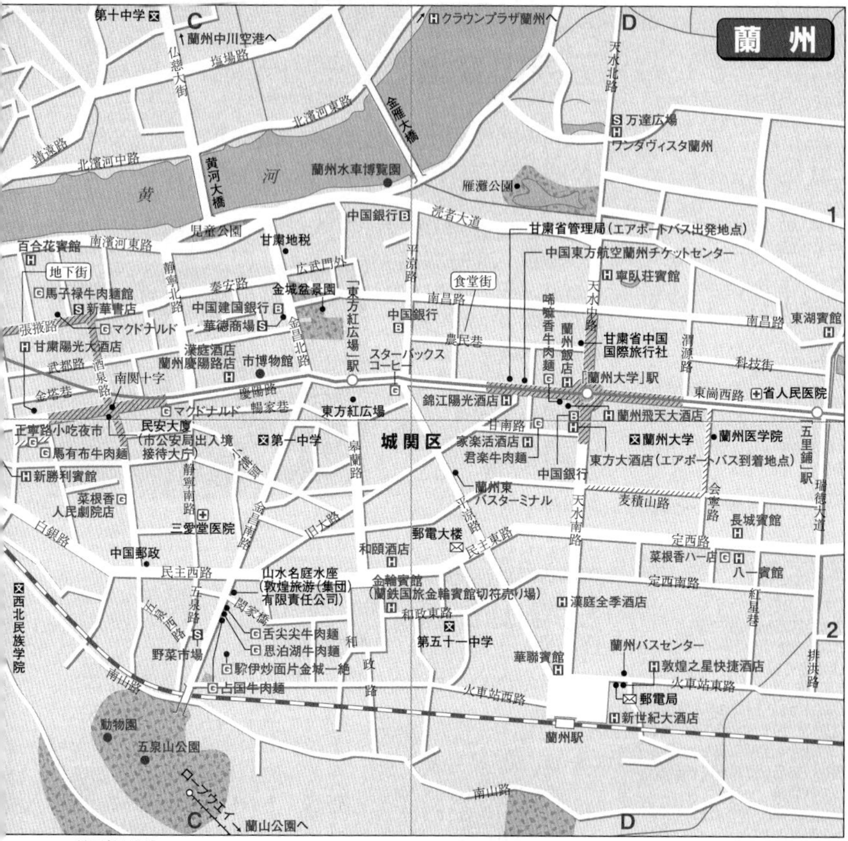
蘭 州
第十中学
蘭州中川空港へ
クラウンプラザ蘭州へ
仏慈大街
塩場路
北濱河東路
金雁大橋
天水北路
万達広場
ワンダヴィスタ蘭州
靖遠路
北濱河中路
黄河大橋
黄
河
蘭州水車博覧園
雁灘公園
中国銀行
濱河東路
甘粛省管理局（エアポートバス出発地点）
中国東方航空蘭州チケットセンター
児童公園
百合花賓館
南濱河東路
甘粛地税
広武門外
地下街
馬子禄牛肉麵
新華書店
マクドナルド
張掖路
甘粛陽光大酒店
武都路
金塔巷
酒泉路
南関十字
秦安路
中国建国銀行
華徳商場
漢庭酒店
蘭州慶陽路店
市博物館
慶陽路
金城盆景園
金昌北路
「東方紅広場」駅
中国銀行
食堂街
南昌路
農民巷
スターバックスコーヒー
軍队荘賓館
天水中路
唏嘛香牛肉麵
蘭州飯店
甘粛省中国国際旅行社
「蘭州大学」駅
南昌路
東湖賓館
渭源路
科技街
東崗西路
省人民医院
マクドナルド
蝪家巷
東方紅広場
錦江陽光酒店
蘭州飛天大酒店
正寧路小吃夜市
民安大廈（市公安局出入境接待大庁）
第一中学
城関区
甘南路
家楽活酒店
君楽牛肉麵
蘭州大学
蘭州医学院
「五里鋪」駅
馬有布牛肉麵
新勝利賓館
八一巷
静寧南路
皋蘭路
中国銀行
東方大酒店（エアポートバス到着地点）
蘭州東バスターミナル
平涼路
天水南路
麦積山路
会寧路
瑞徳大道
菜根香人民劇院店
白銀路
三愛堂医院
旧大路
金昌南路
郵電大楼
民主東路
長城賓館
定西路
中国郵政
民主西路
和頤酒店
菜根香八一店
八一賓館
西北民族学院
山水名庭水座（敦煌旅游（集団）有限責任公司）
金輪賓館（蘭鉄国旅金輪賓館切符売り場）
定西南路
漢庭全季酒店
五泉路
閔家橋
旧大路
和政東路
舌尖尖牛肉麵
思泊湖牛肉麵
和政路
第五十一中学
紅星巷
蘭州バスセンター
華聯賓館
敦煌之星快捷酒店
火車站東路
排洪路
野菜市場
駱伊炒面片金城一絶
占国牛肉麵
南山路
火車站西路
郵電局
新世紀大酒店
蘭州駅
動物園
五泉山公園
ロープウエイ
蘭山公園へ
南山路

── 地下鉄1号線

見どころ

マンモスの化石を見にいこう　2時間　★★★

甘粛省博物館／甘肃省博物馆

かんしゅくしょうはくぶつかん　gānsùshěng bówùguǎn

省内各地の文化財や化石を、地下１階、地上３階建ての建物内で展示している。「甘粛シルクロード文明」「甘粛の彩陶展」「甘粛古生物化石展」の３つのコーナーに分かれ、どのコーナーでもそれぞれすばらしい展示物を見ることができる。特に化石展のマンモスの化石は必見。子供向けの展示も充実している。

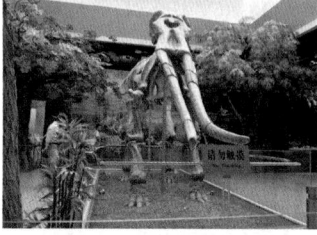

マンモスの化石

甘粛省博物館

M P.132-A1
住 七里河区西津西路3号
☎ 2339133
オ 9:00 ～ 17:00
※入館は16:00まで
休 月曜
料 無料
交 1、18、31、32、50、58、77、106、136、137、158路バス「七里河桥」
🌐 www.gansumuseum.com

武威の雷台から出土した銅奔馬

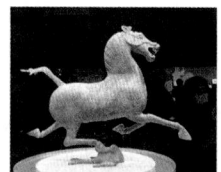

五泉山公園

- **Ⓜ** P.133-C2
- **⊞** 城関区五泉南路103号
- **☎** 8243247
- **オ** 5月～10月上旬6:30～20:00
  10月中旬～4月7:30～19:30
  ※動物園は8:00～17:30
- **休** なし
- **料** 無料(動物園は10元)
- **🚍** 12、15、17、18、33、114、117、124、136、137、139、146、149路バス「五泉广场」

白塔山公園

- **Ⓜ** P.132-B1
- **⊞** 城関区白塔山1号
- **☎** 8360800
- **オ** 夏6:00～20:00
  冬7:00～19:00
  ※公園内の寺院は
  4月～10月上旬8:00～18:00
  10月中旬～3月8:00～17:00
- **休** なし
- **料** 無料
- **🚍** 15、25、105、109、139、142路バス「中山桥」
  20、53、131路バス「白塔山公園」

黄河ロープウェイ(黄河索道)

- **Ⓜ** P.132-B1
- **⊞** 七里河区南濱河中路328号
- **☎** 8482097
- **オ** 隆暦1月6日～4月
  9:00～17:00
  5月～10月上旬8:30～18:30
- **休** 隆暦1月6日～10月上旬=なし
  10月中旬～隆暦1月5日=休業
- **料** 往復55元(往路のみ45元、復路のみ30元)
- **🚍** 15、25、105、109、139、142路バス「中山桥」

黄河ロープウエイ

蘭州水車博覧園

- **Ⓜ** P.133-C1
- **⊞** 城関区南濱河東路524号
- **☎** 8587111
- **オ** 5月～10月上旬7:00～21:00
  10月中旬～4月7:30～20:00
- **休** なし
- **料** 無料
- **🚍** 20、25、135路バス「緑色公園」

ライトアップされた水車

霍去病ゆかりの泉を中心とした公園　★

五泉山公園 / 五泉山公园
ごせんざんこうえん　　　wǔquánshān gōngyuán

　市街地南部、皋蘭山山裾にある旧跡を中心とした公園。その名のとおり甘露泉、掬月泉、摸子泉、恵泉、蒙泉の5つの泉がある。

　なかでも山の東側にある蒙泉、西側にある恵泉は、それぞれ東龍口、西龍口とも呼ばれ、紀元前120(前漢の元狩3)年、漢の将軍霍去病が軍を進めてこの地にいたり、剣を山肌に突き刺したところ、泉が湧き出て兵の渇きを癒やしたという伝説がある。

園内の武侯祠に祀られる諸葛孔明像

黄河の眺望がすばらしい　★

白塔山公園 / 白塔山公园
はくとうさんこうえん　　　báitǎshān gōngyuán

　黄河の北岸に位置する山で、市街地との比高は約200m。頂上に立つ高さ17mの白塔は、チベットからチンギス・ハンのもとへ遣わされた僧がここで病死し、その供養のために建てられたものという。ただし、現在の塔は明代に改修されたもの。

　山肌にはいくつもの楼閣が建てられており、頂上までは中山橋西側のロープウエイを利用することもできる。頂上から眺める黄河の流れは、非常にすばらしいものだ。また、白塔山の麓には蘭州の伝統文化を紹介する施設の金城閣がある。

山頂に立つ白塔

水車の仕組みがわかる　★

蘭州水車博覧園 / 兰州水车博览园
らんしゅうすいしゃはくらんえん　　　lánzhōu shuǐchē bólǎnyuán

　黄河の南岸にあり、黄河沿いの町蘭州で長年人々に利用されてきた水車の仕組みや働き、灌漑技術などについての展示がある。園内には大きな木製の水車が並ぶほか、奇石や民俗文化の展示もある。また、蘭州名物の羊の皮でできたいかだに乗ることもできる。

黄河河岸に造られた石窟　🕐1時間30分　★★★
炳霊寺石窟 / 炳灵寺石窟
へいれいじせっくつ　　bǐnglíngsì shíkū

　蘭州から約100km、永靖県市区の南西約35km、中国有数の発電所劉家峡ダムの上流約50kmにある石窟群。

　黄河北岸の切り立った崖に、長さ約2km、上下4層にわたって掘られた石窟は合計183ヵ所あり、西秦（385～431年）から清（1636～1912年）にかけて刻まれた仏像や彫刻が多数残っている（3分の2は唐代のもの）。

　おすすめは高さ27mの大仏像の上部に造られた第169窟（特別窟のため別途見学料が必要）。「西秦建弘元年」（420年）という中国の石窟で最も古い題記が残され、石窟内部にある仏像や壁画も極めて貴重な作例となっている。このほか、第126窟、128窟、132窟の特別窟もぜひ参観したい。

崖に彫られた大仏

黄河沿いに連なる石峰　★
黄河石林 / 黄河石林
こうがせきりん　　huánghé shílín

　蘭州から約180km、黄河の湾曲部に広がる国家地質公園。200万年以上前に隆起した台地が風雨で浸食された、高さ100～200mの石峰が10㎢の範囲に連なっている。

　観光は景区入口（チケット売り場）から専用バスに乗り、龍湾村下車。電動カートに乗り換え、黄河の船乗り場へ行く。ボートもしくは羊の皮のいかだに乗り、石林入口で下船。石林内はロバ車で観光もできる。

湾曲する黄河と屹立する石林の壮大な風景を楽しめる

羊の皮のいかだで黄河を遊覧

炳霊寺石窟
Ⓜ P.35-C2
🏠 永靖県小積石山大寺溝中
☎ (0930)8879386
📅 5月～10月上旬8:00～18:00
　10月中旬～4月9:00～16:00
休 なし
料 50元
※以下の特別窟は別途見学料が必要
　第169、第172窟（合わせて300元）、第126窟（80元）、第128窟（60元）、第132窟（90元）
🚌 蘭州西バスターミナル（Ⓜ P.132-A1）から劉家峡行きのバスに乗り「刘家峡水库大坝路口」下車。徒歩3分の埠頭からモーターボートまたは大型船に乗り換える。モーターボートは定員になりしだい出発する。往復120元、所要片道1時間10分。大型船は往復120元、所要片道3時間
　劉家峡から蘭州へ戻る最終バスは18:00～18:30の間が目安
※モーターボートと大型船は炳霊寺石窟に約1時間30分停泊して劉家峡へ戻る

黄河石林
Ⓜ P.35-C2
🏠 白銀市景泰県中泉郷龍湾村黄河石林景区
☎ (0943)5915160
📅 8:00～20:00
休 なし
料 40元（入場料のみ）、125元（入場料、専用バス、電動カート、片道ボート代を含む）
　ロバ車＝3人乗りで1台90元
　羊の皮のいかだ（往路のみ）＝3人乗りで1艘90元
※125元のチケットには片道の船代のみ含まれるため、往路にボートに乗った場合は復路の船代40元が別途必要
🚌 ①蘭州東バスターミナル（Ⓜ P.133-D2）から「白銀」行きのバスに乗る。25元、所要約1時間30分。終点下車後、タクシーをチャーターして行くのが一般的。往復300元が目安。白銀から蘭州へ戻る最終バスは19:00が目安
②蘭州の旅行会社で車をチャーターする場合、900元が目安

甘粛陽光大酒店／甘肃阳光大酒店 ★★★★★
かんしゅくようこうだいしゅてん　gānsù yángguāng dàjiǔdiàn

高層ビルが並ぶ慶陽路沿いの5つ星
ホテル。ドアをくぐると豪華なロビーが広
がっている。部屋のタイプはさまざまで、
バスタブなしの場合もあるので、チェック
イン時に確認しよう。

Ⓜ P.133-C1
🏠 城関区慶陽路428号
☎ 4608888
🆕 4608889
Ⓢ 480～540元
Ⓣ 480～540元
サ なし
カ ADJMV
🌐 www.sunshineplaza.com.cn

両替　ビジネスセンター　インターネット

クラウンプラザ蘭州／皇冠假日酒店 ★★★★★
らんしゅう　huángguān jiàrì jiǔdiàn

黄河沿いに位置する5つ星ホテル。国
家森林公園に隣接する眺望が自慢。イ
スラム料理をはじめとするレストラン、
バー、ジム、屋内プール、大型の会議場
施設を備え、観光はもちろん、ビジネス用
途での利用客も多い。

Ⓜ 地図外(P.133-D1上)
🏠 城関区北濱河東路1号
☎ 8711111
🆕 8398301
Ⓢ 880元
Ⓣ 880元
サ なし
カ ADJMV
🌐 www.ihg.com

両替　ビジネスセンター　インターネット

ワンダヴィスタ蘭州／万达文华酒店 ★★★★★
らんしゅう　wàndá wénhuá jiǔdiàn

雁灘公園の近くに位置する5つ星ホテ
ル。客室内の装飾は敦煌莫高窟の壁
画、飛天をイメージしている。レストランで
は西域の趣向を凝らした料理をはじめ、
各国の料理も楽しめる。

Ⓜ P.133-D1
🏠 城関区天水北路52号
☎ 6128999
🆕 6128688
Ⓢ 900元
Ⓣ 900元
サ なし
カ ADJMV
🌐 www.wandahotels.com

両替　ビジネスセンター　インターネット

蘭州飛天大酒店／兰州飞天大酒店 ★★★★
らんしゅうひてんだいしゅてん　lánzhōu fēitiān dàjiǔdiàn

交通量の多いロータリーに立つ高層ホ
テル。蘭州駅から車で3分程度、便利
なロケーションにある。室内は静かで高
級感があり、高層階からは町の眺めを楽
しめる。ビュッフェ形式の朝食付き。

Ⓜ P.133-D1
🏠 城関区天水南路529号
☎ 8532888
🆕 8532333
Ⓢ 485元
Ⓣ 433元
サ なし
カ ADJMV

両替　ビジネスセンター　インターネット

錦江陽光酒店／锦江阳光酒店 ★★★★
きんこうようこうしゅてん　jǐnjiāng yángguāng jiǔdiàn

ロビーも客室内もとてもきれいで、バス
ルーム内の設備も充実している。サウナ
やフィットネスセンター、ダンスホールもあ
る。エアポートバス出発地点が向かいに
あり、便利。

Ⓜ P.133-D1
🏠 城関区東崗西路589号
☎ 5116666
🆕 5116777
Ⓢ 466～566元
Ⓣ 466～516元
サ なし
カ ADJMV
🌐 www.jinjianghotels.com

両替　ビジネスセンター　インターネット

金輪賓館／金轮宾馆 ★★★★
きんりんひんかん　jīnlún bīnguǎn

1階に蘭鉄国旅金輪賓館切符売り場
がある。清潔感にあふれた落ち着ける
客室で、値段のわりにお得感がある。繁
華街から少し離れており、周辺には広場
や学校があり緑が多い。

Ⓜ P.133-C2
🏠 城関区和政路72号
☎ 4921111
🆕 4951760
Ⓣ 350～550元
Ⓦ 350～550元
サ なし
カ ADJMV

両替　ビジネスセンター　インターネット

蘭州飯店／兰州饭店 ★★★★
らんしゅうはんてん　lánzhōu fàndiàn

蘭州飛天大酒店の向かい側に位置する蘭州の老舗ホテル。中楼は4つ星で、両側の東楼と西楼は3つ星。ホテル裏の通りにはレストランや小食堂が多い。

ビジネスセンター　インターネット

Ⓜ P.133-D1
🏠 城関区東崗西路486号
☎ 8416321
📠 8418608
Ⓢ 西楼488元　東楼488元
Ⓣ 西楼488元　東楼488元　中楼528元
サ なし
カ ADJMV
🌐 www.lanzhouhotel.com

馬子禄牛肉麺館／马子禄牛肉面馆
マーズルーぎゅうにくめんかん　mǎzǐlù niúròumiànguǎn

牛肉ラーメンの老舗で、全国的に名を知られた店。日本にも支店がある（東京の神保町）。スープは澄んでいるがコクがあり、日本人の口に合う味。注文は1階は牛肉麺（1杯8元）、2階は牛肉麺セット（20元と30元）となっている。麺がなくなると店じまいとなる。

Ⓜ P.133-C1
🏠 城関区張掖路大衆巷86号
☎ 8450505
🕕 6:30～14:30
休 春節
カ 不可

正寧路小吃夜市／正宁路小吃夜市
せいねいろシャオチーよいち　zhèngnínglù xiǎochī yèshì

回族の清真料理専門の屋台夜市。連日、地元客や観光客でにぎわう。肉挟餅、カニ料理、野菜の炒め物など、さまざまな店が通りの両側にずらりと並んでおり、食べ歩きを楽しめる。名物の牛奶醪糟（甘酒のような飲み物）は行列ができるほどの人気。

Ⓜ P.133-C2
🏠 城関区正寧路
☎ なし
オ 18:00～24:00
休 なし
カ 不可

敦煌旅游（集団）有限責任公司／敦煌旅游（集团）有限责任公司
とんこうりょゆう（しゅうだん）ゆうげんせきにんこうし　dūnhuáng lǚyóu (jítuán) yǒuxiànzérèngōngsī

日本語を話せるスタッフとガイドを揃え、シルクロード全域、チベット、青海省のツアーアレンジをおもに行っている旅行会社。なかでも炳霊寺1日ツアー、夏河2日ツアーなどが人気だ。おすすめは、夏河や郎木寺にあるチベット寺院や途中の大草原に立ち寄りながら、人気の世界遺産・九寨溝と黄龍を訪れ成都まで行くコースで、敦煌からのスタートも可能。また、チベット自治区への入域許可証の手配も行っている。
日本語ガイド1日400元、市内の車チャーター1日500元（ワゴン車）。
メールでの問い合わせには、営業日であれば24時間以内に返信可能。

Ⓜ P.133-C2
🏠 城関区金昌南路154号山水名庭水座601室
☎ 8860818（日本語可）
　13909483931（携帯、日本語可）
📠 8860808（日本語可）
🕕 9:00～18:00
休 土・日曜、祝日
カ 不可
🌐 www.tabi-silkroad.com
✉ 395346979@qq.com（日本語可）

蘭州牛肉麺を食べよう！

蘭州牛肉麺は、全国に名を馳せる、回族が生み出した清真（イスラム）料理のラーメンで、蘭州の人たちは朝から深夜まで気軽に食べている。

ここ数年、日本でも東京を中心に蘭州牛肉麺の専門店が次々に開店し、2019年4月には日清食品から「カップヌードル　蘭州牛肉麺」が発売されて話題を呼んだ。

蘭州を訪ねたら、本場の蘭州牛肉麺をぜひ味わってみたい。蘭州の人気店「晞嘛香牛肉麺」の厨房に入れてもらい、牛肉麺ができるまでを見せてもらった。合わせて、蘭州のえりすぐりの人気店を紹介しよう。

麺の作り方

牛肉麺の特徴は手打ち麺。麺作りは早朝から始まる。大量の小麦粉がこねられ、熟練の技で弾力のある美しい麺が作り出される。

一

機械を使って小麦粉をおおまかにこねる。店によっては粉から手でこねる

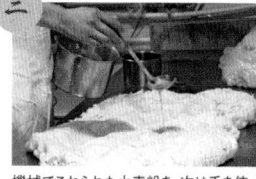

二

機械でこねられた小麦粉を、次は手を使って十分にこね、かん水（アルカリ塩水溶液）を注ぐ。かん水を入れると小麦粉の弾力が増して麺を伸ばしやすくなり、麺の食感がなめらかになる

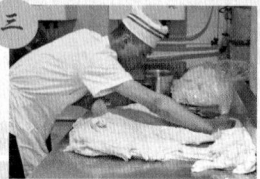

三

しばし発酵させた後、弾力のついた小麦粉を繰り返しこねる

四

かなり弾力がついてきた。
思いきり伸ばしてもちぎれない

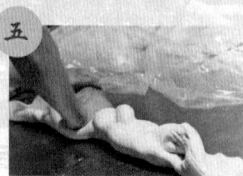

五

麺に伸ばすために小分けにして、さらにこねる

六

小麦粉を1人前の分量に調整し、両腕を使って伸ばし始める

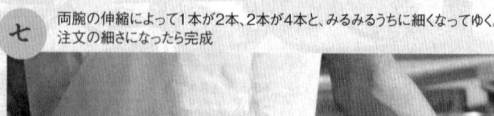

七

両腕の伸縮によって1本が2本、2本が4本と、みるみるうちに細くなってゆく。注文の細さになったら完成

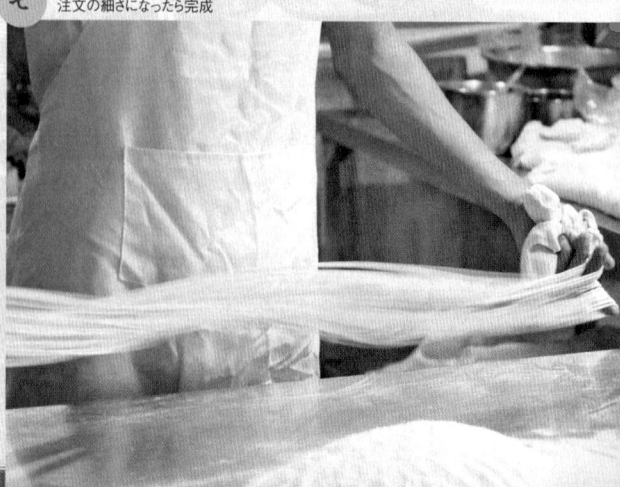

スープの作り方

牛肉麺のスープは牛肉、牛骨、牛脂、野菜、各種スパイスを煮込んだ清湯(チンタン)（透き通ったスープ）。見た目に反してコクがあり、スパイシーな風味がクセになる。

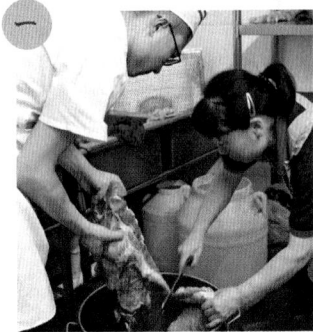
一

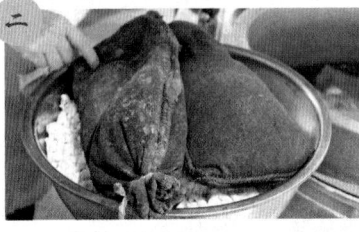
二

牛脂、塩、袋詰めにした各種スパイスを用意する。スパイスの種類や調合は企業秘密

新鮮な牛肉と牛骨がスープの命だ

三

四

牛肉と牛骨を煮込んだ後に、二の材料を投入する

野菜を加えて煮込み、透き通ったスープが完成する

いよいよ開店！

蘭州の人たちは朝食に牛肉麺を食べることが多いので、牛肉麺専門店のほとんどは早朝に開店する。麺がなくなり次第閉店する店もあるが、夜まで営業や、24時間オープンの店も増えている。

一

二

スタッフは、できあがったばかりの牛肉麺を、朝食を兼ねて試食

開店と同時に、早起きの蘭州市民が来店。注文を受ける

三

四

すぐに麺を伸ばして大釜でゆでる

碗にゆで上がった麺、牛肉、ダイコン、ニンニクの芽などの具を入れてスープを注ぎ、自家製ラー油を加えてできあがり

蘭州牛肉麺を食べ歩こう！

蘭州牛肉麺は、注文時に麺の種類を決める。一般的には麺は断面が丸い丸麺か、きしめんのような平打ち麺に分けられ、さらにその太さ（幅）を決める。また、「蕎麦楞」と呼ばれる断面が三角形の麺もある。

丸麺では「細」、平打ち麺では「韮葉子」（ニラの葉くらいの幅）がよく注文される太さ（幅）。まずはこれら標準的な麺を食べてから、麺の太さや幅を変えて食べ歩いてみてはいかがだろう。

老舗の「馬子禄牛肉麺館」の店内。座席がないときは食べ終わりそうな人の近くで待とう

煮玉子や牛肉のトッピング、漬物などの小皿料理もおすすめ（「思泊湖牛肉麺」）

①「馬子禄牛肉麺館」の「韮葉子」。幅広の麺がスープによくからむ

②「白老七蓬灰牛肉麺」の「毛細」。日本のそうめんに近い細さ

③「安泊爾牛肉麺」の「細」

④「金福蓬灰牛肉麺」の「二細」。太めの麺が好きな人におすすめ

⑤「東方宮中国蘭州牛肉拉麺」の「薄寛」。韮葉子と大寛の中間の幅

⑥「吾穆勒蓬灰牛肉麺」の「蕎麦楞」。三角形の麺の食感を楽しむ

⑦「舌尖尖牛肉麺」の「細」

⑧「思泊湖牛肉麺」の「大寛（ダークワン）」。最も幅が広い麺

⑨「君楽牛肉麺」の「細」

⑩「唏嘛香牛肉麺」の「薄寛」

店 舗 情 報

①馬子禄牛肉麺館／马子禄牛肉面馆
マーズルーぎゅうにくめんかん　mǎzǐlù niúròumiànguǎn
→P.137

②白老七蓬灰牛肉麺／白老七蓬灰牛肉面
はくろうしちほうはいぎゅうにくめん　báilǎoqī pénghuī niúròumiàn
M P.132-B1
田 城関区金城路327号
☎8322007　オ6:00～15:00　休春節　カ不可

③安泊爾牛肉麺／安泊尔牛肉面
あんはくじぎゅうにくめん　ānbóěr niúròumiàn
M P.132-B1　田 城関区北濱河中路756号
☎8353333、8350000　休春節　カ不可
オ6:15～14:30

④金福蓬灰牛肉麺／金福蓬灰牛肉面
きんふくほうはいぎゅうにくめん　jīnfú pénghuī niúròumiàn
M P.132-B1　田 城関区金城路760号
☎13919399005（携帯）　休春節　カ不可
オ6:00～14:30

⑤東方宮中国蘭州牛肉拉麺
とうほうぎゅうちゅうごくらんしゅうぎゅうにくらーめん
／东方宫中国兰州牛肉拉面
dōngfānggōng zhōngguólánzhōu niúròulāmiàn
M P.132-B1　田 城関区上徐家湾103号4号
☎15002679145（携帯）
オ6:00～19:30　休春節　カ不可

⑥吾穆勒蓬灰牛肉麺／吾穆勒蓬灰牛肉面
ごぼくろくほうはいぎゅうにくめん　wūmùlè pénghuī niúròumiàn
M P.132-A1　田 安寧区北濱河中路 1268 号
☎13919893333（携帯）
オ5:30～14:30　休春節　カ不可

⑦舌尖尖牛肉麺／舌尖尖牛肉面
ぜつせんせんぎゅうにくめん　shéjiānjiān niúròumiàn
M P.133-C2　田 城関区金昌南路 128 号
☎15095389918（携帯）
オ24時間　休春節　カ不可

⑧思泊湖牛肉麺／思泊湖牛肉面
しはくこぎゅうにくめん　sībóhú niúròumiàn
M P.133-C2　田 城関区金昌南路128号
☎18893849999（携帯）
オ24時間　休春節　カ不可

⑨君楽牛肉麺／君乐牛肉面
くんらくぎゅうにくめん　jūnlè niúròumiàn
M P.133-D2　田 城関区甘南路 112 号
☎7891888　休春節　カ不可
オ5:00～17:00

⑩唏嘛香牛肉麺／唏嘛香牛肉面
きぼこうぎゅうにくめん　xīmáxiāng niúròumiàn
M P.133-D1　田 城関区東崗西路446号
☎18054190026（携帯）
オ5:00～17:00　休春節　カ不可

巨大な岩山に造られた麦積山石窟

多くの泉が湧き出す甘粛省第2の都市

天水
(てんすい)

ティエンシュイ
天 水　Tiān Shuǐ

新疆ウイグル自治区／モンゴル／甘粛省／内蒙古自治区／銀川／寧夏回族自治区／陝西省／青海省／西寧・蘭州／**天水**／西安／チベット自治区／四川省

● 都市データ ●

天水
人口= 369万人
面積= 1万4431km²
2区4県1自治県を管轄

市公安局出入境管理処
（市公安局出入境管理処）
Ⓜ P.144-B2
🏢 秦州区岷峪路公安大楼
☎ 8886372
🕐 8:30～12:00、14:30～18:00
🈺 土・日曜、祝日
観光ビザを最長30日間延長可能。
手数料は160元

市第一人民医院
（市第一人民医院）
Ⓜ P.144-B1
🏢 秦州区建設路105号
☎ 8213711
🕐 24時間
🈺 なし

市内交通
【路線バス】運行時間の目安は
6:00～22:00、2～3元
【タクシー】初乗り2km未満5元、
2km以上1kmごとに1.4元加算、
9km以上1kmごとに2.1元加算

🔷 概要と歩き方 🔷

　天水市は甘粛省東南部に位置する甘粛省第2の都市だ。この町が天水と呼ばれるようになったのは、前漢の武帝のときで、すでに2000年以上の歴史をもつが、その名の由来には次のような伝説がある。

　紀元前114（前漢の元鼎3）年のある日、現在の天水市の南で赤い光が現れると同時に雷雨が起こり、大地に亀裂が生じた。その裂け目に天の河から水が流れ込み、湖ができあがった。その湖の水位は常に安定し、味もすばらしく、人々は天の河と湖がつながっていると信じ、天水井と名づけた。その後、武帝はその湖畔に城を築き、天水郡とした。現在ではその湖は存在しないが、天水には今も多くの泉が湧く。

　天水の市区は秦州区と麦積区に分かれており、1路バスで結ばれているとはいえ、空港の東西に18kmも離れているので、別の町と考えたほうがよいだろう。

　西側にある秦州区では、民主西路と中心広場のあたりがにぎやかだ。中心広場の南東から東に延びる中華西路は歩行者天国になっている。市内の見どころの大部分も秦州区にある。

　東側の麦積区は、駅周囲にホテルなどが集中しているが、特に見どころもないので、麦積山観光や鉄道による他都市への移動以外に宿泊地としてのメリットはない。

中心広場周辺は天水随一の繁華街

	1月	2月	3月	4月	5月	6月	7月	8月	9月	10月	11月	12月
平均最高気温(℃)	3.1	6.3	12.3	18.9	23.5	27.0	28.5	27.3	21.4	16.4	9.8	3.9
平均最低気温(℃)	-6.4	-3.5	1.6	6.9	11.3	15.0	17.9	17.0	12.6	7.2	0.7	-4.9
平均気温(℃)	-2.3	0.7	6.3	12.5	17.0	20.7	22.8	21.7	16.5	11.1	4.6	-1.2
平均降水量(mm)	3.9	6.0	15.6	39.8	57.9	73.8	91.6	93.0	90.9	42.4	14.3	3.3

Access

中国国内の移動 ➡ P.338

 飛行機 秦州区の東約13kmに位置する天水麦積山空港(THQ)を利用する。

国際線 日中間運航便はないので、西安や重慶で乗り継ぐとよい。
国内線 西安、重慶など主要都市との間に運航便がある。
所要時間(目安) 西安(XIY)／1時間　重慶(CKG)／1時間25分

 鉄道 市区の東約17kmに位置する隴海線の天水駅と市区の東約14mに位置する宝蘭旅客専用線の天水南駅を利用する。

所要時間(目安) 【天水(ts)】北京西(bjx)／直達：16時間50分　上海(sh)／直達：19時間30分　西安(xa)／直達：4時間　蘭州(lz)／快速：4時間　敦煌(dh)／快速：17時間40分　【天水南(tsn)】北京西(bjx)／高鉄：7時間30分　上海虹橋(shhq)／高鉄：9時間10分　西安北(xab)／高鉄：1時間45分　西寧(xn)／動車：3時間40分　蘭州西(lzx)／高鉄：1時間25分

 バス 天水バスターミナルを利用する。

所要時間(目安) 銀川／10時間　蘭州／5時間

Data

飛行機

天水麦積山空港 (天水麦积山机场)
Ⓜ地図外(P.101-A1)　🏠麦積区二十里鋪花牛村
☎2652000　🕐始発便～最終便　休なし　カ不可
[移動手段] タクシー(空港～中心広場)／40～50元、所要25分が目安　路線バス／1、9、58路「天水机場」

天水空港市内航空券売り場陽光航空券売り場
(天水机场市内售票处阳光售票处)
Ⓜ P.144-A1　🏠秦州区天水広場傍金龍大廈1階
☎8222000　🕐8:00～20:00　休なし　カ不可
[移動手段] 徒歩(天水空港市内航空券売り場陽光航空券売り場～中心広場)／0分(売り場は中心広場に位置している)

鉄道

天水駅 (天水火车站)
Ⓜ P.144-B1右　🏠麦積区隴昌路東2号
☎共通電話=12306　🕐24時間　休なし　カ不可
[移動手段] タクシー(天水駅～中心広場)／40～50元、所要30分が目安　路線バス／1、6、9、34、55、58路「火车站」
　28日以内の切符を販売。

天水南駅 (天水南站)
Ⓜ地図外(P.144-B2右)　🏠麦積区義皇大道中路
☎共通電話=12306　🕐7:00～23:00
休なし　カ不可
[移動手段] タクシー(天水南駅～中心広場)／40～50元、所要25分が目安　路線バス／1、9、34、58、88路「天水南站」
　28日以内の切符を販売。

財政大廈切符売り場 (财政大厦客票代售点)
Ⓜ P.144-B1　🏠秦州区合作北路1号
☎4987666　🕐9:00～12:00、14:00～17:00
休なし　カ不可
[移動手段] タクシー(財政大廈切符売り場～中心広場)／5元、所要3分が目安　路線バス／5路「迎賓路」
　28日以内の切符を販売。手数料は1枚につき5元。

🚌 バス

天水バスターミナル (天水汽车总站)
Ⓜ P.144-B1　🏠秦州区新華路134号
☎8214028　🕐6:00～19:00　休なし　カ不可
[移動手段] タクシー(天水バスターミナル～中心広場)／5元、所要3分が目安　路線バス／24、88路「天水汽车总站」
　7日以内の切符を販売。銀川2便(14:00、18:00発)、蘭州2便(10:10、14:30発)。

天水バスターミナル

天 水

B 秦州区

A

北山清真寺 ●

羅玉路

1

玉泉観 ●

H 皇城国際飯店

郵政局 ✉

胡氏古民居
(天水民俗博物館)

甘粛絲綢之路国際旅行社

天水バスターミナル

新華路

(H)金龍大酒店、
天水空港市内航空券売り場、
陽光航空券売り場

金龍大厦 ●

中心広場

陽光飯店 ●

ホリデイ・イン・
エクスプレス天水 H

中国銀行 B

一天水百貨大楼

天水馬員外砂鍋老店

光明巷

天水駅へ↑

第五中学 新華路

財政大厦切符売り場

H 天水迎賓館

市第一人民医院 H

天水華辰大酒店

H 天水賓館

民主西路

青年東

中華西路

伏羲廟
伏羲路

秦州区医院 H

敞放路

大衆南路

人民公園

蘭天城市広場

人行橋

鋪山路

大衆南路

中日友好桜花園

藉河北路

南大橋

藉河北路

藉河南路

公安大楼 ●
(市公安局出入境管理処)

藉
河

2

天水体育館 G

藉河南路

呂二北路

秦州区眼科医院 ✚

藉河南路

呂二北路

呂見瀋雨路

諸葛軍塁 ●

楽賀大道西段

天水麦積山空港、天水南駅へ↑

迎賓路

峨嵋路

隴峰路

岷山路

天水成紀博物館 ●
南郭路

南郭寺 ●

李広墓(烈士陵園) ●

南郭寺公園

N

0   500   1km

A

B

● 見どころ   H ホテル   G グルメ   S ショップ   B 銀行   X 学校   ✉ 郵便局   ✚ 病院   ///// 繁華街

歩行者天国の中華西路

天水が誇る貴重な石窟 ⏱2時間 ★★★
麦積山石窟 / 麦积山石窟
ばくせきざんせっくつ　màijīshān shíkū

　麦積山石窟は天水市の南東約50kmにある。秦嶺山脈の西端にある麦積山に、後秦から清まで十数代の王朝にわたって蜂の巣状に開削された仏教石窟。現存する194の石窟（東崖54窟、西崖140窟）には、7000体を超える塑像や石刻像、1300㎡にも及ぶ壁画が残されている。

麦積山石窟
Ⓜ P.35-C3、P.101-A1
🏢 麦積区麦積村
☎ 2731407
🚗 5～10月8:30～17:00
　11～4月9:00～16:00
💰 90元、電動カート＝片道8元、往復15元
🈳 なし
🚌 34、60路バス「麦積山」

崖に設けられた桟道を歩いて見学する

窟内に如来、菩薩、仏弟子などの像が並ぶ

塑像には部分的に彩色が残っている

垂直の岩壁にたくさんの窟が掘られている

甘粛省　天水

天水マップ／見どころ

南郭寺
Ⓜ P.144-B2
🏠 秦州区南郭路39号
☎ 8623147
🕐 8:30 ～ 17:30
休 なし
🎫 20元
🚌 9、24、26路バス「南郭寺」。下車後、徒歩約20分

南郭寺の山門

杜甫の像

伏羲廟
Ⓜ P.144-A1
🏠 秦州区伏羲路110号
☎ 8227304
🕐 8:00 ～ 17:30
　 天水市博物館9:00 ～ 17:00
休 なし
　 天水市博物館＝月曜
🎫 20元
　 天水市博物館＝無料
🚌 21、22、84路バス「伏羲庙」

※1　三皇
　　伏羲、女媧、神農のこと

天水市博物館の展示室

杜甫ゆかりの古刹　　　　　　　　★★

南郭寺／南郭寺
なんかくじ　　nánguōsì

　南郭寺は秦州区東南部の山麓にある仏教寺院で、唐代中期の詩人杜甫の詩に詠まれたことで有名。境内には杜甫を祀った詩史堂が立つ。

　759（唐の乾元2）年、陝西一帯で大飢饉が発生したため、杜甫は官位を捨て、7月に秦州（現在の天水）に逃れた。しかし、ここも彼の安住の地とはなり得ず、同年12月には成都に居を移した。秦州滞在は短かったが、自身の不遇と安史の乱による乱世を悲しみ、秦州雑詩二十首を作詩した。そのなかの一首が南郭寺を題材にした次の詩だ。

山頭南郭寺	水号北流泉	老樹空庭得	清渠一邑伝
山頭の南郭寺	水は北流泉と号す	老樹空庭に得	清渠一邑に伝う
秋花危石底	晩景臥鐘辺	俛仰悲身世	渓風為颯然
秋花危石の底	晩景臥鐘の辺	俛仰して身世を悲しめば	渓風もまた颯然たり

　また、ここからは天水市内を一望することもできるので、風に吹かれて思索にふけるのもよいだろう。

三皇のひとり伏羲を祀る祠廟　　　★★

伏羲廟／伏羲庙
ふくぎびょう　　fúxīmiào

　中国では三皇※1が最初の帝王であると同時に、民族の祖先としても祀られており、その三皇の筆頭に挙げられるのが伏羲だ。彼は天水に生まれ、人々に猟や牧畜を教え、文字を作ったと伝えられている。

　彼を祀った伏羲廟は、1490（明の弘治3）年に創建、1524（明の嘉靖3）年に修復された。内部には太極殿を中心とする建築物やカシワの古木などがある。伏羲廟の敷地内には天水市博物館が立つ。

　天水市では毎年、陰暦5月13日に伏羲文化節という祭りが開催され、市内でパレードや歌謡ショーなどが行われる。

大極殿内部の伏羲像

西北地方を代表する明清時代の古建築　　　★★

胡氏古民居（天水民俗博物館）/ 胡氏古民居（天水民俗博物馆）
こしこみんきょ（てんすいみんぞくはくぶつかん）　húshì gǔmínjū (tiānshuǐ mínsú bówùguǎn)

　明代に山西司法副長官になった胡来縉の邸宅。民主西路を
挟んで北側の北宅子と南側の南宅子に分かれている。2300
㎡の敷地には四合院造りの建築群が建ち並ぶ。現存する西北
地方の明清古建築として重要な史料となっている。天水民俗
博物館にもなっており、生活風土の興味深い品々が数多く展
示されている。

胡氏古民居
（天水民俗博物館）
Ⓜ P.144-A1
🏠 秦州区民主西路117号
☎ 8229253
🕐 8:30 〜 17:00
休 なし
料 無料
🚌 1、2、3、4、5、6、15、23路バス「中心
广场」

当時の富裕層の暮らしがわかる

風格ある南宅子の門。傍らに樹齢1000年の槐の樹がそびえる

高台に立つ道教建築群　　　★

玉泉観 / 玉泉观
ぎょくせんかん　yùquánguān

　天靖山麓にある1276（元の至元13）年創建の道観建築
群で、城北寺、崇寧寺とも呼ばれる。
　元代に梁志通という道士がここで修行したときに建てられ
た庵が基になったとされているが、現存する建築物は明、清
代に再建されたもの。玉泉観の中枢をなす玉皇殿、梁志通が
修行をして仙人になったと伝えられる神仙洞、元代の書家趙
孟頫が書いた碑などがある。

玉泉観
Ⓜ P.144-A1
🏠 秦州区天靖山
☎ 8213957
🕐 8:00 〜 18:00
休 なし
料 20元
🚌 7、14、17、24、26、83路バス「玉
泉观」

組物が見事な天門をくぐると玉皇殿にいたる

甘粛省　天水

見どころ

李広の像

前漢の名将の衣冠墓

李広墓 / 李广墓
りこうぼ　　　　lǐguǎngmù　　　★

　李広墓は、前漢の名将李広の衣冠が納められた墓で、その墓碑には漢将軍李広之墓と記されている。
　李広は、匈奴[※2]討伐に功を挙げ、匈奴から飛将軍と恐れられていた天水生まれの将軍だった。しかし、紀元前119（前漢の元狩4）年に大将軍衛青に従軍した匈奴討伐で敗北したため、その責任を問われ、自刃させられた。敷地内に李広に関する展示室がある。

円形の李広の墓

仙人が現れるといわれる景勝地

仙人崖 / 仙人崖
せんにんがい　　　xiānrényá　　　★

　天水市の南東60kmにある、古くから仙人が姿を現す場所として有名な景勝地。東西3kmにわたって東庵、西庵、南庵、宝蓋山などの見どころが並ぶ。東庵は幅約70m、深さ約8mの岩穴で、明代創建の蓮花寺がある。西庵の岩穴は幅約90m、奥行き約10mで、14の殿宇（神仏を祀る建物）と楼閣が立つ。

巨大な岩穴に圧倒される

陽光飯店／阳光饭店　★★★★
ようこうはんてん　yángguāng fàndiàn

泰州区中心に位置する4つ星ホテル。ホテルのある中華西路は歩行者天国になっており、広場や市場も近く、周囲の散策が楽しい。

両替　ビジネスセンター　インターネット

MP.144-A1
田泰州区中華西路19号
☎8277777
FAX8271888
S A座328元　B座468元
T A座328元　B座468元
サなし
カ不可

天水華辰大酒店／天水华辰大酒店　★★★★
てんすいかしんだいしゅてん　tiānshuǐ huáchén dàjiǔdiàn

岷山路にある4つ星ホテル。市区中心部から少し離れているためアクセスは少々不便。豪華な内装で、レストラン、カフェ、ジムなどを備えている。

両替　ビジネスセンター　インターネット

MP.144-B1
田泰州区岷山路東橋頭
☎8611111
FAX8613777
S320元
T320元
サなし
カ不可

ホリデイ・イン・エクスプレス 天水／天水中心智选假日酒店
てんすい　tiānshuǐ zhōngxīn zhìxuǎn jiàrì jiǔdiàn

2018年開業の4つ星相当のホテル。市区中心部にあり、中心広場までは徒歩約6分。客室はスタイリッシュな造りで、全室シャワールーム。朝食はビュッフェ形式で、天水の郷土料理もある。

両替　ビジネスセンター　インターネット

MP.144-A1
田泰州区民主東路78号
☎8237777
FAX8235555
S378元
T378元
サなし
カAMV

天水賓館／天水宾馆
てんすいひんかん　tiānshuǐ bīnguǎn

泰州区にある4つ星相当のホテル。市区中心部から少し離れているためアクセスは少々不便。中国料理、西洋料理、イスラム料理のレストラン、ジム、サウナやカラオケ等の施設が整う。

両替　ビジネスセンター　インターネット

MP.144-B1
田泰州区迎賓路5号
☎8688888
FAX8688555
S主楼368元　行政楼528元
T主楼368元　行政楼588元
サなし
カADJMV

天水馬員外砂鍋老店／天水马员外砂锅老店
てんすいまいんがいさかろうてん　tiānshuǐ mǎyuánwài shāguō lǎodiàn

陽光飯店の近くにある、地元の人々に人気の庶民的な砂鍋店。砂鍋は12～32元（具材によって値段が異なる）。そのほか炒め物などもある。

MP.144-A1
田泰州区青年南路25号
☎8296831
オ11:00～21:30
休なし
カ不可

甘粛絲綢之路国際旅行社／甘肃丝绸之路国际旅行社
かんしゅくしちゅうしろこくさいりょこうしゃ　gānsù sīchóuzhīlù guójì lǚxíngshè

列車の切符手配代行料は1枚5元。1週間以上前に要予約。日本語ガイド1日500元。麦積山石窟往復の車のチャーター1台（4人乗り）700元。石門山、仙人崖を回る車のチャーター1台850元。

MP.144-A1
田泰州区青年北路3号
☎8216789
FAX8226789
オ8:30～12:00、14:30～18:00
休土・日曜、祝日
カ不可

チベット寺院で知られる小さな町

夏河
（かが）

シァハー
夏河 *Xià Hé*

県公安局出入境管理大隊
（县公安局出入境管理大队）
Ⓜ P.151-B1
🏠 扎西奇街26号
☎ 5930018
🕐 8:30 ～ 12:00、
　14:30 ～ 17:30
🚫 土・日曜、祝日
観光ビザの延長は不可。蘭州で
申請すること

県人民医院
（县人民医院）
Ⓜ P.151-B1
🏠 扎西奇街50号
☎ 7122120
🕐 24時間
🚫 なし

市内交通
【路線バス】運行時間の目安は5
～ 10月6:00 ～ 21:00、11 ～ 4月
6:30 ～ 20:00、1元
【乗合タクシー】中心部は一律2
元

✤✤✤ **概要と歩き方** ✤✤✤

　甘粛省の南部、甘粛省甘南チベット族自治州の北部に位置する。標高2900mにあり、夏は涼しく冬は寒さが厳しい。チベット語ではサンチュと呼ばれる。一帯は完全なチベット文化圏で、アムド地方の東端に当たる。

　歴史は比較的新しく、18世紀初頭にラプラン寺が創建され、その門前町として発展。北の鳳山と南の龍山の谷間にあり、盆地の中央を黄河の支流、大夏河が悠々と流れ、川の北側に居住地が広がる。町なかを流れる大夏河と並行して延びる扎西奇街が唯一の大通りで、人民政府や県人民医院など主要機関のほとんどがこの通りにある。

　チベット族が人口の約7割を占めているだけあり、町にはチベット色が濃厚に漂っている。おもに人民西街とラプラン寺一帯にはチベット族、漢族と回族は扎西奇街を中心に、というように住み分けをしている。

　バスターミナルは東寄りにあるので、着いたら扎西奇街を西に歩き、町の中心に向かって進もう。ホテルやレストランの多くはこの通りにある。夏河は、ラプラン寺があるために規模は小さいながら一大観光地となっている。年間を通じて訪れることができるが、ベストシーズンは6月から9月にかけて。

チベット風の建物の店が並ぶ扎西奇街

	1月	2月	3月	4月	5月	6月	7月	8月	9月	10月	11月	12月
平均最高気温(℃)	1.4	2.5	7.3	11.2	14.5	17.6	19.3	19.2	14.3	10.8	5.3	2.2
平均最低気温(℃)	-18.2	-13.7	-8.1	-2.5	1.3	4.7	7.1	6.4	3.5	-1.9	-8.9	-15.4
平均気温(℃)	-8.2	-5.4	-0.8	3.7	7.9	11.1	13.2	12.8	8.9	4.7	-1.4	-6.6
平均降水量(mm)	3.9	5.3	15.4	32.4	57.4	52.5	98.9	116.5	86.7	34.2	7.0	1.9

Access

中国国内の移動 ➡ P.338

🚌 **バス**　夏河のバスターミナルはひとつ。蘭州や甘南チベット自治州の町への便がある。

所要時間(目安) 蘭州／3時間30分

Data

🚌 **バス**

夏河県公用型バスターミナル
（夏河県公用型汽车站）

MP.151-B1　扎西奇街56号
☎7121462　🕕6:00〜17:30　休なし　カ不可
[移動手段] **タクシー**（夏河県公用型バスターミナ
ル〜ラブラン寺）／2元、所要7分が目安
　2日以内の切符を販売。蘭州5便。

バスターミナルの建物はチベット風

● 見どころ　🅷 ホテル　🅖 グルメ　🅢 ショップ　🆇 学校　✉ 郵便局　⊕ 病院　▨▨▨ 繁華街

見どころ

ゲルク派六大寺院のひとつ　🕒3時間　★★★

ラブラン寺 / 拉卜楞寺
(じ)　lābǔléngsì

　ラブラン寺は、ゲルク派（黄帽派）六大寺院[1]のひとつで、1709（清の康熙48）年、ジャムヤン・ジェパ1世が創建し、青海省のクンブム（タール寺）と並び、アムド地方のチベット仏教圏の中心となった。寺院内には6つの学院[2]が設けられ、最盛期には4000人の学僧がここで学んだといわれる。

　総面積86万㎡の寺院内には、6学院や大金瓦殿を中心とする八大仏殿、ジャムヤン仏殿、僧坊などが建ち並ぶ。

　また本院では、チベット暦に従って毎年10近くの宗教行事が催され、多くの信者や観光客を集めている。なかでも、陰暦1月13日から16日にかけて営まれるモンラム大法会

ラブラン寺

MP.151-A1
🏠人民西街拉卜楞寺景区
☎7121095
🕕9:00〜12:30、14:30〜17:30
※チケット売り場
　9:00〜11:30、14:00〜16:30
※昼休みの間は寺院が閉門される
ため寺院内の観光はできない
が、境内のみ観光できる
休なし
料40元
🚌1、3路「杂寺沟」。または乗合タ
クシーで2元、所要7分が目安

※1　ゲルク派六大寺院
ラブラン寺のほか、ラサのセラ
寺、デプン寺、タクツェのガンデ
ン寺、シガツェのタシルンポ寺、
青海省湟中県のクンブム（ター
ル寺）の6つの寺院

※2 6つの学院
　顕教を学ぶ聞思学院（大経院）、密教を学ぶ続部下学院と続部上学院、天文、地理、数学などを学ぶ喜金剛学院と時輪学院、チベット医学を学ぶ医薬学院の6つ

ひときわ大きい建物の大金瓦寺

五体投地をする参拝者

緑の屋根が聞思学院。中で行われる数百人もの僧侶による読経は圧巻

（毛兰姆法会）とチベット暦6月29日から7月15日にかけて営まれる法会（敦白日扎法会）が盛大だ。

　内部の見学は基本的に5名以上のグループで行うことになっているので、早めに行ってほかの観光グループに交ざって入場しよう。院内では、案内担当の僧侶が主要建築物を案内してくれるが、解説は中国語のみ。原則的に自由行動は許されない。寺院の周辺は入場料なしで終日見学できる。

　聖地だけあって参拝者は多く、皆熱心に祈りながら経輪（マニ車）を回したり、五体投地をしながら寺院の周囲を回ったりしている。その祈り方はまさに真剣そのものだ。

　ラプラン寺は巨大で概要を把握しにくいが、上から全景を眺められる絶好のポイントがある。大夏河の対岸の丘の上だ。貢唐宝塔近くの王府橋を渡った所に小高い丘がある。

丘の上からラプラン寺を眺めよう

貢唐宝塔／贡唐宝塔
こうとうほうとう　gòngtáng bǎotǎ

貢唐宝塔
Ⓜ P.151-A1
⏰ 9:00～17:00
※冬季は昼休みを取ることがある
※チケット売り場
　9:00～11:30、14:00～16:30
※ラプラン寺とは別途拝観料が必
　要
💰 20元

　ラプラン寺の著名な学者だったコンタンツァン3世が、1805（清の嘉慶11）年に創建した仏閣。もとの建物は文化大革命期に破壊され、現存するのはコンタンツァン6世が中心となって1993年7月に再建したもの。

　現在の宝塔は相輪、塔瓶、塔座の3つに分けられる。相輪は塔の最上部にある金属装飾のことで、星、日、月がかたどられている。相輪の下にある塔瓶には8体の菩薩のレリーフがあり、内部には高さ2mの阿弥陀仏が納められている。これを支える塔座は3層の四角形構造をもち、四辺には銅製の経輪（マニ車）がはめ込まれている。

塔の上まで上がることができる

ホテル

ラプラン民航大酒店／拉卜楞民航大酒店
みんこうだいしゅてん　lābǔléng mínháng dàjiǔdiàn　★★★★

夏河では最も豪華なホテル。室内は清潔で、無料のバスアメニティも付いている。室内からの眺めは開放的で、繁華街へのアクセスもよい。モンラム大法会期間、7～8月は部屋代が約200元高くなる。

Ⓜ P.151-B1
🏠 扎西奇街12号
☎ 7128888
📠 7128999
Ⓢ 450元
Ⓣ 450元
🈂 なし
🅒 不可

豆 春　ビジネスセンター　インターネット

ラプラン王府飯店／拉卜楞王府饭店
おうふはんてん　lābǔléng wángfǔ fàndiàn　★★★

繁華街にある3つ星ホテル。ホテルの入口は広場に面した側にある。中国料理レストランがある。モンラム大法会期間、7～8月は部屋代が約100元高くなる。

Ⓜ P.151-B1
🏠 扎西奇街9号
☎ 7121186
📠 なし
Ⓣ 280元
🈂 なし
🅒 不可

豆 節　ビジネスセンター　インターネット

ラプラン西羚大酒店／拉卜楞西羚大酒店
せいれいだいしゅてん　lābǔléng xīlíng dàjiǔdiàn　★★★

夏河県公用型バスターミナルの東約200mに位置する3つ星ホテル。中国料理レストラン、チベット風レストランやカフェがあり、旅行代理店なども備えている。モンラム大法会期間、7～8月は部屋代が約100元高くなる。

Ⓜ P.151-B1
🏠 扎西奇街89号
☎ 7125528
📠 7123896
Ⓢ 180元
Ⓣ 180元
🈂 なし
🅒 不可

豆 節　ビジネスセンター　インターネット

シルクロードに生きた人々

シルクロードを開いた英雄

東西の架け橋であるシルクロードには、絶えず多くの人々が往来していた。まずは、今もなお語り継がれている英雄について紹介する。

●張騫(?～前114)

張騫は前漢時代の外交使節であった。前漢の武帝は、月氏(中央アジアで活躍した民族)が遊牧民の匈奴に破れ、月氏王の頭蓋骨が祝杯にされたために深く匈奴を怨んでいるとの情報を聞き、月氏と同盟を組んでともに匈奴と戦おうと考えた。そこで前139(前漢の建元2)年、イリ地方(新疆ウイグル自治区)の月氏国に使者を派遣することにした。

蘭州の甘粛省博物館にある張騫の像

張騫は武帝の命を受けて約100人の部下とともに月氏国に赴いたが、途中匈奴に捕われ、10年余りも捕虜となった。その後匈奴から逃れ、大宛、康居、大月氏、大夏を経て帰国した。彼の大旅行は月氏との同盟という当初の目的は果たせなかったが、それまで未知の国であった中央アジアの地理、民俗、風俗、物産などの情報を漢にもたらし、武帝の大規模な西域経営に多大な貢献をした。

●衛青(?～前106)と霍去病(?～前117)

衛青と霍去病は、前漢武帝時代の武将であり、匈奴との戦いで名を上げた。衛青は山西省に生まれ、幼い頃は父とともに、羊飼いをして育った。姉が武帝の妃となったため、武将の才能を見出されて車騎将軍に任じられ、前129(前漢の元朔3)年には名武将公孫賀、

蘭州の五泉山公園にある霍去病の像。名前の「去病」の部分に触れて健康を祈る人が多い

李広らとともに匈奴を討って大功を立てた。彼は生涯7回の匈奴征討に赴いたが、3回目以降は甥の霍去病が活躍する。

霍去病は幼い頃より乗馬や弓に優れ、18歳で衛青に従って匈奴征討に加わり、数多くの功を収めた。霍去病は前121(前漢の元狩2)年に驃騎将軍に任命され、匈奴の折蘭王、盧胡王を斬り、続いて渾邪王の子や相国(大臣)を捕らえた。前119(前漢の元狩4)年にも衛青とともに匈奴の本拠地へ出撃し、大勝利を収め、その声望は衛青をしのいだ。しかしそのわずか2年後、霍去病は24歳で病死してしまう。この後、武帝は対匈奴作戦を中止し、霍去病の死の11年後、衛青は世を去った。

●班超(32～102)

班超は後漢時代の武将。陝西省に生まれ、父の班彪も兄の班固も著名な学者。班超は若い頃から、国の外に出て功を挙げたいという大望を抱き、中年にいたってようやくそのチャンスをつかんだ。73(後漢の永平16)年、班超は明帝の命を受けて西域に遠征し、ピチャン、ホータン、カシュガルなどの都市を服属させた。91(後漢の永元3)年には西

域都護に任じられ、西域五十余国を統治した。97（後漢の永元9）年、部下の甘英を大秦（ローマ）に派遣したが、失敗に終わっている。

シルクロードを旅した僧侶

シルクロードは仏教がインドから東アジアへと伝わった道でもあった。ここでは、中国へ招かれた僧侶の代表として鳩摩羅什を、西域、インドへ旅した僧侶の代表として法顕と玄奘三蔵を挙げる。

●鳩摩羅什（350〜409頃）

鳩摩羅什は五胡十六国時代に活躍した僧侶。羅什はインド人の父と亀茲国王の妹である母の間に生まれた。7歳のとき、熱心な仏教徒の母とともに出家し、その後、西域諸国を巡り、数々の経典に触れ、仏教の教えを深く理解していった。

その後、前秦の王符堅の武将呂光が亀茲国を攻めたときに羅什は捕らえられ、涼州（甘粛省武威）に18年間留め置かれた。401（弘始3）年には後秦の都長安に迎えられ、数々の経典を訳した。羅什の訳した経典が基本となって中国に仏教が広まり、以降、中国仏教は大きく発展していくことになる。

●法顕（337〜422）

法顕は鳩摩羅什とほぼ同時代の僧で、現在の山西省に生まれた。法顕は中国において戒律（僧侶が守るべき戒めと規則）が不備であることを痛感し、399（東晋の隆安3）年、仲間とともに長安を出発、インドへ求法の旅に出る。一行は敦煌、ホータンなどを経由して6年かけて北インドに入り、各地の仏跡を巡拝した。法顕が帰国したのは413（東晋の義熙9）年で、帰路は海路で現在の山東省に戻った。法顕が持ち帰った経典は漢訳され、涅槃宗成立の基礎となった。この大旅行の記録は『仏国記』にまとめられ、当時の中央アジアやインドの情況を知る貴重な資料となっている。

●玄奘三蔵（602〜664）

三蔵法師の名で知られる玄奘は、15年6ヵ月にわたり数々の困難を乗り越えて西域、インドを巡歴し、多くの経典を中国にもたらした唐の求法僧である。玄奘は膨大な数の経典を翻訳し、その訳は現在でも使われている。また玄奘の代表作の『大唐西域記』は、長旅で得た見聞をまとめた記録で、7世紀前半のインド、西域の地理、風俗、文化、宗教などを知ることのできる貴重な情報が詰まっている。この玄奘の旅にヒントを得て、明代に書かれた小説が、孫悟空が活躍する『西遊記』だ。

西安の興教寺にある玄奘三蔵の像

唐の都・長安で学んだ日本人

618年に唐が建国すると、日本の朝廷は遣唐使を派遣して、唐の文化や政治制度を吸収した。派遣された留学生や留学僧のなかには、唐の長安にとどまって高官に登った阿倍仲麻呂や、青龍寺の恵果から真言密教を伝授された空海がいる。シルクロードを経て長安にもたらされた文化や文物は留学生らによって日本に伝えられ、国際色豊かな天平文化として花開いた。

西安の青龍寺にある恵果と空海（右）の像

　　　　　　雷台漢文化博物館に立つ銅奔馬のモニュメント

漢代の墓から出土した天駆ける馬

武威
（ぶ）（い）

ウーウェイ
武威　*Wǔ Wēi*

● 都市データ ●

武威
人口＝186万人
面積＝3万3238km²
1区2県1自治県を管轄

市公安局出入境管理支隊
（市公安局出入境管理支队）
Ⓜ地図外（P.159-A1上）
🏠新城区天豊街公安大廈
☎5821073
🚪8:30〜12:00、14:30〜18:00
🈲土・日曜、祝日
観光ビザを最長30日間延長可能。
手数料は160元

市人民医院
（市人民医院）
Ⓜ地図外（P.159-A1左）
🏠宣武街北側
☎5820800
🚪24時間
🈲なし

市内交通

【路線バス】運行時間の目安は
6:30〜19:00、1元

【タクシー】初乗り2km未満5元、
2km以上1kmごとに1.2元加算

🔶 概要と歩き方 🔶

　武威は河西回廊の東端に位置する町で、前漢の武帝（紀元前159〜紀元前87年）が河西回廊に設置した四郡のうち涼州に当たる。4世紀から5世紀にかけての五胡十六国時代には姑蔵と呼ばれ、北涼や後涼など地方政権の中心地となった。西域の高僧の鳩摩羅什が滞在するなど、文化の中心地としても栄え、市内、郊外を問わずその悠久の歴史を物語る史跡が多く残っている。特に雷台から出土した青銅器の銅奔馬（俗称「飛燕を踏む馬」）は名高く、国家旅游局のシンボルマークにも採用されているほどだ。

　武威駅は町の中心部から3kmほど離れており、駅から市内へはバスやタクシーを利用する。

　長距離バスの発着点である武威バスセンターは、武威駅と市区中心部の間に位置しており、バスで着いた人もバスやタクシーを利用して市内へ行く。

　南城門周辺には広場や屋外レストランがあり、朝から晩までたくさんの人々でにぎわっている。南城門を通って北へ進むと大什字にいたり、ここから東西に延びる通りが武威の繁華街になっている。

南城門の周りは市民の憩いの場

	1月	2月	3月	4月	5月	6月	7月	8月	9月	10月	11月	12月
平均最高気温(℃)	1.4	5.8	12.5	19.2	24.1	27.5	29.2	27.8	22.2	16.6	9.0	2.4
平均最低気温(℃)	-12.1	-7.9	-0.7	5.2	10.1	13.7	16.4	15.4	10.9	4.3	-3.3	-10.2
平均気温(℃)	-6.3	-1.8	5.3	11.7	16.8	20.5	22.5	21.1	16.0	9.7	1.8	-4.9
平均降水量(mm)	1.8	2.5	8.1	16.7	35.2	37.2	60.4	83.3	47.9	21.0	4.0	1.3

Access

中国国内の移動 ➡ P.338

🚃 鉄 道 　町の中心地から約3km離れた蘭新線の武威駅を利用する。駅と市内の間にはバスが運行されている。

所要時間(目安) **【武威(ww)】**西安(xa)／直達：11時間30分　銀川(yc)／直達：6時間　蘭州(lz)／直達：3時間　敦煌(dh)／快速：10時間　柳園(ly)／直達：7時間　ウルムチ南(wlmqn)／直達：14時間20分

🚌 バ ス 　市区南に位置する武威バスセンターを利用する。蘭州行き、張掖行きのバスの本数が多い。

所要時間(目安) 蘭州／4時間30分　張掖／4時間　哈渓／1時間10分

Data

🚃 鉄道

武威駅（武威火車站）

Ⓜ地図外(P.159-A2下)
🏠火車站街大新路64号
☎インフォメーション＝5929222
🕐24時間　🈲なし　💪不可
[移動手段] **タクシー**（武威駅〜西小什字）／8元、所要10分が目安　**路線バス**／2、8、10、605路「火車站」
　28日以内の切符を販売。

🚌 バス

武威バスセンター（武威客運中心）

Ⓜ地図外(P.159-A2下)　🏠南二環迎賓路
☎6338137　🕐6:00〜19:00　🈲なし　💪不可

[移動手段] **タクシー**（バスセンター〜西小什字）／6元、所要8分が目安　**路線バス**／2、10路「迎賓广場」
　3日以内の切符を販売。蘭州(6:00〜18:30の間30分に1便)、張掖(7:30〜17:30の間50分に1便)、哈渓(7:00〜18:00の間30分に1便)など。

武威バスセンター

見どころ

孔子廟と西夏王国の博物館　★★

文廟／文庙
ぶんびょう　wénmiào

　市街地の南東部に位置する文廟は、甘粛省最大の孔子廟で、1439（明の正統4）年に創建され、その後、何度かの改修を受け、現在の姿となった。

　南北187m、東西135mの敷地は、西の儒学院、中央の孔子廟、東の文昌宮というように、縦割りに3つの部分から構成され、荘厳な建物が松やカシワの緑に包まれて建ち並んでいる。見逃してはならないのが、門前の広場にある西夏博物館。ここには、表に西夏文字、裏

文廟で展示されている石碑

文廟
Ⓜ P.159-B2
🏠崇文街172号
☎2228884
🕐文廟8:00〜18:00
　西夏博物館8:00〜17:00
🈲文廟＝なし
　西夏博物館＝月曜
💰30元
　西夏博物館＝無料
🚌16路「文庙广場」。8、13、17路バス「文庙路口」

西夏博物館で謎多き西夏王国の
文化に触れよう

にその訳文を漢字で刻んだ西夏碑（正式には「重修護国寺感応塔碑」という）がある。この西夏碑は中国のロゼッタストーン（古代エジプトの象形文字ヒエログリフを解読した際に重要な手がかりとなった石碑）というべきもので、西夏文字研究には欠くことのできない資料なのだ。このほかにも、博物館には西夏文化を知るための貴重な遺物が多数展示されている。

桂籍殿内部の文昌帝君像

雷台漢文化博物館
Ⓜ P.159-B1
🏠 北関中路257号
☎ 2215852
🕐 8:30 ～ 17:30
🈳 なし
　文物展示室＝月曜
💰 45元
🚌 1、6、9、16路バス「雷台什字」

園内に並ぶ銅奔馬のモニュメント

雷台漢墓の入口

銅奔馬が出土した雷神廟　　　　　　　　　　　　　★★

雷台漢文化博物館 / 雷台汉文化博物馆
らいだいかんぶんかはくぶつかん　léitái hànwénhuà bówùguǎn

　大什字から北に1kmほどの所にある雷台は、南北106m、東西60m、高さ8.5mの土台の上に建てられた雷神廟にちなんでこう呼ばれている。

　1969年、この雷台の下から、後漢時代の大型磚室墓（れんが製の墳墓）が発見された。この「雷台漢墓」と呼ばれる墓の副葬品に軍団のミニチュアともいえる銅製品（馬39頭、車14両、人物45体、牛1頭）があった。そのなかで最も優れた造形物が銅奔馬である。天空に身を躍らせる馬の姿は、まさに天馬の威厳を漂わせており、この時代の銅製品の最高傑作といっても過言ではない。なお、実物は蘭州の甘粛省博物館（→P.133）に展示されている。

　雷台漢墓の内部は見学することができ、墓室に銅奔馬のレプリカが置かれている。敷地内の文物展示室には雷台漢墓の出土品のほか、武威地区の出土品などが展示されている。

雷台の雷神廟。この地下に雷台漢墓がある

武威

↑市公安局出入境管理支隊へ　A
↑海蔵公園へ　B

二環西路
海蔵路
北関中路
雷台漢文化博物館

1

212医院 ⊞
市委員会
第八中学 🏫　武威大酒店
云翔国際酒店
解放軍第十医院

祁連大道
⊞ 市人民医院へ
西関北路
球技場
第九中学 🏫
放送局
祁連大道

二環西路
西郊公園
天馬路
武威国際旅行社
鳩摩羅什寺
和平路
鐘楼
第六中学 🏫
興盛路

第二中学 🏫
中医院 ⊞
金佰川 S
天馬賓館
中国銀行
涼州市場
北大街
文化広場
東小什字
区政府
武威市涼州医院 ⊞
東大街

公園路
西大街
市政府
西小什字
大什字
涼州賓館
東大街
富民路

消防署　工人文化宮
球技場
体育場
西関南路
順鳳路
第十八中学 🏫
球技場
中国銀行
第一中学 🏫
南大街
泰和街
中国農業銀行
逸晶時尚酒店
郵政局
文昌路
文廟
崇文街
西夏博物館

2

西関小学

鴻宇商務賓館 H
南城門
南関西路
南城門
南刷路

皇台大廈

迎賓路
南関中路

電力局
↓武威駅、武威バスセンター

0　250　500m
A　　B

● 見どころ　H ホテル　G グルメ　S ショップ　B 銀行　🏫 学校　⊠ 郵便局　⊞ 病院　繁華街

唐代の鐘が収められている　★

鐘楼 / 钟楼
しょうろう　zhōnglóu

鐘楼
M P.159-B1
田 鐘楼路
☎ 2214086
⌚ 8:00～18:00
休 なし
料 入場料＝10元（鐘楼登楼料含む）
🚌 3、11路バス「区政府」

　シルクロードの鐘楼というと、町の中心部にあるのが普通だが、武威の鐘楼は市街地の北東部に位置している。これは、現存している鐘楼が町（昔の武威城）の施設ではなく、大雲寺の鐘であるためだ。しかし、その大雲寺も現在はすでになく、明代に造られたこの鐘楼だけが残っている。鐘楼には上ることもできる。

今も残る明代の鐘楼

鳩摩羅什寺
Ⓜ P.159-B1
🏠 北大街66号
☎ なし
🕐 8:00 〜 18:00
㊡ なし
💴 無料
🚌 1路バス「罗什寺」

鳩摩羅什ゆかりの寺院 ★

鳩摩羅什寺 / 鸠摩罗什寺
くまらじゅうじ　　jiūmóluóshísì

　鳩摩羅什寺にある羅什寺塔は八角12層の塔で、高さは32m。創建年代は不詳だが、現存する塔は1927年の地震で倒壊したあとに修復されたもの。

ほっそりした姿の羅什寺塔

　鳩摩羅什はクチャの高僧で、385（前秦の建元21）年に亀茲国を攻撃した前秦の将軍呂光によって拉致された。呂光は長安へ帰る途中で前秦の滅亡を知ったため、涼州にとどまって後涼という地方政権を建てた。こうして鳩摩羅什は401（後秦の弘始3）年に長安に入るまで、武威で16年を過ごした。この塔が立つ地は鳩摩羅什が経典を講じた所とされ、そこから羅什寺塔といわれるようになった。

● ❀ ～❀～ 郊外の見どころ ～❀～ ❀ ●

海蔵公園
Ⓜ P.35-C2、地図外（P.159-A1上）
🏠 金沙郷李家磨村
☎ 2362398
🕐 海蔵公園24時間
　　海蔵寺7:30 〜 18:00
㊡ なし
💴 無料
🚌 5路バス「海藏公园」
🌐 haizansi.org.cn

境内の建築物は清代のもの

池と林に囲まれた公園 ★

海蔵公園 / 海藏公园
かいぞうこうえん　　hǎizàng gōngyuán

　市の北西2.5kmにある池と林に囲まれた公園。
　ここにある海蔵寺は、その環境から「まるで海中にかくれているよう」ということでその名がある。海蔵寺の建築物は大部分が清代のもので、木造の山門の組物が見事。

海蔵寺の山門。組物が美しい

北涼期に開削された石窟

天梯山石窟 / 天梯山石窟
てんていさんせっくつ　tiāntīshān shíkū

★★

天梯山石窟
Ⓜ P.35-C2
🏠 中路郷灯山村
☎ 2980219
🕐 8:30～18:00
休 なし
💰 30元
🚌 武威バスセンターで「哈溪」行き
に乗る。10元、所要約1時間10
分。「天梯山石窟路口」下車後、徒
歩約40分。「天梯山石窟路口」か
ら武威へ戻る最終バスは17:30
発

武威の市内から南へ約50kmにある黄羊ダムの岸壁に高さ約30m、幅約19m、奥行き約6mの巨大な石窟が穿たれている。そこに高さ15mの釈迦大仏を中心に、普賢菩薩、文殊菩薩、天王、仏弟子などの巨像が彫り上げられている。

この石窟は北涼（397～439年）のときに開削されたといわれており、その後も造像や修理が続けられた。大仏はかつては顔が削られていたが、1995年に新たに造られた。壁面などに残る塗料から、かつては鮮やかに彩色されていたことがわかる。

迫力ある釈迦大仏

天梯山石窟がある黄羊ダム

ホテル

天馬賓館 / 天马宾馆
てんまひんかん　tiānmǎ bīnguǎn

★★★★

市内でもひときわ高いビルで、武威では最高レベルのホテル。西小什字に面しており、歩行街の散策に便利な立地。ロビーには銅奔馬のレプリカが飾られている。

Ⓜ P.159-A2
🏠 天馬路2号
☎ 2212355
🖶 2212356
Ⓢ 南楼＝288元　北楼＝128元
Ⓣ 南楼＝258～388元　北楼＝128～138元
サ なし
カ 不可

馬 替　ビジネスセンター　**インターネット**

グルメ

涼州市場 / 凉州市场
りょうしゅうしじょう　liángzhōu shìchǎng

歩行街にある大きな市場。衣服、生活用品などを売る店が並ぶエリアと飲食店が並ぶエリアがあり、飲食店のエリアでは、砂鍋や麺料理などの地元の小吃を楽しむことができる。

Ⓜ P.159-B1～2
🏠 歩行街涼州市場
☎ なし
🕐 10:00頃～22:00頃（店舗により異なる）
休 なし
カ 不可

旅行会社

武威国際旅行社 / 武威国际旅行社
ぶいこくさいりょこうしゃ　wǔwēi guójì lǚxíngshè

天馬賓館の門を出ると、すぐ左側に小さなオフィスがある。列車の切符の手配代行はしていない。天梯山石窟までの車のチャーターは1台（5人乗り）500元。日本語ガイドはいない。

Ⓜ P.159-A2
🏠 西小什字歩行街西口
☎ 2212102、13809352366（携帯）
🖶 2212237
🕐 8:00～12:00、14:30～18:00
休 なし
カ 不可

張掖郊外から見た祁連山脈

マルコ・ポーロが住んだオアシス

張掖
（ちょうえき）

张 掖 *Zhāng Yè*
（チャンイェー）

新疆ウイグル自治区
モンゴル
内蒙古自治区
甘粛省
●張掖　銀川
寧夏回族自治区
青海省　西寧●
陝西省
蘭州
西安
チベット自治区
四川省

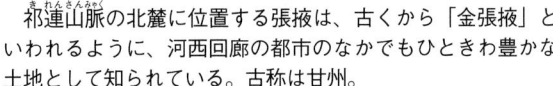

都市データ

張掖
人口＝132万人
面積＝4万826km²
1区4県1自治県を管轄

市公安局出入境管理支隊
（市公安局出入境管理支队）
Ⓜ地図外（P.164-A2下）
🏠甘林南街財智世家東区張掖市
　綜合業務弁証大厦2階
☎8360252
🕗8:30 〜 12:00、14:30 〜 18:00
🈺土・日曜、祝日
観光ビザを最長30日間延長可能。
手数料は160元。

市人民医院
（市人民医院）
Ⓜ P.164-A2
🏠西環路8号
☎8293120
🅾24時間
🈺なし

市内交通

【路線バス】運行時間の目安は
6:30 〜 19:30、1元

【タクシー】初乗り2km未満5元、
2km以上1kmごとに1.4 〜 1.6
元加算

概要と歩き方

　祁連山脈の北麓に位置する張掖は、古くから「金張掖」といわれるように、河西回廊の都市のなかでもひときわ豊かな土地として知られている。古称は甘州。

　張掖の歴史は、漢の武帝の時に将軍霍去病が匈奴に勝ち、張掖郡を設置したことに始まる。以来、シルクロード交易の中枢都市として栄え、祁連山脈を越えて青海省へといたるルートの交差点にもなっている。元代にはマルコ・ポーロが1年近くも滞在した。

　張掖駅は市内と6kmほど離れており、1路バスで結ばれている。2014年に開業した張掖西駅は市内から西へ3kmほどにあり、タクシー利用で約10分。長距離バスは、おもに張掖西バスターミナルに着く。

　張掖の繁華街は鎮遠楼周辺を中心としており、南大街には大きな商店が並び、西大街には郵便局や銀行がある。

　西大街と県府街の交差点から北は古い町並みを再現した明清街で、飲食店などが並び、市民や観光客でにぎわうストリートだ。

　また明清街の1本西側の通りは欧式街といい、交差点にマルコ・ポーロの像が立ち、欧風の白い建物が続く。

欧式街に立つマルコ・ポーロ像

	1月	2月	3月	4月	5月	6月	7月	8月	9月	10月	11月	12月
平均最高気温（℃）	-0.2	3.4	10.3	17.7	23.2	27.1	29.3	28.2	23.0	16.4	7.3	1.2
平均最低気温（℃）	-16.6	-12.9	-4.9	1.6	7.5	11.3	14.3	13.5	7.8	0.2	-7.1	-14.2
平均気温（℃）	-8.4	-4.7	2.7	9.7	15.5	19.3	21.8	20.9	15.4	8.3	0.1	-6.5
平均降水量（mm）	2.0	2.0	3.0	4.0	12.0	20.0	25.0	31.0	17.0	4.0	2.0	2.0

Access

中国国内の移動 ➡ P.338

 飛行機 市区の南東25kmに位置する張掖甘州空港（YZY）を利用する。

国際線 日中間運航便はないので、上海や西安で乗り継ぐとよい。

国内線 上海、西安、蘭州など主要都市の間に運航便がある。

所要時間(目安) 上海浦東（PVG）／3時間30分　西安（XIY）／2時間　蘭州（LHW）／1時間5分

 鉄道 張掖には駅がふたつある。蘭新線の張掖駅と蘭新線第二複線の張掖西駅。張掖駅は市区の北東約6kmにあり、張掖西駅は市区の南西約3kmにある。

所要時間(目安) 【張掖(zy)】西安(xa)／快速：13時間50分　蘭州(lz)／直達：7時間35分　敦煌(dh)／快速：5時間5分　【張掖西(zyx)】西寧(xn)／動車：2時間5分　蘭州西(lzx)／動車：4時間30分　柳園南(lyn)／動車：3時間20分　ウルムチ南(wlmqn)／動車：8時間

 バス 市内には３つのバスターミナルがあるが、甘粛省主要都市へは、張掖西バスターミナルからの便数が多いので、ここを利用するといい。

所要時間(目安) 蘭州／10時間　武威／3時間30分　酒泉／4時間　嘉峪関／4時間30分　山丹／1時間　南古鎮／2時間

Data

✈ 飛行機

張掖甘州空港（张掖甘州机场）
Ⓜ P.34-B2　田機場路　☎8859066
🕐始発便～最終便　休なし　🅿不可
[移動手段] **エアポートバス**（空港→電力大廈）／20元、所要40分が目安。空港→市内は到着便に合わせて運行。市内→空港は火・木・土曜11:00、15:00発、月・水・金・日曜15:00発　**タクシー**（張掖甘州空港～鎮遠楼）／60元、所要35分が目安

市内民航航空券売り場（市内民航售票処）
Ⓜ P.164-A1　田西大街246号電力大廈
☎8889777　🕐8:30～12:00、14:30～18:00
休なし　🅿不可
[移動手段] **徒歩**（航空券売り場～鎮遠楼）／7分
　3ヵ月以内の航空券を販売。

🚆 鉄道

張掖駅（张掖火车站）
Ⓜ地図外(P.164-B1右)　田東園鎮張火公路
☎共通電話=12306　🕐24時間　休なし　🅿不可
[移動手段] **タクシー**（張掖駅～鎮遠楼）／15元、所要15分が目安　**路線バス**／1路「火车站」
　28日以内の切符を販売。

張掖西駅（张掖西站）
Ⓜ地図外(P.164-A2左)　田丹霞東路
☎共通電話=12306　🕐6:00～23:00
休なし　🅿不可
[移動手段] **タクシー**（張掖西駅～鎮遠楼）／10元、所要10分が目安　**路線バス**／新1、新2、22路「高鉄西站」
　28日以内の切符を販売。

欧式街切符売り場（欧式街客票代售点）
Ⓜ P.164-A1　田欧式街B区E楼12号
☎なし　🕐8:30～18:00　休なし　🅿不可
[移動手段] **徒歩**（欧式街切符売り場～鎮遠楼）／10分
　28日以内の切符を販売。手数料は1枚につき5元。

🚌 バス

張掖西バスターミナル（张掖汽车西站）
Ⓜ P.164-A1　田西環路351号　☎8215218
🕐6:30～18:30　休なし　🅿不可
[移動手段] **タクシー**（張掖西バスターミナル～鎮遠楼）／5元、所要3分が目安　**路線バス**／4路「汽车西站」
　7日以内の切符を販売。蘭州1便（20:00発）、武威（7:20～17:00の間に5便）、酒泉（8:15～14:50の間に5便）、嘉峪関2便（10:20、13:00発）。

張掖東バスターミナル（张掖汽车东站）
Ⓜ P.164-B2　田東環路122号　☎8271704、8270096　🕐7:00～18:30　休なし　🅿不可
[移動手段] **タクシー**（張掖東バスターミナル～鎮遠楼）／5元、所要3分が目安　**路線バス**／9、12路「汽车东站」
　2日以内の切符を販売。蘭州1便（19:00発）、武威（7:30～14:50の間に5便）、山丹（7:30～18:30の間30分に1便）。

張掖南バスターミナル（张掖汽车南站）
Ⓜ P.164-A2　田南環路478号　☎8240019
🕐6:30～19:00　休なし　🅿不可
[移動手段] **タクシー**（張掖南バスターミナル～鎮遠楼）／5元、所要3分が目安　**路線バス**／1、3、9、12、22、新1、新2路「汽车南站」
　当日の切符を販売。南古鎮（7:30～17:00の間30分に1便）。

甘粛省 張掖

概要と歩き方／アクセス

163

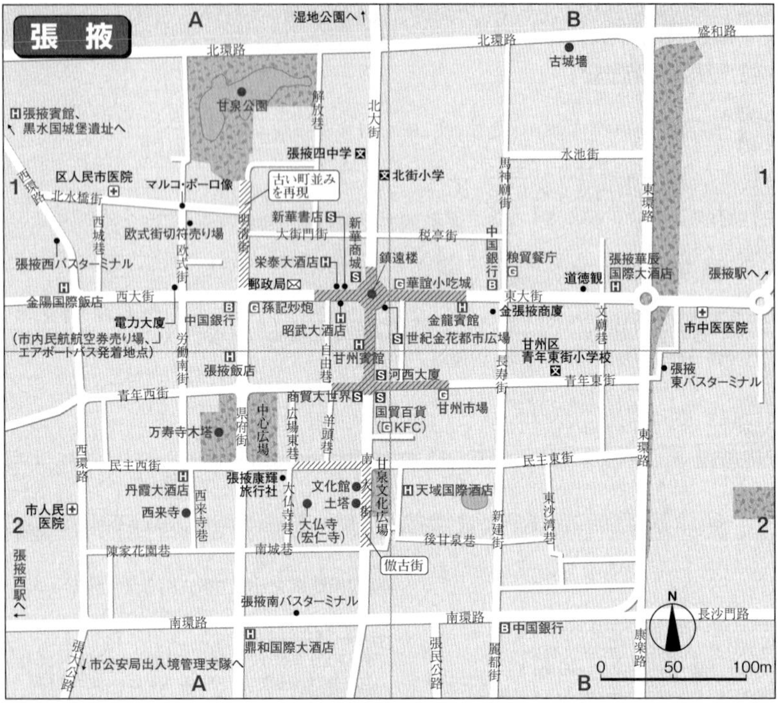

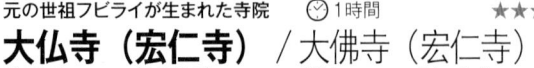

張掖

A　B

湿地公園へ↑

北環路　　北環路　　盛和路

古城壩

甘泉公園

張掖賓館、
黒水国城堡遺址へ

区人民市医院

張掖四中学 ⊠

北大橋街

⊠ 北街小学

馬神廟街

水池街

東環路

北大橋街

マルコ・ポーロ像

古い町並み
を再現

⊠

1

1

北大橋街

西城壕

欧式街切符売り場

新華書店
大街門洞

⊠ 新華
商城

税亭街

中国銀行
糧貿餐庁

張掖華辰
国際大酒店

張掖駅へ↓

張掖西バスターミナル

栄泰大酒店 ⊠

鎮遠楼

道徳観

金陽国際飯店

郵政局

⊡ 華誼小吃城

東大街

西大街

電力大廈
（市内民航航空券売り場、
エアーポートバス発着地点）

中国銀行

孫記炒炮

昭武大酒店

金龍賓館

世紀金花都市広場

文
廟
巷

市中医院

張掖
青年東街小学校 ⊠

張掖
東バスターミナル

労動南街

張掖飯店

甘州賓館

目月巷

S 河西大廈

長寿街

青年東街

青年西街

商貿大世界 S

中心広場

国貿百貨
⊡ KFC

甘州市場

万寿寺木塔

界街
広場東路

辛街

民主西街

張掖康輝
旅行社
土塔

丹霞大酒店

西来寺

西寿寺巷

大仏浮屠

文化館

甘泉文化広場

天域国際酒店 H

市人民
医院

大仏寺
（宏仁寺）

後甘泉巷

東
環
路

新建
巷

東
環
路

2

2

陳家花園巷

南城巷

倣古街

張掖西
駅へ←

張掖南バスターミナル

南環路

南環路

鼎和国際大酒店 H

張
民
公
園

麗
都
街

B 中国銀行

長沙門路

N

市公安局出入境管理支隊へ

B

0　50　100m

● 見どころ　H ホテル　⊡ グルメ　S ショップ　B 銀行　⊠ 学校　⊠ 郵便局　⊞ 病院　繁華街

大仏寺（宏仁寺）
M P.164-A2
田 大仏寺巷歩行街
☎ 甘州区博物館= 8222048
オ 8：30 ～ 17：30
休 なし
料 40元
交 5路バス「大佛寺」

見どころ

元の世祖フビライが生まれた寺院　⊙ 1時間　★★★

大仏寺（宏仁寺）/ 大佛寺（宏仁寺）
だいぶつじ　（こうじんじ）　dàfósì　（hóngrénsì）

　大仏寺は、今から約920年前に創建された。当時の中央政権は北宋（960 ～ 1127年）だが、張掖はタングート族の建てた西夏が統治していたので、創建年は西夏の永安元年（1098年）ということになる。

　2万3000㎡という広大な伽藍には、山門、大仏殿、万聖殿、蔵経殿、土塔などの古建築が並び、古刹の静謐な空気が漂っている。ここの目玉は何といっても涅槃大仏。間口約50m、奥行き約25m、高さ約20mという大仏殿の中に、体長

涅槃大仏の大きさに圧倒される

34.5m、肩の幅7.5mという釈迦仏が横たわり、その背後や周囲には10m近くはあろうかという十大弟子などの塑像がずらりと並んでいる。この大仏寺に関して、マルコ・ポーロが『東方見聞録』に記述を残しているほか、ここは元の世祖フビライ（忽必烈）が生まれた所としても知られている。

大仏殿の背後には、高さ約33mのチベット仏教様式の金剛宝座塔（俗称土塔）が立っているが、これだけ大きいチベット仏教様式の仏塔は西北地域では珍しい。

また、大仏寺には国宝に指定されている金泥経や古代交易の物証となるペルシアの銀貨なども収蔵されている。

白い土塔がそびえる

中国でも珍しい木塔　★★

万寿寺木塔 ／ 万寿寺木塔
まんじゅじもくとう　　　wànshòusì mùtǎ

市街地の南西部にある八角9層の塔で、高さは約33mある。もともとは582（隋の開皇2）年に建てられたが、その後何度も修築され、現在の塔は1925年に再建されたもの。

1層から7層までの塔身の内壁はれんがで、外回りは木で組んであり、8層と9層はすべて木造で壁もない。この木塔は釘を1本も使っておらず、すべて木組みでできている。このような塔は中国全土でも数少なく、非常に貴重な建築様式である。

最上層へ上れば市内を一望できる

万寿寺木塔
Ⓜ P.164-A2
🏠県府街中心広場西側
☎甘州区博物館＝8222048
🕐8:30～17:00
🚫なし
💴無料（塔に上る場合は15元）
🚌5路バス「大佛寺」
※塔の保護のため、不定期で塔に
　上れないことがある

張掖のシンボル　★★

鎮遠楼 ／ 镇远楼
ちんえんろう　　zhènyuǎnlóu

市区の中心にそびえる張掖のシンボル。市民には鐘鼓楼と呼ばれ親しまれている。創建は1507（明の正徳2）年で、現在の建物は1668（清の康熙7）年に修築されたもの。一辺32m、高さ9mの基壇の上にどっしりとした2層の楼閣が立つ。入ることはできないので、外観を眺めるのみ。

東西南北、四方の通りが集まる鎮遠楼

鎮遠楼
Ⓜ P.164-A1
🏠南大街11号
☎甘州区博物館＝8222048
🕐24時間（外観のみ）
🚫なし
💴無料
🚌1、3、5、9、20路バス「钟鼓楼」

丹霞地質公園

Ⓜ P.34-B2
🏠 臨沢県倪家營郷南台村
☎ 5923666
🈺 日中(日没の1時間30分前に受付終了)
🈺 なし
🉐 74元(観光車含む)
🚌 ①張掖西バスターミナルで「肅南」行きのバスに乗り「南台村」で下車、そこから約200mで公園の入口に到着。バスは7:30〜17:00の間30分〜1時間に1便、15元、所要約1時間。張掖へ戻る最終バスは18:00頃発
②旅行会社で車をチャーターする場合、往復400元が目安

丹霞地質公園の入口

黒水国城堡遺址

Ⓜ P.34-B2、地図外(P.164-A1左)
🏠 明永郷下崖村
☎ なし
🈺 24時間
🈺 なし
🉐 無料
🚌 ①張掖西バスターミナルで「临泽」行きに乗る。6:45〜18:30の間20分に1便。7元、所要約30分。バス停はなく、黒水国城堡遺址の入口を示す看板が国道312号線の道路脇にあるので、そこで下車する。あらかじめ運転士に目的地を伝えておこう。下車後、徒歩約10分
②旅行会社で車をチャーターする場合、往復300元が目安

紅い岩山が続く奇観　　　　　　　　　　　★★

丹霞地質公園 / 丹霞地质公园
たんかちしつこうえん　　dānxiá dìzhì gōngyuán

　張掖市区から西約40kmの所にある、東西45km、南北10kmにもわたる広大な断層地形群。「丹霞」と表されるように、紅色にかすみがかった色合いの地層が幾重にも重なり、太陽の光の具合によって地形の表情が刻々と変わり絶景を生み出す。

　この丹霞地形が発見されたのは2002年で、一般に公開されたのは2008年のこと。2009年に張芸謀監督の映画『女と銃と荒野の麺屋』(原題は『三枪拍案惊奇』)のロケ地となり、一気に注目されるようになった。

見事な色合いの岩肌。朝日や夕日の時間帯はさらに赤みが増す

謎の黒水国　　　　　　　　　　　　　　★

黒水国城堡遺址 / 黑水国城堡遗址
こくすいこくじょうほいし　　hēishuǐguó chéngbǎo yízhǐ

　張掖市区の西13kmにある城跡。城の規模は東西約250m、南北220mで、城壁・城門の一部や角楼(城の隅に築かれた櫓台)も確認できる。黒水国という名は史書には見あたらず、この城の建造年代も詳しくわかっていないが、砂漠に埋もれた城跡の情景は何ともいえない寂寥感がある。

砂に埋もれつつある角楼

祁連山脈の麓に点在する石窟

馬蹄寺石窟 / 马蹄寺石窟
ばていじせっくつ　　mǎtísì shíkū ★★

　張掖市区の南65km、祁連山脈の麓を流れる馬蹄河の西岸にある石窟群で、北寺、南寺、金塔寺、文殊山、千仏洞など7つの石窟が、2～5kmの間隔で点在する。

　一般に公開されているのは北寺石窟で、そのなかでは三十三天洞が最大規模を誇る。岩山の内部はまるでアリの巣のようにくり抜かれ、5層にわたって合計19ヵ所の石窟が造られている。石窟を外から見ると、岩山が宝塔形にうがたれていることがわかる。内部には元代から明代にかけて制作された壁画が残っている。

　馬蹄寺周辺は森林に囲まれ、万年雪を頂いた祁連山脈が美しい。

崖に造られた三十三天洞

漢代と明代の長城が延びている

山丹古長城 / 山丹古长城
さんたんこちょうじょう　　shāndān gǔchángchéng ★

　張掖地区東部の山丹にある万里の長城。明代に造られた長城が、山丹の郊外から東へずっと延びている。そして、明代長城の東端あたりからは、漢代の長城が永昌まで続いている。どちらの長城もまだ修復されていないので、築造当初の様子がよくわかって興味深い。

突き固められた土の城壁が続く

馬蹄寺石窟
M P.34-B2
田 粛南ユーグ族自治県粛南馬蹄寺風景名勝区
☎ 8891610
🕐 5月～10月上旬8:00～18:00
　10月中旬～4月8:30～18:00
休 なし
料 39元(北石窟寺は別途35元)
交 ①張掖南バスターミナルで「南古鎮」行きバスに乗る。11元、所要約2時間。「马蹄河口」下車後、タクシーに乗り換え「大门」(チケット売り場)を経由して北石窟寺往復80～100元が目安。「马蹄河口」から張掖へ戻るバスは17:00頃発。
②5月上旬のゴールデンウイーク期間、7～8月の間、張掖南バスターミナルから馬蹄寺(北石窟寺)行き専用バスが運行しており、7:00~8:30の間人数が集まり次第発。13元、所要約2時間。張掖へ戻る最終バスは15:00～16:00発が目安だが、往路の運転士に発車時間を確認しておこう
③市内からタクシーをチャーターする場合、往復300元が目安
④旅行会社で車をチャーターする場合、往復400元が目安
※「南古鎮」行きバスを利用の場合、「马蹄河口」にいつもタクシーがいるとはかぎらないので注意。「马蹄河口」からチケット売り場まで約7km、チケット売り場から北石窟寺まで約4kmあるので、タクシーがいない場合は徒歩しか方法はない。②の期間以外は、張掖から車をチャーターして行くのが無難

山丹古長城
M P.34-B2
田 山丹県(張掖から60km)
☎ なし
🕐 24時間
休 なし
料 無料
交 ①張掖東バスターミナルで「山丹」行きに乗る。7:30～18:30の間30分に1便、13.5元、所要約1時間。終点下車後、タクシーに乗り換え。往復100元が目安
②旅行会社で車をチャーターする場合、山丹大仏寺を含め600元が目安

甘粛省

張掖

郊外の見どころ

天域国際酒店／天域国际酒店 ★★★★
てんいきこくさいしゅてん　tiānyù guójì jiǔdiàn

甘泉文化広場の東に位置する4つ星ホテル。万寿寺木塔や大仏寺に近く、観光に便利。中国料理レストラン、カフェ、卓球場などの施設が充実。

両替　ビジネスセンター　インターネット

M P.164-B2
田 南大街甘泉文化広場東側
☎ 8516666
FAX 8860330
S 788元
T 688元
サ なし
カ 不可

張掖華辰国際大酒店／张掖华辰国际大酒店 ★★★★
ちょうえきかしんこくさいだいしゅてん　zhāngyè huáchén guójì dàjiǔdiàn

東大街に面した16階建ての高級ホテル。中国料理レストラン、カフェ、屋内プール、卓球場、足裏マッサージなどの施設が充実。

両替　ビジネスセンター　インターネット

M P.164-B1
田 東大街20号
☎ 8257777
FAX 8277667
S 389～459元
T 389～459元
サ なし
カ 不可

甘州賓館／甘州宾馆 ★★★
かんしゅうひんかん　gānzhōu bīnguǎn

鎮遠楼に近く、買い物や散策に便利な立地。ビジネスセンター、ジムなどの施設も充実。大小のレストランでは張掖の郷土料理をはじめとした、西北風味が自慢。

両替　ビジネスセンター　インターネット

M P.164-A1
田 南大街373号
☎ 8888858
FAX 8888822
S 228元
T 228～288元
サ なし
カ 不可

張掖飯店／张掖饭店
ちょうえきはんてん　zhāngyè fàndiàn

3つ星相当のホテル。外観にはやや古さを感じるが部屋は2015年に改装している。県府街にあるので万寿寺木塔や大仏寺に散歩がてらに行ける便利な立地。近くには商店や食堂も多い。

両替　ビジネスセンター　インターネット

M P.164-A2
田 県府街161号
☎ 8257000
FAX 8256926
S 188～218元
T 188～218元
サ なし
カ 不可

張掖賓館／张掖宾馆
ちょうえきひんかん　zhāngyè bīnguǎn

M 地図外（P.164-A1左）
田 濱河新区濱河大道
☎ 8269988
FAX 8263065
S 568～598元
T 468～498元
サ なし
カ 不可

市区の北西約5kmにある北湖の北岸に立つ5つ星相当のホテル。湖を目の前にした静寂な環境にあり、張掖の郷土料理を味わえるレストラン、屋内プール、ジムなどの施設を備える。

両替　ビジネスセンター　インターネット

孫記炒炮／孙记炒炮
そんきしょうほう　sūnjìchǎopào

M P.164-A1
住県府街西大街十字総合楼
☎8211608
オ11:00～21:00
休なし
カ不可

県府街と西大街の交差点にある炒炮(短いうどんを煮汁たっぷりで炒めたもの)の老舗。具に入っている軟らかく煮込んだ豚の脂身が絶品。1階は炒炮と煮豚が主で、2階は前菜など簡単な料理と炒炮のセットメニューが主になっている。炒炮は大碗14元、小碗13元、煮豚500g45元。

甘州市場／甘州市场
かんしゅうしじょう　gānzhōu shìchǎng

M P.164-B2
住青年東街甘州市場
☎なし
オ9:00～21:00
休なし
カ不可

小吃(軽食)の小さな店が並ぶ市場。市場内に屋内フードコートもあり、麺類、ワンタン、餃子、八宝粥、砂鍋などを満喫できる。休みの日は市民でにぎわう。料理の値段が明記してあるので安心。市場内にトイレ(有料)もある。

張掖康輝旅行社／张掖康辉旅行社
ちょうえきこうきりょこうしゃ　zhāngyè kānghuī lǚxíngshè

M P.164-A2
住大仏寺巷歩行街北口
☎8246126
FAX8246121
オ5月～10月中旬8:30～18:00
　10月下旬～4月8:30～12:00、14:30～17:30
休なし
カ不可

列車の切符手配代行料は1枚30元。また、近郊への各種ツアーを扱っている。日本語ガイドはいない。
▼馬蹄寺石窟1日ツアー／車チャーター料=1台400元▼黒水国城堡遺址ツアー／車チャーター料=1台300元▼山丹古長城、山丹大仏寺1日ツアー／車チャーター料=1台600元

ライトアップされた鐘鼓楼

酒が湧き出した泉の伝説

酒泉
しゅせん

ジュウチュエン
酒 泉 *Jiǔ Quán*

新疆ウイグル
自治区　　モンゴル
甘粛省　　　内蒙古自治区
●酒泉
　　　　　　　銀川
青海省　西寧●　　寧夏回族
　　　　　　　自治区　陝
　　　　蘭州　　　　西安省
チベット　　　　　●西安
自治区　　　四川省

● 都市データ ●

酒泉
人口＝ 101 万人
面積＝ 18 万 9997㎢
1区2県級市2県2自治県を
管轄

市公安局出入境管理科
（市公安局出入境管理科）
Ⓜ 地図外 (P.172-A2左)
🏠 玉門西路7号
☎ 5926060
🕐 8:30 ～ 12:00、
　14:30 ～ 18:00
休 土・日曜、祝日
観光ビザを最長30日間延長可能。
手数料は160元

市人民医院
（市人民医院）
Ⓜ P.172-A1
🏠 西大街22号
☎ 6982071、6982064
🕐 24時間
休 なし

市内交通
【路線バス】運行時間の目安は
6:30 ～ 20:30、1元

【タクシー】初乗り2km未満6元、
2km以上1kmごとに1.4元加算

❊ 概要と歩き方 ❊

　酒泉は1000年以上にわたって河西回廊の中心に位置し、
かつては粛州と呼ばれた緑豊かな町だ。古来この町は、西の
嘉峪関と遊牧民族の本拠地モンゴル高原への分岐点であった
ことから、早くから交易の要衝として発展を遂げると同時に
シルクロード貿易の利益確保のための軍事的拠点でもあった。
　今もこんこんと湧き出る伝説の泉「酒泉」、町の求心力となっ
ている鐘鼓楼や漢民族と回族でにぎわう市場など、この町に
は長旅の疲れをひととき癒やしてくれるオアシス都市の面影
がいまだに残されている。
　商店やレストランなどは鐘鼓楼の付近に集中しており、屋
台が並ぶ漢唐美食街も近い。ホテルは鐘鼓楼から南に延びる
南大街に集まっている。
　町の中は徒歩でも十分回れるが、西漢酒泉勝跡や西関バス
ターミナルなどへ行くときには、バス、タクシーを利用して
もいいだろう。

鐘鼓楼が立つロータリーには大きなデパートもある

	1月	2月	3月	4月	5月	6月	7月	8月	9月	10月	11月	12月
平均最高気温(℃)	-1.8	1.9	9.5	17.2	23.1	27.3	29.2	28.2	22.8	15.7	5.9	-0.6
平均最低気温(℃)	-14.8	-11.5	-4.1	2.6	8.5	13.0	15.3	14.1	8.6	1.5	-6.4	-13.0
平均気温(℃)	-8.9	-5.2	2.1	9.7	16.0	20.4	22.3	20.9	15.3	7.9	-0.9	-7.5
平均降水量(mm)	1.4	2.3	3.8	4.5	8.9	12.3	18.7	20.6	8.0	1.7	1.9	1.4

Access

中国国内の移動 ➡ P.338

鉄道

酒泉には駅がふたつある。蘭新線の酒泉駅と蘭新線第二複線の酒泉南駅。酒泉駅は市区の南西約12kmにあり、酒泉南駅は市区の南東約7kmにある。

所要時間(目安) 【酒泉(jq)】西安(xa)／特快:16時間45分 銀川(yc)／快速:12時間30分 蘭州(lz)／直達:7時間25分 敦煌(dh)／快速:4時間40分 ウルムチ(wlmq)／特快:10時間35分 【酒泉南(jqn)】西寧(xn)／動車:2時間55分 蘭州西(lzx)／動車:4時間15分 柳園南(lyn)／動車:2時間 ウルムチ(wlmq)／動車:9時間20分

バス

旅行者はおもに西関バスターミナルを利用する。酒泉駅と市内とを結ぶバスの発着地点は、郵政大楼の前(MP.172-B2)。

所要時間(目安) 蘭州／12時間 張掖／4時間 嘉峪関／30分 敦煌／5時間

Data

🚆 鉄道

酒泉駅（酒泉火車站）
M地図外(P.172-B2下) 🏠西洞鎮解放路
☎共通電話=12306 ⏰24時間 休なし 力不可
[移動手段] タクシー（酒泉駅～鐘鼓楼）／30元、所要30分が目安
　28日以内の切符を販売。

酒泉南駅（酒泉南火車站）
M地図外(P.172-B2下) 🏠粛北路
☎共通電話=12306 ⏰6:50～22:30
休なし 力不可
[移動手段] タクシー（酒泉南駅～鐘鼓楼）／20元、所要20分が目安 路線バス／25路「酒泉南站」
　28日以内の切符を販売。

南大街切符売り場（南大街火車售票処）
MP.172-B2 🏠南大街76号 ☎なし
⏰8:30～17:00 休なし
力不可
[移動手段] 徒歩(南大街切符売り場～鐘鼓楼)／約7分
　28日以内の切符を販売。手数料は1枚につき5元。

🚌 バス

西関バスターミナル（西関汽車站）
MP.172-A1 🏠西関路47号
☎2603032 ⏰6:30～19:00 休なし 力不可
[移動手段] タクシー（西関バスターミナル～鐘鼓楼）／6元、所要5分が目安 路線バス／1、3、5、9、12、19、21、25、27路「西関汽車站」
　2日以内の切符を販売。蘭州1便(18:30発)、張掖(9:00～17:00の間に5便)、嘉峪関(建設路市場バス停行き6:30～19:00の間6分に1便)、敦煌(8:00～18:30の間1時間に1便)など。酒泉駅行きのバスは、郵政大楼の前(MP.172-B2)から、6:30～20:30の間10分に1便、2元、所要約20分。

嘉峪関行きバス乗り場
　西関バスターミナルのほか、南方大廈(MP.172-B2)から雄関バス停(MP.178-B2)行きのバスが出ている。4元、所要約35分。6:30～19:30の間6分に1便。

甘粛省 酒泉

概要と歩き方／アクセス／嘉峪関・酒泉マップ

蘭新線の酒泉駅

●見どころ 🛫空港 ═══鉄道 ═══高速鉄道

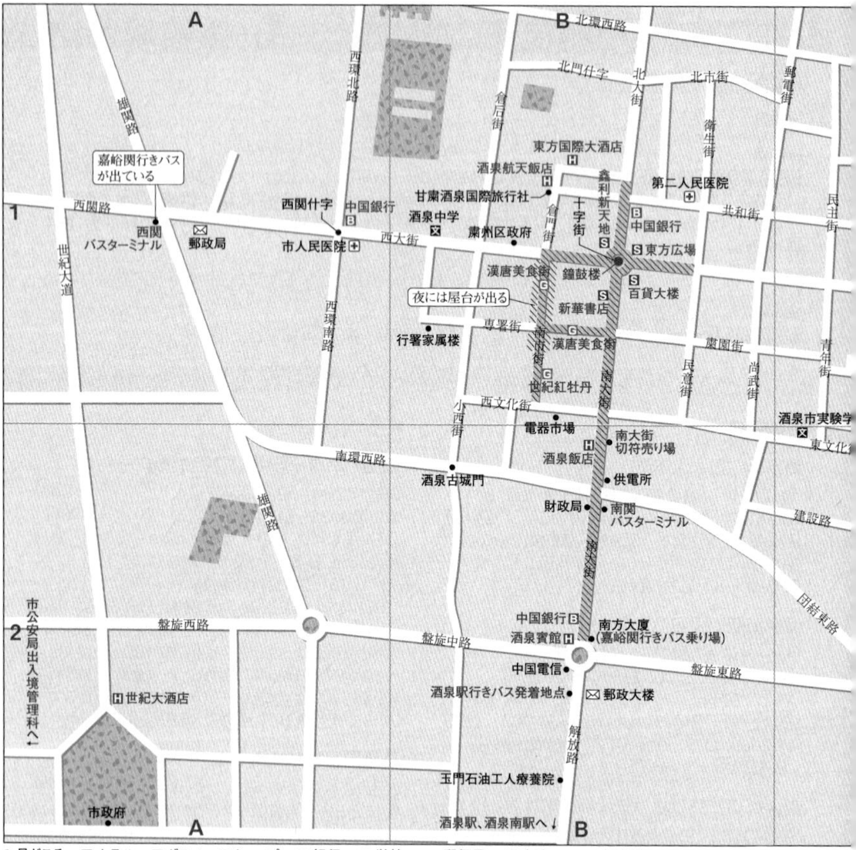

地図

地図上のラベル（読み取れるもの）:

北環西路 / 北門什字 / 北大街 / 北市街 / 鴻雁街
西環北路 / 倉石街 / 衛生街 / 民甘路
A / B
嘉峪関行きバスが出ている
東方国際大酒店 / 第二人民医院
酒泉航天飯店
甘粛酒泉国際旅行社 / 鑫利新天地 / 北和街
西関路 / 西関什字 / 中国銀行 / 酒泉中学 / S十字街 / S中国銀行
西関バスターミナル / 郵政局 / 市人民医院 / 西大街 / 粛州区政府 / S東方広場
世紀大道
漢唐美食街 / 鐘鼓楼 / S百貨大楼
夜には屋台が出る / 新華書店
行署家属楼 / 漢唐美食街
東園街 / 青年街
世紀紅牡丹 / 尚武街
小十街 / 西文化街 / 電器市場 / 南大街 / 酒泉市実験学
南環西路 / 酒泉飯店 / 切符売り場 / 東文化
酒泉古城門 / 財政局 / 南関バスターミナル / 供電所 / 建設路
盤旋西路 / 盤旋中路 / 中国銀行 / 南方大廈 / 回結路
酒泉賓館 / 嘉峪関行きバス乗り場 / 盤旋東路
市公安局出入境管理科へ / 世紀大酒店 / 中国電信 / 酒泉駅行きバス発着地点 / 郵政大楼
玉門石油工人療養院
市政府 / 酒泉駅、酒泉南駅へ

凡例: ●見どころ　Hホテル　Gグルメ　Sショップ　B銀行　X学校　郵便局　H病院　繁華街

● 見どころ

町の中心的存在　　　　　　　　　　　　　★★

鐘鼓楼 / 钟鼓楼
しょうころう　　　zhōnggǔlóu

メインストリートが交差する酒泉の中心にある鐘鼓楼は、もともとは4世紀半ばの前涼（東晋時代の地方政権）時代に創建されたといわれているが、現在の建物は、1905（清の光緒31）年に再建されたもので、高さは27mある。

この鐘鼓楼が有名なのは、その姿の美しさもさることながら、基壇の四方に開けられた通路の上の門額によるものだ。門額には、東迎華岳（東には華岳を迎える）、西達伊吾（西はハミに達する）、南望祁連（南は祁連山を望む）、北通沙漠（北は砂漠に続く）という4つの言葉があり、酒泉の地理的位置を明確に表している。今、自分がシルクロードという悠久の道の真っただ中にいることを実感できるだろう。

鐘鼓楼
M P.172-B1
H 十字街鐘鼓楼
☎ なし
⏰ 24時間（外観のみ）
休 なし
料 無料
交 2、4、6、10、15、18、20路バス「鼓楼南」、1、9、12路バス「鼓楼西」

「東迎華岳」の門額

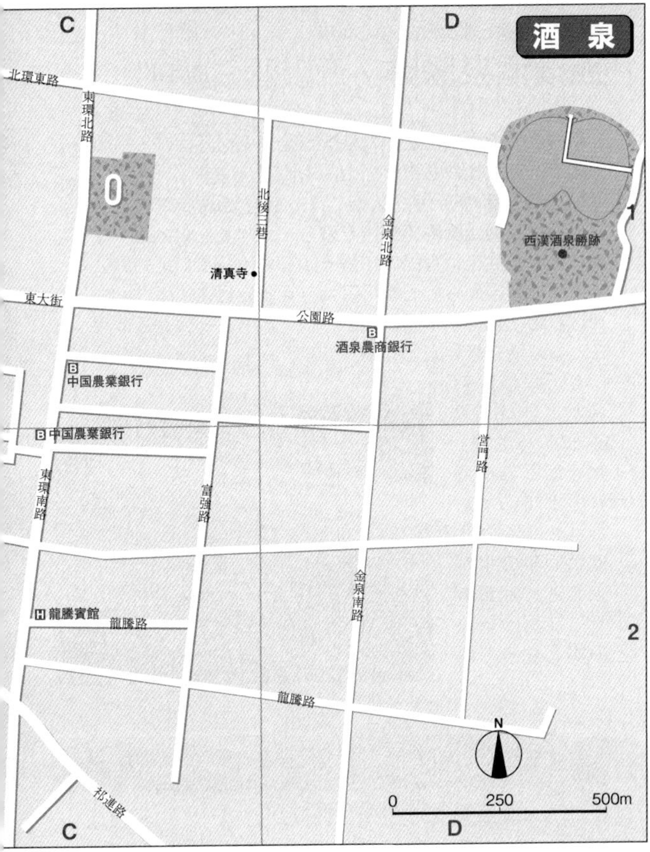

C   D   酒 泉

北環東路

東環北路

北後三巷

金泉北路

西漢酒泉勝跡

清真寺●

東大街

公園路

B 酒泉農商銀行

B 中国農業銀行

B 中国農業銀行

東環南路

富強路

営門路

金泉南路

H 龍騰賓館

龍騰路

龍騰路

2

N

西大街

0   250   500m

C   D

酒泉のシンボル、鐘鼓楼

173

西漢酒泉勝跡
Ⓜ P.173-D1
🏠 公園路100号
☎ 2633441
🕐 7:00 ～ 21:00
休 なし
料 無料
🚌 1、9路バス「西汉胜迹」

園内の池はハスが覆っている

町の名の由来となった泉がある場所 ★★

西漢酒泉勝跡 / 西汉酒泉胜迹
せいかんしゅせんしょうせき　xīhàn jiǔquán shèngjì

　町の名前の由来となった酒泉（金泉とも呼ばれる）のある公園で、鐘鼓楼から東に2kmの所にある。
　前漢の武帝の時代、シルクロードを転戦していた名将軍霍去病が、河西回廊で匈奴を破って大勝利を収めた。その報せに喜んだ武帝は霍去病に酒を賜った。そこで霍去病はすべての兵に皇帝からの酒を平等に与えるために、酒を泉にそそぎ込むと、泉の水が濃厚な酒の香を放ち、その美酒は尽きることなく湧き続けたという。

　この泉は古来名水とされ、陶然とする甘さ、飲めば不老長寿などと詩にうたわれた。園内北側は酒泉の水が流れ込む池があり、市民の憩いの場となっている。

酒泉と霍去病を中心にした群像

● ━━ 郊外の見どころ ━━ ●

西涼王陵
Ⓜ P.171
🏠 果園村丁家閘村
☎ 絲綢之路博物館＝2800089
🕐 9:00 ～ 17:00
※電話予約のうえで見学する
休 なし
※冬季は不定期に休むことがある
料 30元
🚌 旅行会社で車をチャーターする。往復300元が目安

西涼を建国した李暠が眠る墓 ★

西涼王陵 / 西涼王陵
せいりょうおうりょう　xīliáng wánglíng

　東晋（317 ～ 420年）の時代、現在の甘粛省には時を前後して、前涼、後涼、南涼、北涼、西涼の5ヵ国が覇権を争っていた。西涼は、漢族の李暠が建国した王朝。李暠は351年、漢の名将李広の16代子孫として、隴西（現在の天水）に生まれた。もとは北涼の役人であったが、400年に北涼の内乱に乗じて挙兵し、敦煌に西涼を建国。405年に酒泉へ遷都した。当時、西涼の領土は、現在の内モンゴル、トルファン、西寧にわたり、張掖にまで及んだ。417年、67歳で病により酒泉で逝去。諡号は武昭王。墓は、土盛りの墓で参道の両側に墓室を備えている。西涼王陵の東側に隣接する丁家閘古墓は2019年7月現在、非公開。

西涼王陵の入口

ホテル

酒泉賓館／酒泉宾馆
しゅせんひんかん　jiǔquán bīnguǎn

★★★★★

酒泉を代表する老舗高級ホテルで中国料理レストランの評判もよい。酒泉駅と市内とを結ぶバス発着地点、嘉峪関へのバス発着地点から近く便利。ホテルの敷地や建物は広々としており、ゆっくりと過ごせる。

両替　ビジネスセンター　インターネット

Ｍ P.172-B2
住 解放路33号
☎ 2618000
FAX 2614750
Ｓ 388元
Ｔ 338～368元
サ なし
カ ADJMV

世紀大酒店／世纪大酒店
せいきだいしゅてん　shìjì dàjiǔdiàn

★★★★

市政府など官公庁の高層ビルが並ぶエリアにある4つ星ホテル。郷土料理、四川料理、広東料理をメインとするレストランが自慢。

両替　ビジネスセンター　インターネット

Ｍ P.172-A2
住 世紀大道53号
☎ 2666186
FAX 2658718
Ｓ 268～360元
Ｔ 268元
サ なし
カ 不可

東方国際大酒店／东方国际大酒店
とうほうこくさいだいしゅてん　dōngfāng guójì dàjiǔdiàn

★★★★

鐘鼓楼や繁華街に近い4つ星ホテル。郷土料理、四川料理、広東料理をメインとするレストランがある。スパ、サウナなどの施設も充実。

両替　ビジネスセンター　インターネット

Ｍ P.172-B1
住 倉門街6号
☎ 2699999
FAX 2651498
Ｓ 貴賓楼＝458元　迎賓楼＝258～298元
Ｔ 貴賓楼＝338元　迎賓楼＝298元
サ なし
カ Ｖ

グルメ

世紀紅牡丹／世纪红牡丹
せいきこうぼたん　shìjì hóngmǔdān

地元で有名な中国料理レストラン。人気メニューのローストダックは、半羽42元。キュウリ、ネギ、薄餅（皮）、甜麺醤とともにテイクアウトもできる。

Ｍ P.172-B1
住 南市街39号
☎ 2658866、2613098
オ 11:00～14:00、17:30～21:30
休 なし
カ 不可

漢唐美食街／汉唐美食街
かんとうびしょくがい　hàntáng měishíjiē

鐘鼓楼のほど近く、南市街と専署街にある屋台街。通りの両側には屋根付きのテーブルがずらりと並び、屋台で注文したものを食べることができる。夜はたくさんの人が訪れ、とてもにぎやか。

Ｍ P.172-B1
住 南市街、専署街
☎ なし
オ 9:00頃～23:00頃（店によって異なる）
休 なし
カ 不可

旅行会社

甘粛酒泉国際旅行社／甘肃酒泉国际旅行社
かんしゅくしゅせんこくさいりょこうしゃ　gānsù jiǔquán guójì lǚxíngshè

列車の切符の手配代行料は1枚50元（1週間前に予約が必要）。日本語ガイドは1日400元が目安。西涼王陵への車チャーター料は1台300元。

Ｍ P.172-B1
住 倉門街42号
☎ 2613275（日本語可）、13993709801（携帯、日本語可）
FAX なし
オ 8:30～12:00、14:30～18:00
休 土・日曜、祝日
カ 不可

万里の長城の西の終点

嘉峪関
（か　よ　く　かん）

ジャーユーグァン
嘉峪关 *Jiā Yù Guān*

新疆ウイグル自治区 ／ モンゴル ／ 甘粛省 ／ 内蒙古自治区 ／ **嘉峪関** ／ 銀川 ／ 寧夏回族自治区 ／ 陝西省 ／ 青海省 ／ 西寧・ ／ 蘭州・ ／ 西安 ／ チベット自治区 ／ 四川省

● 都市データ ●

嘉峪関
人口＝20万人
面積＝2935km²
嘉峪関は甘粛省の地級市

市公安局出入境管理科
（市公安局出入境管理科）
Ⓜ P.178-B3
🏠 体育大道
☎ 5906658
📅 8:30 ～ 12:00、14:30 ～ 18:00
🚫 土・日曜、祝日
観光ビザを最長30日間延長可能。
手数料は160元

市第一人民医院
（市第一人民医院）
Ⓜ P.178-B2
🏠 新華中路26号
☎ 6202233
📅 24時間
🚫 なし

市内交通

【路線バス】運行時間の目安は
6:30 ～ 19:30、1路バスのみ 6:30
～ 20:30、1元

【タクシー】初乗り2km未満6元、
2km以上1kmごとに1.2元加算

❖❖ 概要と歩き方 ❖❖

　黄土地帯に横たわる龍にもたとえられる世界最大の建造物万里の長城。その西の終点が天下第一雄関と称される嘉峪関だ。南は祁連山脈、西はゴビ灘、東は酒泉盆地に臨むこの地に、モンゴル族の侵攻を防ぐための城が築かれたのは、明の初期（14世紀後期）のこと。

　その後、明を滅ぼして中国の覇者となった異民族王朝の清は、18世紀半ばにモンゴル族の居住地区であったモンゴル高原をその統治下においた。このため、万里の長城はその役割を失い、長らく放置されることになった。新中国成立後に政府が開発に乗り出し、現在では、嘉峪関は鉄鋼都市、観光都市に生まれ変わり、近代的な町となった。

　嘉峪関駅から市街地までは路線バスで約10分の道のりだ。この町は、計画的に造られた新興都市だけに、大きな通りが縦横に走り、整然とした印象を受ける。

　嘉峪関市のメインストリートは、新華北路から新華中路にかけてで、商店や銀行などがこの通り沿いに集中している。また、町の北にある富強西路や町の南にある大唐路はレストランが集

大唐路にはレストランが並ぶ

	1月	2月	3月	4月	5月	6月	7月	8月	9月	10月	11月	12月
平均最高気温（℃）	-2.0	3.0	10.0	17.0	22.0	27.0	28.0	28.0	22.0	15.0	5.0	0.0
平均最低気温（℃）	-16.0	-11.0	-3.0	2.0	7.0	12.0	15.0	14.0	8.0	-1.0	-6.0	-12.0
平均気温（℃）	-9.0	-4.0	3.0	9.0	14.0	19.0	21.0	21.0	15.0	7.0	-2.0	-6.0
平均降水量（mm）	1.4	2.3	3.8	4.5	8.9	12.3	18.7	20.6	8.0	1.7	1.9	1.4

中する通りになっている。市内の移動には1路バス（新華北路
〜新華中路〜新華南路〜嘉峪関駅）が便利。メインの見どころ
の嘉峪関は4路、6路バスで行くことができるが、ほかの見ど
ころは郊外に点在するので、車を利用することになる。

Access

中国国内の移動 ➡ P.338

 飛行機 市区の北東約13kmに位置する嘉峪関空港（JGN）を利用する。主要都市との間に運航便がある。

国際線 日中間運航便はないので、北京や上海で乗り継ぐとよい。
国内線 便数の多い西安や蘭州とのアクセスが便利。
所要時間(目安) 北京首都（PEK）／5時間 上海浦東（PVG）／6時間 西安（XIY）／2時間 蘭州（LHW）／1時間30分 敦煌（DNH）／1時間

鉄道 嘉峪関には駅がふたつある。蘭新線の嘉峪関駅と蘭新線第二複線の嘉峪関南駅。両駅と市内の間にはバスが運行されている。

所要時間(目安) 【嘉峪関（jyg）】西安（xa）／直達：16時間15分 銀川（yc）／直達：10時間55分 蘭州（lz）／直達：7時間20分 敦煌（dh）／旅游：4時間5分 【嘉峪関南（jygn）】西安北（xab）／動車：8時間50分 西寧（xn）／動車：3時間10分 蘭州西（lzx）／動車：5時間20分 敦煌（dh）／動車：2時間30分 柳園南（lyn）／動車：2時間 ウルムチ（wlmq）／動車：6時間10分

 バス 嘉峪関バスターミナルを利用する。蘭州、張掖、敦煌など甘粛省の主要都市へのバスが出ている。

所要時間(目安) 蘭州／12時間 張掖／4時間 敦煌／5時間

Data

✈ 飛行機

嘉峪関空港（嘉峪关机场）

Ⓜ P.171 🏠新城郷横溝村 ☎6381202
[移動手段] タクシー（空港〜富強市場）／50元、所要30分が目安。エアポートバスは運行していない

🚃 鉄道

嘉峪関駅（嘉峪关火车站）

Ⓜ P.178-A3 🏠迎賓西路1号
☎共通電話＝12306 🕐24時間 休なし 力不可
[移動手段] タクシー（嘉峪関駅〜富強市場）／15元、所要15分が目安 路線バス／1、2、11、12路「火车站」
　28日以内の切符を販売。

嘉峪関南駅（嘉峪关南站）

Ⓜ P.171 🏠文殊鎮雄関大道
☎共通電話＝12306 🕐7:30〜23:45
休なし 力不可
[移動手段] タクシー（嘉峪関南駅〜富強市場）／30元、所要25分が目安 路線バス／10、12路「火车南站」
　28日以内の切符を販売。

新華中路切符売り場（新华中路售票处）

Ⓜ P.178-B2 🏠新华中路1号郵政局1階
☎なし 🕐8:30〜17:30 休なし 力不可

[移動手段] タクシー（新華中路切符売り場〜富強市場）／6元、所要3分が目安 路線バス／1、5、9路「电信局」
　28日以内の切符を販売。手数料は1枚につき5元。

🚌 バス

嘉峪関バスターミナル（嘉峪关汽车站）

Ⓜ P.178-A2 🏠蘭新西路312号
☎6224010
🕐6:30〜18:30 休なし 力不可
[移動手段] タクシー（嘉峪関バスターミナル〜富強市場）／6元、所要5分が目安 路線バス／1、6、10、11路「汽车站」
　3日以内の切符を販売。蘭州1便（17:30発）、張掖（9:50〜16:00の間に5便）、敦煌（9:00〜16:00の間に5便）など。

酒泉行きバス乗り場

①建設路市場バス停（ⓂP.178-B2）から西関バスターミナル（ⓂP.172-A1）行きのバスが出ている。6:30〜19:30の間6分に1便。4元、所要約35分。
②雄関バス停（ⓂP.178-B2）から南方大厦（ⓂP.172-B2）行きのバスが出ている。6:30〜19:30の間6分に1便。4元、所要約35分。

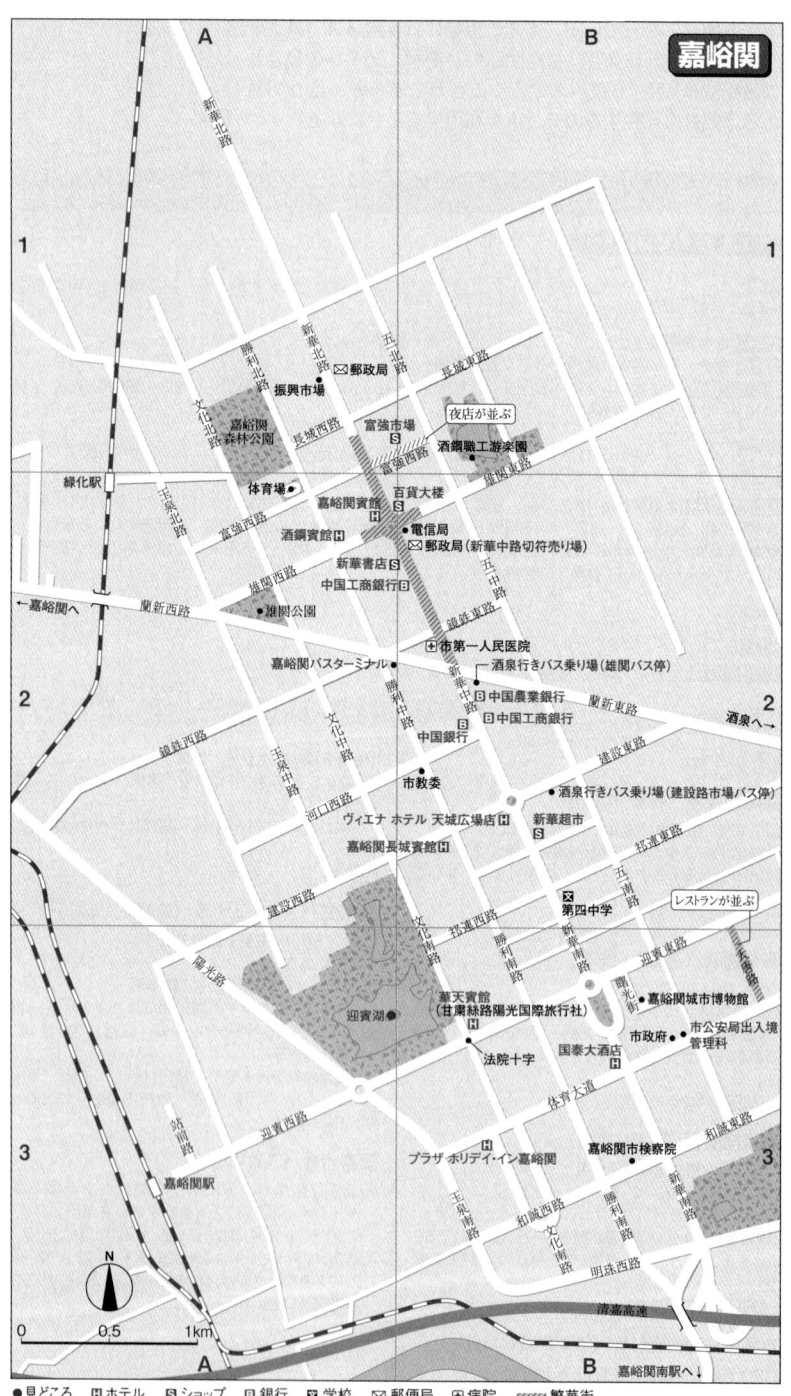

嘉峪関

A　B

1　　　　　　　　　　　　　　　　1

新華北路
勝利北路
文化北路
嘉峪関森林公園
緑化駅
玉泉北路
富強西路

新華北路
五一北路
長城東路
長城西路
富強西路
新華中路

☒郵政局
振興市場
富強市場
夜店が並ぶ
酒鋼職工游楽園 S
催城東路
体育場 ●
嘉峪関賓館 H
百貨大楼 S
酒鋼賓館 H
電信局 ●
☒郵政局(新華中路切符売り場)
新華書店 S
五一中路
中国工商銀行 B
雄関公園 ●
鐡鉄東路

←嘉峪関へ
蘭新西路
鐡鉄西路
雄関西路
市第一人民医院 ✚
酒泉行きバス乗り場(雄関バス停)
嘉峪関バスターミナル ●

2　　　　　　　　　　　　　　　　2

玉泉中路
文化中路
勝利中路
中国農業銀行 B
中国工商銀行 B
蘭新東路
中国銀行 B
酒泉へ→
建設東路
市教委 ●
酒泉行きバス乗り場(建設路市場バス停)
ヴィエナ ホテル 天城広場店 H
嘉峪関長城賓館 H
新華超市 S
レストランが並ぶ
第四中学 ✕
五一南路

建設西路
文化南路
邽連西路
勝利南路
新華南路
迎賓東路
嘉峪関城市博物館 ●
陽光路
迎賓路
華天賓館
(甘粛絲路陽光国際旅行社) H
迎賓湖 ●
市政府 ●
市公安局出入境管理科 ●
国泰大酒店 H
法院十字
邽連東路

3　　　　　　　　　　　　　　　　3

站前路
迎賓西路
嘉峪関駅
プラザ ホリデイ・イン嘉峪関 ●
玉泉南路
和誠西路
文化南路
体育大道
嘉峪関市検察院 ●
勝利南路
新華南路
和誠東路

N
0　0.5　1km

清嘉高速

A　　　　　　　　　　　　　　　B
嘉峪関南駅へ↓

●見どころ　H ホテル　S ショップ　B 銀行　✕ 学校　☒ 郵便局　✚ 病院　▨▨ 繁華街

178

「万里の長城」の西端に鎮座する   🕐2時間   ★★★

嘉峪関／嘉峪关
かよくかん   jiāyùguān

　河北省に端を発する万里の長城は、北京郊外の八達嶺を越え黄土高原を経て、西端にある関所、嘉峪関にいたる。

　万里の長城というと、秦の始皇帝を思い浮かべる人は多いが、ここ嘉峪関のそれは明代（1372年着工）のものだ。

　嘉峪関は、内城、瓮城、羅城、外城、城壕の部分からなり、高さ11mの城壁に囲まれた広大な要塞だ。内城には、東に光化門、西に柔遠門と呼ばれるふたつの門がある。それぞれの門の上には高さ17mの3層の楼閣が立ち、嘉峪関の象徴となっている。

城内の建物は復元されたもの

山の斜面に築かれた長城   ★★

懸壁長城／悬壁长城
けんぺきちょうじょう   xuánbì chángchéng

　嘉峪関の北西8kmに位置する、峻険な山を駆け上がるように造られた長城。まるで鉄壁を空に引っかけたように見えるところからこの名がある。当初、明代に築かれたときの全長は1.5kmあったというが、1987年に整備されたのは500mで、そのうちの231mは山の斜面に築かれている。この部分の傾斜角はなんと約45度にも達し、頂上にたどり着くまでに30分はかかるが、頂上からの景色はすばらしい。

山に向かって延びる懸壁長城

嘉峪関
Ⓜ P.171、地図外（P.178-A2左）
🏠 峪泉鎮
☎ 嘉峪関景区管理処＝6396110
🕐 5～10月8:30～22:00
　11～4月8:30～17:00
※オープン時間、料金の変更時期は年初とはかぎらず、年により異なる
🈳 なし
🎫 嘉峪関、懸壁長城、万里長城第一墩の共通入場券
　5～10月＝110元
　11～4月＝90元
🚌 4、6路バス「関城景区」

嘉峪関から南へ延びてゆく長城

外城の東に位置する東閘門が参観入口

懸壁長城
Ⓜ P.171
🏠 黄草営村
☎ 嘉峪関景区管理処＝6396110
🕐 5月～10月上旬8:30～17:30
　10月中旬～4月8:30～17:00
※オープン時間の変更時期は年により異なる
🈳 なし
🎫 嘉峪関、懸壁長城、万里長城第一墩の共通入場券
　5～10月＝110元
　11～4月＝90元
※懸壁長城のみ＝21元
🚗 ①タクシーで往復50～60元が目安
②5月～10月上旬の間、嘉峪関の北門から懸壁長城行きのミニバスが出ている。運行時間は8:30～17:00。片道10元、往復20元

万里長城第一墩
- **M** P.171
- **田** 市区南西郊外
- **☎** 嘉峪関景区管理処＝6396110
- **オ** 5月～10月上旬8:30～17:30
  10月中旬～4月8:30～17:00
- ※オープン時間の変更時期は年に
  より異なる
- **休** なし
- **料** 嘉峪関、懸壁長城、万里長城第一
  墩の共通入場券
  5～10月＝110元
  11～4月＝90元
  ※万里長城第一墩のみ＝21元
- **図** ①タクシーで往復50～60元が
  目安
  ②5月～10月上旬の間、嘉峪関の
  北門から万里長城第一墩行きの
  ミニバスが出ている。運行時間
  は8:30～17:00。片道10元、往復
  20元

景区の入口

魏晋壁画墓
- **M** P.171
- **田** 新城郷
- **☎** 嘉峪関景区管理処＝6396110
- **オ** 8:30～17:30
- **休** なし
- **料** 31元
- **図** タクシーで往復100～120元が
  目安

「万里の長城」の真の西端

★★

万里長城第一墩 ／ 万里长城第一墩
ばんりちょうじょうだいいちとん　wànlǐchángchéng dìyīdūn

　嘉峪関から南に延びる長城は北大河の絶壁で途絶える。つまり、ここが長城の正真正銘の終点だ。また、逆にいえば出発地ともいえるので、ここにある墩（物見台）は、天下第一墩とも呼ばれている。「長城第一墩歴史文化体験館」では断崖にせり出したガラス製のテラスがあり、真下を見ると身のちぢむ思いだ。

長城は断崖絶壁で途絶える

躍動する壁画は一見の価値がある

★★

魏晋壁画墓 ／ 魏晋壁画墓
ぎしんへきがぼ　wèijìn bìhuàmù

　嘉峪関市の北東約20km、ゴビ灘の中に周囲10kmにわたって1000以上も点在する魏晋期（220～419年）の墳墓群。1970年代に13基が発掘され、うち8基が壁画墓だった。地下の墓室へはスロープを下っていく。2室あるいは3室で構成されている墓室の奥行きは2室のものが約7m、3室のものが約12mで、幅は約5m。壁面には被葬者の生前の生活を描いたれんががびっしりとはめ込まれ、これが1600年以上も昔のものだとは信じがたいほど鮮明だ。ブタを殺してから調理して食べるまでの過程や狩猟の様子などが生きいきと描かれている。

1600年以上昔のシルクロードの暮らしがわかる壁画

嘉峪関賓館／嘉峪关宾馆
かよくかんひんかん　jiāyùguān bīnguǎn

★★★★

M P.178-A2
住 新華北路1号
☎ 6201588
FAX 6225406
S 358～448元
T 368～458元
サ なし
カ ADJMV

町の中心部、雄関路と新華路が交差する場所にある4つ星ホテル。
レストランのメニューでは、甘粛省の名物料理が自慢。

両替　ビジネスセンター　インターネット

嘉峪関長城賓館／嘉峪关长城宾馆
かよくかんちょうじょうひんかん　jiāyùguān chángchéng bīnguǎn

★★★★

建物は嘉峪関の特徴を取り入れて設計
されている。ホテル内にはプール、美容
室、医務室、クリーニング、ビリヤード室、
ジムなどさまざまな施設が整っている。

M P.178-B2
住 建設西路6号
☎ 6328266
FAX 6226016
S 298元
T 228～318元
サ なし
カ 不可

両替　ビジネスセンター　インターネット

酒鋼賓館／酒钢宾馆
しゅこうひんかん　jiǔgāng bīnguǎn

★★★★

市区中心部にある、4つ星ホテル。ホテ
ル内に海鮮料理レストランやカフェバー
がある。一部の部屋からは嘉峪関の美
しい夜景を見ることができる。

M P.178-A2
住 雄関西路2号
☎ 6201777
FAX 6229241
S 478元
T 458元
サ なし
カ MV

両替　ビジネスセンター　インターネット

プラザ ホリデイ・イン嘉峪関／嘉峪关广场假日酒店
かよくかん　jiāyùguān guǎngchǎng jiàrì jiǔdiàn

迎賓湖の近くにある5つ星相当のホリデ
イ・インホテル。ホテル内にはレストラン、
美容室、ジム、マッサージなどの施設が
揃う。

M P.178-B3
住 文化南路1799号
☎ 6768888、6768889
FAX 6768880
S 698元
T 598元
サ なし
カ ADJMV

両替　ビジネスセンター　インターネット

甘粛絲路陽光国際旅行社／甘肃丝路阳光国际旅行社
かんしゅくしろようこうこくさいりょこうしゃ　gānsù sīlù yángguāng guójì lǚxíngshè

列車の切符手配代行料は1枚50元。
日本語ガイドは1日400元。嘉峪関のお
もな見どころを回る車チャーター料金は
1日400元。

M P.178-B3
住 迎賓西路8号華天賓館1階
☎ 6281826、13321263077（携帯、日本語可）
FAX 6281826
オ 8:30～12:00、14:30～18:00
休 なし
カ 不可
✉ 849674021@qq.com（日本語可）

「砂漠の大画廊」莫高窟で知られるオアシス

敦煌
（とんこう）

トンホアン　敦煌　*Dūn Huáng*

市公安局出入境管理処
（市公安局出入境管理処）
Ⓜ P.185-A1
🏠 関中路1066号
☎ 5908077
🕐 5 ～ 9月
　8:30 ～ 12:00、15:00 ～ 18:30
　10 ～ 4月
　8:30 ～ 12:00、14:30 ～ 18:00
🈺 土・日曜、祝日
観光ビザの延長は不可

敦煌市医院（敦煌市医院）
Ⓜ 地図外（P.185-B1右）
🏠 陽関東路20号
☎ 8859120
🕐 24時間
🈺 なし

※1　中国三大石窟
　莫高窟以外は、龍門石窟（河
　南省洛陽市）と雲崗石窟（山西
　省大同市）

市内交通

【路線バス】運行時間の目安は
8:00 ～ 18:30、1 ～ 2元

【タクシー】初乗り2km未満5元、
2km以上7km未満1kmごとに1.8
元加算、7km以上1kmごとに2.7
元加算

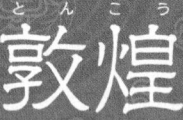

◈ 概要と歩き方 ◈

　敦煌はかつて沙州と呼ばれた場所で、その名のとおり、広大な砂漠に囲まれている。北京や西安からの航空便も運航しているが、陸路で長時間かけてたどり着くほうが似つかわしい場所だ。ゴビ灘の中をひたすら走り抜いた後、前方に砂の山と帯状の緑が見えたときの感激は何物にも代え難い。

　敦煌は甘粛省の西端に位置するオアシス都市で、漢の武帝が紀元前111（前漢の元鼎6）年においた河西四郡（武威、張掖、酒泉、敦煌）のうちのひとつ。漢代には西域に対する最前線の軍事拠点として重要な役割を担った。しかし、この地に中原漢族王朝の政権の力が及ばなくなると、すぐさま吐蕃、西夏などの異民族の国家に占領されるなど、興亡の歴史を何度も経験している。だが、敦煌は誰が支配者になろうとも、東西の人々が行き交い、彼らがもたらす文化が花開いたシルクロードの交差点であり続けた。

　その集大成が中国三大石窟[※1]のひとつ、莫高窟だろう。この「砂漠の大画廊」と形容される石窟群をメインとして、町の周辺には鳴沙山、陽関、玉門関、漢代長城などシルクロー

ロータリーに立つ飛天像

	1月	2月	3月	4月	5月	6月	7月	8月	9月	10月	11月	12月
平均最高気温(℃)	-1.0	4.4	13.2	21.0	26.9	31.0	32.9	32.0	26.7	18.8	7.9	0.0
平均最低気温(℃)	-15.1	-11.0	-3.3	3.8	9.5	13.7	16.2	14.8	8.3	0.6	-5.8	-12.6
平均気温(℃)	-8.1	-3.4	4.8	12.6	18.6	22.9	25.0	23.8	17.4	9.2	0.5	-6.5
平均降水量(mm)	0.8	1.2	1.7	2.5	3.2	7.4	12.3	6.3	1.9	0.6	0.8	0.9

ドのロマンをかきたてる多くの見どころがある。

　なお、現在の敦煌の町は清代にできたもので、古代の敦煌とは違う場所にある。総面積は3万1200㎢で、人口は14万人。国内外から毎年多くの観光客が訪れている。

　列車で柳園駅、柳園南駅（敦煌から北へ123km）に着いた場合は、敦煌バスターミナル行きのバスを利用して市区中心部へ行く。バスは、列車の到着時間に合わせて出発する。また市区郊外の敦煌駅は敦煌空港のすぐ近くにあり、市内の絲路怡園大酒店との間にバスが運行している。

　町は反弾琵琶像が立つロータリーを中心にして東西に分かれる。陽関中路の東側には市場、商店などが集まり、沙州市場脇の商業一条街は、夜になると露店のみやげ物屋が連なる。沙州市場は小食堂が集まっているので食事に便利。

　一方、陽関中路の西側には銀行や公安局があり、南に延びる鳴山路にはホテルが多い。したがって大雑把に分けるならば、東側が買い物地域で、西側が宿泊地域ということになる。

　町なかは徒歩でも十分に観光が可能だが、暑いなかを歩くのは疲れるので、一部のホテルで（敦煌国際青年旅舎や敦煌山荘など）貸し出しているレンタサイクルの利用をおすすめする。郊外の白馬塔や鳴沙山へサイクリングに行くのもおもしろい。

　夏の敦煌に来たら、夜に外出しない手はない。町は21:00過ぎになってようやく暗くなり、日中の酷暑がうそのようにさわやかな風が吹き始める。この頃には、人々が町に繰り出してきてとてもにぎやかになる。沙州市場や商業一条街は深夜まで営業しており、毎日が縁日のようだ。また、党河の両岸は党河風情線という遊歩道になっており、屋外のテーブルで飲食できる店もある。夜風にあたりながら散歩するにはうってつけの場所だ。

　敦煌の郊外ツアーのルートは、東線（楡林窟、鎖陽城など）と西線（西千仏洞、陽関、玉門関、漢代長城、ヤルダン地質公園など）に分かれる。東線は車をチャーターして行くのが一般的。西線は陽関、玉門関、ヤルダン地質公園を巡る観光専用バスの西線景区直通バスが運行されている。

世界遺産に登録されている莫高窟は敦煌最大の見どころ

商業一条街ではさまざまなみやげ物を売っている

にぎやかな敦煌の夜市。かばんなどの持ち物に注意して散策したい

党河沿いの遊歩道の党河風情線は、地元の人々や観光客でにぎわう

中国国内の移動 ➡ P.338

 飛行機 市区の東約13kmに位置する敦煌空港（DNH）を利用する。北京や西安などとの間に運航便がある。

国際線 日中間運航便はないので、北京や西安で乗り継ぐとよい。

国内線 便数の多い西安や蘭州とのアクセスが便利。

所要時間(目安) 北京首都（PEK）／3時間　西安（XIY）／2時間15分　西寧（XNN）／1時間30分　蘭州（LHW）／1時間40分　嘉峪関（JGN）／55分　ウルムチ（URC）／1時間40分

 鉄道 敦煌には駅が3つある。市区郊外の敦煌駅、市区から約120km離れた蘭新線の柳園駅と蘭新線第二複線の柳園南駅。3つの駅と市内の間にはバスが運行されている。

所要時間(目安) 【敦煌(dh)】西安(xa)／快速：24時間50分　銀川(yc)／快速：17時間40分　蘭州西(lzx)／動車：8時間10分　酒泉(jqn)／3時間　嘉峪関南(jygn)／動車2時間25分　【柳園(ly)】北京西(bjx)／直達：22時間45分　蘭州(lz)／直達：10時間　ウルムチ(wlmq)／直達：6時間40分　【柳園南(lyn)】蘭州西(lzx)／動車：7時間45分　ウルムチ(wlmq)／動車：4時間15分　トルファン北(tlfb)／動車：3時間15分　西寧(xn)／動車：5時間20分

 バス 敦煌バスターミナルを利用する。蘭州や武威への便はない。

所要時間(目安) 酒泉／5時間　嘉峪関／4時間30分　柳園／2時間30分

✈ 飛行機

敦煌空港（敦煌机场）

Ⓜ P.185-B4　田五墩郷陽光大道
☎5958888　日始発便～最終便　休なし　カ不可
[移動手段] タクシー（空港～沙州市場）／40元、所要20分が目安

民航航空券売り場（民航售票处）

Ⓜ P.185-B1　田陽関中路246号　☎8829000
日4～10月8:00～12:00、15:00～19:00
11～3月8:30～12:00、14:30～18:30
休なし　カ不可
[移動手段] 徒歩（航空券売り場～沙州市場）／約5分
3ヵ月以内の航空券を販売。

🚆 鉄道

敦煌駅（敦煌火车站）

Ⓜ P.185-B4　田五墩郷陽光大道
☎共通電話＝12306　日6:00～20:30
休なし　カ不可
[移動手段] タクシー（敦煌駅～沙州市場）／40元、所要20分が目安　専用バス（敦煌駅～絲路怡園大酒店）／3元、所要30分が目安
28日以内の切符を販売。

柳園駅（柳园火车站）

Ⓜ P.185-B3　田瓜州県柳園鎮東大街
☎共通電話＝12306　日24時間　休なし　カ不可
28日以内の切符を販売。

柳園南駅（柳园火车南站）

Ⓜ P.185-B3　田瓜州県柳園鎮
☎共通電話＝12306　日10:30～17:30
休なし　カ不可
28日以内の切符を販売。

陽関切符売り場（阳关售票处）

Ⓜ P.185-B1　田陽関中路151号
☎なし
日8:30～12:00、14:30～18:00
休なし　カ不可
[移動手段] 徒歩（陽関切符売り場～沙州市場）／5分
28日以内の切符を販売。手数料は1枚につき5元。

🚌 バス

敦煌バスターミナル（敦煌汽车站）

Ⓜ P.185-B1　田三危路
☎8822174、8822129
日7:00～19:30　休なし　カ不可
[移動手段] タクシー（バスターミナル～沙州市場）／5元、所要5分が目安　路線バス／4路「敦煌客运中心」
3日以内の切符を販売。酒泉(8:00～19:30の間に10便)、嘉峪関3便(10:10、11:00、12:50発)など。
敦煌バスターミナルと柳園駅、柳園南駅(両駅の距離は4km)を結ぶバスが運行されている。35元、所要2時間30分。市内→駅＝10:00～19:30の間に10便。駅→市内＝列車の到着に合わせて運行。バスのほかに乗合タクシーもある。1台200元(定員4人で乗客数による頭割り)。市内発着地点は敦煌バスターミナル。

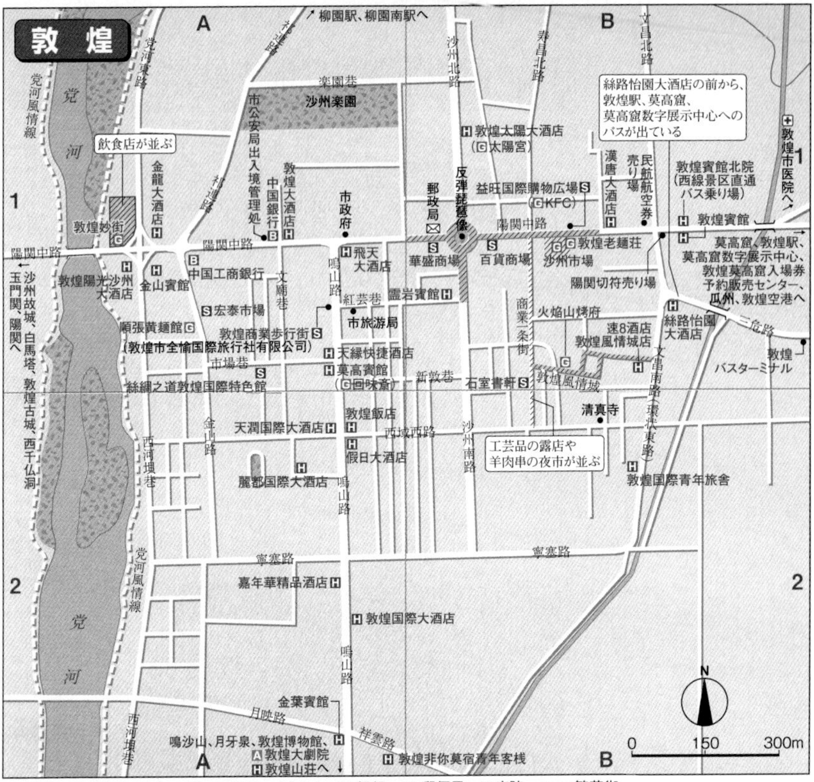

敦 煌

→柳園駅、柳園南駅へ

緑路怡園大酒店の前から、
敦煌駅、莫高窟、
莫高窟数字展示中心へのバスが出ている

沙州楽園

飲食店が並ぶ

敦煌太陽大酒店
G太陽宮

金龍大酒店

売札航空券

敦煌妙街

市公安局出入境管理処
中国銀行
敦煌大酒店

市政府

郵政局

反弾琵琶像

漢唐大酒店

益旺国際購物広場
GKFC

売札航空券

敦煌賓館北院
(西線景区直通
バス乗り場)

敦煌賓館

莫高窟、敦煌駅、
莫高窟数字展示中心、
敦煌莫高窟入場券
予約販売センター、
瓜州、敦煌空港へ

敦煌陽光大酒店
金山賓館

中国工商銀行
宏泰市場

市政府
飛天
大酒店

華盛商場

百貨商場

沙州市場

敦煌老麺荘

陽関切符売り場

沙州故城、白馬塔、
敦煌古城、西千仏洞へ

頼張黄麺館
敦煌商業歩行街
敦煌市全愉国際旅行社有限公司

天縁快捷酒店
莫高賓館
G回映斎バー

商業歩行街

新飲巷

火焼山烤府

速8酒店
敦煌風情城

緑路怡園
大酒店

敦煌風情城

敦煌
バスターミナル

絲綢之路敦煌国際特色館

石室書斎S

清真寺

陽関中路

天潤国際大酒店

假日大酒店

敦煌飯店

工芸品の露店や
羊肉串の夜市が並ぶ

敦煌国際青年旅舎

麗都国際大酒店

嘉年華精品酒店

敦煌国際大酒店

金葉賓館

鳴沙山、月牙泉、敦煌博物館、
A敦煌大劇院
A敦煌山荘へ

敦煌非你莫宿嘉年客桟

N

0 150 300m

H ホテル　G グルメ　S ショップ　A アミューズメント　B 銀行　郵 郵便局　病 病院　〓〓〓 繁華街

敦煌近郊

N

0 50km

→ウルムチへ

紅柳河駅

新疆ウイグル自治区

方山口

紅柳河南駅

柳園駅

瓜
州
県

柳園南駅

嘉峪関へ

青墩峡

莫高窟数字展示中心

疏勒河

西湖

瓜州へ

漢代長城

南梁

黄墩

東碱墩

疏勒河

河倉城

南泉
太陽温泉酒店

敦煌大劇院

敦煌空港

掃帚水

三危山

后坑
玉門関

弯腰

蘆草井

ヤルダン地質公園

敦煌市街地区

沙州故城
A H

七里鎮

敦煌駅

王母宮

月牙泉

莫高窟、莫高窟陳列館

敦煌古城
西千仏洞
陽関

白馬塔
ダム

鳴沙山

南湖
渥洼池

粛北モンゴル族自治県

アクサイ・
カザフ族自治県

五箇廟石窟

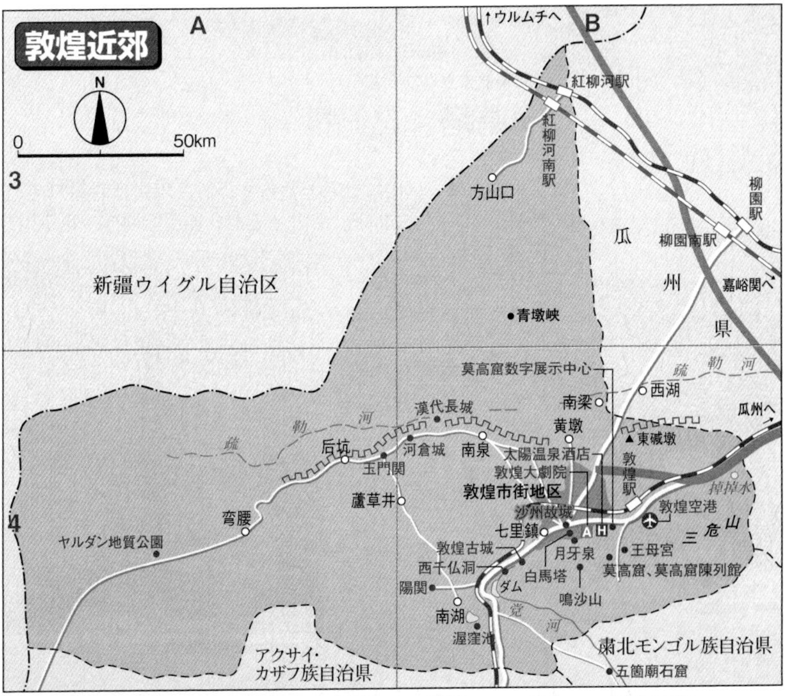

● 見どころ　H ホテル　A アミューズメント　▬▬ 鉄道路線　▬▬ 高速鉄道　── 幹線道路　── 一般道路　▬▬ 高速道路　✈ 空港

185

沙州故城
Ⓜ P.185-B4
🏠古城路
☎なし
🕐24時間
🈚なし
💴無料
🚌2路バス「敦煌学校」

シルクロードの要衝地 ★

沙州故城 / 沙州故城
さしゅうこじょう　shāzhōu gǔchéng

　市区西郊外、党河の西岸に残る旧沙州城遺跡。故城は東西に718m、南北に1132mと長方形をしており、紀元前111（前漢の元鼎6）年に敦煌郡がおかれて以来シルクロードの要衝都市として栄えたが、現在は城壁の一部が残るだけだ。なお、敦煌が現在の場所に移されたのは、1725（清の雍正3）年のこと。

沙州故城の城壁の一部

白馬塔
Ⓜ P.185-B4
🏠党河郷白馬寺村
☎なし
🕐5〜10月8:00〜18:00
　　11〜4月9:00〜17:00
🈚なし
💴15元
🚌1路バス「白馬塔橋」

白馬塔への長廊

鳩摩羅什ゆかりの仏塔 ★

白馬塔 / 白马塔
はくばとう　　báimǎtǎ

　市区南西郊外にぽつんと立っている白馬塔は直径7m、高さ12mの白亜の仏塔。もともとは、4世紀の末、亀茲（現在のクチャ）の高僧鳩摩羅什（クマラジーヴァ）が敦煌にいたとき、経典を担がせていた白馬が死んだため、篤信の敦煌の人々が馬をここに埋葬して塔を建てたのが始まりという。

　その後、たびたび改修されたが、現在の塔は、清代に修復されたもの。

白馬塔は田園風景のなかにある

東西文化の交流点に出現した仏教美術の宝庫　⏱4時間 ★★★

莫高窟 / 莫高窟
ばっこうくつ　mògāokū

※莫高窟鑑賞ガイドはP.200〜209

　市区の南東約25kmに位置する莫高窟は、鳴沙山東端の断崖に開削された大規模な石窟で、敦煌観光のメインスポットである。伝説によると、366（前秦の建元2）年に楽僔といらくそんう僧によって造営が始められたとされる。

　敦煌は漢民族はもちろんのこと、チベット族やモンゴル族などのさまざまな民族によって支配されたが、どの時代においても石窟の造営は続けられた。今われわれが各時代の石窟をすばらしい保存状態（もちろん後世の拙劣な補修もあるが）で見ることができるのは、敦煌が極めて乾燥した土地にあることと、仏教勢力下にあったため大規模な破壊を受けずに済んだことが挙げられる。新疆ウイグル自治区の石窟が、後に進出してきたイスラム教勢力によって大きな損傷を受けたこととは対照的である。ただし、今世紀初頭には、日本も含めた列強諸国によって、敦煌の文書や絵画、さらに壁画や塑像の一部までもが海外に持ち出されるなど、破壊を完全にまぬがれたわけではない。

　現在確認されている莫高窟の石窟の数は735窟に上り、そのうち、最も早期のものは北涼期（5世紀前半）に制作されたといわれる。その後も北魏、隋、唐、五代、元と途切れることなく開削された。時代によって窟の構造、彫刻の様式、壁画の画題などには相違が見られ、中国の仏教美術史を1ヵ所で学べてしまうほどだ。特に壁画は内容、保存状態ともに仏教美術の精粋といえ、その総面積は4万5000㎡、すべてを横に並べたとすると30kmの長さになるという。まさに、「砂漠の大画廊」の名にふさわしい文化遺産である。

莫高窟
Ⓜ P.185-B4
🏛 莫高窟
☎問い合わせ＝4008333715
　莫高窟入場券予約販売センター
　＝8825000
🕐4〜11月8:00〜18:00
　12〜3月9:00〜17:30
※入場は閉門1時間前まで
🈵なし
💴4〜11月＝258元（日本語ガイ
　ド料20元を含む）
　12〜3月＝160元（日本語ガイ
　ド料20元を含む）
　特別窟156、217、254、322
　＝1人150元
　特別窟45、57、158、220、275、321
　＝1人200元
※修復作業等で一時的に閉鎖して
　いる場合もある
🚌莫高窟の見学の手順（→P.188）
　参照
🌐www.mgk.org.cn

莫高窟の入口に立つ牌楼

莫高窟正面の砂漠には仏塔や墓が点在する

莫高窟正面の砂漠にある、敦煌研究院初代院長・常書鴻の墓。莫高窟の保護と研究に生涯をささげた偉大な人物

1000年にわたって造られ続けた石窟の中に、すばらしい壁画や仏像の数々が収められている

莫高窟数字展示中心
（莫高窟数字展示中心）
Ⓜ P.185-B4
田 陽関大道太陽温泉酒店の東約
500m
☎ 問い合わせ＝4008333715
🕐 4 〜 11月8:00 〜 18:00
12 〜 3月9:00 〜 17:30
休なし
🚌 絲路怡園大酒店前で「敦煌火車
站」行きに乗り、途中下車(7:00
〜 19:30の間30分に1便)。3元、
所要約15分

莫高窟見学は莫高窟数字展示中
心から始まる

敦煌莫高窟入場券予約販売センター
（敦煌莫高窟参观预约售票中心）
Ⓜ地図外 (P.185-B1右)
田 陽関大道迎賓花園北区15号楼
102号
☎ 問い合わせ＝4008333715
🕐 4月8:00 〜 16:00
5 〜 10月7:00 〜 21:00
休 11 〜 3月
🚌 沙洲市場から徒歩約20分。タク
シーで約5分、5元が目安
3日以内の入場券を販売。

夏季はチケット予約のための行列
ができることも

莫高窟陳列館
Ⓜ P.185-B4
田 莫高窟
☎ 8869060
🕐 9:00 〜 17:00
休 なし
💰 莫高窟入場料に含まれる

出土品の展示や、莫高窟の修復
工程紹介コーナーもある

莫高窟見学の手順

　2019年7月現在、莫高窟の見学は予約制となっており、莫高窟に直接行っても見学することはできない（入場券売り場はない）。見学希望者はまず市内の入場券売り場（莫高窟数字展示中心と敦煌莫高窟入場券予約販売センターの2ヵ所）へ行き、見学日と見学時間（莫高窟数字展示中心の映像開始時間）を予約して入場券を購入する。見学グループは言語によって分けられ、中国語ガイドによる見学は15分ごとにあるが（外国人も参加可）、日本語ガイドによる見学は1日5回ほど（夏季の場合。季節によって見学回数は異なる）。

　見学者はまず莫高窟数字展示中心を訪れ、莫高窟に関する映像を2本観なければならない（8:00 〜 15:30、合計約40分）。その後、観光専用バス（無料）に乗車して莫高窟に向かう（所要約20分）。

　莫高窟到着後、ガイド同伴で莫高窟を見学する。莫高窟には、一般に開放されている石窟が約40ヵ所あり、開放されている石窟のなかから4 〜 11月は8ヵ所、12 〜 3月は12ヵ所を見学する。どの窟を見学するかは決まっておらず、ガイドがセレクトしたものを見学することになっている。また、開放された石窟のほかに、特別窟といって別料金を支払って見学できる石窟もある（年によって開放する石窟の数や場所は変更される）。特別窟を見学希望の場合は、莫高窟入場券予約販売センター（11 〜 3月は莫高窟数字展示中心）で申し込む。

　莫高窟の見学が終わったら、帰りも観光専用バスに乗車して莫高窟数字展示中心に戻って解散となる。

第96窟前は人気の撮影ポイントとなっている

莫高窟陳列館／莫高窟陈列馆
[ばっこうくつちんれつかん／ mògāokū chénlièguǎn]

　莫高窟陳列館は、莫高窟の入口前に位置する近代的な建物。莫高窟の代表的な石窟（特別窟になっているもの）のいくつかを復元、展示してあるほか、特別展も定期的に行っている。莫高窟内は撮影不可だが、陳列館内は一部撮影可能な所もある。

陳列館で見られる隋代第419窟のレプリカ

眼前に広がる「月の砂漠」　⏱2時間　★★★

鳴沙山・月牙泉／鳴沙山・月牙泉
めいさざん・げつがせん　míngshāshān yuèyáquán

鳴沙山・月牙泉
Ⓜ P.185-B4
🏠市区南郊外
☎8883388
🚗3月～4月中旬7:00～19:00
　4月下旬～5月6:00～19:30
　6月～10月中旬5:00～20:00
　10月下旬～2月7:00～18:30
休なし
料110元
🚌3路バス終点(市街地から南に約5km)
🌐 www.mssyyq.com

●鳴沙山の乗り物
料電動カート＝片道10元、往復20元
　ラクダ往復＝100元
　砂滑り＝20元

ラクダの列が砂山にえんえんと続く

　市区の南約5kmに位置し、東西約40km、南北50kmにわたる広大な砂の峰、それが鳴沙山だ。シルクロードといえば、月の砂漠を歩む隊商というイメージを抱く人が多いと思うが、それにいちばん近い風景を体験できる場所といえるだろう。実際にラクダに乗って観光することもできる。

　鳴沙山の名は、ある一定の条件下で砂山を人が滑り下りると地響きのような音をたてることに由来する。この砂をよく見ると、赤、黄、緑、白、黒の5色あり、太陽の角度や天候によって砂山全体がさまざまな姿を見せてくれる。

　もうひとつのポイントである月牙泉は、鳴沙山の谷あいに湧く三日月形の泉で、東西200m、幅はいちばん広い所で50mあり、深さは平均で5m。漢代から遊覧地として知られる。どんなときにも枯れたことがないという泉のほとりには楼閣が復元されていて上ることができる。

　鳴沙山を訪れる時刻は涼しくなる夕刻からが最もよい。砂に足を取られて登るのはひと苦労だが、砂丘の上からの景色は格別だ。

靴カバーのレンタル料は5元

月牙泉のほとりの楼閣は上ることができる

砂山の谷あいに水をたたえる月牙泉。月牙は中国語で三日月の意味

甘粛省　敦煌

郊外の見どころ

189

楡林窟
Ⓜ P.34-A1
🏠 瓜州県楡林窟
☎ 13909373475（携帯）
🈺 5～10月9:00～17:00
　　11～4月10:00～16:00
※入場は閉門1時間前まで
🈺 なし
💴 55元
※特別窟では石窟ごとに別途見学
　料が必要となる
🚗 車をチャーターして行く。旅行
　会社の東線コースに参加する

崖に石窟が穿たれている

鎖陽城
Ⓜ P.34-A1
🏠 瓜州県鎖陽城
☎ なし
🈺 5～10月8:00～18:00
　　11～4月9:00～17:00
🈺 なし
💴 80元（電動カートを含む）
🚗 車をチャーターして行く。旅行
　会社の東線コースに参加する

城壁上に立つ仏塔

鎖陽城の文物管理所。景区内は
電動カートで移動する

壁画が見事な石窟 ★★

楡林窟 / 楡林窟
ゆりんくつ　　yúlínkū

　瓜州県市区の南68kmにある楡林河の峡谷の両岸に開削された大規模な石窟で、俗称は万仏峡という。現存する石窟は唐代から清代までのもので41ヵ所あり、壁画の総面積は5650㎡、塑像は約270体残っている。

　楡林窟の見どころは壁画といってよく、特に25窟の西方浄土変と弥勒浄土変は唐代壁画の優品とされている。

　また、2窟、29窟、34窟の西夏時代の石窟は、謎の多い西夏文化を研究するための貴重な資料となっている。

石窟は楡林河の峡谷に造られている

現在に残る唐代の城郭遺跡 ★★

鎖陽城 / 锁阳城
さようじょう　　suǒyángchéng

　瓜州県市区から南東へ76kmのゴビ灘にある唐代の瓜州故城で、苦峪城ともいい、唐代の城郭構造を良好に残している全国的にも貴重な遺構。

　唐の名将薛仁貴が西域遠征時ここに立てこもったとき、食糧が尽き城内に生えていた鎖陽（漢方の材料となる植物）を食べてもちこたえたという伝説から名づけられたという。

　南北470m、東西430mに高さ約10mの城壁が巡らされ、その四隅には円形の物見台跡がある。

　また、塀の内側に積もった砂の上には拳大の石が散乱しているが、これは城壁の上から敵に向かって投げるための石で、貴重な歴史資料でもある。城の北東500mの所には、仏塔が残っている。

城壁は砂に埋もれつつある

漢朝の西端にあった関所

玉門関 / 玉门关
ぎょくもんかん　　yùménguān

★★

城門の跡といわれる遺構。内部に入ることができる

朽ちながら続く漢代長城

方形の城壁が残る河倉城

玉門関
M P.185-A4
田 市区北西郊外（市区から北西約80kmゴビ灘中）
☎ なし
🕐 5〜10月8:00〜20:00
11〜4月9:00〜18:00
休 なし
料 40元
交 ①西線景区直通バスを利用する ②車をチャーターして行く。旅行会社の西線コースに参加する

甘粛省 敦煌

郊外の見どころ

　玉門関は陽関と並び称される古代の関所跡で、漢代はここが国家の権力が及ぶ西端であり、ここから先に行くのが本当に西域に足を踏み入れることだった。西域に汗血馬を求めて遠征した将軍李広利が戦いに敗れ、ほうほうの体で玉門関にたどり着いたとき、怒った漢の武帝が玉門関を閉じて、彼らを入れさせなかった史話は有名。

　現在の玉門関は小方盤城と呼ばれ、約25m四方、約10mの高さの城壁が残る。また、玉門関の近くには漢代の万里の長城が2000年の風雪に耐えた姿で横たわり、周囲には狼煙のための燃料（わらの束のようなもの）が残っている。

　玉門関から東へ約15km行くと、漢代遺跡の河倉城がある。こちらは大方盤城とも呼ばれている。疏勒河のほとりにあり、武器庫だったという。

インフォメーション

西線景区直通バス

　陽関、玉門関、ヤルダン地質公園を巡る観光専用バスが出ている。発着地点は敦煌賓館北院（M P.185-B1）で、7:30、13:00発（13:00発は玉門関とヤルダン地質公園のみ）、78元。各見どころでの入場料は別途。☎問い合わせ＝96178

写真の大型バスのほか、人数によってはミニバスで行くこともある

陽関
Ⓜ P.185-B4
🏠 市区南西郊外（市区から南西 70km）
☎ 8833089
🎫 5〜10月8:00〜20:00
　　11〜4月9:00〜18:00
🈂 なし
💴 60元（電動カートを含む）
🚌 ①西線景区直通バスを利用する
　　②車をチャーターして行く。旅行会社の西線コースに参加する

景区内は電動カートで移動する

西千仏洞
Ⓜ P.185-B4
🏠 敦煌市西千仏洞
☎ 8857158
🎫 5〜10月8:30〜17:15
　　11〜4月9:00〜17:00
🈂 なし
💴 40元
🚌 車をチャーターして行く。旅行会社の西線コースに参加する

唐詩にも詠まれた関所跡　★★

陽関／阳关
ようかん　　yángguān

　唐の詩人王維の詩に「西、陽関を出ずれば故人無からん」と詠われた古代の重要な関所跡といわれている。

陽関の烽火台

　現在では漢代のものといわれる烽火台が高台の上に朽ちた姿で残っているだけだが、そこから茫洋たる風景を目にすると、かつてのシルクロードを思わずにいられない。

　景区内にある陽関博物館では、春秋戦国時代から宋代にいたる武器の展示解説を行っている。

城塞を模した外観の陽関博物館

北魏と唐の壁画が残る石窟　★★

西千仏洞／西千佛洞
にしせんぶつどう　　xīqiānfódòng

　市区の南西約35kmに位置する。党河の流れる断崖上にある石窟で、莫高窟の西にあることから西千仏洞と呼ばれている。

　現存する石窟は合計19ヵ所で、莫高窟と同系列の様式の北魏と唐の壁画が残っているが、大半が破損している。

党河に面した崖に石窟が造られている

大沙漠中の風食地形

ヤルダン地質公園 / 雅丹地质公园
ちしつこうえん　　　　yǎdān dìzhì gōngyuán ★★

玉門関から西へ約85kmにあるヤルダン地形（風化土堆群）で、東西25km、南北2kmにわたって広大な砂漠の中に風化した岩が点在する奇怪な景色が広がっている。古代のシルクロードでは敦煌から楼蘭へ行くのにこのあたりを通過したため、この奇景を「魔鬼（悪鬼）が住む城」と恐れたに違いない。このことから、通称魔鬼城と呼ばれている。この魔鬼城は、張芸謀監督の映画『英雄（HERO）』のロケ地として一躍有名になった。

見学するには、公園の入口で専用のバスに乗り換える。いくつかの観光ポイントでバスは停車し、バスから降りて見学や撮影ができる。それぞれの奇岩には「スフィンクス」とか「孔雀」などの名前がつけられており、特に砂漠中に船のような形の巨岩が並び大船団のように見える「艦隊出海」は壮観。

ヤルダン地質公園
Ⓜ P.185-A4
⊞ 敦煌市雅丹地質公園
☎ 8841885
🕐 5～10月6:30～19:30
　11～4月8:00～17:00
休 なし
料 120元
🚌 ①西線景区直通バスを利用する
　②車をチャーターして行く。旅行会社の西線コースに参加する

「孔雀」と呼ばれる奇岩

景区内は専用バスで巡る

荒涼とした大地に奇岩が織りなす風景が広がる

大海原を進む大船団のようにも見える奇岩群「艦隊出海」

敦煌陽光沙州大酒店／敦煌阳光沙州大酒店
とんこうようこうさしゅうだいしゅてん　dūnhuáng yángguāng shāzhōu dàjiǔdiàn ★★★★★

M P.185-A1
田 陽関中路1339号
☎ 8862888
FAX 8862889
S 680〜960元
T 680〜880元
サ なし
カ ADJMV

敦煌唯一の5つ星ホテル。党河のほとりにあり、繁華街からも遠くない。シルクロードの名物料理を自慢とするレストランをはじめ、バー、プール、ジム、卓球場などの施設も揃っている。

両替　ビジネスセンター　インターネット

敦煌太陽大酒店／敦煌太阳大酒店
とんこうたいようだいしゅてん　dūnhuáng tàiyáng dàjiǔdiàn ★★★★

M P.185-B1
田 沙洲北路5号
☎ 8829998
FAX 8822019
S 460〜560元
T 460〜560元
サ なし
カ ADJMV

沙州北路にある12階建ての4つ星ホテル。日本の団体がよく利用するため、日本語を話せるスタッフが多い。

両替　ビジネスセンター　インターネット

敦煌賓館／敦煌宾馆
とんこうひんかん　dūnhuáng bīnguǎn ★★★★

M P.185-B1
田 陽関中路151号
☎ 8859128
FAX 8822195
S 南楼＝488元　新八楼＝988元
T 南楼＝488元　新八楼＝598元
　貴賓楼＝728元
サ なし　カ JMV
⊕ www.dunhuanghotel.com

約40年の歴史をもつ老舗の高級ホテル。南楼、新八楼、貴賓楼などの建物に分かれており、貴賓楼には国内外の要人がよく宿泊している。

両替　ビジネスセンター　インターネット

飛天大酒店／飞天大酒店
ひてんだいしゅてん　fēitiān dàjiǔdiàn

★★★★

町の中心部にあり、繁華街にも近いので観光や買い物に便利。敦煌の名物料理を食べられるレストランがある。

ビジネスセンター　インターネット

Ⓜ P.185-A1
田 鳴山路15号
☎ 8853999
FAX 8853877
Ⓢ A座＝556～598元　B座＝376～578元
Ⓣ A座＝546～888元　B座＝366～668元
サ なし
カ V

天潤国際大酒店／天润国际大酒店
てんじゅんこくさいだいしゅてん　tiānrùn guójì dàjiǔdiàn

★★★★

町の中心部に位置する4つ星ホテル。商業一条街までは徒歩約5分。中国料理のレストランがある。

ビジネスセンター　インターネット

Ⓜ P.185-A2
田 鳴山路309号
☎ 8818888
FAX 8818966
Ⓢ 478元
Ⓣ 478元
サ なし
カ ADJMV
⊕ www.dhtianrun.com

絲路怡園大酒店／丝路怡园大酒店
しろいえんだいしゅてん　sīlù yíyuán dàjiǔdiàn

文昌南路と三危路の分岐点に位置する5つ星相当のホテル。ホテルの前から、敦煌駅、莫高窟、莫高窟数字展示中心へのバスが出ている。

ビジネスセンター　インターネット

Ⓜ P.185-B1
田 文昌南路6号
☎ 8823807
FAX 8822371
Ⓢ 488～888元
Ⓣ 488～888元
サ なし
カ 不可

敦煌国際大酒店／敦煌国际大酒店
とんこうこくさいだいしゅてん　dūnhuáng guójì dàjiǔdiàn

4つ星相当のホテル。広々としたロビーは、2階まで吹き抜けになっている。南側の部屋からは鳴沙山を望むことができる。

ビジネスセンター　インターネット

Ⓜ P.185-A2
田 鳴山路827号
☎ 8852200
FAX 8821821
Ⓢ 338～908元
Ⓣ 338～908元
サ なし
カ 不可

速8酒店 敦煌風情城店／速8酒店 敦煌风情城店
スーパーはちじゅてん とんこうふぜいじょうてん　sùbā jiǔdiàn dūnhuángfēngqíngchéngdiàn

Ⓜ P.185-B1
田 敦煌風情城26号東大門口
☎ 8876668、13830715480（携帯）
FAX 8876669
Ⓢ 168～288元
Ⓣ 168～288元
Ⓓ 50元
サ なし　カ V
⊕ www.super8.com.cn

「経済型」チェーンホテル。町の中心部にあり、みやげ物店や屋台が多い敦煌風情城や沙州市場にも近い。また、敦煌バスターミナルや、莫高窟などへのバス乗り場へのアクセスもよく、観光にも便利。

ビジネスセンター　インターネット

敦煌非你莫宿青年客栈／敦煌非你莫宿青年客栈
とんこうひばくしゅくせいねんきゃくさん　dūnhuáng fēinǐmòsù qīngnián kèzhàn

若いオーナーが、今風のおしゃれなインテリアを施し、ロビーはまるでカフェのよう。館内は明るく、清潔で快適。静かな立地でありながら、中心地までは徒歩10分ほどで行ける。

商 ビジネスセンター **インターネット**

Ⓜ P.185-A2
🏠 祥雲路祥雲広場北側小2層楼
☎ 15339499989(携帯)
Ⓢ 180元
Ⓣ 180元
Ⓓ 25～40元
サ なし
カ 不可

沙州市場／沙州市场
さしゅうしじょう　shāzhōu shìchǎng

Ⓜ P.185-B1
🏠 陽関中路沙州市場
☎ なし
🕐 9:00頃～24:00頃(店によって異なる)
休 なし
カ 不可

甘粛省のさまざまな小吃(軽食)店が一堂に会した食堂広場。料理は価格が表示してあるので安心。夕方になると噴水のあるあたりに椅子やテーブルが並べられてビアガーデンとなる。市場内の料理はほとんどテイクアウトできるので、ビアガーデンでビールやソフトドリンクを飲みながら、いろいろな料理を楽しむことができる。

順張黄麺館／顺张黄面馆
じゅんちょうこうめんかん　shùnzhāng huángmiànguǎn

敦煌名物のロバ肉麺の店。ゆでた麺にロバ肉のミートソース状のあんがのっており、かき混ぜて食べる。味は見た目より淡白だがやや脂っこい。大15元。ロバの肉皿やロバ肉の春巻きもある。

Ⓜ P.185-A1
🏠 金山路濱河世紀家園1号楼
☎ 8824910
🕐 10:30～21:30
休 なし
カ 不可

敦煌老麺荘／敦煌老面庄
とんこうろうめんそう　dūnhuáng lǎo miànzhuāng

ロバ料理が名物のレストラン。オーナーが祖父母から受け継いだという伝統的な調理法で作るロバ肉のローストは、新鮮で臭みがなく、秘伝のスパイスとたれが食欲をそそる。

Ⓜ P.185-B1
🏠 陽関中路沙洲市場大門東側
☎ 8896996
🕐 9:30～22:30
休 なし
カ 不可

回味斎／回味斋
かいみさい　huíwèizhāi

鳴山路の莫高賓館と同じビルにある人気の中国料理レストラン。100人収容できる広さで、瀟洒な内装。昼どきや夕食どきはいつも混んでいる。四川風のメニューがメインだが、それほど辛くない。

Ⓜ P.185-A1
🏠 鳴山路12号
☎ 5950866
🕐 11:00～22:30
休 なし
カ 不可

ホテル／グルメ／ショップ／アミューズメント／旅行会社

グルメ

太陽宮／太阳宫
たいようきゅう　tàiyánggōng

敦煌太陽大酒店の1階にある広々としたレストラン。四川風、広東風の一般的な料理のほか、敦煌の郷土料理が自慢。一般料理ではニンニク風味のスペアリブ（写真）が人気。

M P.185-B1
田 沙州北路5号敦煌太陽大酒店1階
☎ 8855168
オ 11:30～21:30
休 なし
カ 不可

火焔山烤府／火焰山烤府
かえんざんこうふ　huǒyànshān kǎofǔ

敦煌風情城にある、羊の串焼きメインのレストラン。羊の串焼き小1本2元、大1本5元。注文は5本から。串焼きは鶏肉もあり、そのほか炒め物や火鍋もある。

M P.185-B1
田 敦煌風情街9号楼
☎ 13679393993（携帯）
オ 18:00～24:00
休 なし
カ 不可

ショップ

石室書軒／石室书轩
せきしつしょけん　shíshì shūxuān

敦煌壁画の複製品や敦煌関係の本が中心の美術書専門店。全国の著名出版社と直販契約をしており、品揃えは敦煌一。莫高窟の壁画や仏像の写真入りトランプはこの店の専売特許でおみやげにおすすめ。

M P.185-B1
田 商業一条街C段
☎ 8835206
回 なし
オ 4～10月9:00～24:00
　11～3月12:00～18:00
休 4～10月＝なし　11～3月＝不定休

アミューズメント

敦煌大劇院／敦煌大剧院
とんこうだいげきいん　dūnhuáng dàjùyuàn

唐代のシルクロードをテーマにした舞踏劇「絲路花雨」を上演。ショーは約1時間30分。開始時間は20:30で、夏季は1日に数回上演することもある。チケットは238～588元。主要ホテルや旅行会社でも販売。沙州市場からタクシーで25元、所要15分が目安。

M P.185-B4、地図外（**M** P.185-A2下）
田 文博東路2713号
☎ 4000937883
オ チケット販売8:30～20:30
休 11月～4月中旬
カ 不可

旅行会社

敦煌市全愉国際旅行社有限公司／敦煌市全愉国际旅行社有限公司
とんこうしぜんゆこくさいりょこうしゃゆうげんこうし　dūnhuángshì quányú guójì lǚxíngshè yǒuxiàngōngsī

M P.185-A1
田 鳴山路9号敦煌商業歩行街3階
☎ 8822275、13893713844（携帯、日本語可）
回 8836575（日本語可）
オ 5月～10月上旬8:00～20:00
　10月中旬～4月9:00～17:00
休 5月～10月上旬＝なし
　10月中旬～4月＝土・日曜、祝日
カ 不可
✉ dhharu@126.com（日本語可）

列車の切符手配代行料は1枚50元。日本語ガイドは1日500元。莫高窟入場券の手配代行料80元。下記のツアー料金は車代、入場料、日本語ガイド料、昼食代を含む。
【敦煌1日観光】 莫高窟、鳴沙山、月牙泉、敦煌博物館、夜市＝1人1400元、2人950元／人、3～5人780元／人
【西線コース】 ①漢代長城、玉門関、河倉城、陽関、西千仏洞＝1人1500元、2人900元／人、3～5人700元／人　②漢代長城、玉門関、陽関、ヤルダン地質公園＝1人1980元、2人1150元／人、3～5人860元／人
【東線コース】 楡林窟、鎖陽城＝1人1650元、2人930元／人、3～5人700元／人

Column

甘粛省東部の石窟寺院

甘粛省には敦煌の莫高窟や天水の麦積山石窟をはじめとした仏教石窟寺院が多く存在し、中国きっての石窟の宝庫と言ってもいい。なかでも甘粛省東部は、大小の石窟の密集するエリアだ。ここでは都市ガイドで紹介しきれなかった穴場的な石窟をまとめて紹介したい。

陳家洞石窟
Ⓜ P.35-C3 Ⓗ 平涼市荘浪県通化郷陳堡村

荘浪県市区の北東約30kmに位置し、龍眼峡の断崖に長さ100mにわたって9窟が現存する。北魏に造営が始められ、後世にたびたび改修された。石窟内に残る仏像は北魏時代に遡るものはないが、石窟の前の巨岩に高さ約5mの3体の如来像が浮き彫りされており、北魏時代の様式を示している。

3体の如来像は、微笑を浮かべた西域風の特徴を示す。保存状態もよく、北魏時代の石刻像としてきわめて貴重

大像山石窟
Ⓜ P.35-C3 Ⓗ 天水市甘谷県大像山景区

特産のトウガラシで有名な甘谷県。この町のどこからでも見える文旗山の頂上近い山肌に、巨大な窟が穿たれ、高さ23mの大仏が鎮座している。大仏が造られた時代は不詳だが、石窟自体は北朝（439～589年）以降に造営されたという。

大仏は後世の補修のせいで生々しい感じは否めないが、大仏からの市街の眺めは雄大だ

水簾洞石窟
Ⓜ P.35-C3 Ⓗ 天水市武山県水簾洞景区

武山県市区の北東約25km、峡谷中に位置する。北周（556～581年）に造営が始められ、元（1271～1368年）まで石窟が造られた。岩肌に浮き彫りされた三尊像は拉稍寺大仏と呼ばれ、高さ約40m。中国最大の磨崖浮き彫りで、近くから仰ぐとその大きさに圧倒される。

拉稍寺大仏は坐禅を組む姿の釈迦如来

石空寺石窟

⑫P.35-C2 ⊞慶陽市鎮原県興工路

鎮原県市区の南東約3kmに位置する。鎮原県バスセンターの隣にあるためアクセスは便利。石仏湾という断崖に8つの石窟が現存する。石窟は地上から約10mの高さの所に並んでいる。唐に造営が始まったとされ、清代までたびたび改修された。

「五世仏」と呼ばれる如来の群像。宋代の作といわれる

王母宮石窟

⑫P.35-C3 ⊞平涼市涇川県宮山路

涇川県市区の西約1kmに位置しておりアクセスは便利。涇河の南岸にきれいなお椀形をした王母宮山があり、その山腹に北魏の石窟がひとつだけ開かれている。石窟は高さ12m、奥行11m、間口12mの空間に中心柱があり、柱の南北両面に高さ4mの塑像が安置されている。

中心柱に安置された如来像（左）は後世に補修されているが北魏の仏像の様式をとどめる

北石窟寺

⑫P.35-D2 ⊞慶陽市西峰区肖金鎮

北石窟寺は、敦煌の莫高窟、天水の麦積山石窟、永靖の炳霊寺石窟と並んで甘粛省の四大石窟に挙げられる。西峰区市区の北西約25kmに位置する。大小307の石窟が現存し、2000体を超える石刻像が残る。509（北魏の永平2）年に涇州刺史の奚康生が造営したもので、その後、宋代まで石窟が造られた。

第165窟は創建期の窟。高さ約8mの7体の如来像、高さ約4mの14体の菩薩像などが並ぶ大型窟

南石窟寺

⑫P.35-C3 ⊞平涼市涇川県温泉開発区下蔣家村

涇川県市区の北約8km、涇河北岸の小山に造られている。慶陽市西峰区の北石窟寺に対して南石窟寺と呼ばれており、北石窟寺と同じく、涇州刺史の奚康生が510（北魏の永平3）年に造営した。5窟が現存しており、第1窟と第4窟の保存状態がいい。　（内田和浩）

第1窟は高さ約7mの7体の如来像、高さ約3.5mの菩薩像14体などが並ぶ

敦煌莫高窟鑑賞ガイド

　5世紀から15世紀までのおよそ1000年間にわたって、莫高窟は絶え間なく宗教的芸術を花開かせてきた。まず、初期・中期・後期と大別して、その様式を概観してみよう。

　なお、西域に位置する敦煌では、中原の王朝の支配から外れ、異民族や地方政権の支配を受けたことがたびたびあったため、独自の時代区分をもつ。莫高窟の解説にある時代区分は右下の年表を参照してほしい。

◎初期（北涼・北魏・西魏・北周）

　北涼・北魏は、漢民族による中国風の様式ではなく、異民族による西域の様式を色濃く残していることが特徴。菩薩像の上半身は裸で、衣は体にぴったりと密着している。壁画に描かれる仏、菩薩、飛天の顔や体躯には、黒くて太い縁取りが目立つが、これは立体感を出すために、肌色の下地に丹のくまどりをしたものが変色して、今はこう見えるのだ。

　西魏時代は少し様子を変えて、仏像の体は痩せて平板、衣は中国風に着こなされる。

　北周時代になると、また顔や体躯がふっくらとして童子のような面もちだが、衣は西魏以来の中国風。西域風と中国風が入り交じっている。壁画の題材は仏伝や本生譚が多い。

▲ 第275窟（北涼）　飛天図

◎中期（隋・唐）

　隋になると、中国化が進む。隋代の仏像は頭部が大きく、体躯とのバランスが悪い。

　初唐、盛唐期は政治的にも中国の中央と直結したため、豊満な立体感あふれる体躯や、写実性の強い顔の表現など、中国中央における典型的な唐代の様式が顕著。また壁画は、経変（変、変相ともいう。経典の内容を絵画化したもの。例えば観無量寿経の内容を絵画化したものを「観無量寿経変」とか「観無量寿経変相」という）を描くことが流行する。

　敦煌の中唐は、吐蕃（チベット）の支配を受けた期間。晩唐はおもに張議潮一族が支配

●敦煌莫高窟の年代区分

西暦	時代	
420年～	北　涼	初期
439年～	北　魏	
535年～	西　魏	
557年～	北　周	
581年～	隋	中期
618年～	初　唐	
712年～	盛　唐	
781年～	中唐（吐蕃支配期）	
848年～	晩唐（張氏支配期）	
907年～	五　代	後期
960年～	宋	
1038年～	西　夏	
1271年～1368年	元	

した期間。中国との交流が少なくなり、窟内の様式はとおり一遍の形式化されたものとなる。彩色も単調化し、白縁が目立つ。

▲ 第305窟（隋）　飛天図

◎後期（五代・宋・西夏・元）

　五代から宋にかけて、支配者の曹氏一族によって大型石窟が造営され、また旧窟の補修や木造の窟檐（石窟の前面に造られた木造の楼閣）の修築が盛んに行われた。しかし、壁画は類型化の一途をたどる。西夏時代の窟も、そのほとんどが旧窟を改修したもので、重ね描きされた壁画は単調。

　元時代は、漢画系統とチベット密教画系統に分かれる。どちらも技法は洗練されている。

各石窟の解説

　莫高窟には735の窟があるが、入場券での見学が可能な公開窟と別料金を払って見学できる特別窟（公開窟と特別窟は年や季節によって変わる）、そして一般参観者は見学できない非公開の石窟がある。ここでは過去に公開された例の多い40窟を紹介したい。特別窟を見学したい場合は入場券購入時に確認すること。

　なお、莫高窟の解説は時代順に配列するのが一般的だが、ここでは現地ですぐに該当の窟を引けるよう窟ナンバー順に配列した。

第16窟　晩唐（宋代・清代重修）

第17窟　晩唐
20世紀最大の発見！「蔵経洞」

　第16窟は南区の北端に位置する「三層楼」の第1層に当たる。伏斗形方窟で、背屏が窟頂に連なる大型の中心須弥壇式石窟。開窟は晩唐期に行われたが、壁画は多くが西夏時代に描き改められた。壇上には清代重修の塑像9体を安置するが、須弥壇側面の神将、力士、獅子は晩唐期に描かれたもの。本窟の甬道（通路）北壁には、1900年に敦煌文書が発見された、かの有名な「蔵経洞」の第17窟がある。本窟はもともと862（唐の咸通3）年の洪䛒の死に際して制作された洪䛒像を納める御影堂として造られた。小型の伏斗形方窟で、西壁には大中5年（851年）の紀年のある「大番釈門教授和尚洪䛒修功徳碑」がはめ込まれている。これら第16、17窟は851年から洪䛒が死ぬ862年までの間に造営されたと考えられる。第17窟の洪䛒像の背後には、双樹と2侍者が描かれる。向かって左側に立つ人物は、在家の子女で五戒を受けた優婆夷と見なされ、その男装束は晩唐期の婦女子に流行したもので、顔立ちも唐代に好まれた豊頬に描かれる。

　さて、映画にもなった井上靖の小説『敦煌』のなかでは、西夏侵攻の混乱から守るため、文書や美術品を一小洞に運び込む場面がある。これは、敦煌文書が蔵経洞に封じ込められたのが西夏の李元昊が敦煌を手中に収めた1036（北宋の景祐3）年以前であろう、というペリオ以来の定説に基づいている。しかし第16窟の甬道の壁画は、その様式から西夏のものであり、第17窟が密閉されたのは西夏の支配後と考えられるのである。とすると、いったい第17窟に大量の経典や文書が納められた原因は何だったのだろうか、興味は尽きない。

▲ 第17窟　洪䛒像

第25窟　宋（清代重修）
舎利弗の活躍を描く

　主室は伏斗形方窟。西壁の龕内の塑像は清代の補修。壁画の見どころは南壁の労度叉闘経変だ。仏弟子の舎利弗と須達長者が祇園精舎を建立しようとしたところ、外道の労度叉がそれを妨害しようとする。そこで舎利弗と労度叉が法術比べをし、舎利弗が見事に勝利するという内容。壁画の描写は精細で迫力があり、労度叉闘経変の傑作とされている。

第29窟　晩唐（西夏重修）
美しい団花図案の藻井

　伏斗形方窟で、西壁に龕を開く。莫高窟の標準的な中期窟のひとつ。前室の壁に描かれている毘沙門天、瑠璃天王、千仏の様式から晩唐期に造営されたと考えられる。

　西夏時代には従来からあった窟を重修することが行われ、莫高窟では西夏重修の窟は60の窟を数えるが、この窟もそのひとつ。藻井には西夏時代に多く描かれた団花図案が全面に描かれている。藻井の四周は西夏の飛天が巡っている。

第46窟　盛唐（五代・宋代重修）
唐代・五代の詩文が残る

　伏斗形方窟で、西・南・北壁に龕を開く。西壁には如来坐像のほか菩薩（清代の補修）・仏弟子など、南壁には釈迦涅槃像・仏弟子など、そして北壁には如来立像6体（宋代の補修）がそれぞれ安置してある。壁画は原初のものと五代のものとが混在しており、南北の壁の上部には唐代、五代それぞれの時代の詩文が朱書きで残っている。

甘粛省　敦煌

敦煌莫高窟鑑賞ガイド

201

第55窟　宋
豊富な経変図に彩られた大型窟

伏斗形方窟で、中央に馬蹄形の仏壇を設けており、主尊後部の背屏（衝立）は窟頂とつながっている。仏壇上の如来、菩薩や力士像などは宋代彫刻の優品で、服飾に唐代の遺風をとどめている。莫高窟でも大型の窟のひとつで、壁画に描かれた経変画の内容も豊富。東側天井の楞伽経変には、店内に肉をたくさんつり下げた肉屋とその近くでよだれを垂らしながらウロつく犬の絵などが描かれている。

▲第55窟　天王像

第61窟　五代
五台山図は聖なる迷宮

文殊菩薩の聖地とされる山西省五台山の大壁画があることから文殊堂と呼ばれている大規模な窟で、河西帰義軍節度使（9世紀中期から11世紀前期にかけて敦煌を中心に成立した政権）曹義金の子である曹元忠によって修造された。この窟の壁画の内容は豊富で、

大きく4つの見どころがあるので列記する。
①西壁の五台山図は幅約13m、高さ4.6mという巨幅で、五台山の聖跡や故事、巡礼する人々などが極めて詳細に描かれており、五台山という底知れぬ迷宮が眼前に立ち上がってくるようだ。この図は形象地図としては世界最古かつ最大のものという。
②南北の後半段と西壁の下部には、屏風形式による仏伝故事すなわち釈迦の誕生から涅槃までを128画面にわたって描いている。
③4つの壁面の上部には法華経変相、弥勒変相など大型の変相図が12幅描かれ、これは莫高窟のなかでも多い部類に属する。
④東壁両側と南北の壁の前半部には曹氏など大型の供養人物像が53体描かれており、特に女性像の化粧や服飾は精彩があり美しい。

▲第61窟　五台山図

第94窟　晩唐
北大仏殿に隣接する晩唐の代表窟

874～888年に河西帰義軍節度使の張淮深によって造営された。窟の中心に仏壇を設けており、宋代（清代補修）の如来像1体と清代の菩薩・仏弟子像各2体、道教の老君像が安置されている。主室の四方の千仏図は宋代に描かれたもの。わずかに晩唐期の供養人像等も残存している。

第96窟　初唐（清代・民国重修）
莫高窟のシンボル九層楼

乾いた砂の壁に朱色が映える9層の楼閣。この北大仏殿すなわち大雄宝殿と呼ばれる43mの大建築に覆われているのが96窟だ。

莫高窟見取図

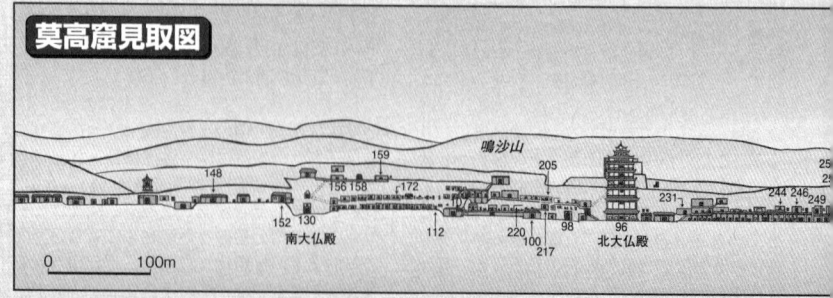

この窟に足を踏み入れたとたん、おそらく顔が45度くらい上に向くに違いない。なぜなら96窟の本尊は高さ34.5m、幅12.5mの弥勒大仏（通称は北大仏）だからだ。中国で5番目に大きいというこの像はもともと唐代に山を削り泥をかぶせて彩色したもの。後世の補修による、真っ白な顔に紅をさした顔はいささか生々しさが感じられるが、それでも全体としては唐代の原像の面目を残しているといえるだろう。

第100窟　五代
異民族の混成部隊による出行図

伏斗形方窟で、窟頂の四面を千仏で満たし、下方四隅には四天王像が描かれている。須弥壇上に安置されている7体の塑像は清代のもの。

この窟の特徴は晩唐の156窟の張議潮出行図と同様、実在の人物の出行図が描かれていることである。南壁西側から東壁南側にかけて帯状に、五代に敦煌地方を統治した河西帰義軍節度使曹義金の出行図が描かれ、北壁西側から東壁北側にかけては曹義金の夫人である回鶻（ウイグル）公主の出行図が描かれている。これらの隊列には楽隊も描かれており、当時の民間の歌舞の情景を彷彿とさせる。描かれた人物はチベットや回鶻など異民族の混成部隊といえるもので、この時代の敦煌が異民族との和睦と共生によって秩序が保たれていたであろうことを思わせる。

第138窟　晩唐 （五代・元代・清代重修）
維摩経変の優品

伏斗形方窟で、中央に仏壇を設けており、仏壇上の背屏（衝立）は窟頂に接している。仏壇の上には晩唐代の仏坐像1体と清代の観音像など15体が安置されている。主室にはさまざまな主題の変相図が描かれているが、見どころは東壁南側の維摩経変だ。画面中央に毘耶離城（維摩詰が住む城）の大門が描かれ、雲に乗った菩薩が香飯（仏菩薩の食事）を携えて降下し、門に入る様子が描かれてい

る。向かって門の右側に文殊菩薩、左側に維摩詰を配し、周囲には文殊菩薩と維摩詰の問答を聴聞しに集まってきた各国の王や王子を描く。簡潔で無駄のない画面構成を示している。

第146窟　五代
琵琶を弾く天王像などが描かれる

「宝貝仏殿」と呼ばれる五代の窟。西壁の労度叉闘経変の描写が特に優れている。また四方の壁下部に屏風形式で描かれた賢愚経変の内容も豊富。団龍（円状の龍）などが描かれた窟頂の保存状態は非常によく、四隅には四大天王が仏法を守護せんと目を怒らせて描かれている。壁画は唐代の豊満な人物描写などを受け継いではいるが、すでに精緻さや雄渾さは衰微して形式化の一途をたどっている。

第148窟　盛唐
空前絶後の巨大涅槃経変

776（唐の大暦11）年に造られた盛唐期の重要な窟で、涅槃窟と呼ばれる。奥行き約7m、幅約17m、高さ約6mの窟内はまるで巨大な棺といった特殊な形をしており、そこに身長約15m、幅約3.5mの涅槃像が安らかな表情で横たわっている。涅槃像の後方には83体に及ぶ塑像の釈迦弟子、天人、各国王子、菩薩、羅漢などが悲嘆の表情をして立っ

▲ 第148窟　涅槃経変車馬図

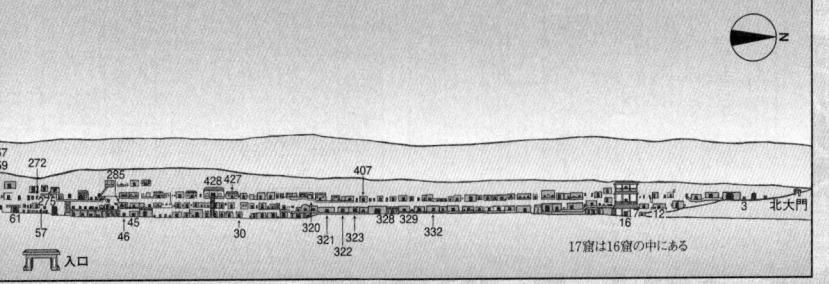

17窟は16窟の中にある

入口

ている。

塑像群背後の西壁から南・北壁に及ぶ涅槃
経変は幅6m、長さ23mに及び、画面には
60のテーマが描かれ、人物数は500に達す
るという大作。そのほか東壁北側の薬師経変、
東壁南側の観無量寿経変も、同テーマの壁画
では莫高窟で最大の面積であり、盛唐におけ
る経変絵画の隆盛を象徴している窟といえる。

第152窟　宋・回鶻 (清代重修)
背屏に飛天が描かれる

伏斗形方窟で、中央に仏壇を設けており、
仏壇上の背屏（衝立）は窟頂に接している。
背屏には宋代の宝蓋図、回鶻時代（宋代末に
沙州回鶻が数年間、敦煌を支配）の化生菩薩
像、飛天などが描かれている。創建年代は宋
代だが、仏壇の上には唐代の阿難・迦葉の塑
像が、宋代の菩薩像、清代の菩薩像とともに
安置してある。仏壇の表面には回鶻時代の供
養図が描かれている。窟頂の四方にはこの窟
を鎮護するための四天王画像がにらみを利か
せている。

第172窟　盛唐
透視画法を用いた観経変相

この窟の見どころは、何といっても南北の
壁に描かれた観無量寿経変（観経変相）で、
特に北壁のものは莫高窟の盛唐期の変相図で
も傑出している。図は多くの観経変相と同じ
く、中央奥に宮殿、左右に翼廊、そして中央
に阿弥陀とその手前に池を描いているが、こ
れらの視線がすべて違うのである。中央奥の
宮殿は仰ぎ見るような視点から描くこと（仰
視）によってその壮大さを表し、左右の翼廊
と配殿は俯瞰的に捉えて画面に広がりを与
え、そして中央部分は水平の視線で描くこと
によって奥行きが出ている。浄土変相図はこ
れに向かって観想（浄土を心に現出させる行）
する者に具体的なイメージを与えるためにあ
るのだから、透視画法によって描かれたこの
変相図はまさに行者にとって3D映画と同じ
効果を与えたのではないだろうか。

また、東壁北側の文殊菩薩図は、唐代の山
水画の水準を示す好例とされている。

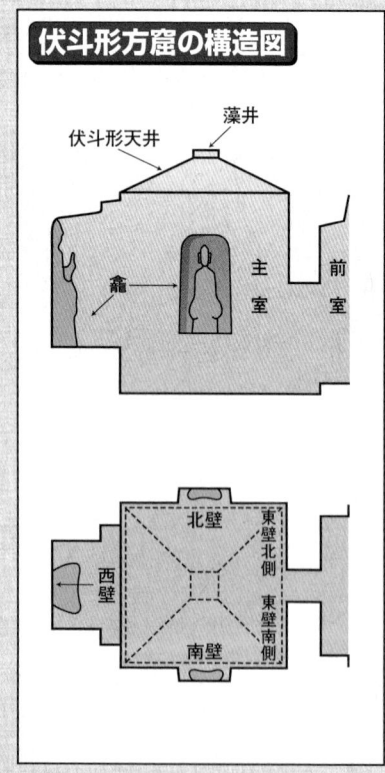

伏斗形方窟の構造図

藻井
伏斗形天井
龕
主室
前室

北壁
西壁
南壁
東壁北側
東壁南側

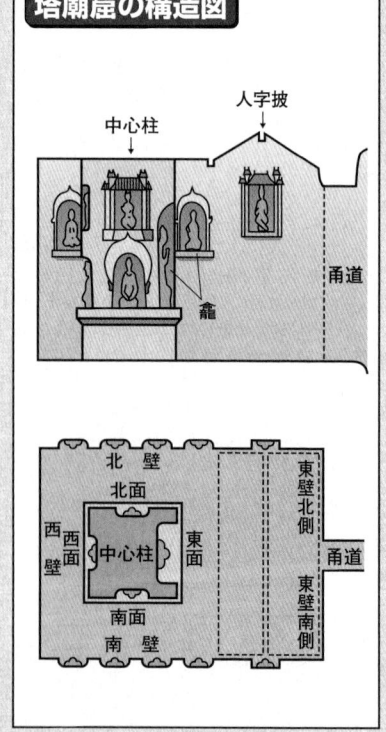

塔廟窟の構造図

中心柱
人字披
龕
甬道

北壁
北面
西壁
西面
中心柱
東面
東壁
南壁
南面
東壁北側
東壁南側
甬道

▲ 第172窟　飛天図

▲ 第172窟　観無量寿経変

第202窟　初唐、中唐、宋
十方諸仏赴会図は中唐壁画の優品

　この窟は初唐に造営が始められ、中唐に完成。宋代に窟門と四方の壁の下部が、清代に窟内の塑像が補修された。仏龕頂部の壁画は初唐のもので、『法華経』の「見宝塔品」。北壁は中唐の十方諸仏赴会図。四方八方から宝座に乗った人物が集まってくる情景は圧巻。南壁は弥勒経変で、画面中には水を飲む牛や収穫をする農婦など平和な田園風景が描かれている。このように浄土という理想世界の情景に、想像ではなく画工たちが日々親しんでいる風景や習俗が反映されていることは、当時の生活を知る重要な資料となっている。

第203窟　初唐（宋代重修）
涼州瑞像の初期作品

　主室は伏斗形方窟で、西壁に龕を開く。西壁の龕内には初唐の如来立像1体、菩薩立像2体、天王像2体を安置する。
　西壁の如来像は「涼州瑞像」といわれる形式で、深山幽谷に出現した如来を表したもの。龕の背後には山を表現した文様があり、その上部に4体の飛天が舞っている。莫高窟のなかで最も初期の涼州瑞像として貴重である。

第204窟　初唐（五代・宋代・清代重修）
唐代の始まりを象徴する菩薩像の微笑

　伏斗形方窟で、西壁に内龕と外龕からなる複式龕を開く。龕内には仏坐像を中尊として迦葉・阿難の2比丘、4菩薩の計7体の塑像を安置する。塑像はいずれも宋代、清代の補修を受けている。菩薩像は隋代の硬直さから解き放たれたように自由な姿態を示し、笑みを含んだ相貌に新しい時代を迎えた清新さをうかがうことができる。

第205窟　初唐〜盛唐
当時の農耕風景を活写

　主室は伏斗形方窟で、藻井部には3羽の兎が描かれている。窟室中央に仏壇を設けて中尊以下9体の塑像が安置されている。壁画は西壁に弥勒浄土変相、南北の両壁は普門品変相・阿弥陀浄土変相・説法図などが描かれ、東壁には五代の壁画が残っている。
　壁画のなかで興味深いのは西壁の弥勒浄土変相に描かれた農耕の場面。田圃に2頭の牛が並んで鋤を引き、それを後ろから農夫が鞭で駆り立てている。その上部にはほかの農夫が麦打ちし、その傍らでは農夫の妻と思われる女性ふたりが敷物の上に並んで楽しそうに食事をしている様子が見てとれる。このような情景はほかの弥勒浄土変相にも見られるが、この窟の図も当時の風俗や生産活動の貴重な資料となっている。

第231窟　中唐
年代の明らかな亡父母供養図

　伏斗形方窟で、西壁に塑像を安置する。各壁の壁画は、天請問経変相、法華経変相、観経変相、弥勒浄土変相、華厳経変相、薬師浄土変相というように、まるで変相図のオンパレード。なかでも北壁東側の弥勒浄土変相の上部には、左右に八角堂の立つ子院をもつ兜率天宮が描かれ、当時の壮麗な宮殿様式をうかがい知る資料となっている。
　また、この窟は東壁の門上に供養図が描かれている。宝蓋のある位牌形の左右には侍者

を従えた男女が跪いており、4名の衣服はそれぞれ様式が違って美しいのでよく観察してみよう。この図の位牌に記された内容とほかの資料から、これが敦煌郡処士陰嘉政の亡父母の供養図であり、この開窟が唐の文宗の839（唐の開成4）年であることがわかっている。

第237窟 中唐
維摩詰経変に少数民族の姿が描かれる

伏斗形方窟で、窟内の塑像は清代のもの。西壁に文殊変相、普賢変相が描かれ、南壁には美しい反弾琵琶の舞が描かれた観無量寿経変、東壁に維摩詰経変など描かれる。特に維摩詰経変では各国の王子やチベット王が描かれ、古代の少数民族の歴史や服飾の重要な資料となっている。また、前室西壁の水月観音（西夏）も見逃せない。

第244窟 隋 （五代・西夏重修）
隋から唐への移行を示す塑像様式

大型の伏斗形方窟。窟面には龕を開かず、西南北3壁に低いコの字形の須弥壇を造り、五尊ないし三尊の大型塑像を安置する。これは窟全体で過去・現在・未来の三世仏を構成していると考えられる。

南壁には過去仏である迦葉仏、西壁には八角形の台座に結跏趺坐する現在仏の釈迦仏があり、北壁には未来仏である弥勒菩薩立像を安置する。

北壁の向かって右の左脇侍菩薩は他に比して優れており、穏やかで威厳ある顔立ち、厚みはあるが腰はわずかに引き締められ均整の取れたプロポーションなど、隋末から唐初にかけての菩薩像のなかでも傑出している。裙や僧祇支の市松格子そのほかの文様も当時のもの。

第246窟 北魏 （西夏重修）
インドの流れをくむ塔廟窟

前室は人字披の天井、主室は平天井で中心塔柱があり、方柱の四方に窟を設けて塑像を安置している。この方柱はもともとインドでは饅頭形をしたストゥーパ（塔）であって、人々はストゥーパを礼拝しながらその周囲を回っていた。この塔が天井にくっついて柱の形になったものが中国では塔廟窟（塔を祀っている廟）といわれる。見た目には柱だが、名称に塔という字が残っているように、人々は柱の四方の仏像を礼拝しつつ、何度も何度も柱の周囲を回ったことだろう。

塔柱に残る塑像は後世の補修が著しく、造形、彩色とも稚拙な感はいなめない。壁画の大部分は西夏時代のものだが、塔柱の菩薩像

や人字披の部分の説法図などに黒く変色した原初の壁画を見ることができる。

第249窟 西魏 （塑像清代重修）
敦煌最古の伏斗形方窟

西魏は、敦煌において仏教美術の本格的な漢化が進んでくる時期である。

本窟は伏斗形方窟で、敦煌で最も早いもの。窟頂には下部周囲に山岳が巡り狩猟の場面が描かれるなど人間界を表し、上部は天空を表している。仏教的内容に加えて、中国古来の神仙思想的な天空のイメージが投影されているのが特徴。窟頂西面中央の大海中に阿修羅が立ち、背後には須弥山がそびえている。その両側には向かって右側に風神、左側に雷神が描かれる。須弥山の上にはわずかに開いている門があるが、これは兜率天宮への門で、往生者を迎え入れようとしていることを象徴的に表しているのであろう。

南面には西王母、北面には東王父が描かれる。東面は上部中央に摩尼宝珠があり、それを飛天が両側で賛美している。ちなみに獣身で黒い翼があり、人面がいくつも連なっている奇妙な珍獣が目につくが、これは中国戦国時代の書物『山海経』に出てくる、虎に類し9つの人面をもつという「開明」。南北東面にそれぞれいるが、それぞれ人面の数が違い、東面のみ9面。

▲ 第249窟 飛天図

第251窟 北魏 （五代・清代重修）
典型的な塔廟窟

前部に人字披窟頂、後部に中心塔柱を造る塔廟窟。北魏・北周窟に多い。中心塔柱は礼拝のおもな対象で、インドのストゥーパの形式が継承されている。インドでは円形のストゥーパも敦煌では中国化され、方形となっている。また人字披窟頂の南北両端には木造の斗拱（組物）が造られ、中国の伝統的な木造建築の内部構造を模したものといえる。中心塔柱東面の龕内には塑像跌坐仏があるが、頭部は清代に修理されたもの。南面、西面、北面は上下2段になっており、南、北面の上段には闕門形の龕中に交脚菩薩、ほかはす

べて禅定仏が置かれるが、西面の上段は双樹形の龕である。北面にはレリーフの菩薩がよく残っている。南北壁の前部、人字披下の樹下説法図には宝池が描かれ、浄土を意図したものと捉えることができる。

第257窟 北魏 (宋代重修)
九色の鹿の物語を描く

塔廟窟。後部窟頂には四角形の忍冬や飛天の図案が並んでいるが、東南角のものには、裸の童子が蓮池で泳ぐ光景が描かれていて珍しい。

南、北、西壁は、最上段に伎楽天のいる天宮バルコニー、中段には千仏、その中央には説法図、そしてその下部に本生や因縁の説話図が描かれている。なかでも西壁の九色鹿王本生、南壁の沙弥守戒自殺因縁説話は必見。九色の鹿王は、あるとき河でおぼれる男を助けたが、その男に自分の居場所を口止めしたところ、男は賞金欲しさのために国王に告げてしまう。男は鹿王との約束を破ったため体中に悪いできものが出て悪臭をはなつ。一方、鹿王を捕らえようとする国王は鹿王から事の一部始終を聞き、その後は鹿を捕らえたり殺したりしないことを誓う。

図は西壁の向かって左から始まるが、すぐ右端に移り、中央でクライマックスを迎える構成となっている。また南壁の向かって左から右に展開する沙弥守戒自殺因縁説話は、戒を守って自らの命を絶った沙弥の悲しい物語である。西魏の285窟の南壁にも描かれている。

▲ 第257窟 因縁図

第259窟 北魏 (宋代重修)
法華経に基づく二仏並坐像

前部は人字披窟頂。西壁中央部に半塔柱形を造り出し、その正面龕内にはふたつの仏が並んで坐る。これは『法華経』見宝塔品に説く釈迦仏と多宝仏。釈迦が耆闍崛山で説法をしているとき、地中から宝塔が湧き出て空中にとどまり、中から多宝仏が釈迦を招き入れ、並坐して過去、現在二仏を表したことに基づ

いている。

顔に後代の稚拙な補修が行われているが、高い肉髻、肩幅の張った堂々たる体軀、隆起する衣文線に陰刻線を施す手法など、雲崗北魏初期の諸仏に共通する特徴である。

第292窟 隋
隋の特徴を示す三世仏

隋代の大型窟のひとつ。前室と後室に分かれており、前室の天井は人字披窟頂、後室の後部に方柱を立てている。方柱の東面と前室の南北の壁の三面に、大きな三尊像（1如来2菩薩）の塑像を配したいわゆる三世仏の構成で、第427窟と近い内容。塑像は清代の補修を受けているが、大きな頭、広い肩などは隋の特徴をとどめている。主室の四壁には上方に飛天を巡らして描き、その下に千仏画、最下段に薬叉（鬼神）を描いている。

第323窟 初唐
シルクロードを開いた張騫の故事を描く

前室の南北の壁にそれぞれ窟が開かれており、これらは324窟と325窟に編号されている。主室は伏斗形方窟で、西壁の大龕には如来倚像と2弟子、2菩薩の塑像が残っているが、後世の改作でできがよくない。

南壁には漁師が海上で2体の石像を得るという話などを描いた故事画があるが、1924年にアメリカのウォーナーによって重要な場面が剝がされてしまった。なお、南壁西側の下段に描かれた約180cmの菩薩像も上半身が変色しているが、これもウォーナーが特殊な薬品によって剝がそうとした痕跡だ。

北壁には、5つの主題が描かれているが、シルクロードに関心のある人にとって見逃せないのが「張騫出使西域図」だろう。画面は右から左へと3画面に展開している。第1画面は張騫が漢の武帝のために甘泉宮に赴き、金人（仏像）を祀るところ。第2画面は西域へ出発する張騫を武帝が見送る場面で、馬に乗っているのが武帝で、その前に跪いているのが張騫である。第3画面は張騫の一行が山河を越えて目的地の大夏に近づいているところで、遠くに城壁が描かれている。

第332窟 初唐 (五代・元代・清代重修)
涅槃経変の傑作

主室は手前を人字披窟頂、奥に方柱を造る中心柱窟。しかし、中心柱はすでに形式化され塔を表すものではなく、尊像の背屛のようになっている。中心柱の東面と左右南北壁にそれぞれ1仏2菩薩が立っていて圧倒される。これは過去・現在・未来を表す三世仏で

ある。方柱の南面に盧舎那仏、西面に薬師仏、北面に番禾県説話に基づく瑞像を描く。周壁は南壁に涅槃経変、北壁に維摩詰経変、東壁門口左右には樹下説法図が描かれ、そして西壁には龕内に涅槃仏が置かれる。莫高窟には涅槃経変が少なく、本窟南壁のものは特別重視されている。その画面は山岳などで10景に区切られ、釈迦入滅前後の種々の事跡が表される。画面左下の釈迦の再生説法は、仏弟子や在俗信者、諸菩薩が取り囲むなかで、釈迦が棺中から身を起こして説法する様子が描かれ、静的な雰囲気を醸し出している。

第335窟 初唐
則天武后時代の大きな経変

　武周時期（則天武后が皇帝となって周を建てた期間）の造営。伏斗形方窟で、686（唐の垂拱2）年の題記が残っており、石窟の時代区分の確実な根拠となっている。塑像は清代の補修。この窟の最も注目されるところは北壁の維摩詰経変。その規模は莫高窟の同一画題の壁画では最大で、人物や自然の描写も優れている。

第340窟 初唐
（中唐・晩唐・元代・清代重修）
東壁にさまざまな時代の壁画が残る

　伏斗形方窟で、西壁に龕を開いて、初唐の1仏、2菩薩2比丘と清代の菩薩像2体を安置する。南北の壁はそれぞれ千仏図と浄土変相図を描く。東壁の門上には初唐の十一面観音像1体と菩薩像6体が描かれ、東壁南側に初唐の仏立像2体、晩唐の千仏図、東壁北側に元代の1仏2菩薩、中唐の菩薩像2体などが描かれている。

第341窟 初唐 （五代・清代重修）
舞台の建築様式がわかる壁画

　伏斗形方窟で、西壁に間口の広い龕を開いて、唐代の1仏4菩薩2比丘の塑像を安置する。見どころは北壁の弥勒経変。画面中の宝池に架かる橋は屋根が付いたもので、屋根の上には高欄を回して4体の伎楽天が音楽を奏でている。この橋の様式は、唐代に実際に造られた歌舞や音曲の舞台の萌芽を示すもので、建築史において重要な資料となっている。

第390窟 隋
隋の飛天が奏でる天上の音楽

　伏斗形方窟で、西壁にふたつの龕を開き、菩薩像、童子像などを安置する。四方の壁の上部にはさまざまな姿態の飛天を描き、楽器を持って舞う飛天の描写は優雅だ。南北の壁は説法図が主。

▲ 第390窟　南壁の飛天

第397窟 隋
西壁に隋代の壁画がよく残る

　伏斗形方窟で、西壁に複式龕を開いて1仏4菩薩2比丘の塑像を安置する。塑像は清代末期の補修を受けてはいるが、隋の様式をとどめている。龕の内側に描かれている図も比較的よく残り、内龕頂には仏伝の乗象入胎と出家踰城が相対して描かれている。藻井部は中央に八葉の蓮華を描き、花の中心に3羽の兎が表されている。蓮華の周囲はパルメット唐草が描かれている。

第407窟 隋 （宋代・清代重修）
隋から唐にかけての様式を示す

　伏斗形方窟で、隋の晩期に造られた窟である。西壁に内龕と外龕からなる複式龕を開く。龕内には仏坐像1体、菩薩像4体、比丘像2体が安置されている。清代の補修を受けてはいるが仏坐像はほぼ隋代の原形を保っている。衣の表現や相貌は写実味を帯びており、唐代への過渡期の様式を見ることができる。また東壁の門上、千仏図の中に方形の区画を設けて描かれている仏説法図も注目したい。中尊の左右に2菩薩、2比丘を従える5尊形式で、その描写は精緻で華やかだ。東壁の門上に仏説法図を描くことは北魏時代に始まり、隋代に流行した。この窟の仏説法図もその一例である。

第409窟 西夏 （清代重修）
威風漂う西夏王の供養像

　隋代の創建と推定されている窟で、西夏時代に改修された。前室と後室に分かれており、前室の天井は人字披窟頂、後室は平頂（平らな天井）である。西壁に内龕と外龕からなる複式龕を開き、龕内に仏坐像1体、菩薩像2体、比丘像2体、天王像2体の計7体が安置

されている。この窟の見どころは何といっても東壁の門口に描かれた西夏王供養図、西夏王妃供養図である。門口南側の西夏王はこの窟を改修する際の願主とみられ、禿髪の丸顔に小さな細い目を引いている。豪華な衣服を身に着け、手に柄香炉を取って立つ姿は供養図にふさわしい。一方の北側には２名の貴婦人が描かれており、西夏王の妃とみなされている。西夏王国の帝王、妃の風貌を伝える貴重な絵画資料といえる。

阿弥陀経変、北壁は弥勒経変、東壁の門口上部に地蔵菩薩像、門口南側に千仏図を描く。見どころは北壁の弥勒経変で、弥勒経変の作例中でも優品として名高い。画面中央に腰掛けて説法する弥勒仏を描き、その周囲に菩薩や出家する供養者の姿を描く。画面には婚礼などの場面も描かれており、当時の風俗を知る貴重な資料となっている。人物像の円熟した描写、奥行きのある山水表現など、盛唐らしい活力に満ちた作品である。

（濱田瑞美／加筆：地球の歩き方編集室）

第420窟　隋（宋代・清代重修）
プロポーションのよい隋代の菩薩像

伏斗形方窟で、西・南・北壁にそれぞれ龕を開いて、仏や菩薩の塑像を安置する。本窟に残る塑像は後世の補修が少なく、隋代の様式をよく伝えている。特に西壁の龕に安置されている４体の菩薩像は、いずれも右手ないし左手を胸前に上げたポーズをしており、プロポーションもよく、目鼻立ちもはっきりしている。窟頂の北面と西面には、『法華経』の「序品」が表されており、霊鷲山で多くの比丘に供養される釈迦を描く。

第428窟　北周（五代重修）
すべてを布施してしまうスダーナ太子

本窟は、規模の最も大きい塔廟窟。窟外壁の木造廊檐は宋代の造営とされている。中心塔柱の四面にはそれぞれ大龕を開き、仏坐像と２比丘、龕外に２菩薩を置く。龕外左右には菩提樹をくくりつけ、樹下説法を表している。菩薩塑像の顔はふっくらとし、少女の趣がある。東壁門口左側にはスダーナ太子の本生譚、右側にはサッタ太子の本生譚が描かれる。これらの本生図は３段に連続して描かれ、スダーナ太子本生は、上段は向かって左から右へ、中段は右から左へ、下段はまた左から右へと、逆Ｓ字状に進行し、全部で20コマの場面を描いている。国の宝である白象をバラモンに与えてしまったスダーナ太子は、追放されてしまうが、その旅の途中にあっても布施の心を失わず、ついには自分のふたりの子供もバラモンに与えてしまう。それを知った父王は２児を買い戻し、太子を帰国させるが、本窟の画面ではバラモンが２児を連れていくところで終わっている。このスダーナ太子こそ、前世の釈迦であったといわれている。

第445窟　盛唐（五代・西夏重修）
当時の風俗を知ることができる弥勒経変

伏斗形方窟で、西壁に龕を開き、龕内には仏坐像１体、比丘２体、菩薩像２体、天王像２体の計７体の塑像を安置する。南壁は

莫高窟用語解説（50音順）

龕（がん）	仏像や経典を納めるために、壁面を穿って造った場所。
経変（きょうへん）	経典の内容を絵画化したもの。「変」「変相」ともいう。
裙（くん）	スカート状の衣。
結跏趺坐（けっかふざ）	右足首を左足太ももに載せ、右足の裏が見えるように座った状態。一般には仏像はこの座り方をしている。
交脚菩薩（こうきゃくぼさつ）	腰掛けて両足を交差した姿の弥勒菩薩像。中国北朝期に多い。
須弥壇（しゅみだん）	仏像などを安置するための壇で、一般には方形。
浄土（じょうど）	仏のおわす理想世界。西方浄土とは阿弥陀如来の極楽浄土を指し、東方浄土は薬師如来の瑠璃光浄土のこと。
人字披形天井（じんじひぎょうてんじょう）	切妻屋根を模した天井で、断面が人の字の形のためこう呼ばれる。
説法仏（せっぽうぶつ）	釈迦が教えを説く姿を象徴化した仏像で、両手が胸前にあるのが一般的。
施無畏印（せむいいん）	仏像の印相（手の形）のひとつ。胸前で手のひらをこちらに向ける。
禅定仏（ぜんじょうぶつ）	座禅をし、瞑想中の釈迦を象徴化した仏像。手を腹の前で組む。
僧祇支（そうぎし）	大衣の内側に着る衣。
藻井（そうせい）	天井中心部の平面上の四角い部分で、四角い天蓋（高貴な人の頭上につるす傘状の幕）を意図している。
題記（だいき）	壁面に書かれた墨書で、窟の由来などが記されている。
塔廟窟（とうびょうくつ）	中心塔柱の供養を主とする窟。インドではもともと饅頭型のストゥーパだったが、中国では方柱に姿を変えた。
兜率天（とそつてん）	天は仏教を守護する神がいる世界で兜率天もそのひとつ。釈迦は兜率天より白象に乗って人間界に降下したといわれる。
涅槃（ねはん）	永遠なる静寂という意味で、悟りを開いた者の死を指す。
比丘（びく）	出家した者。女性の場合は比丘尼。
伏斗形天井（ふくとけいてんじょう）	中国式の斗を伏せたような形の天井。
方窟（ほうくつ）	平面図が正方形に近い窟。
品（ほん）	法華経観音品というように、経典の中の章のようなもの。
本生（ほんじょう）	釈迦の前世の物語。
ラテルネンデッケ式	藻井のデザインの名称で、□と◇を組み合わせた図柄。

シルクロードのフルーツを食べよう

シルクロードのフルーツの最盛期は夏から秋にかけて。暑い夏、のどが渇いたときに食べるジューシーなフルーツは最高だ。シルクロードに行ったら市場に出かけて、旬のフルーツを探してみよう。なお、露店でカットしたフルーツを売っていることがあるが、ハエがたかっているなど不衛生な状態のものもあるので注意しよう。

ハミウリ

シルクロードのフルーツの代表といえるメロン。新疆各地で作られ、どの町でも市場にどっさりとハミウリが積まれる。ハミウリには多くの品種があるが、ラグビーボール状で果肉が淡いオレンジ色のものが一般的。

ブドウ

産地としてはトルファンが有名。馬の乳に似た形から「马奶子」と呼ばれるものをはじめ、さまざまな品種がある。よく日に当たって皮が黄身がかったものが甘くておいしい。干しブドウはいいみやげにもなる。

トルファンのブドウ

スイカ

シルクロードのスイカはラグビーボール状でやたらに大きいものが多い。スイカを半分に切ってスプーンですくって食べている人をよく見かける。

ザクロ

カシュガルの特産。果肉は大粒で甘く、貧血や美容にいいとされている。カシュガルの露店ではザクロのフレッシュジュースを味わうことができる。

蟠桃（ばんとう）

新疆で多く栽培される、平べったい形をした桃の品種。伝説によると、西王母の住む崑崙山にある桃で、『西遊記』では、孫悟空はこの桃を食べて不老不死になった。味は普通の桃と変わらない。

蟠桃は甘い香りが強い

アンズ

敦煌特産の「李广杏子」（李広アンズ）が有名。この名は次の伝説によるものだ。漢の将軍・李広

李広アンズ。皮の付いたまま食べる人がほとんど

が遠征に出た際、夏の暑さで兵たちはのどが渇いて疲れ果てていた。そのとき、天からシルクが舞い落ちてきて、李広がこれを矢で射ると、たちまちアンズの林になったという。李広アンズは果肉が厚くて果汁が多い。干しアンズは敦煌のみやげとしておすすめだ。

（内田和浩）

スイカ、メロン、桃などを荷台にどっさり積んだトラクターの露店

新疆ウイグル自治区

ヨーグルト売りの女性
（新疆ウイグル自治区カシュガル市）
写真：小川智史

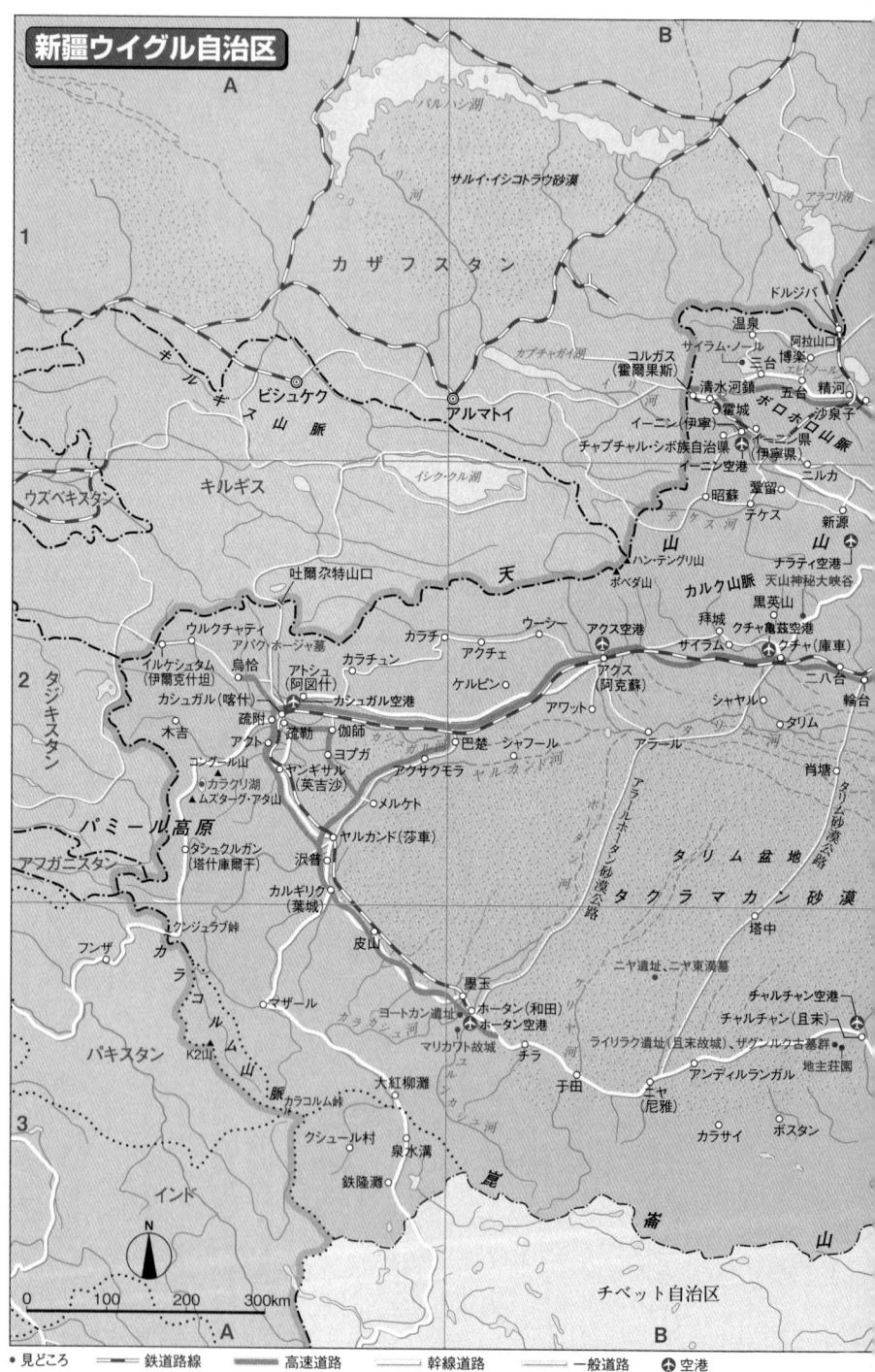

新疆ウイグル自治区

B

A

バルハシ湖

サルイ・イシコトラウ砂漠

1

カザフスタン

イリ河

カブチャガイ湖

ドルジバ

温泉　阿拉山口

サイラム・ノール

コルガス　三台

博楽

(霍爾果斯)　清水河鎮　五台

阿拉山口

精河

霍城　五台

ビシュケク

アルマトイ

イーニン(伊寧)

ホロホス山脈

沙泉子

チャプチャル・シボ族自治県

イーニン県

精河

キルギス

イシク・クル湖

イーニン(伊寧県)

ニルカ

ウズベキスタン

テケス河

鞏留

昭蘇

テケス

新源

タジキスタン

天

山

テケス

新

山脈

源

山

ハン・テングリ山

ナラティ空港

吐爾尕特山口

ボベダ山

天山神秘大峡谷

カルク山脈

黒英山

ウルクチャティ

カラチ

ウーシー

拝城

クチャ亀茲空港

アバク・ホージャ墓

アクス空港

サイラム

クチャ(庫車)

イルケシュタム(伊爾克什坦)

カラチュン

アクチェ

2

烏恰

アトシュ

カシュガル空港

ケルピン

アクス

(阿克蘇)

二八台

カシュガル(喀什)

(阿図什)

アワット

シャヤル

輪台

疏附

疏勒

伽師

巴楚

シャフール

アテール

タリム

木吉

ヤンギサル

ヨプガ

アクサクモラ

ヤルカンド河

肖塘

タリム砂漠公路

アクト

(英吉沙)

メルケト

コングール山

カラクリ湖

ムズターグ・アタ山

ヤルカンド(莎車)

アラール砂漠ホータン砂漠公路

タリム盆地

パミール高原

タシュクルガン

(塔什庫爾干)

沢普

カルギリク

(葉城)

タクラマカン砂漠

塔中

チャルチャン空港

アフガニスタン

皮山

ニヤ遺址、ニヤ東漢墓

チャルチャン(且末)

クンジュラブ峠

墨玉

ライリラク遺址(且末故城)

ザグンルク古墓群

カ

フンザ

マザール

ヨートカン遺址

ホータン(和田)

地主荘園

ラ

K2山

ホータン空港

于田

アンディルランガル

コ

マリカワト故城

チラ

ニヤ

パキスタン

ル

大紅柳灘

(尼雅)

カラサイ

ボスタン

山

脈

カラコルム峠

クシュール村

泉水溝

崑

インド

鉄隆灘

崙

N

山

0　100　200　300km

A

B

チベット自治区

● 見どころ　═══ 鉄道路線　━━━ 高速道路　──── 幹線道路　──── 一般道路　✈ 空港

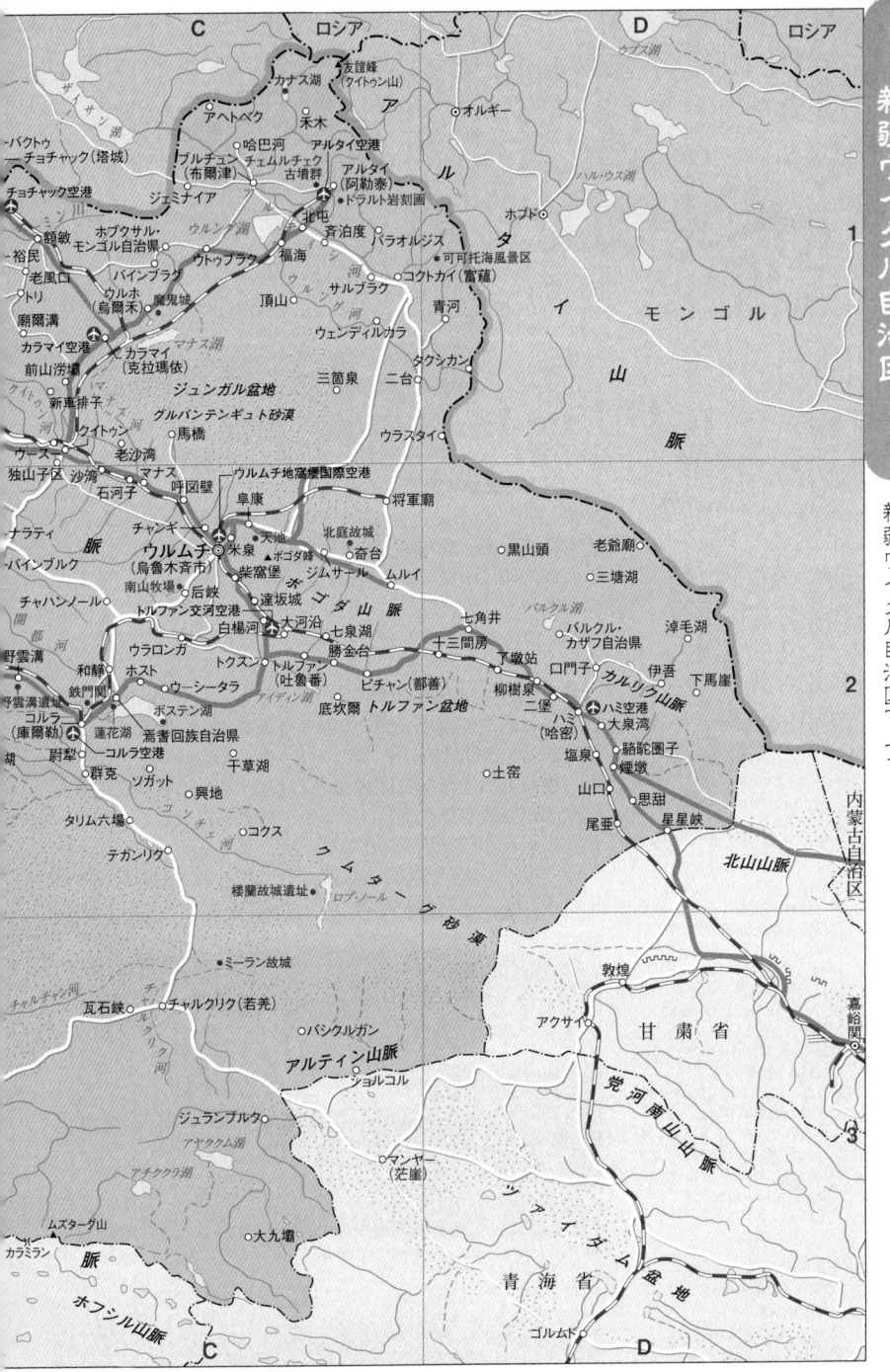

新疆ウイグル自治区マップ

高層ビルが林立する新疆最大の都市

ウルムチ

ウールームーチー
乌鲁木齐 *Wū Lǔ Mù Qí*

カザフスタン　　　　モンゴル
ウルムチ
キルギス
新疆ウイグル自治区
　　　　　　　　　　甘粛省
インド
チベット自治区　　青海省

● **都市データ** ●

ウルムチ
人口＝258万人
面積＝1万3788km²
7区1県を管轄
新疆ウイグル自治区の首府

新疆ウイグル自治区
人口＝2277万人
面積＝約164万km²
4地級市5地区5自治州
13区24県級市62県6自
治県を管轄

市公安局出入境接待大庁
（市公安局出入境接待大厅）
M地図外（P.216-B1上）
田龍盛街778号益民大廈1階烏魯
木斉出入境管理支隊接待大庁
☎4184116、4184114（自動音
声）、4675690
◪10:00～13:30、15:30～18:30
休日曜、祝日
観光ビザを最長30日間延長可能。
手数料は160元
※ただし、2019年7月現在は30
日間の延長は不可で、訪問予
定先の確認をされたうえで「5
～10日の延長」が認められて
いる。訪問予定先や新疆ウイ
グル自治区の治安状況によっ
ては延長が認められない場合
もあるので注意

市第一人民医院（北院）
（市第一人民医院 北院）
M地図外（P.216-A1上）
田河南東路806号
☎3838516
◪24時間 休なし

 概要と歩き方

　世界で最も内陸に位置する都市として知られるウルムチは、省・自治区としては中国最大の面積をもつ新疆ウイグル自治区の首府（日本の県庁所在地に当たる）で、同自治区の政治・経済・文化の中心地となっている。ここでは漢族、ウイグル族、カザフ族、モンゴル族、回族など42の民族が暮らしている。

　この地域は、古くは遊牧民族の支配下にあったが、前漢代に西域都護府が設置され、初めて中国王朝の支配下に入った。その後は、中国王朝の勢力が弱まるたびに遊牧民族が領土を奪い返し独立国家を建国するという歴史が繰り返された。

　もっともウルムチが都市としての歴史をもつのは、明代になってモンゴル族オイラート部が築城してからになる。清代になると、清朝政府は多くの満洲八旗兵をウルムチに駐屯させ、ウルムチを新疆支配の中心とした。特に19世紀にロシア帝国が東進してくると、対ロシアの軍事拠点としてさらに重要視され、町も発展を続けた。

　その後、清末から中華民国にかけては、国内の混乱や諸外国の侵入によって混乱を極め、町は停滞縮小してしまったが、

紅山公園からは市街地の高層ビル群と天山山脈のボゴダ峰を一望できる

	1月	2月	3月	4月	5月	6月	7月	8月	9月	10月	11月	12月
平均最高気温（℃）	-8.8	-6.6	2.9	16.1	23.4	28.1	30.5	29.4	23.2	13.5	1.4	-6.7
平均最低気温（℃）	-19.0	-16.6	-5.9	4.5	11.1	16.0	18.2	16.9	11.1	2.8	-7.1	-15.9
平均気温（℃）	-14.3	-12.1	-1.8	9.9	17.0	21.8	24.1	22.8	16.6	7.5	-3.5	-11.6
平均降水量（mm）	7.9	9.6	18.2	30.2	31.2	34.4	21.2	20.9	24.1	25.5	18.6	12.4

中華人民共和国建国後は再び中国西北地区の拠点として開発が進められ、飛躍的な発展を遂げた。

ウルムチは、われわれがもつシルクロードのイメージとは異なり、高層ビルの建ち並ぶ近代的都市だ。紅山公園の頂上から町を見渡したり、民主路、中山路などの繁華街を歩いたりすると、ここが西域の町だとはとても思えない。

しかし大通りから一本路地を入れば、シルクロードで暮らす人々の生活を垣間見ることもできる。ウイグル帽をかぶったおじさんや碧眼の女性たちが道を闊歩し、商店では羊肉、ブドウ、ウリなどが売られていて、香辛料の香りも漂ってくる。

ウルムチ市内には、新疆ウイグル自治区博物館と紅山公園くらいしか見どころがなく、観光は天池や南山牧場など郊外がメインとなる。春から秋にかけての観光シーズンには、人民公園の北大門や南門などからさまざまな観光バスが出ているので、これを利用するのが便利だ。

じっくり自然を楽しみたいとか観光ルートにないポイントに行きたいといった場合は、車をチャーターすることになる。チャーター料金は、同じ1日でも移動距離によって異なる。近場なら700元、数百kmの移動なら1000元といったところだが、料金は交渉次第といった面がある。

市内1日、郊外2日の合計3日でウルムチの主要観光ポイントは見て回れるが、近くの町などの見どころをしっかり観光したければもう2、3日は必要になる。

また、新疆の旅をウルムチ起点で考えている人は、ウルムチ発の小旅行に参加するとよいだろう。夏場にはトルファン2泊3日、新疆周遊10日などさまざまなプランの観光ツアーが地元の旅行会社によって催行されている。

それから、バザールといえば解放南路沿い。地方のバザールと比べると観光客を相手にした店が多いが、シルクロードのバザールの雰囲気を十分に味わうことができる。ウイグル族や回族の売り子と身ぶり手ぶりで値段交渉するのも楽しいものだ。国際大バザールや二道橋市場（→P.228、229）は立派なショッピングモールで、新疆ならではのみやげ物が買える。

市内交通

【地下鉄】 三屯碑～国際空港間で運行している。運行時間の目安は8:00～22:00、2～7元

【路線バス】 運行時間の目安は7:30～23:30、1元

【タクシー】 初乗り3km未満10元、3km以上1kmごとに7:00～24:00は1.3元、0:00～7:00は1.5元加算、10km以上1kmごとに7:00～24:00は1.95元、0:00～7:00は2.35元加算

○　　編集室より

ウルムチのBRT

2019年7月現在、1、2、4、5、7、71号線が運行。路線がわかりやすく旅行者にも使い勝手がいい。

新疆（ウルムチ）時間

中国では国内を単一時間にしているが、中国は北京から2400kmも離れているため、「新疆時間」「ウルムチ時間」などと呼ばれるローカルタイム（北京時間から－2時間、日本時間から－3時間）も併用している。交通機関を利用する際には、どちらの時間か確認が必要となる。なお、本書で記載している時間はすべて北京時間。

イスラム教の祝日

太陽が昇ってから日没まで一切の水や食べ物を口にしない約1ヵ月のラマダン（断食）明けのお祭りがローズ祭、その70日後にやってくるのがイスラム教最大の祭りであるクルバン祭（犠牲祭）。ラマダンは2020年は4月23日～5月23日、2021年は4月12日～5月11日。クルバン祭は2020年は7月31日～8月3日、2021年は7月20日～23日（前後する可能性あり）。イスラム系のレストランなどは休業になることが多いので要注意。

気候対策

新疆エリアは、気候・気温の変化が非常に激しい。夏に旅するときも長袖のシャツは持っていたほうがよい。冬は最低気温が－20℃にもなるので、完全な防寒態勢で行く必要がある。

都会化したウルムチでも人々が行き交う通りではリヤカーで地元の果物が売られている

ウルムチ（烏魯木斉）

拡大図P.217

● 見どころ　Ｈ ホテル　Ｇ グルメ　Ｓ ショップ　Ｂ 銀行　Ｈ 病院　〜〜〜〜〜 繁華街

── 地下鉄1号線　── BRT1号線　── BRT2号線　── BRT4号線　── BRT5号線　── BRT7号線　── BRT71号線

ウルムチ（烏魯木斉）中心

（地図内の表記）

胡子王扁豆麺旗子 西北路店
孔雀都城国際店
兵団大飯店 紅山
郵政局 ⊠
馬胖子名喫
百時快捷酒店 紅山店

南航明珠国際酒店
（中国南方航空友好南路航空券売り場、エアポートバス発着地点、天池行きバス乗り場）
揽秀園
友好百盛購物中心
新疆麦田国際青年旅舎
北大門
中国銀行
如家酒店
西大橋

新民街
紅山公園
紅山路北一巷
光明路
紅山新世紀購物広場

1日ツアー切符売り場、出発地点

如家快捷酒店

教育学院
北門
市第一人民医院（小児科）
新民路

健康路

揚子江路
文化宮
人民公園
河灘南路

全季酒店
葡萄園 小西門店
建設西路
凱洞盛託克遜捽麺
徐遠實店
益洋洋中央商務店

人民公園北街

西河街
美麗華酒店
大西門
大西門市場
外文書店
如家酒店
黒江路
南門
富麗華大酒店

民主路
ウルムチ城市朗辰
大酒店
雑糧煎餅
紅旗路西巷
ウルムチ紅旗店
新拓大度（新疆恒信国際旅行社）

電力賓館

人民電影院
新都麗華酒店

中国銀行
東風路

葡萄樹 民主路店
新疆信誼海徳酒店

人民広場

人民広場

硯子溝
西城墨酒店
如家酒店

漢庭酒店
温州大酒店

西域之星国際旅行社
（天池行きバス乗り場）

1日ツアー切符売り場、出発地点

東方王朝酒店
益都大飯店
中国銀行

人民路切符売り場
中国銀行
新華書店 S
葡萄樹 南門店

胡子王扁豆麺旗子 五一路店
新疆尊茂鴻福酒店

黄河路
五一路
胡子王扁豆麺旗子 黄河路店
開帝鏡抓飯（五一路総店）

于田街
和田市

新疆南路

0　250　500m

● 見どころ　H ホテル　G グルメ　S ショップ　A アミューズメント　● 銀行　⊠ 郵便局　H 病院　繁華街
―― 地下鉄1号線　―― BRT1号線　―― BRT2号線　―― BRT4号線　―― BRT71号線

インフォメーション

市街地まで全線開通した地下鉄1号線

　2014年に着工し、2018年10月に「八楼」駅までの一部のみ開通していたウルムチ地下鉄1号線が、2019年6月28日に「三屯碑」駅まで全線開通した。これにより、これまでエアポートバスかタクシーでしか行き来できなかった空港〜市街地間のアクセスが非常に容易になった。地下鉄1号線の運賃は2〜7元で、空港第2ターミナルと直結した「国際机場」駅から、市区中心部の「南門」駅までは6元。

　なお現在も、ウルムチ駅と市区中心部を結ぶ2号線、ウルムチ南駅を通る3号線などが建設中で、2020年以降に開通する予定となっている。

　一方、地下鉄1号線の開通にともないBRT3号線が2019年7月14日に廃止された。今後も地下鉄開通の影響で近い路線を走るBRTが廃止される可能性があるので、旅行前にウルムチの最新交通状況をチェックしておくとよいだろう。

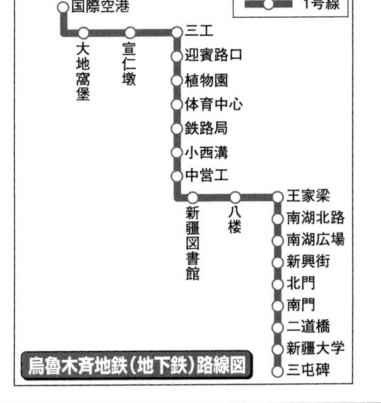

烏魯木斉地鉄（地下鉄）路線図

（路線図内の駅名）
1号線
国際空港
大地窩堡
宣仁墩
三工
迎賓路口
植物園
体育中心
鉄路局
小西溝
中営工
新疆図書館
八楼
王家梁
南湖北路
南湖広場
新興街
北門
南門
二道橋
新疆大学
三屯碑

新疆ウイグル自治区　ウルムチ

ウルムチマップ／ウルムチ中心マップ

Access

中国国内の移動 ➡ P.338

 飛行機

市区の北西約17kmに位置するウルムチ地窩堡国際空港（URC）を利用する。新疆ウイグル自治区各都市へのハブ空港となっており、各都市に運航便がある。

国際線 関西（7便）。

国内線 北京、上海、西安など主要都市との間に運航便がある。

所要時間（目安） 北京首都（PEK）／3時間40分　上海浦東（PVG）／4時間20分　西安（XIY）／3時間20分　西寧（XNN）／2時間30分　銀川（INC）／3時間　蘭州（LHW）／2時間30分　敦煌（DNH）／1時間50分　クチャ（KCA）／1時間10分　ハミ（HMI）／1時間20分　カシュガル（KHG）／2時間　ホータン（HTN）／2時間　イーニン（YIN）／1時間20分

鉄道

蘭新線、蘭新線第二複線、北疆線の発着地点であるウルムチ駅と蘭新線、北疆線、南疆線の発着地点であるウルムチ南駅のふたつがある。

所要時間（目安） 【ウルムチ（wlmq）】北京西（bjx）／直達：30時間30分　上海（sh）／直達：40時間20分　西安（xa）／直達：25時間　銀川（yc）／直達：20時間50分　西寧（xn）／動車：9時間20分　蘭州西（lzx）／動車：11時間50分　柳園南（lyn）／動車：4時間　トルファン北（tlfb）／動車：55分　ハミ（hm）／動車：2時間30分　イーニン（yn）／特快：6時間30分　【ウルムチ南（wlmqn）】トルファン（tlf）／快速：2時間　ハミ（hm）／動車：2時間30分　クチャ（kc）／特快：8時間30分　カシュガル（ks）／特快：15時間30分　ホータン（ht）／特快：23時間30分

バス

ウルムチにはいくつものバスターミナルがあるが、新疆の主要都市へ向かう便は南郊バスターミナルから出ている。

所要時間（目安） トルファン／2時間　クチャ／16時間　カシュガル／24時間　ホータン／26時間

Data

飛行機

ウルムチ地窩堡国際空港
（乌鲁木齐地窝堡国际机场）

Ⓜ P.222、地図外（P.216-A1左）
🏠 迎賓路46号 ☎ 96556
🕐 始発便～最終便 休 なし 🃏 不可
[移動手段] **地下鉄**／1号線「国際机場」　**エアポートバス**（空港～中国南方航空友好南路航空券売り場～ウルムチ南駅）／15元（中国南方航空の乗客は無料）、所要30分（ウルムチ南駅まで40分）が目安。空港→市内は8:00～11:00の間1時間に1便、11:00～最終便の間15～20分に1便　市内→空港は中国南方航空友好南路航空券売り場発＝7:00～21:30の間30分～1時間に1便　ウルムチ南駅発＝7:30～21:30の間30分～1時間に1便　**タクシー**（空港～南航明珠国際酒店）／50元、所要30分が目安

中国南方航空友好南路航空券売り場
（中国南方航空公司友好南路售票处）

Ⓜ P.217-A1
🏠 友好南路576号南航明珠国際酒店副楼1階
☎ 95539 🕐 10:00～18:30 休 なし 🃏 不可
[移動手段] **路線バス**／BRT1、2、4、71号線、7、14、17、52、301、537、910路「紅山」
3ヵ月以内の航空券を販売。

鉄道

ウルムチ駅（乌鲁木齐火车站）

Ⓜ 地図外（P.216-A1左）　🏠 高鉄北六路1号

☎ 共通電話＝12306
国際列車切符売り場＝7943150
🕐 6:00～翌0:30 休 なし 🃏 不可
[移動手段] **タクシー**（ウルムチ駅～南航明珠国際酒店）／25元、所要20分が目安　**路線バス**／BRT5号線、K2、K3、29、54、301、909路「乌鲁木齐站北广场」

28日以内の切符を販売。

また、カザフスタンのアルマトイ（阿拉木図）に向かう国際列車が出ている。毎週月・土曜23:00発、所要約26時間。ほかにアスタナ行きもある。

カザフスタンは国境通過後30日間までにかぎりビザが免除される（→P.311）。したがって、国際列車切符売り場ではノービザ状態のパスポートを見せれば、カザフスタンに入る国際列車の切符を買うことができる。ただし、窓口には認識不足の職員がおり、「購入にはビザが必要」と言われ、売ってくれない場合がある。自衛の策は、日本出発前にカザフスタンビザを取得しておく、もしくは事前にウルムチの旅行社を通じて切符を手配すること。

広大なウルムチ駅では移動に時間がかかるので注意

ウルムチ南駅
（乌鲁木齐南火车站）

Ⓜ P.216-A3　🏠 南站路135号
☎ 共通電話＝12306
⏰ 4:50～翌0:50　休 なし　カ 不可
[移動手段] タクシー（ウルムチ南駅～南航明珠国際
酒店）／15元、所要15分が目安　路線バス／BRT1
号線、K2、K3、8、10、16、36、44、52、157、537、
906、928路「火车南站」
　28日以内の切符を販売。

新疆ウイグル自治区の各都市へ通じるウルムチ南駅

人民路切符売り場（人民路铁路售票处）

Ⓜ P.217-B2　🏠 人民路253号
☎ なし　⏰ 9:30～20:30　休 なし　カ 不可
[移動手段] タクシー（人民路切符売り場～南航明
珠国際酒店）／12元、所要15分が目安　路線バス／
3、44、61、308路「人民路」、3、17、44路「南门」
　28日以内の切符を販売。手数料は1枚につき5元。

🚌 バス

南郊バスターミナル（南郊客运站）

Ⓜ P.216-A3　🏠 燕爾窩路1号　☎ 2866635
⏰ 8:40～20:30　休 なし　カ 不可
[移動手段] 地下鉄／1号線「三屯碑」　タクシー（南
郊バスターミナル～南航明珠国際酒店）／18元、所
要15分が目安　路線バス／7、311、537路「三屯碑」
　トルファン行きは当日のみ、そのほかの行き先
は2日以内の切符を販売。トルファン5便（10:40、
11:30、13:30、15:00、16:30発）、クチャ1便
（19:30発）、カシュガル1便（18:40発）、ホータン4
便（14:00、16:00、18:00、20:00発）。

ウルムチ高鉄国際バスターミナル
（乌鲁木齐高铁国际汽车客运站）

Ⓜ 地図外（P.216-A1左）
🏠 高鉄北五路236号ウルムチ駅東側
☎ 5878614、5878898
　国際バス切符売り場＝5878637
⏰ 8:00～21:00
　国際バス切符売り場＝10:00～19:00
休 なし　カ 不可
[移動手段] タクシー（バスターミナル～南航明珠
国際酒店）／25元、所要20分が目安　路線バス／
BRT5号線、K2、K3、29、54、301、909路「乌鲁木齐
站北广场」
　2日以内の切符を販売。イーニン2便（12:00、
21:00発）。
　また、カザフスタンのアルマトイに向かう国際バ
スが出ている。19:00発、所要約24時間。カザフス
タンのビザがないと切符を売ってくれないことがあ
るので、日本出発前にビザを取得するか、ウルムチ
の旅行社を通じて切符を手配するのが無難。

専用車線を走るBRTの停留所は、大きな所は車道内に設置されている

新疆ウイグル自治区博物館
M P.216-A1
田 西北路581号
☎ 4552826
⊕ 4月15日～10月15日
　10:00～18:00
　10月16日～4月14日
　10:30～18:00
※入館は閉館1時間30分前まで
休 月曜
料 無料
交 BRT4号線、7、51、52、68、303、
　311、910路バス「博物館」

近代的な建築の博物館外観

交河故城で出土した金の首飾り

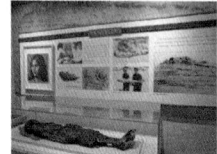
「楼蘭美女」のミイラは解説も
充実している

ミイラ博物館として世界的に有名　🕐 3時間　★★★

新疆ウイグル自治区博物館／新疆维吾尔自治区博物馆
しんきょう　　　　　じちくはくぶつかん　　xīnjiāng wéiwúěr zìzhìqū bówùguǎn

　新疆ウイグル自治区が誇る総合博物館で、各時代の遺物や少数民族の習俗に関する展示を行っている。

　建物の1階は、新疆歴史文物陳列室と新疆民族風情陳列室に分かれている。新疆歴史文物陳列室には旧石器時代から清朝にいたるまでの各時代の文化財が展示されており、シルクロードの交易で栄えた町で発掘された布や土器、木製品などの生活用具や、唐代の餃子や干しブドウなどの食材が見もの。

　新疆民族風情陳列室には、新疆に住む12の民族の衣装やアクセサリー、住居などが展示されており、その充実ぶりは目を見張る。

　2階には古代ミイラの陳列室があり、ここにある「楼蘭美女」が博物館の目玉。1980年にタクラマカン砂漠の東にある楼蘭鉄板河遺跡で発掘された女性のミイラで、測定の結果今から約3800年前のものと判明した。

アスターナ古墳群で出土した唐代の小型の兵馬俑はきれいに修復されている

新疆の民族が築いてきた文化の豊かさがよくわかる新疆民族風情陳列室

ウルムチの象徴ともいえる公園　★★

紅山公園 / 红山公园
こうざんこうえん　hóngshān gōngyuán

　ウルムチの中心に位置する、標高934.4mの紅山を中心とした公園。山の名は岩肌が褐色だったことに由来しており、別名虎頭山、虎頭峰とも呼ばれている。ただの公園だが、市民の憩いの場になっていて、毎日地元の人でにぎわう。

　山頂に立つ九重の鎮龍塔からは、ウルムチの町を一望できる。この塔はたびたび氾濫したウルムチ河の龍を鎮める（中国では洪水が龍が暴れることで起こると信じられていた）ために建てられたものだ。

山頂に立つ鎮龍塔から見る風景は壮観だ

　公園の入口は4ヵ所あるが、光明路と新華北路の交差点を北上して紅山路を左折、最初の角を右に曲がった紅山路北一巷を進んだ所にある南大門がメインゲート。

ウルムチ市民の憩いの場　★

人民公園 / 人民公园
じんみんこうえん　rénmín gōngyuán

　友好南路を挟んで紅山公園の南側にある公園。もとはウルムチ河の水が流れ込む湿地帯だったが、1884（清の光緒10）年にウルムチが区都（中国語で首府）となった際に浚渫工事が開始され、やがて同楽公園として誕生した。現在では、20万㎡の面積をもつ公園となり、ウルムチ市民の憩いの場となっている。北大門と南門前には1日観光ツアーの申し込み所が並び、ツアーの出発地点としても利用される。

水と緑に囲まれた都会のオアシス　★

水磨溝風景区 / 水磨沟风景区
すいまこうふうけいく　shuǐmógōu fēngjǐngqū

　青年路を東に進んだ先にある公園。園内のいたるところに透き通った池や水路が巡らされており、中には金魚や鯉が放流されている。日差しの強い夏には水辺で遊ぶ地元の子供たちでにぎわう。また、園内の清真禅寺では、色鮮やかな仏教建築や仏像を多数見ることができる。

水流音を聞きながら木陰で涼めば暑さを忘れられるだろう

紅山公園
M P.217-A1
田 紅山路北一巷40号
☎ 8855671
🕐 4月～10月上旬7:30～23:00
10月中旬～3月8:00～22:00
※遠眺楼は9:00～20:30
休 なし
料 入場無料、遠眺楼＝10元
🚌 29、35、58、61、62、63路バス「紅山公園」

名前のとおり眺望抜群の遠眺楼

人民公園
M P.217-A1～2
田 友好南路3号
☎ 5849434
🕐 4月～10月上旬7:30～22:00
10月中旬～3月8:00～21:00
休 なし
料 無料
🚌 東門＝7、17、35、62、68、902、908、910路バス「西大橋」
南門＝8、44、58路バス「西公園」

北門近くにある大きな池

水磨溝風景区
M 地図外(P.216-B1右)
田 水磨溝路472号
☎ 4684055
🕐 4月～10月上旬7:30～22:00
10月中旬～3月8:00～21:00
休 なし
料 無料
🚌 8路バス「水磨沟公園」、34、104、106、535、537路バス「水磨沟」

新疆ウイグル自治区　ウルムチ　見どころ

221

天池

中国のスイスと称される景勝地　🕐 1日　★★★

天池／天池
てんち　　　tiānchí

ウルムチから北東に約90km進んだ所にある天池は、モンゴル語で「聖なる山」を意味するボゴダ峰（標高5445m）の中腹、標高1980m地点にある湖で、長さは約3400m、最大幅は約1500m。半月形をしており、面積は4.9㎢、最大深度は105mにも達する。

この地は周の穆公の旅行を記した物語『穆天子伝』[※1] に、西王母[※2] と穆公が会見した場所として記載され、古くから景勝地として知られていた。

エメラルドグリーンの湖水と山を中心とした青と緑のコントラストは、美しいのひと言。中国人がここを「中国のスイス」と呼んで自慢するのもうなずける。

観光バスやタクシーは、山水が流れる渓流沿いの道をどんどん上っていく。周りは深い森で、キーグズイ（カザフ族のテント式住居）[※3] があちこちに見える。天池周辺は国立の森林保護区に指定されていて、豊かな自然がたくさん残っている。環境保護のため、一般のバスや車が入れるのは山麓の駐車場まで。駐車場周辺には食堂やみやげ物屋が並んでいる。ここからはシャトルバスを利用して湖畔まで行く。

湖畔近くのシャトルバスの停留所からは、徒歩で天池を中心とした自然風景区を散策することになる。まずは天池のほとりまで歩いてみよう。正面に雄大なボゴダ峰がそびえ、目の前には碧色をした天池が広がる。展望台から整備された遊歩道を下ると船乗り場があるので、遊覧船に乗って湖上から周囲を眺めてもよいだろう。遊覧船は西王母を祀る王母廟を経由するので、そこで船を降りて王母廟まで上っていくこともできる。

長い階段を上った先にある王母廟

ウルムチ郊外

●見どころ　✈空港

0　　　　　100km

金に輝く西王母像

湖畔展望台から、天池周辺を一望できる馬牙山へ上るための電動カートも出ている。この電動カートに乗ってロープウエイ乗り場に行き、そこから山を上っていくと標高3056mの馬牙山山頂へとたどりつく。夏でも冷えるので、馬牙山まで行く場合は長袖を持っていこう。

天池の周囲にはゲストハウスがあり、キーグズイに泊まることもできる。天池の自然を満喫したい人は宿泊するとよい。朝夕の絶景は天池に宿泊しないと見られない。キーグズイでは食事の提供もあり、カザフ族の生活を体験できる。

※3　キーグズイ
　遊牧民族の移動式住居は外見は似ているが、カザフ族のキーグズイ、モンゴル族のゲルなど、民族によって呼称は異なる。ちなみにパオ（包）は移動式住居に対する中国語式の呼び名

●天池での移動
天池の景勝地区内では、景観保護のため、麓から天池まではシャトルバスを利用しなければならない。往復チケットのみで60元。シャトルバスの駐車場から天池の展望台までは電動カートを利用することもできる。片道10元
湖畔展望台から馬牙山山頂に行くための電動カートは100元、ロープウエイは120元

●天池で船に乗る
天池では船で天池やボゴダ峰の風景を堪能することができる
▼遊覧船
　10人前後集まってから出発する。遊覧時間は約20分
🕑9:00 ～ 18:00
🈺11月30日～3月31日=休業
🈹普通遊覧船=80元
　豪華遊覧船=90元

遊覧船を途中下船して王母廟に寄ることができる

スイスやカナダを思わせる風景が広がる。レンタルの民族衣装を着て記念撮影をする人々もちらほら

南山牧場
M P.213-C2、P.222
田 白楊溝
☎ 5837888
◷ 24時間
休 5月～10月中旬=なし
　10月下旬～4月=休業
料 45元
※駐車場から滝までの電動カート
　=片道30元、往復45元
行 ①市内の旅行会社の南山牧場日
　帰りツアーに参加する
　②南郊バスターミナルから「白
　楊溝」行きのバスに乗る
　③車をチャーターする。1日400
　～500元が目安

観光客向けのキーグズイの内部

ウルムチ南部に天然の牧場が広がる　　　　　　　　★★

南山牧場 / 南山牧場
なんざんぼくじょう　　nánshān mùchǎng

　南山はウルムチ南部の天山山脈北麓に広がる山岳地帯で、西から東に向かって数多くの渓谷が分布し、天然の牧場が多数ある。そのなかでも、西白楊溝や大峡谷などが特に有名で、夏には多くの観光客が訪れる景勝地となっている。

　車で烏庫公路（ウルムチとコルラを結ぶ幹線道路）を南西に70kmほど行った所にあるのが西白楊溝で、1日ツアーで最も多く訪れる遊牧地だ。

　「西白楊溝自然風景区」と書かれたゲートを入ると道はふた手に分かれ、右は曲がりくねった山道を上って空中牧場や菊花台へ、左は西白楊溝に通じている。左へしばらく進むと駐車場があり、ここで下車する。このあたりにあるカザフ族のキーグズイは、ほとんどが観光客向けに建てられたもので、宿泊も可能。中に入ってみると意外に広くて明るく、色鮮やかな布が飾られていて家具も並んでいる。中ではカザフ族が日常的に飲んでいる塩味のミルクティーやお菓子などが提供される。

　さらに5kmほど先へ行くと、高さ40m、幅2mの美しい滝がある。駐車場と滝の間は電動カートで移動できるが、徒歩でも1時間程度なので、帰りは緑豊かな森や草原を眺めつつ歩いてみるのもいい。その場合、駐車場周辺以外の場所に店は少ないので水やスナック菓子などを持参するとよい。

南山牧場一帯は広大な牧草地

空中牧場では乗馬が楽しめる

西白楊溝にある滝

シェラトン・ウルムチホテル／喜来登乌鲁木齐酒店
xǐláidēng wūlǔmùqí jiǔdiàn ★★★★★

ほとんどの客室が 40〜52㎡もあるゆったりした造りになっているのが自慢の 5 つ星ホテル。隣にはブランドショップが多く入った美美友好購物中心がある。料金は朝食付き。

- Ⓜ P.216-A1
- 🏠 友好北路 669 号
- ☎ 6999999
- 📠 6999978
- Ⓢ 699 元
- Ⓣ 699 元
- ㋚ なし
- 🔃 ADJMV
- 🌐 www.starwoodhotels.com

両替　ビジネスセンター　インターネット

明園新時代酒店／明园新时代酒店
めいえんしんじだいしゅてん　míngyuán xīnshídài jiǔdiàn ★★★★★

BRT1、2 号線「明園」駅そばにあるホテル。プールやジム、卓球場がある。ビュッフェ形式の朝食は種類が多く、質も高い。新疆ウイグル自治区博物館の徒歩圏内にある。

- Ⓜ P.216-A1
- 🏠 友好北路 739 号
- ☎ 7518318、7518888
- Ⓢ 銀座=700 元　金座=810 元
- Ⓣ 銀座=670 元　金座=810 元
- ㋚ なし
- 🔃 ADJMV
- 🌐 www.newtimes-hotel.cn

両替　ビジネスセンター　インターネット

南航明珠国際酒店／南航明珠国际酒店
なんこうめいしゅこくさいしゅてん　nánháng míngzhū guójì jiǔdiàn ★★★★★

紅山公園の近くに位置するウルムチ最高クラスのホテル。中国料理、イスラム料理、西洋料理のレストランとカフェ、バーを併設。1 階には中国南方航空のオフィスが入っており、空港へのエアポートバスの発着地点でもある。

- Ⓜ P.217-A1
- 🏠 友好南路 576 号
- ☎ 4568888
- 📠 4200666
- Ⓢ 688 元
- Ⓣ 658 元
- ㋚ なし
- 🔃 ADJMV

両替　ビジネスセンター　インターネット

新疆尊茂鴻福酒店／新疆尊茂鸿福酒店
しんきょうそんもこうふくしゅてん　xīnjiāng zūnmào hóngfú jiǔdiàn ★★★★★

繁華街の黄河路に位置しており買い物や町歩きなどに便利。ロビーは床や柱が大理石のため重厚でエレガントな雰囲気だ。中国料理、イスラム料理、西洋料理のレストランがある。

- Ⓜ P.217-A2
- 🏠 五一路 160 号
- ☎ 5881988
- 📠 5881112
- Ⓢ 530〜630 元
- Ⓣ 530〜630 元
- ㋚ なし
- 🔃 ADJMV
- 🌐 www.hongfuhotel.com

両替　ビジネスセンター　インターネット

美麗華酒店／美丽华酒店
びれいかしゅてん　měilìhuá jiǔdiàn ★★★★★

ウルムチの繁華街、大西門にある。中国料理、イスラム料理、西洋料理などの 5 つのレストランがある。宿泊者は無料で利用できるプールがある。

- Ⓜ P.217-B2
- 🏠 新華北路 305 号
- ☎ 2937888
- 📠 2846666
- Ⓢ 700〜1000 元
- Ⓣ 650〜850 元
- ㋚ なし
- 🔃 ADJMV
- 🌐 www.mirage-hotel.cn

ビジネスセンター　インターネット

新疆楚天銀星大酒店／新疆楚天银星大酒店
しんきょうそてんぎんせいだいしゅてん　xīnjiāng chǔtiān yínxīng dàjiǔdiàn ★★★★★

繁華街からはやや外れた、五一星光夜市に近い場所にある。最上階の 24 階にある眺めのよいプールは、利用料を払えば宿泊者でなくても利用できる。レストランは 4 つあり、ルームサービスも 24 時間可能。

- Ⓜ P.216-A2
- 🏠 奇台路 639 号
- ☎ 5888888
- 📠 5516661
- Ⓢ 599〜699 元
- Ⓣ 599〜699 元
- ㋚ なし
- 🔃 不可

両替　ビジネスセンター　インターネット

グランド メルキュール ウルムチ ホアリン／乌鲁木齐华凌雅高美爵大饭店 ★★★★★
wūlǔmùqí huálíngyǎgāo měijué dàfàndiàn

紅山公園の北側、西虹東路沿いにあるホテル。3つのレストランのほか、ジムやサウナがある。門からホテル入口まで長い坂を上るため、タクシーで行くのがおすすめ。

両替　ビジネスセンター　インターネット

Ⓜ P.216-A1
🏠 西虹東路 109 号
☎ 5188888
FAX 5189666
Ⓢ 659 ～ 759 元
Ⓣ 659 ～ 759 元
サ なし
カ ADJMV
🌐 www.accorhotels.cn

香江麗華酒店／香江丽华酒店 ★★★★
こうこうれいかしゅてん　xiāngjiānglìhuá jiǔdiàn

BRT4 号線「西虹西路」駅そば、高速道路に面した 4 つ星ホテル。2 階にイスラム料理のレストランがある。また 1 階に航空券代理販売所がある。

両替　ビジネスセンター　インターネット

Ⓜ P.216-A1
🏠 西北路 955 号
☎ 4539999
Ⓢ 488 元
Ⓣ 488 元
サ なし
カ MV

東方王朝酒店／东方王朝酒店 ★★★
とうほうおうちょうしゅてん　dōngfāng wángcháo jiǔdiàn

大西門に立つ大型ホテル。繁華街にあり便利。902 路バスでウルムチ南駅へ行くことができる。中国料理、西洋料理のレストランがある。

両替　ビジネスセンター　インターネット

Ⓜ P.217-B2
🏠 新華路 17 号
☎ 2335678
FAX 2335888
Ⓢ 420 元
Ⓣ 420 元
サ なし
カ ADJMV

ウルムチ城市朗辰大酒店／乌鲁木齐城市朗辰大酒店 ★★★
じょうしろうしんだいしゅてん　wūlǔmùqí chéngshì lǎngchén dàjiǔdiàn

客室内のモダンな色使いが特徴。建物の 13 ～ 22 階が客室で、部屋からの眺めがよい。中国料理、西洋料理のレストランを併設。

両替　ビジネスセンター　インターネット

Ⓜ P.217-B2
🏠 紅旗路 27 号
☎ 2207666
FAX 2305321
Ⓢ 388 元
Ⓣ 368 元
サ なし
カ MV

百時快捷酒店 紅山店／百时快捷酒店 红山店 ★★
ひゃくじかいしょうしゅてん こうざんてん　bǎishíkuàijié jiǔdiàn hóngshāndiàn

友好南路と揚子江路の交差点付近にある安価なホテル。交通の要衝にあるためウルムチの市街、郊外どちらを観光するにも便利。ホテルの並びには 24 時間営業の飲食店やコンビニがある。

両替　ビジネスセンター　インターネット

Ⓜ P.217-A1
🏠 揚子江路 49 号
☎ 4581999
Ⓢ 119 ～ 149 元
Ⓣ 169 ～ 179 元
サ なし
カ 不可

新疆崑崙賓館／新疆昆仑宾馆
しんきょうこんろんひんかん　xīnjiāng kūnlún bīnguǎn

ウルムチで最も早くに造られたホテルのひとつで、ロシア風の建物が目印。イスラム料理レストランがある。町の中心部からは離れているが、地下鉄 1 号線の「八楼」駅からすぐ。星はないが設備は 4 つ星相当。

両替　ビジネスセンター　インターネット

Ⓜ P.216-A1
🏠 友好北路 146 号
☎ 5191114、5190000
FAX 5190013
Ⓢ 中楼= 650 元　南楼= 750 元
Ⓣ 中楼= 650 元　南楼= 750 元
サ なし
カ ADJMV

ホテル

錦江之星 ウルムチ紅旗路店／锦江之星 乌鲁木齐红旗路店
きんこうしせい こうきろてん jǐnjiāngzhīxīng wūlūmùqí hóngqílùdiàn

「経済型」チェーンホテル。このウルムチ紅旗路店は繁華街の中心にあり便利。設備はシンプルながらも必要な物は揃っており、客室も清潔。宿泊者は28元でビュッフェ形式の朝食レストランを利用できる。

両替 ビジネスセンター インターネット

Ⓜ P.217-B2
🏠 紅旗路 93 号
☎ 2815000
📠 2327500
Ⓢ 275 ～ 313 元
Ⓣ 275 ～ 294 元
サ なし
カ なし
🌐 www.jinjianginns.com

新疆麦田国際青年旅舎／新疆麦田国际青年旅舍
しんきょうばくでんこくさいせいねんりょしゃ xīnjiāng màitián guójì qīngnián lǚshè

紅山公園に近い友好百盛購物中心の東隣にあり、比較的便利な立地。周囲に食事のできる場所が多く、友好百盛購物中心の地下にあるスーパーも利用できる。

両替 ビジネスセンター インターネット

Ⓜ P.217-A1
🏠 友好南路 726 号
☎ 4591488
Ⓢ 180 元
Ⓣ 180 元
Ⓓ 5 人部屋＝60 元
サ なし
カ 不可

グルメ

凱淵盛托克遜拌麺／凯渊盛托克逊拌面
がいえんせいたくこくそんはんめん kāiyuánshèng tuōkèxùn bànmiàn

Ⓜ P.217-B1
🏠 建設西路 116 号
☎ 2822585
オ 月～土曜 12:00 ～ 21:30
　日曜 12:00 ～ 19:00
休 なし
カ 不可

食事時には多くの地元客でにぎわうラグメン専門店。ネギ、シイタケ、ナスなどさまざまなトッピングを追加したラグメンを楽しめる。各テーブルに置かれたニンニクを自由に使え、麺は 2 元で替え玉を注文できる。とろみのあるタレに絡むコシの強い麺が絶品。

開帝鋭抓飯館／开帝锐抓饭馆
かいていえいそうはんかん kāidìruì zhuāfànguǎn

ウルムチ市内にいくつかの支店があるポロ専門店。ポロを注文すると野菜とヨーグルトが付いてくる。羊肉、2 種類のニンジン、少量の干しブドウとシンプルな具材だが、味付けがていねいでおいしい。1 袋 32 元でおみやげ用のレトルトポロも販売している。

Ⓜ P.216-B2
🏠 新華南路西河壩前街 308 号
☎ 2885678、18139661747（携帯）
オ 7:00 ～ 24:00
休 なし
カ 不可

新疆第一盤／新疆第一盘
しんきょうだいいちばん xīnjiāng dìyīpán

おいしいと評判のよい大盤鶏の店。ここの大盤鶏にはナンが入っているのが特徴。大盤鶏は量が多く、野菜料理なども注文するなら 3 人で食べても食べ切れないほどだ。週末の夜は予約したほうがいい。

Ⓜ P.216-B2
🏠 明園西路 1 号明園火焰山一楼
☎ 4563333、15899205008（携帯）
オ 12:30 ～ 23:00
休 なし
カ 不可

胡子王扁豆麺旗子 五一路店／胡子王扁豆面旗子 五一路店
こしおうへんとうめんきし　ごいちろてん　　húzǐwáng biǎndòumiàn qízǐ　wǔyīlùdiàn

小指の先ほどに小さく切った旗子と呼ばれる麺の専門店。さっぱりしたトマトスープの中にはエンドウ豆とジャガイモと旗子。脂っこい料理が多い新疆の味に疲れたときに食べたくなるような、胃腸に優しい味。1碗15元。テイクアウトも可能。

Ⓜ P.217-A2
🏠 五一路236号
☎ 5563987、18290881264
🕐 9:00～翌1:30
休 なし
カ 不可

AFK啤酒実験室／AFK啤酒实验室
ひしゅじっけんしつ　　pījiǔ shíyànshì

世界のクラフトビールを楽しめるバー。新疆のクラフトビールもIPA、バナナ・フレーバー、ストロベリー・フレーバーの3種類がある。1杯30元～。AFKはAway From Keyboardの頭文字を取っており、仕事から離れてゆっくりしてほしいという意が込められている。

Ⓜ P.216-B1
🏠 新民東街19号宏大広場蘇商大酒店正面
☎ 15699203535（携帯）
🕐 20:00～翌2:00
休 なし
カ 不可

阿布拉達爾曼饢／阿布拉达尔曼饢
あぶらたつじまんのう　　ābùlādáěrmàn náng

ウルムチっ子なら誰もが知っている、おいしいと評判のナンの店。ナンは日本人も食べやすい、少し甘味のある生地の油ナンで、ひとつ4～5元。いつも行列ができている。

Ⓜ P.216-A2
🏠 西虹西路104号
☎ 4537153
🕐 9:00～21:30
休 なし
カ 不可

五一星光夜市／五一星光夜市
ごいちせいこうよいち　　wǔyī xīngguāng yèshì

2019年5月にリニューアルオープンした大規模な夜市。テーブルと椅子が並べられた中央スペースを取り囲むように屋台が並ぶ。あちこちにイルミネーションが飾られているので、暗くなってからも明るい雰囲気のなかで食事を楽しめる。

Ⓜ P.216-A2
🏠 伊寧路と伊寧路南二巷の交差点南西
☎ なし
🕐 20:00～翌2:00
休 なし
カ 不可

国際大バザール／国际大巴扎
こくさいだい　　guójì dàbāzhā

Ⓜ P.216-B3
🏠 解放南路8号
☎ 8558800
　演芸大劇院＝8555485、8555486
🕐 5～9月10:00～20:00
　10～4月10:30～19:30
休 なし
カ 不可

解放南路に位置するショッピングモール。赤れんがのイスラム建築で、中に足を踏み入れると西域の情緒たっぷりの売り物に目を奪われる。4月中旬から10月上旬にかけては、4号楼4階の演芸大劇院にて毎日19:00から歌と踊りのショーが行われる。所要約2時間、399～599元（ビュッフェ形式の食事代込み）。

二道橋市場／二道桥市场
にどうきょうしじょう　èrdàoqiáo shìchǎng

ウルムチに古くからあるショッピングモール。ウイグルナイフや絨毯、シルク、刺繍製品、食品など民族色豊かな商品を購入できる。2019年7月現在、改修中のため建物には入れないが、建物横の敷地が新疆名物のフードコートとして開放されている。

Ⓜ P.216-B3
🏠 解放南路 37 号
☎ 2861729
🕐 10:00 ～ 21:00
休 なし
カ 不可

西域果園／西域果园
せいいきかえん　xīyù guǒyuán

新疆ウイグル自治区特産のドライフルーツをおもに扱う店。クルミや干しブドウ、イチジク、アンズ、ナツメなど種類も豊富。少量ずつきれいにパッケージされているので、少々割高だがおみやげとして配るのにいい。試食はできない。

Ⓜ P.217-A2
🏠 長江路 25 号
☎ 5876198
🕐 10:00 ～ 21:30
休 なし
カ 不可

葡萄樹 小西門店／葡萄树 小西门店
ぶどうじゅ　しょうせいもんてん　pútáoshù　xiǎoxīméndiàn

ウルムチ市内に多数の店舗をもつ人気のスイーツ店。ドライフルーツやナッツ、クルミなど新疆の特産品を使用した洋菓子が揃っており、おみやげを選ぶのに便利。

Ⓜ P.217-B1
🏠 新華北路 208 号
☎ 2323592
🕐 9:30 ～ 21:30
休 なし
カ 不可

新疆恒信国際旅行社／新疆恒信国际旅行社
しんきょうこうしんくさいりょこうしゃ　xīnjiāng héngxìn guójì lǚxíngshè

Ⓜ P.217-B2
🏠 中山路 323 号新拓大廈 1702 室
☎ 2311418（日本語可）、
　 13079965567（携帯、日本語可）
📠 2311482（日本語可）
🕐 5 ～ 9 月 9:30 ～ 14:00、15:30 ～ 19:30
　 10 ～ 4 月 10:00 ～ 14:00、15:30 ～ 19:30
休 土・日曜、祝日　カ 不可
🌐 www.shinkyou.com
✉ contact@shinkyou.com（日本語可）

列車の切符手配代行料は 1 枚 100 元。日本語ガイド 1 日 500 元、市内を回る車のチャーター料は 1 日 700 元、天池 1 日観光の車のチャーター料は 900 元、南山牧場 1 日観光の車のチャーター料は 800 元。

西域之星国際旅行社／西域之星国际旅行社
せいいきのほしこくさいりょこうしゃ　xīyùzhīxīng guójì lǚxíngshè

人民公園にある旅行会社のうちのひとつ。日本語や英語を話すスタッフはいないが、ていねいな対応がモットー。天池日帰りツアー 180 元（入場料、シャトルバス代、昼食代込み）、南山牧場日帰りツアー 100 元（入場料、昼食代込み）。前日までに申し込む。

Ⓜ P.217-A2
🏠 人民公園南門
☎ 2331926、13319045333（携帯）
🕐 10:00 ～ 21:30
休 なし
カ 不可

天池日帰りツアー体験記

ウルムチの人民公園の北大門と南門には観光ツアーを開催している旅行会社が密集しているが、会社ごとに値段はバラバラだ。例えば天池ツアーの場合、料金が300元を超える所もあれば、200元以下で参加できる所もある（いずれも入場料、シャトルバス代、昼食代込み）。私は数軒の旅行会社で聞き込みをした結果、最も安価な西域之星国際旅行社（→P.229）のツアーに申し込んだ。参加費は180元だ。

当日、南航明珠国際酒店（MP.217-A1）の前で集合し、30人ほどの参加者を大型バスに乗せて出発した。移動中、ガイドが天池での過ごし方について説明し、次の3つの選択肢を提示した。①遊覧船に乗って湖を周遊し王母廟を見学する（100元）。②ロープウエイに乗って馬牙山山頂に登る（220元）。③そのどちらもせず湖畔でのんびりする（無料）。私はロープウエイか遊覧船か迷ったが、せっかく湖に来たのだからと、遊覧船に乗ることにした。費用はあらかじめバスの中でガイドに支払うことになっている。

高速道路を走って3時間ほどで天池の麓の駐車場に到着。敷地内からは観光用のシャトルバスに乗り換える。天池の湖畔に向かう途中、天山天池民俗風情園というスポットでいったん降車した。しかし、見学希望者が少なかったためここには長居せずみやげ店のみ立ち寄り、すぐに再びシャトルバスへ乗り込む。そしていよいよ天池湖畔に到着。

景区入口にある巨大な案内所。ここからはシャトルバス

この日は快晴というわけではなかったが、それでも鬱蒼とした山々に囲まれた天池の景色は美しく、湖畔は多くの旅行者でにぎわっていた。さっそく遊覧船に乗って移り変わっていく風景を眺めていると、あっという間に湖を回って王母廟に着いてしまった。

船着場から廟へと続く長い階段を、急な段差に気をつけながら上っていく。王母廟は近づくと遠くから見るよりいっそう鮮やかな色合いをしていて、中で祀られている西王母像の金の輝きも見事だった。

廟を出ると、建物の脇に階段が続いているのを発見。段差はさらに急で、足ひとつ分の幅もない石段に若干の不安を覚えるが、せっかくここまできたのだからと思い、上を目指した。到着した聚仙宮は、建物自体は質素だったが、そこからの見晴らしが格別。長い階段を上ってきた苦労もあって、すがすがしい眺めにしばらく時間を忘れて見入っていた。

聚仙宮からの眺め。下の建物が王母廟。遊覧船が小さい！

湖畔の散策を終えバスに戻って天池を出発。高速に入る前に、国道沿いのひなびたレストランでようやく昼食（もはや夕食）。内容は普通の炒め物が数品だったが、体を動かしたあとの空腹にはありがたかった。1日歩き回ったためウルムチに戻る頃にはヘトヘトで、この日はベッドに入って間もなくぐっすりと眠ることとなった。　　　　（小川智史）

☀　🌙 **タイムスケジュール** 🌙

8:00	南航明珠国際酒店発	16:30	天池湖畔発
12:00	天山天池民俗風情園着	18:00	昼食（夕食）
13:00	天池湖畔着	21:00	紅山駅前着

南山牧場日帰りツアー体験記

天池日帰りツアー（→P.230）に参加した翌日、同じ旅行会社の南山牧場日帰りツアーに参加した。費用は100元（南山牧場入場料、昼食代込み）。

当日の集合場所は紅山駅に近い孔雀都城酒店（MP.217-A1）の前で、参加者は10人。ワゴン車でのこぢんまりとしたツアーとなった。移動中のガイドによる説明では、今回周遊するスポットは3ヵ所。①菊花台へと続く道沿いの烏拉斯台にある空中草原（入場料別途55元）。②カザフ族の生活を体験できるキーグズイ（50元）。③西白楊溝にある滝（駐車場と滝を往復する電動カート45元）。①については全員参加だが、②の参加と③で電動カートを利用するかは自由。私は②に参加し電動カートも利用したので150元支払った。

飲み物やおやつを買うために道中で小さな町に寄りつつ車に揺られて約1時間30分、南山牧場の入場ゲートに到着。そこからさらに30分ほど山道を上がっていくと、見晴らしのよい空中草原にたどり着いた。私たちのあとにも大型バスが2台やってきて、草原のなかに観光客が散らばっていく。特に見晴らしのよいポイントではカザフ族の男性たちが馬を柵につないでいて、料金交渉すれば乗馬もできるようだが、大半の観光客はそのまま草原の景色を楽しんだり散策したりしていた。この日はさわやかな快晴だったので、私も写真を撮るのに夢中になった。

空中草原の展望台からは南山牧場を広く見渡せる

次に訪れたカザフ族のキーグズイでは、民族衣装を着て記念撮影をしたり、ボロ（おかわり自由）やミルクティー、焼き菓子・揚げ菓子などを堪能できたりしたが、実際にカザフ族の人と交流したり、音楽やダンスを鑑賞することはなかった。なお、キーグズイに入らなかった人は外で昼食を取っていた。

キーグズイ内にある衣装を自由に試着できる

最後は西白楊溝に行き、駐車場でワゴン車を降りて、滝へ向かう電動カートに乗り換えた。駐車場から滝へは緩やかな坂道で、滝に近づくにつれ木がいっそう生い茂っていき、道の横を流れる川の幅が広がっていく。電動カートが止まる頃には滝の音が遠くに聞こえてきた。そこから遊歩道が四方に整備されていて、さまざまなポイントから滝を眺められるようになっている。

遊歩道を上れば滝の真下へ

存分に景色を楽しんでツアーは終了。天池ツアーと比べるとコンパクトな内容だけれども、移動時間が短いため満足感は十分だった。湖の観光が中心の天地ツアーとはまた違った、草原の魅力に満ちたツアーといえるだろう。（小川智史）

☀ タイムスケジュール 🌙

8:50	孔雀都城酒店前発	13:30	西白楊溝着
11:00	空中草原着	15:30	南山牧場発
12:20	キーグズイ着（昼食）	17:00	孔雀都城酒店前着

トルファン名産の白ブドウ

世界有数の低地にあるオアシスの町

トルファン

トゥールーファン
吐魯番 *Tù Lǔ Fān*

カザフスタン　モンゴル
キルギス
ウルムチ
トルファン●
新疆ウイグル自治区
パキスタン
インド
チベット自治区　青海省　甘粛省

● 都市データ ●

トルファン
人口＝63万人
面積＝7万49km²
1区2県を管轄

市公安局出入境管理科
（市公安局出入境管理科）
Ⓜ地図外（P.234-A1上）
🏠西環北路と京新高速路交差点
南東吐魯番市政府服務大庁内
☎8523147、18099955553（携帯）
🕐5～9月10:00～14:00、16:30
　　～20:00
　　10～4月10:00～11:30、
　　15:30～19:30
🚫土・日曜、祝日
観光ビザを最長30日間延長可能。
手数料は160元
※ただし、訪問予定先や新疆ウ
　イグル自治区の治安状況に
　よっては延長が認められない
　場合もあるので注意

市人民医院
（市人民医院）
Ⓜ地図外（P.234-B1右）
🏠庫里塔格路と博格達路交差点
北東
☎8704254、8704937
🕐24時間
🚫なし

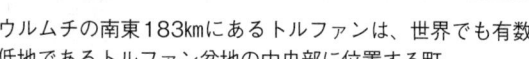
概要と歩き方

　ウルムチの南東183kmにあるトルファンは、世界でも有数の低地であるトルファン盆地の中央部に位置する町。

　トルファン市は高昌区、トクスン（托克遜）県、ピチャン（鄯善）県を管轄する行政地区で、その中心となる高昌区は13万6900km²という面積に対して28万人の人口を擁する。

　古くはシルクロードの天山南路と天山北路を連絡する要衝として栄え、現在でも鉄道の蘭新線と南疆線の分岐点となるなど地理的重要性は変わっていない。

　トルファンの夏は、高温で乾燥していて風が強い。これまでに記録された最高気温は49℃（2017年7月10日）。特に7月中旬から8月中旬までは酷暑が続くため、火州とも呼ばれる。しかし、年間降水量が16mmほどと非常に乾燥しているため、夏の日中でも日陰にいれば比較的過ごしやすい。

　5～7世紀には漢族の移民によって高昌国が建設され繁栄を極めた。それから唐の直接支配を経て、ウイグル人が西ウイグル王国を建国すると、ベゼクリク千仏洞を代表とする高度な文化が出現し、トルファンは最盛期を迎えた。

トルファンの仏教文化の最高峰ともいえるベゼクリク千仏洞

	1月	2月	3月	4月	5月	6月	7月	8月	9月	10月	11月	12月
平均最高気温(℃)	-2.2	5.5	16.5	26.1	33.1	38.0	39.7	38.2	32.0	21.7	9.3	-1.0
平均最低気温(℃)	-13.3	-7.5	2.4	11.7	18.0	23.0	25.1	22.8	15.8	6.5	-3.1	-11.2
平均気温(℃)	-6.4	0.0	9.7	19.1	26.2	30.5	32.2	30.6	24.4	14.5	3.2	-5.6
平均降水量(mm)	1.2	0.2	1.2	0.3	0.6	3.3	2.3	2.7	1.3	1.1	0.6	1.1

現在の産業は農業が中心で、特産品にはブドウ、ハミウリ、綿花などがあり、8月下旬には葡萄祭という交易会が開かれる。この時期を中心に夏は国内外から多くの訪問客があるため、宿を取るのは非常に難しくなるので、予約をしておいたほうが無難だ。

トルファンにはトルファン交河空港があるが、便数が少ないため利用価値は低く、ほとんどの旅行者は陸路でトルファンに出入りすることになる。トルファン駅は市街地からバスで1時間ほどかかる距離にあるので、トルファン北駅かバスを利用するのが便利だ。

トルファンの町は、案外と開けていると感じるだろう。道路は舗装され、車も多く、田舎道をロバ車が行き交うシルクロードのイメージとは大きく異なる。しかし、ホテルに荷物を下ろし、町に出てみると、そこにはやはりオアシス都市の雰囲気が漂っている。多くの観光客が訪れ、トルファンは豊かになったが、素朴で親切な人がまだまだ多い。

トルファンの中心は、高昌路と老城路。老城西路は商店が集中しており、高昌中路にはショッピングモールもある。その東を走る柏孜克里克路はイスラム料理や中国料理のレストランでにぎわっている。高昌路と柏孜克里克路に挟まれた青年路にはブドウ棚があり、市民の憩いの場となっている。

トルファンの見どころの多くは郊外にあるのでツアーを利用するのが安くて効率的だが、広い範囲に点在するためツアーでは各見どころでの滞在時間は短い。じっくり観光したい人は、車をチャーターしたほうが楽しめる。

市内交通

【路線バス】運行時間の目安は7:00～21:00、1元

【タクシー】初乗り3km未満7元、3km以上1kmごとに8:00～24:00は1.4元、0:00～8:00は1.6元加算、8km以上1kmごとに8:00～24:00は2.1元、0:00～8:00は2.4元加算。郊外は要交渉

○　編集室より

トルファン盆地

世界でも有数の低地。最低部は市街地の南に位置するアイディン湖の海抜−154m。

暑さ対策

トルファンの夏はとにかく暑いので、帽子とサングラスは必需品。日なたに立ちっぱなしでいると簡単に日射病になってしまうから、ときどき木陰に入って休憩し、水分補給を十分にすること。

今でも町なかでときおりロバ車を見かける

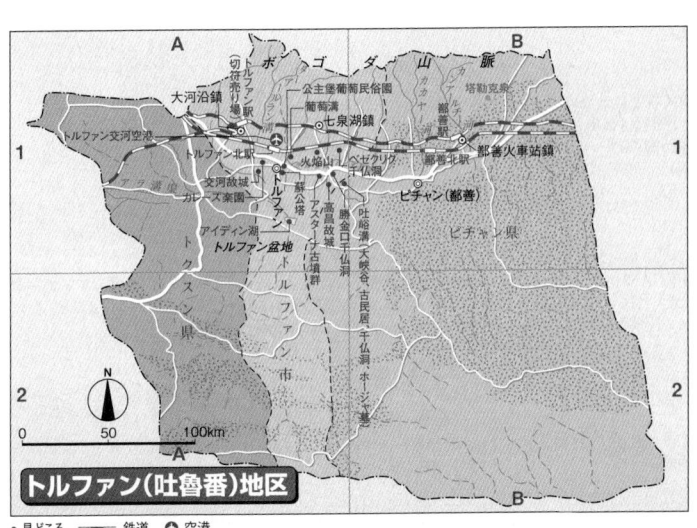

トルファン(吐魯番)地区

● 見どころ　＝＝＝ 鉄道　✈ 空港

トルファン（吐魯番）

A | **B**

市公安局出入境管理科へ

↑トルファン駅、トルファン北駅、烏哈公路へ

光明路

柏孜克里克路

市緊急救援センター

中国工商銀行

緑洲西路

財政局

幸福路

地区師範学校

緑洲中路

錦江都城酒店

緑洲東路

H火洲大酒店分店

市人民政府

H市人民医院へ

達ト青年旅舎へ

H絲路餐庁

東環路

高昌大酒店

（張家界中国旅行社トルファン支社）

高昌公園

西游駅站餐飲広場

全季酒店H

干果水果大全

文化西路

道の両側には飲食店が並ぶ

吾買爾牛肉麺H

西州大酒店

文化東路

Hウイグル医院

新城路

老城西路

西環路

銅鑼湾商業広場

祥雲小区

巴爾曼快餐庁

艾力開木美食

水韵広場

郵政局

文化旅游広場

柏孜克里克路

豪城大酒店

新華書店S

中国銀行

葡萄国際酒店S

民貿大厦

第一中学

Hトルファン博物館

木納爾路

蘇来曼抻麺王

夕方になると露店が集まる

椿樹路

トルファン地区バスセンター・

交河飯店H

高昌南路

青年路

Hトルファン賓館

解放街

解放街

南門路

蘇公塔へ

南門路

青年路

A皮牙孜其木里曼小学

B

N

0　250　500m

● 見どころ　H ホテル　G グルメ　S ショップ　B 銀行　X 学校　⊠ 郵便局　H 病院　////// 繁華街

Access

中国国内の移動 ➡ P.338

✈ 飛行機

市区の北西約15kmに位置するトルファン交河空港（TLQ）を利用する。西安や蘭州などの大都市や新疆ウイグル自治区各都市に運航便がある。

国際線 日中間運航便はないので、西安で乗り継ぐとよい。

国内線 西安と、新疆各都市との間に運航便がある。

所要時間（目安） 西安（XIY）／3時間15分　蘭州（LHW）／2時間30分　カシュガル（KHG）／2時間15分　イーニン（YIN）／1時間40分

🚃 鉄道

蘭新線と南疆線の分岐点であるトルファン駅と蘭新線第二複線のトルファン北駅がある。トルファン駅は市区の北西約60kmの大河沿鎮にあり、ミニバスで約1時間かかる。トルファン北駅は市区の北西約15kmにある。

所要時間（目安） 【トルファン（tlf）】西安（xa）／特快：26時間　蘭州（lz）／特快：17時間10分　【トルファン北（tlfb）】西安（xa）／特快：23時間40分　西寧（xn）／動車：8時間20分　銀川（yc）／直達：19時間30分　蘭州西（lzx）／動車：11時間　柳園南（lyn）／動車：3時間20分　ウルムチ（wlmq）／動車：55分

🚌 バス

市区にあるトルファン地区バスセンターと大河沿鎮にある大河沿バスターミナルの2ヵ所がある。

所要時間（目安） ウルムチ／2時間　トルファン（大河沿～トルファン市内）／1時間　大河沿（トルファン市内～大河沿）／1時間

Data

✈ 飛行機

トルファン交河空港
（吐魯番交河机场）

Ⓜ️P.233-A1
🏠市区北西吐魯番北駅北側
☎8621966　🕐始発便〜最終便
休なし　🈂️不可
[移動手段] **タクシー**（空港〜全季酒店）／50元、所要30分が目安

🚃 鉄道

トルファン北駅（吐魯番北站）

Ⓜ️P.233-A1
🏠新絲路と交河大道交差点
☎共通電話=12306　🕐5:25〜22:50
休なし　🈂️不可
[移動手段] **タクシー**（トルファン北駅〜全季酒店）／40元、所要25分が目安　**路線バス**／202路「吐魯番北站」
　28日以内の切符を販売。

市街地と路線バスで行き来できるトルファン北駅

トルファン駅（吐魯番火車站）

Ⓜ️P.233-A1、P.235-A1　🏠大河沿鎮厳管街
☎共通電話=12306　🕐4:00〜翌2:00
休なし　🈂️不可
[移動手段] **タクシー**（トルファン駅〜全季酒店）／150元、所要60分が目安
　28日以内の切符を販売。

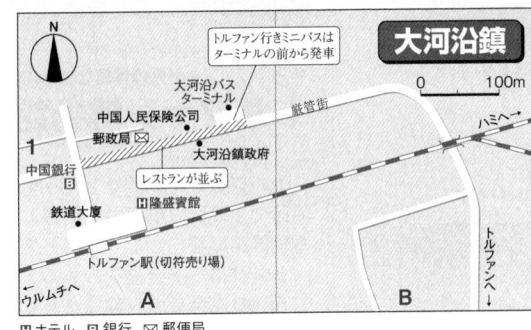

大河沿鎮

トルファン行きミニバスはターミナルの前から発車

大河沿バスターミナル
中国人民保険公司
郵政局
大河沿鎮政府
中国銀行
レストランが並ぶ
鉄道大廈
隆盛賓館
厳管街
ハミへ→
トルファンへ
トルファン駅（切符売り場）
←ウルムチへ
トルファンへ→

0　　100m

Ⓗ ホテル　Ⓑ 銀行　⊠ 郵便局

🚌 バス

トルファン地区バスセンター
（吐魯番地区客運中心）

Ⓜ️P.234-A2　🏠椿樹路545号
☎8522325　🕐7:30〜19:30
休なし　🈂️不可
[移動手段] **タクシー**（トルファン地区バスセンター〜全季酒店）／7元、所要5分が目安　**路線バス**／2、5、7路「市民医院」
　2日以内の切符を販売。ウルムチ、大河沿行きは当日の切符のみ販売。ウルムチ（9:30〜19:30の間2時間に1便）、大河沿（6人揃ったら出発）。

大河沿バスターミナル
（大河沿長途汽車站）

Ⓜ️P.235-A1　🏠大河沿鎮厳管街
☎8645849　🕐7:00〜19:00
休なし　🈂️不可
[移動手段] **ミニバス**（大河沿バスターミナル〜トルファン地区バスセンター）／所要1時間が目安
　当日の切符を販売。トルファン（6人揃ったら出発）。

2014年に世界文化遺産に登録され、きれいに修復された交昌故城

トルファン博物館
Ⓜ P.234-B2
🏠 木納爾路1268号
☎ 7619650
🕐 10:30 ～ 18:30
※入館は閉館30分前まで
🚫 月曜
💴 無料
🚌 1路バス「老城東門」

階段を上がって2階が博物館入口

交河故城
Ⓜ P.233-A1
🏠 亜爾郷亜爾果勒村
☎ 吐魯番統一旅遊営銷服務公司
　＝8687555
🕐 4月下旬～10月上旬
　9:00 ～ 20:00
　10月中旬～4月中旬
　9:30 ～ 18:30
🚫 なし
💴 70元
※游客服務中心と遺跡を往復す
　る電動カート＝25元
🚌 旅行会社で1日ツアーに参加
　する。ただし、じっくり見て
　歩きたい人は車をチャーター
　しての観光がおすすめ

● ❧ 見どころ ❧ ●

考古学ファンも必見の豊富な展示内容　　　　　　★

トルファン博物館／吐魯番博物館
はくぶつかん　　　　　tǔlǔfān bówùguǎn

　トルファン博物館は1989年に高昌中路に新疆ウイグル自治区で2番目の規模の博物館としてオープンし、2010年に木納爾路に移転してリニューアルオープンした。

　シルクロード全盛期のものをはじめ、国家1級の文物を含む5000点余りの収蔵品があり、その8割はトルファンからの出土品。ミイラは一見の価値がある。

● ❧ 郊外の見どころ ❧ ●

高昌故城と双璧をなす城趾遺跡　🕐3時間　　★★★

交河故城／交河故城
こうがこじょう　　　jiāohé gǔchéng

　トルファン市街地の西16km、ふたつの川が交わる高台にある城趾遺跡で、車師前国の都であったともいわれている。2014年「シルクロード：長安＝天山回廊の交易路網」の一部として世界文化遺産に登録された。

　6世紀初頭の麴氏高昌国期には、ここに交河郡城が築かれたが、現存する遺跡は唐代以降に建築されたもの。城壁はなく、南北に約1km、東西の最大幅が300mの長方形だ。

夕暮れどきにはロマンあふれる景観が楽しめる交河故城

長さ350m、幅3mの道が城内を南北に貫き、この道を中心に城内は3つの部分に分けられる。北西部には寺院遺跡が集中し、特に仏塔が数多く残っている。また北西部には車師前国、高昌国、唐代の墓地群が広がる。北東部は居住地区で、建築物もかなり保存状態がよい。これに対し南東部の行政地区は地下底院を除きほとんどが破壊されていたが、世界遺産登録後の修復作業により北東部と遜色ない景観を楽しめるようになった。

見学はまず游客服務中心で交河故城に関する展示を見てから遺跡に向かう。游客服務中心と遺跡の間は1km以上の距離があるので、観光時間を節約するなら電動カートの利用がおすすめ。遺跡内は徒歩での見学となる。

観光エリア北端にある塔林

高昌故城
M P.233-A1
田 三堡郷
☎ 吐魯番統一旅遊営銷服務公司
＝8687555
カ 4月下旬～10月上旬
　9:00～20:00
　10月中旬～4月中旬
　9:30～18:30
休 なし
料 70元
※遺跡内を移動する電動カート
＝25元
交 旅行会社で1日ツアーに参加
する。ただし、じっくり見て
歩きたい人は車をチャーター
しての観光がおすすめ

玄奘も訪れた高昌国城趾 ⏱3時間 ★★★
高昌故城／高昌故城
こうしょうこじょう　gāochāng gùchéng

　トルファン市街地の東約40kmの所にある城趾遺跡。2014年「シルクロード：長安＝天山回廊の交易路網」の一部として世界文化遺産に登録された。この地には漢代に高昌壁や高昌塁と呼ばれた砦が築かれ、前涼期に高昌郡がおかれた後、麹氏高昌国から高昌ウイグル帝国にかけてのおよそ1000年の間、国都として繁栄した。

　総面積およそ200万㎡、周囲は約5kmに及ぶが、これは前涼から麹氏高昌国の間に形成されたものだ。城趾は外城、内城、宮城の3つから構成されているが、建築物の損壊は激しく、広大な土地に荒涼とした風景が広がる。敷地は広く、全行程を歩く場合は約2時間が必要。

　また、玄奘がインドに仏典を求めて向かう途中、ここで高昌国の王、麹文泰に最高の待遇で迎えられて2ヵ月ほど滞在し、1ヵ月にわたり説法を行ったこともよく知られている。

旅游服務中心前に立つ玄奘像

広大な敷地内に数々の遺構が残されている

237

ベゼクリク千仏洞

M P.233-A1
田 火焔山景区北側木頭溝西岸
☎ 吐魯番統一旅遊営銷服務公司
＝8687555
オ 4月下旬～10月上旬
9:00～20:00
10月中旬～4月中旬
9:30～18:30
休 なし
料 40元
行 旅行会社で1日ツアーに参加
する

古代ウイグル人の文化を伝える　🕐1時間　★★★

ベゼクリク千仏洞 / 柏孜克里克千佛洞
せんぶつどう　bǎizīkèlǐkè qiānfódòng

　トルファンの北東38km、高昌故城まで22km、火焔山山中のムルトゥク河南岸にある有名な仏教石窟。「ベゼクリク」とはウイグル語で「装飾された家」を意味する。

　石窟の開削は6世紀の麹氏高昌国期から始まり、唐、五代十国、宋、元代と続けられた。最盛期は高昌ウイグル帝国がトルファンを支配していた9世紀中期。当時、彼らは仏教を信仰しており、この地は王族の寺院とされた。現存する石窟は83窟、その大部分はこの時期に制作されており、石窟内に残る仏像や壁画は当時のウイグル文化を知るうえで貴重な資料となっている。

渓谷沿いに石窟が並ぶ。石窟内部の撮影は禁止

　ただ残念なことに、ベゼクリク千仏洞はイスラム教がトルファンに浸透するとともに破壊され、それを免れたものも清代末にここを訪れた外国人探検隊によって剥ぎ取られてしまい、現在ではほんの一部分が残っているに過ぎない。

火焔山

M P.233-A1
田 火焔山景区
☎ 吐魯番統一旅遊営銷服務公司
＝8687555
オ 4月下旬～10月上旬
9:00～20:00
10月中旬～4月中旬
9:30～18:30
休 なし
料 40元
※入場せず、風景を楽しむだけ
なら無料
行 旅行会社で1日ツアーに参加
する
※1　西遊記
明の呉承恩が著した玄奘と孫
悟空の活躍する小説で、中国
四大奇書のひとつ（残りは『金
瓶梅』『水滸伝』『三国志演
義』）

『西遊記』に登場する燃える山　★★

火焔山 / 火焔山
かえんざん　huǒyànshān

　トルファン盆地の中央部に横たわる東西約100km、南北10km、平均海抜500mの山地で、最も高い所は勝金口付近で851mに達する。地殻の褶曲運動によってひだの入った高い山肌は、夏場になると地表から立ち上る陽炎によって燃えているように見え、火焔山と呼ばれるようになった。この火焔山は、孫悟空が活躍する物語として日本でもなじみ深い『西遊記』[※1]にも登場する。燃えさかる火焔山に行く手を遮られた玄奘一行が、その火を消すことができるという芭蕉扇を手に入れるため、孫悟空がその持ち主である鉄扇公主と戦った話がそれだ。

茫漠とした大地に吹く風はまさに熱風

新疆イスラム建築様式を代表する塔

蘇公塔 / 苏公塔
そこうとう　sūgōngtǎ

★★

トルファン市区の南東2kmの所にあるミナレット（尖塔）で、額敏塔とも呼ばれる。1779（清の乾隆44）年にトルファン郡王のスレイマン（蘇来満）がその父オーミン・ホージャ（額敏和卓）のために建てた塔で、横にはモスクがある。

高さ44mの円柱形の塔は、幾何学模様が彫り込まれたれんがで造られ、新疆イスラム建築様式を代表する。塔の中には72段のらせん階段があるが、現在、塔本体が傾斜しているため、上ることはできない。

ツアーに参加すれば必ず訪れる場所だが、昼下がりに解放街を歩いて訪れるのもおもしろい。木陰から陽気なウイグル族の人たちが声をかけてくるはずだ。モスク内部の見学も可能。

幾何学模様が美しい蘇公塔

ミイラの眠る墓地群

アスターナ古墳群 / 阿斯塔那古墓群
こふんぐん　āsītǎnà gǔmùqún

★★

カラ・ホージャ古墓群とも呼ばれるアスターナ古墳群は、トルファン市街地の東36kmの所にある。

高昌国住民と唐代西州住民の墓地群で、墓室からは大量の絹製品、陶器、文書などが出土しており、壁画やミイラも残る。これらは高昌国の歴史研究にとって貴重な資料だ。

ここにあるすべての墓は、斜めの参道と地中にある墓室をもっており、平面的には「甲」字形をしているのが特徴。出土した資料によると、最古のものは273（晋の泰始9）年、最も新しいものは778（唐の大暦13）年。見学可能な墳墓は210、215、216号の3基。うち壁画が残るのは215号と216号で、210号には夫婦のミイラがある。

広大な敷地の地中にいくつもの墓室が造られている

蘇公塔
Ⓜ P.233-A1、地図外（P.234-B2右）
🏠 南門路葡萄郷木納爾村
☎ 吐魯番統一旅遊営銷服務公司
　＝8687555
🕐 4月下旬〜10月上旬
　9:00〜20:00
　10月中旬〜4月中旬
　9:30〜18:30
休 なし
💰 蘇公塔＝45元
　郡王府＝20元
🚌 旅行会社で1日ツアーに参加する

モスク内の礼拝堂は厳か

モスクの周囲には墓地が広がる

アスターナ古墳群
Ⓜ P.233-A1
🏠 三堡郷
☎ 吐魯番統一旅遊営銷服務公司
　＝8687555
🕐 4月下旬〜10月上旬
　9:00〜20:00
　10月中旬〜4月中旬
　9:30〜18:30
休 なし
💰 40元
🚌 旅行会社で1日ツアーに参加する

210号墓室に眠るミイラ

○ 編集室より

カラ・ホージャ
伝説によると、カラ・ホージャはこの地に駐屯していた西ウイグル王国の武将の名前。ちなみにアスターナとはウイグル語で都を意味する。

カレーズ楽園

カレーズ楽園
Ⓜ P.233-A1
🏠 亜爾鎮亜爾村1隊坎児井路
☎ 8687802
🎫 4月下旬〜10月上旬
9:00〜20:00
10月中旬〜4月中旬
9:30〜18:30
休 なし
料 40元
🚌 旅行会社で1日ツアーに参加

井戸の利用の様子を実物大の人形で再現した展示

葡萄溝
Ⓜ P.233-A1
🏠 市区北東約11km
☎ 吐魯番統一旅遊営銷服務公司
＝8687555
🎫 4月下旬〜10月上旬
9:00〜20:00
10月中旬〜4月中旬
9:30〜18:30
休 なし
料 60元
※景区内を移動する電動カート
＝25元
🚌 旅行会社で1日ツアーに参加
する

この游客服務中心から入場する

移動は基本的に電動カート

トルファンの生命線 ★

カレーズ楽園 / 坎儿井乐园
らくえん　　　　kǎnérjǐng lèyuán

シルクロードのオアシス都市は3つのタイプに分けられる。ひとつは河川の水を利用したオアシス（カシュガルやホータンなど）。もうひとつは湧き出る泉を利用したオアシス。最後がカレーズと呼ばれる地下水路を利用したオアシスで、トルファンはこのタイプを代表するオアシス都市だ。

カレーズとは地中に水を通す施設のことで、イランでは「カナート」と呼ばれる。カレーズ楽園は交河故城近くに位置する、カレーズの見学ができる場所のひとつ。

カレーズ楽園内の博物館では、カレーズの仕組みや歴史について詳しく説明されている

清らかな水が地下を流れる

トルファンの避暑地 ★

葡萄溝 / 葡萄沟
ぶどうこう　　　pútáogōu

葡萄溝は市街地の北東、火焔山の西にある南北8km、東西1〜2kmの小さな渓谷で、一面ブドウ畑が広がっている。ここで栽培される種なし白ブドウ（马奶子）は「ウマの乳房」とも呼ばれ、とても有名。ブドウ畑を散策していると、豊かなオアシス都市を実感することができる。

景区入口には大きなゲートがあるが、そこから入るのは車で見学する場合。ゲートの手前から向かって右へ100mほど歩くと游客服務中心があり、ここを通過して景区内に入る。敷地は広大なのでほとんどの入場者は電動カートに乗って見学ポイントを回るが、時間帯によっては電動カートが混み合い、なかなか乗れないこともある。できるだけ時間に余裕のあるタイミングで見学したい。

ブドウ棚のブトウは採って食べてはいけない

全季酒店／全季酒店
ぜんきしゅてん　quánjì jiǔdiàn

高昌中路と文化中路の交差点にあるホテル。ロビーや部屋は清潔かつモダンな内装で快適。スタッフの対応もていねい。星なしだが設備は3つ星相当。

Ⓜ P.234-A1
🏠 高昌中路422号
☎ 8555522
🆑 8586565
Ⓢ 289〜299元
Ⓣ 259〜299元
サなし
カなし
🌐 www.huazhu.com

｜ビジネスセンター｜｜インターネット｜

高昌大酒店／高昌大酒店
こうしょうだいしゅてん　gāochāng dàjiǔdiàn

高昌中路沿いにある3つ星相当のホテル。繁華街まで徒歩10分ほどで便利。ホテル内に張家界中国旅行社トルファン支社がある。

Ⓜ P.234-A1
🏠 高昌中路330号
☎ 6266999
🆑 8523229
Ⓢ 238元
Ⓣ 238元
サなし
カ不可

｜ビジネスセンター｜｜インターネット｜

達ト青年旅舎／达卜青年旅舍
たつぼくせいねんりょしゃ　dábǔ qīngnián lǚshè

トルファン博物館から北東1kmほどの所にあるユースホステル。208路のバスで行くこともできる。英語のできるスタッフがおり、欧米人の宿泊客が多め。トイレとシャワーはすべて共用だが清潔。郊外ツアーの案内もしている。

Ⓜ 地図外（P.234-B1右）
🏠 沙河子路第8巷
☎ 6263193、18699513631（携帯）
Ⓢ 150〜170元
Ⓣ 190元
Ⓓ 4〜8人部屋＝45〜60元
サなし
カ不可

｜ビジネスセンター｜｜インターネット｜

艾力開木美食／艾力开木美食
がいりきかいぼくびしょく　àilìkāimù měishí

飲食店がひしめく繁華街にあって比較的多くの席数とゆったりとしたスペースをもつレストラン。ラグメン、ポロ、シシカバブ、大盤鶏など代表的なウイグル料理を楽しめる。店舗入口は柏孜克里克路に面している。

Ⓜ P.234-B1
🏠 広滙路祥雲小区289号
☎ 8569777
🕐 12:00〜23:00
休なし
カ不可

蘇来曼拌麺王／苏来曼拌面王
そらいまんはんめんおう　sūláimàn bànmiànwáng

ラグメンで有名な店で、いつも多くの人々でにぎわっている。白菜、ピーマン、トマトなど定番の具を使ったラグメンのほか、ニラやいんげん豆入りもある。

Ⓜ P.234-B2
🏠 老城東路365号
☎ 13999478833（携帯）
🕐 7:30〜18:00
休なし
カ不可

張家界中国旅行社トルファン支社／张家界中国旅行社吐鲁番分公司
ちょうかかいちゅうごくりょこうしゃししゃ　zhāngjiājiè zhōngguó lǚxíngshè tǔlǔfān fēngōngsī

列車の切符手配代行料は1枚30元、トルファン駅までの送迎300元、トルファン北駅までの送迎80元、日本語ガイド1日600元。交河故城、高昌故城、ベゼクリク千仏洞、火焔山、蘇公塔、アスターナ古墳群、カレーズ楽園、葡萄溝を回る車のチャーター料は1日550元。

Ⓜ P.234-A1
🏠 高昌中路330号高昌大酒店1階
☎ 8528688
🆑 8528688
🕐 5月〜10月上旬9:00〜13:00、14:00〜20:00
　　10月中旬〜4月10:00〜13:30、15:30〜19:00
休 土・日曜、祝日
カ不可

観光パスで**お得に**トルファンを楽しもう！

写真・文／小川智史
イトウコウヘイ

新疆ウイグル自治区の観光地のなかでも、トルファンは最も見どころの豊富な町。いろいろな所を見たいけれど、チケット代もかさんでしまう。そんな悩みをふっ飛ばすお得な観光パスがあるのをご存知だろうか。それが、トルファン統一旅游有限責任公司が販売する「景区線路套票」だ。

何ヵ所かの見どころがセットになった2日間有効のチケットで、各観光スポットの受付で購入できる。なかには最大で入場料が145元も安くなるコースも。今回は割引率も高くて見どころも充実した、おすすめの3コースを紹介しよう。

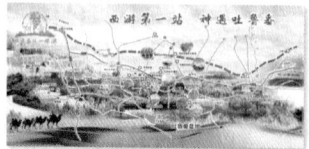

入場の際、裏面にスタンプが押される

おすすめコース❶ 主要3ヵ所をじっくり見たい！

交河故城 料70元 ＋電動カート25元付き

高昌故城 料70元

ベゼクリク千仏洞 料40元

計205元のところ ➡ **120元**

トルファン観光の代表的な3つのスポットをセットにした観光パス。個別に購入するより85元安くなる。

交河故城と高昌故城は敷地が広いため、もともと観光に時間のかかるスポットだったが、それぞれに遺跡について解説する展示施設（游客服務中心）ができたため、じっくり見ているとあっという間に数時間経ってしまう。1日をフルに使って3ヵ所を巡り、広大な遺跡の隅々まで見学したい人におすすめの観光パスだ。

広々としたエントランスには
交河故城の立体地図

仏像の印相のような
巨大な手

遺跡から1kmほど手前にある
游客服務中心の内部

交河故城ではすべての
バスに電動カート付き。
いざ遺跡へ！

交河故城
広大な敷地を歩くので
日差し対策は万全に！

4世紀に建立された大仏寺跡は
交河故城のなかでも必見！

解説パネルは中国語、
ウイグル語、英語の3言語。
日本語も加えてほしい！

トルファンの仏教遺跡で
よく見られる塔殿が
モチーフのオブジェ

面積1万㎡以上ある大規模な
西南大仏寺は高昌故城のハイライトのひとつ

『西域番国志』で
トルファンについて綴った
明の探検家、陳誠

高昌故城
時間節約のため、追加
料金を払って電動カートを
利用するのがおすすめ！

ベゼクリク千仏洞
洞窟内の壁画だけでなく、
崖の中腹からの景色も楽しめる！

ベゼクリク千仏洞で
長年ラワープを奏でている
ウイグル族の老人

車をチャーターする

　観光バスを使う場合、自分で車をチャーターすることになる。旅行会社に依頼するのが最も確実だが、達卜青年旅舎（→P.241）で案内されているツアーもおすすめだ。基本的には、4人乗りの車を参加者で400〜500元でシェアして、あらかじめ決まったコースを観光するのだが、行き先は参加者同士で話し合って柔軟に変更することができる。また、英語を話すことのできる運転手を手配してくれるので、コミュニケーションを取りやすい。

243

おすすめコース② 史跡を欲張りに見たい！

交河故城 料70元 +電動カート25元付き	**高昌故城** 料70元
ベゼクリク千仏洞 料40元	**蘇公塔** 料45元
アスターナ古墳群 料45元	計295元のところ → **150**元

コース❶に30元を追加するだけで蘇公塔とアスターナ古墳群にも入場できる、最もお得な観光パス。145元も安くなる。

壁画が残るふたつの墓室と、2体のミイラが眠る墓室、計3つの墓室が公開されているアスターナ古墳群。中は薄暗く、ミイラが苦手な人などは注意が必要だが、史跡の好きな人にとっては絶好のスポットだ。

イスラム建築の蘇公塔は市街地のほど近くにあるので、郊外ツアーとは別に徒歩やタクシーなどで行くのもよい。

唐代の建築様式風な入場ゲート

アスターナ古墳群
敷地内と210号墓室の撮影が可能に！

地上から墓室へ続く長い階段

見晴らし台に上って広大な墳墓エリアを一望してみよう！

父のために蘇公塔を建てたスレイマン2世

蘇公塔
モスクの裏に広がる墓地もぜひ見学しよう

幾何学的な建築が美しい

おすすめコース❸ トルファンの風土を楽しみたい!

葡萄溝 料60元 +電動カート25元付き	**カレーズ楽園** 料40元
高昌故城 料70元	**蘇公塔** 料45元
火焔山 料40元	計280元のところ → **201元**

火焔山やカレーズ楽園といった自然の景観や民俗文化に触れられるスポットにも行けるコース。79元安くなる。

トルファン郊外の人気観光スポットは東側に集まっているため、西郊外にある交河故城を外すと時間をかなり節約できる。遺跡見学はそこそこにして、トルファンの風土に浸りたいという人におすすめだ。

葡萄溝は離れた4ヵ所のスポットを見学する。電動カートで出発!

カレーズ楽園
天然水が流れる施設の地下は驚くほど涼しい!

葡萄溝
観光に時間がかかるので前後のスケジュールに注意!

たくさんの店があるのでおみやげの買い物にもちょうどよい

火焔山
荒涼とした景色のなかでの記念撮影が人気!

ラクダに乗って山の麓まで遊覧できる

ほかにも観光パスのコースはこんなに豊富!

入場できる観光スポット			元
交河故城	高昌故城		100
交河故城	ベゼクリク千仏洞		90
交河故城	アスターナ古墳群		85
交河故城	蘇公塔		95
交河故城	ベゼクリク千仏洞	蘇公塔	120
交河故城	ベゼクリク千仏洞	アスターナ古墳群	120
交河故城	蘇公塔	アスターナ古墳群	120
高昌故城	ベゼクリク千仏洞		90
高昌故城	アスターナ古墳群		85
高昌故城	蘇公塔		95
高昌故城	ベゼクリク千仏洞	蘇公塔	120
高昌故城	ベゼクリク千仏洞	アスターナ古墳群	120
高昌故城	蘇公塔	アスターナ古墳群	120

ウイグル族の伝統料理

現在の新疆ウイグル自治区では牛肉麺や米粉(ビーフン)、火鍋など他地域の料理を扱うレストランが増えており、特に若者などはそのような店を利用するようになってきた。しかし一方で、昔ながらのウイグル料理を提供するレストランもまだまだ健在で、人気のある店はしっかりとしたこだわりをもっていることも多い。ここでは、町なかの食堂などでも気軽に食べられる代表的なウイグル料理を紹介しよう。

毎日でも食べられるラグメン

最もポピュラーなウイグル族の麺料理のラグメンは、新疆を訪れる日本人旅行者の間でも特に好評だ。中国語では「拉面」や「拌面」と呼ばれ、町の飲食街にはこの看板を掲げる店が必ずある。麺は小麦粉と塩のみで作られるので味わいはうどんに近いが、麺の太さや形状は店によってまったく異なる。

トマトベースのたれ(汁気の多さは店によってまちまち)に、羊肉、白菜、ピーマンといった具材のほか、インゲンやニラ、ナスなどが入ることもある。麺と具材が別々に運ばれてくることもあるが、麺の上に具材をかけて一緒に食べるのが一般的。ウイグル族には「料理は赤くないとおいしくない」という考えがあるそうで、ラグメンはまさにそれを象徴するような、見た目にも食欲をそそられる料理だ。

カシュガルの老舗「七代美食」(→P.279)のラグメン

また、ラグメンと似たトマトベースのたれに細かく切った麺を入れたサオメン(中国語では「丁丁炒面」)も、ラグメンとは違った食感

が楽しめておすすめ。ラグメンを扱う多くの店でサオメンも注文することができる。

麺が細かいサオメンはスプーンで食べる

食べ応え抜群なポロ

ラグメンは比較的あっさりした口当たりの料理だが、もう少しボリュームのあるものを食べたいときにおすすめなのが、ウイグル料理を代表する米料理のポロ。もともと手でつかんで食べられていたため、中国語では「抓饭」と呼ぶ。ウイグル料理店で食べられるほか、ラグメンほどではないが町によっては専門店もある。また、夜市に行けば大鍋にいっぱいに作られたポロを目にすることができるだろう。

ウルムチのポロ専門店「開帝鋭抓飯館」(→P.227)のポロ

乾燥地帯というイメージが強い新疆と田んぼで作る米はあまり結びつかないかもしれないが、クチャのあるアクス地区が新疆の米どころとされており、米を使ったウイグル料理はいろいろある。日本の米と同じく短粒の米

なので、あまり違和感なく口にできるだろう。

ポロは羊油でよく炒めた米に、一般的なオレンジ色のニンジンと新疆独特の黄色いニンジン、そして羊肉をのせて食べる。羊肉は細かいぶつ切りや大きな塊、骨付きや骨なしなどさまざまなパターンがあり、それぞれで値段が変わってくる。また、店によっては干しブドウが添えられることもある。

香辛料たっぷりな羊肉の串焼き

ウイグル族にとって最も身近な肉はやはり羊肉。鶏肉や牛肉も使わないわけではないが、羊肉なしにはウイグル料理は成り立たない。

塩、クミン、胡椒、唐辛子で味付けした風味豊かな羊肉の串焼き、シシカバブ（中国語では「烤肉串」）は、シンプルながら最もウイグル料理らしい食べ物と言えるかもしれない。骨付きの串焼きやひき肉を固めたつくねのような串焼き、ホルモンを使った串焼きなどもあってとにかくバラエティ豊か。ラグメンやポロと一緒に注文して、いろいろな串焼きを試してみよう。

香辛料をたっぷり振りかけたシシカバブ

ウイグル族の主食、ナン

レストランで注文することは少ないかもしれないが、ぜひ食べてみてほしいのが新疆のナンだ。町歩きをしていれば店先でナンが作

られたり売られたりしているのを必ず目にするだろう。

最もポピュラーなゴマをまぶしたナン、アメッキは、歩きながら食べきれる大きさではないので購入に躊躇するかもしれないが、焼きたては驚くほどおいしい。例えば、長距離列車に乗る前に携帯食として購入するのもおすすめだ。ウイグル族の人々は、硬くなったナンをお茶やスープに浸して日常的に食べている。長距離列車ではお湯を入手しやすいので、そのような食べ方が参考になるだろう。

店先に並ぶできたてのアメッキ

一方で食べ歩きできるものとしては、ベーグル型のギルダや、羊肉とタマネギを包んだサモサもおすすめだ。

焼きたてのサモサ。温かいうちは羊肉がジューシー！

素材の味や食感を生かしたシンプルさが魅力のウイグル料理。羊肉が苦手な人もいるかもしれないが、新疆で食べたらきっとその印象も変わるのではないだろうか。ぜひ本場の味を存分に楽しんでみよう。

（小川智史）

新疆を代表する果物ハミウリ

かつてハミ王国の都城があった

ハミ

ハーミー
哈密 *Hā Mì*

カザフスタン　モンゴル

キルギス　ウルムチ

ハミ●

新疆ウイグル自治区　甘粛省

パキスタン

インド　チベット自治区　青海省

● 都市データ ●

ハミ
人口＝47万人
面積＝8万1794km²
ハミ地区の行政中心地

地区公安局出入境管理科
（地区公安局出入境管理科）
Ⓜ地図外（P.250-A1左）
🏠新民六路市二中傍
☎2273044
🕐5～10月9:30～13:00、
16:00～20:00
11～4月9:30～13:30、15:30
～19:30
休土・日曜、祝日
観光ビザを延長可能だが、ウル
ムチでの申請が便利

市中心医院
（市中心医院）
Ⓜ P.250-B1
🏠広場北路11号
☎2262210
🕐24時間
休なし

市内交通
【路線バス】運行時間の目安は
7:30～20:30、1元

【タクシー】初乗り2km未満7元、
2km以上1km ごとに5:00～23:00
は1.4元、23:00～翌5:00は1.96
元加算、9km以上1km ごとに5:00
～23:00は2.1元、23:00～翌5:00
は2.94元加算

✦ 概要と歩き方 ✦

　昔、伊吾と呼ばれたハミは、甘粛省と境界を接する新疆東部に広がるハミ地区の中心地で、クムルとも呼ばれる。

　町の名称になっている「ハミ」の由来には諸説あるが、古代ウイグル語の "khamil（大きな門）" を語源とする説が有力。これは、中央アジアへ続く天山北路のゲートとして繁栄したこの町にふさわしい名前といえる。

　ハミは新疆東部の中心地ではあるが、小規模な町なので、1日あれば十分全体を見て回ることができる。町の中心は中山北路一帯にあり、ホテル、中国銀行、商店などが集中している。

　中心部から南西に2km ほど行った所にある回城区は、ハミ王国の都城があった場所だ。現在でもウイグル族の居住地区となっていて、ハミ回王墓やハミ地区博物館などの見どころがある。市の中心と回城区は10路と14路のバスで結ばれている。

広東路の人民公園は市民の憩いの場

	1月	2月	3月	4月	5月	6月	7月	8月	9月	10月	11月	12月
平均最高気温（℃）	-3.9	2.5	12.6	21.0	27.7	32.3	34.4	33.4	27.7	18.6	7.0	-2.1
平均最低気温（℃）	-16.7	-11.8	-2.7	5.1	12.0	16.9	19.2	17.7	11.1	2.9	-5.9	-13.5
平均気温（℃）	-11.0	-5.3	4.5	13.2	20.2	25.1	27.0	25.4	18.9	9.8	-0.4	-8.6
平均降水量（mm）	1.4	1.3	0.9	2.1	2.9	5.9	6.2	4.9	3.5	2.3	1.5	1.3

Access

中国国内の移動 ➡ P.338

 飛行機 市区の北東約12.5kmに位置するハミ空港(HMI)を利用する。

国際線 日中間運航便はないので、便数の多いウルムチで乗り継ぐとよい。
国内線 西安、ウルムチなどとの間に運航便がある。
所要時間(目安) 西安(XIY)／2時間40分　ウルムチ(URC)／1時間10分

 鉄　道 市区の北約4kmに位置する蘭新線のハミ駅を利用する。

所要時間(目安)【ハミ(hm)】西安(xa)／直達：22時間10分　西寧(xn)／動車：6時間40分　銀川(yc)／直達：16時間25分　蘭州西(lzx)／動車：9時間10分　柳園南(lyn)／動車：1時間25分　ウルムチ(wlmq)／動車：2時間25分

 バ　ス ハミ中心バスターミナルを利用する。敦煌や近郊の町に向かうバスが出ている。

所要時間(目安) 敦煌／8時間

Data

飛行機

ハミ空港 (哈密机场)
Ⓜ P.213-D2　🏢市区北東郊外　☎6553000
🅟不可
[移動手段] **タクシー** (ハミ空港～時代広場)／50元、所要25分が目安

🚆 鉄道

ハミ駅 (哈密火车站)
Ⓜ地図外(P.250-A1上)　🏢前進東路
☎共通電話＝12306　🅙24時間
🅗なし　🅟不可
[移動手段] **タクシー** (ハミ駅～時代広場)／10元、所要10分が目安　**路線バス**／1、2、3、4、10、11、14路「火车站」
　28日以内の切符を販売。

ハミ駅からは甘粛省へのアクセスもよい

ハミ市鉄道歩行街切符売り場
(哈密市鉄路歩行街客票代售点)
Ⓜ P.250-B1　🏢鉄路歩行街商業楼1号
☎なし　🅙9:30～21:30　🅗なし　🅟不可
[移動手段] **タクシー** (ハミ市鉄道歩行街切符売り場～時代広場)／9元、所要10分が目安　**路線バス**／

2、3、10、14路「哈鉄办」
　28日以内の切符を販売。手数料は1枚につき5元。

ハミ賓館鉄道切符売り場
(哈密賓館鉄路車票代售点)
Ⓜ P.250-B2　🏢迎賓路4号ハミ賓館6号楼1階
☎なし　🅙8:00～23:30　🅗なし　🅟不可
[移動手段] **タクシー** (ハミ賓館鉄道切符売り場～時代広場)／7元、所要7分が目安　**路線バス**／3、9、15、17路「地区賓館」
　28日以内の切符を販売。手数料は1枚につき5元。

中山北路切符売り場
(中山北路火車票代售処)
Ⓜ P.250-B2　🏢中山北路111号郵政局1階
☎なし　🅙9:30～14:30、15:30～19:00
🅗なし　🅟不可
[移動手段] **徒歩**(中山北路切符売り場～時代広場)／所要5分
　28日以内の切符を販売。手数料は1枚につき5元。

🚌 バス

ハミ中心バスターミナル (哈密中心客运站)
Ⓜ P.250-B1　🏢建国北路と広場北路交差南西角
☎2230920、2232403　🅙7:30～19:30
🅗なし　🅟不可
[移動手段] **タクシー** (ハミ中心バスターミナル～時代広場)／7元、所要3分が目安　**路線バス**／8、15路「客运站」、3、5、11路「工人市場」
　3日以内の切符を販売。敦煌2日に1便(9:00発)。

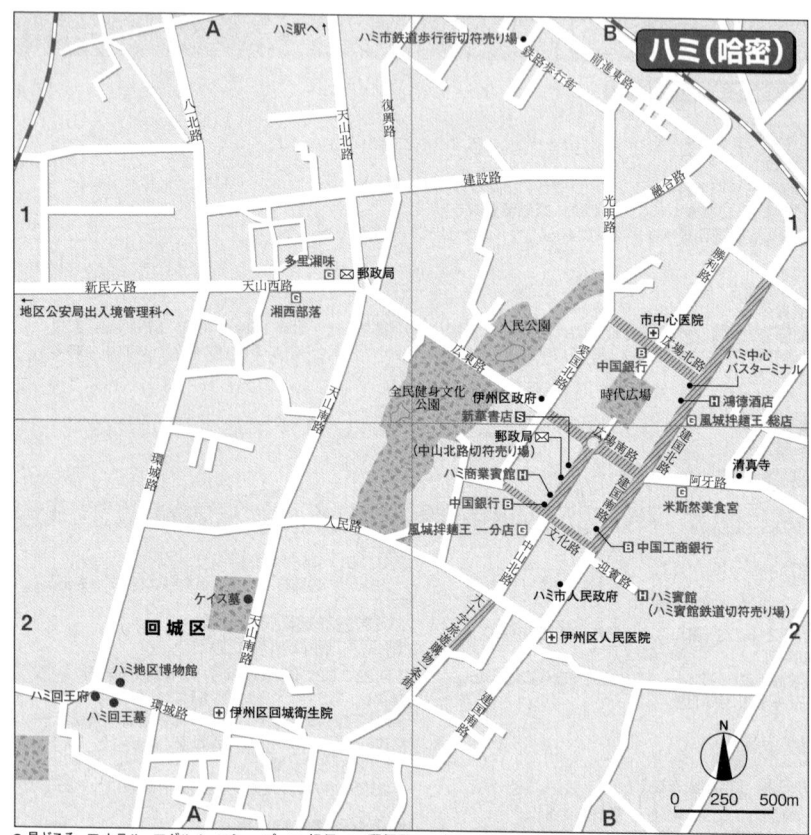

A　ハミ駅へ↑　ハミ市鉄道歩行街切符売り場●　鉄路歩行街　前進東路　B　**ハミ（哈密）**

八北路　天山北路　復興路　建設路　光明路　融合路

1　1

新民六路　多里湘味　⊠郵政局　市中心医院

天山西路　人民公園　中国銀行　ハミ中心バスターミナル

湘西部落　全民健身文化公園　広東路　時代広場　⊞鴻徳酒店●　鳳城拌麺王 総店

伊州区政府　新華書店Ⓢ　●清真寺

天山南路　郵政局　阿牙路　米斯然美食宮

（中山北路切符売り場）　ハミ商業實館●

環城路　中国銀行Ⓑ　中国工商銀行

鳳城拌麺王 一分店●　人民路　文化路

ケイス墓　ハミ市人民政府　⊞ハミ賓館

回城区　天山南路　（ハミ賓館鉄道切符売り場）

●伊州区人民医院

●ハミ地区博物館　2

●ハミ回王府　⊞伊州区回城衛生院

●ハミ回王墓　環城路

N

0　250　500m

● 見どころ　⊞ホテル　Ⓖグルメ　Ⓢショップ　Ⓑ銀行　⊠郵便局　⊞病院　▨▨▨繁華街

● ☙◦❀◦☙ 見どころ ☙◦❀◦☙ ●

ハミ地区最大のモスクをもつ王墓群　★★

ハミ回王墓／哈密回王墓
かいおうぼ　hāmì huíwángmù

ハミ回王墓
Ⓜ P.250-A2
⊞環城路7号
☎2384067
🕐5月〜10月中旬
　9:30 〜 19:30
　10月下旬〜 4月
　10:00 〜 19:00
🈳なし
💴35元
🚌10、14路バス「哈密王陵」

※1　エイティガール
　新疆地区のイスラム寺院の通称。アラビア語とペルシア語の複合語で、「祝祭日に活動をする場所」を意味し、イスラム教の宗教活動の場となっている。有名なエイティガール寺院はハミとカシュガルのもの

　ハミ王国は、清朝政府を後ろ盾にしたウイグル族の地方政権で、1697（清の康熙36）年から1930年まで、9代にわたりハミを統治した。その歴代の王と王族の眠る墓地がハミ回王墓で、地元のウイグル族が黄金の地と呼ぶ市内西部に位置する。

　約1万3300㎡の敷地内には、モハメド・ビシル廟、台吉墓、エイティガール※1寺院の3つの歴史的建造物がある。

　モハメド・ビシル廟は第7代モハメド・ビシル王とその一族40人の墓で、典型的なイスラム様式の建物。1840年に完成し、下部は東西20m、南北15m、高さは17.8m。建物内にある三角型の墓には男性、四角形の墓には女性が埋葬さ

れている。

　モハメド・ビシル廟の隣にある木造の建物は、歴代首相が眠る台吉墓。清朝末期から民国初めに建てられたもので、漢族、モンゴル、イスラムの各様式が混在している。

　これらのふたつの建物に向かい合うようにしてあるのが、初代ウバイドゥッラー王の治世に建設されたエイティガール寺院。ハミ最大のイスラム寺院で、東西60m、南北38mの建物内部には108本の赤い木の柱が配されている。ローズ祭[※2]やクルバン祭[※3]には多くのイスラム教徒が訪れる。

モハメド・ビシル廟。表面のタイルの装飾が美しい

新しく巨大な建物の総合博物館　★★

ハミ地区博物館／哈密地区博物館
ちくはくぶつかん　hāmi dìqū bówùguǎn

　ハミとその周辺地域からの出土品などを展示する総合博物館。1階は臨時展示室で、地域や民族の文化に関する展示が行われている。2階では、新疆をはじめとする中国各地で出土した恐竜の骨や卵を展示するほか、ハミウリやブドウ、ナツメ、綿花などのハミの特産品について紹介。なかでもハミ奇石と呼ばれる観賞用の石を皿に盛りつけた「奇石大餐」は、一見本物の料理のようで印象深い。3階では古代から清代までの石器や土器、青銅器、鉄器、ミイラなどを展示するほか、清代のハミ回城の模型も見ることができる。4階は企画展示室となっている。

4階建ての大きな建物

※2　ローズ祭
　イスラム暦10月1日に行われる断食（ラマダン）明けの祭り
※3　クルバン祭
　イスラム暦12月10日に行われる犠牲祭。アラーがイブラヒムの信仰心を試した伝説に基づき、ローズ祭の70日後に羊を生け贄にし、盛大な宗教活動が執り行われる

モハメド・ビシル廟内部

折衷的な建築様式の台吉墓

ハミ地区博物館
Ⓜ P.250-A2
🏠 環城路回王墓対面
☎ 2385027
🕐 5月～10月中旬
　10:00～12:40、16:00～19:40
　10月下旬～4月
　10:00～13:00、15:30～18:40
休 月曜
料 無料
🚌 3、10、14路バス「博物館」
🌐 www.hamimuseum.com

「奇石大餐」は人気が高い展示のひとつ

ハミ回王府
- M P.250-A2
- 環城路哈密王府景区
- ☎ 7268886
- オ 5月～10月中旬
  9:30～19:30
  10月下旬～4月
  10:00～19:00
- 休 なし
- 料 35元
- 交 10、14路バス「哈密王陵」

回王宮大殿やイスラム寺院を見る
ために長い階段を上る

ハミ王国の宮殿を再現した　　　　　　　　　　★★

ハミ回王府／哈密回王府
かいおうふ　　　hāmi huíwángfǔ

　初代ハミ王のウバイドゥッラーの命により、1706（清の康熙45）年から7年かけて築造された宮殿。ウイグル族の首領であったウバイドゥッラーは清の康熙帝に帰順し、北京を訪れた際に漢族の建築家を連れて帰り、モンゴルの古城の基礎の上にこの宮殿を建造させたという。ウイグル族、モンゴル族、満洲族、漢族の建築様式が混在する独特な建築で、代々の王によって改築と拡張が繰り返されたが、1931年の農民の暴動によって灰燼に帰した。

　現在見られるのはその王府の一部を再現したもの。敷地内には厩舎や牢獄、軍の会議室などがあるが、中心の見どころは玉器城と呼ばれるひときわ高い台上の部分。回王宮大殿やイスラム寺院、配殿などの建物が立ち、配殿内部には王府の歴史資料が展示されている。

鮮やかな色彩の回王宮大殿

インフォメーション

ハミウリの由来

　甘いメロンのハミウリは全国ブランド。このハミウリ、実はハミの西にあるピチャン県の特産物。それなのになぜ「ハミ」の名が冠されているかというと、昔ハミ王が清の皇帝にこのウリを献上したとき、ウリの名前を尋ねた皇帝に、通訳が誤って献上に来た使者の国を答えてしまったためなのだそう。今では新疆各地で栽培されるようになり、夏になるとどの町でもハミウリがどっさりと市場に積まれる。夏にシルクロードを訪ねるのならぜひ味わってみよう。

ハミウリは夏の風物詩

ハミ賓館／哈密宾馆
ひんかん　　hāmì bīnguǎn

★★★★

建国南路から少し入った静かな場所にある4つ星ホテル。広い敷地にいくつもの建物が立ち、フロントは6号楼にある。レストランでは西洋料理、中国料理、イスラム料理を味わえる。

Ⅿ P.250-B2
田 迎賓路4号
☎ 2233140
FAX 2234345
S 5号楼=398元　3・4・6号楼=518元
T 5号楼=398元　3・4・6号楼=458元
サ なし
カ JMV

両替　ビジネスセンター　インターネット

鴻徳酒店／鸿德酒店
こうとくしゅてん　hóngdé jiǔdiàn

3つ星相当のホテル。建物内はとてもきれいで設備も整っている。客室内も明るく清潔、かつ快適。夏は日本のツアーグループも利用する。

両替　ビジネスセンター　インターネット

Ⅿ P.250-B1
田 建国路107号
☎ 2267666
FAX 2266955
S 268元
T 268元
サ なし
カ 不可

ハミ商業賓館／哈密商业宾馆
しょうぎょうひんかん　hāmì shāngyè bīnguǎn

新疆全体のホテルのベストテンに選ばれたこともある3つ星相当のホテル。800人が同時に食事できる中国料理、イスラム料理のレストランがある。

両替　ビジネスセンター　インターネット

Ⅿ P.250-B2
田 中山北路15号
☎ 2231766
FAX 2231767
S 258元
T 258元
サ なし
カ 不可

米斯然美食宮／米斯然美食宫
ミスランびしょくきゅう　mǐsīrán měishígōng

外壁に書かれた「MISIRAN」の文字が目印の3階建てのレストラン。天井からきらびやかなシャンデリアが下がったエキゾチックな内装。イスラム料理が中心だが中国料理もある。写真入りメニューがあるので注文しやすい。

Ⅿ P.250-B2
田 阿牙路
☎ 2255488
オ 9:30～22:30
休 なし
カ 不可

風城拌麺王 一分店／风城拌面王 一分店
ふうじょうはんめんおう　いちぶんてん　fēngchéng bànmiànwáng yīfēndiàn

トルファン出身者が始めた店で、建国北路の総店など市内に全部で4店舗ある。ラグメンの種類が20以上と豊富で、1皿18～35元。具は麺とは別の皿で出され、好みでかけて食べる。麺はのどごしがよくおいしい。ラグメンのほかに大盤鶏90元などもある。

Ⅿ P.250-B2
田 中山北路11号
☎ 13899344018（携帯）
オ 11:00～23:00
休 なし
カ 不可

亀茲国の面影を伝える仏教遺跡が残る

クチャ

クーチャー
库车 *Kù Chē*

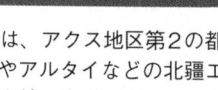

都市データ

クチャ
人口＝47万人
面積＝1万4529km²
クチャ県はアクス地区の県

県公安局外事管理大隊
（县公安局外事管理大队）
Ⓜ P.256-B1
🏠 解放路北8号
☎ 7975217
🕐 5～9月10:00～14:00、
16:00～20:00
10～4月10:00～14:00、
15:30～19:30
🈺 土・日曜、祝日
観光ビザの延長は不可

県人民医院
（县人民医院）
Ⓜ P.256-B2
🏠 解放路16号
☎ 7137120
🕐 24時間
🈺 なし

市内交通

【路線バス】運行時間の目安は
8:00～21:30、1元
【タクシー】初乗り3km未満5
元、3km以上1kmごとに1.3元、
7km以上1kmごとに1.95元加算。
郊外は要交渉

❖ 概要と歩き方 ❖

　天山山脈の南麓に位置するクチャは、アクス地区第2の都市。天山山脈を突っ切ってイーニンやアルタイなどの北疆エリアとカシュガルなどの南疆エリアを結ぶ街道の要衝で、古くは亀茲国が栄えた土地でもある。

　亀茲国は、前漢代に登場したオアシス都市国家で、後漢時代には西域都護府が、唐代には安西都護府がおかれ、西域支配の中心地として10世紀頃まで繁栄した。亀茲楽と呼ばれる歌舞も非常に有名だ。そして何よりこの都市国家の存在意義を際立たせているのが、仏教東進史上に重要な足跡を記したことだろう。近郊に残る石窟は3世紀中葉にはこの地に仏教が伝来したことを伝えているし、4世紀後期に仏典を漢訳した最初の功労者であり、高僧として名高い鳩摩羅什の母は亀茲国の王族だった。さらに玄奘もインドに向かう途中この地に立ち寄っている。

　現在のクチャは、住民の大多数をウイグル族が占めるイスラム教徒の町だが、彼らに伝わる踊りや郊外に点在する仏教遺跡が亀茲国の面影を今に伝えている。

飲食店が密集する杏花商業歩行街

クチャの繁華街は、文化中路と解放路の交差するあたりを中心とする区域で、ここはおもだった公共施設の集中する商業地区となっている。

	1月	2月	3月	4月	5月	6月	7月	8月	9月	10月	11月	12月
平均最高気温(℃)	-1.8	3.8	13.0	21.1	26.7	30.4	32.0	31.1	26.4	18.7	8.3	-0.2
平均最低気温(℃)	-12.7	-6.8	1.9	9.2	14.5	17.8	19.4	19.5	13.8	6.1	-2.3	-10.2
平均気温(℃)	-7.1	-1.5	7.4	14.9	20.5	34.0	25.5	24.8	19.7	12.1	2.5	-5.3
平均降水量(mm)	1.5	2.1	2.9	4.4	7.0	13.9	12.5	12.0	5.3	3.1	2.6	1.1

市街地の周辺は開発が進められ、広い道路と高層団地にすっかり覆われているが、町の中では新疆らしい景観を垣間見ることもできる。

例えば、友誼路と天山中路の交差点南側や、友誼路と団結路を結ぶ民族風味美食一条街には、イスラム料理店や地元の果物を扱う屋台が揃っている。天山中路と五一中路の交差点そばにある天五広場もウイグル族の店でにぎわっており、クチャの生活の匂いを感じられる。

市区北西にある杏花園に立つ鳩摩羅什の銅像

Access

中国国内の移動 ➡ P.338

 飛行機 市区の西約7kmにある国内線専用のクチャ亀茲空港を利用する。

国際線 日中間運航便はないので、ウルムチで乗り継ぐ。
国内線 西安、ウルムチなどとの間に運航便がある。
所要時間(目安) 西安(XIY)3時間15分／ウルムチ(URC)／1時間

 鉄 道 市区の南西約5kmにある南疆線のクチャ駅を利用する。

所要時間(目安)【クチャ(kc)】西安(xa)／快速：39時間30分 蘭州(lz)／快速：28時間30分 柳園(ly)／快速：14時間45分 ウルムチ(wlmq)／快速：8時間10分 カシュガル(ks)／特快：8時間50分 ホータン(ht)／特快：14時間25分

 バ ス 市内にはバスターミナルがいくつかあるが、旅行者はおもにクチャバスターミナルを利用する。

所要時間(目安) ウルムチ／14時間

Data

✈ 飛行機

クチャ亀茲空港 (库车亀茲机场)
Ⓜ P.258-B1 🏠迎賓路 ☎7772888
🕐8:00～22:00 🈳なし 🈯不可
[移動手段] タクシー (空港～天緣国際酒店)／50元、所要25分が目安
　3ヵ月以内の航空券を販売。

🚆 鉄道

クチャ駅 (库车火车站)
Ⓜ地図外 (P.257-D2下) 🏠烏尊鎮黄河路
☎6636462 🕐24時間 🈳なし 🈯不可
[移動手段] タクシー (クチャ駅～天緣国際酒店)／30元、所要15分が目安 路線バス／6、8路「火车站」
　28日以内の切符を販売。

歩行街切符売り場 (歩行街客票代售点)
Ⓜ P.257-C2 🏠歩行街二期E座147号
☎なし 🕐9:30～14:00、15:30～21:00
🈳なし 🈯不可
[移動手段] タクシー (歩行街切符売り場～天緣国際酒店)／5元、所要5分が目安 路線バス／1、2、6路「歩行街」
　28日以内の切符を販売。手数料は1枚につき5元。

🚌 バス

クチャバスターミナル (库车汽车站)
Ⓜ P.257-C2 🏠天山中路89号 ☎7122379
🕐9:00～21:00 🈳なし 🈯不可
[移動手段] タクシー (クチャバスターミナル～天緣国際酒店)／5元、所要5分が目安 路線バス／1、2、6路「中心客运站」
　当日の切符のみ販売。ウルムチ1便(20:00発)。

クチャバスターミナル

クチャ大寺
M P.256-A1
田 熱斯坦提路帕合塔巴紫街
☎ 7220285、7220600
オ 24時間（外観のみ）
休 なし
料 無料（外観のみ）
※2019年7月現在内部見学不可
3路バス「庫車大寺」

モスクの内部

※1 依禅派
イスラム教スーフィズムの流れを汲む一派で、神秘主義と禁欲主義を唱えた。16世紀以前マホトマ・アザム・ホージャ家によって新疆で確立された

新疆でも著名なイスラム寺院 ★

クチャ大寺／庫車大寺
だいじ　　kùchē dàsì

　16世紀、新疆イスラム教依禅派※1の始祖イスハク・アリがクチャ滞在中に創建したといわれるモスク。現在残っている建物は、1927年に焼失した後に再建されたもので、数千人を収容できる礼拝堂、高さ19.3mのミナレット（尖塔）をもつ門楼などが立つ。モスクの周囲には昔ながらの町並みが広がっていて、散策が楽しい。2019年7月現在、寺内に入ることはできない。内部見学の再開は未定

クチャ大寺の門楼

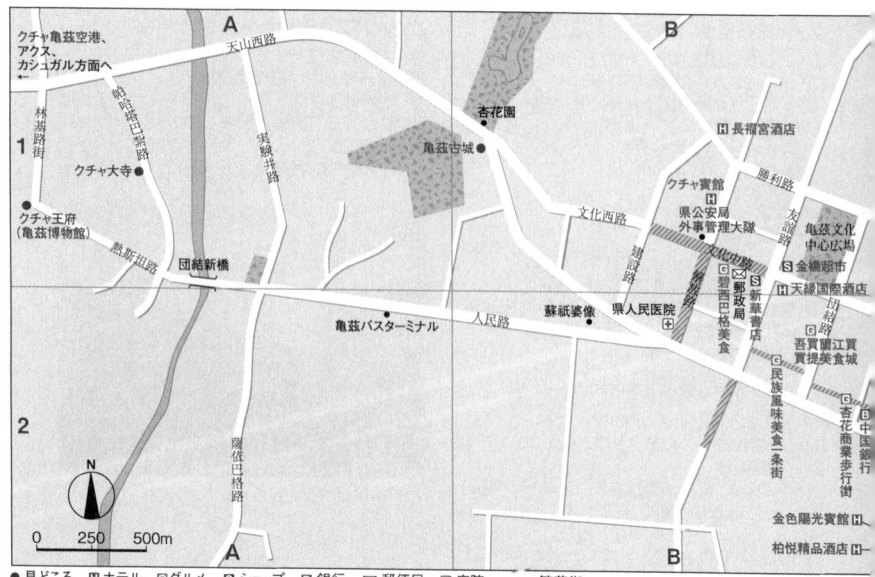

●見どころ 田ホテル Gグルメ Sショップ B銀行 郵便局 病院 繁華街

復元されたクチャの王宮

クチャ王府（亀茲博物館）/庫车王府（亀兹博物馆）
おうふ　（きじはくぶつかん）　kùchē wángfǔ(qiūcí bówùguǎn)

★

　1759（清の乾隆24）年、清の乾隆帝がクチャのウイグ
ル族首領の功績を表彰するために、漢族の建築家を派遣し
て造らせた王宮。当時の建築は一部の建物と壁が残るのみ
で、それ以外は2004年に1300万元を投じて復元された
もの。ウイグル族の典型的な建築で、豪華な内装に12代
190年にわたってこの地を治めた王族の暮らしぶりがうか
がえる。敷地内にはクチャの文化と歴史についての展示を
行う亀茲博物館のほか、王府文物陳列館やクチャ王室歴史
展館、ブドウ園などがある。シーズン中には、演芸ホール
でウイグルの音楽や踊りが披露される。

敷地内にある王府文物陳列館

クチャ王府（亀茲博物館）
Ⓜ P.256-A1
🏠 林基路街19号
☎ 7210013
🕐 5～9月9:00～20:30
　　10～4月9:30～19:30
🈺 なし
💴 55元
🚌 1路バス「古力巴格」

亀茲博物館の展示

入口は典型的なウイグルの建築様式

新疆ウイグル自治区　**クチャ**

見どころ／クチャマップ

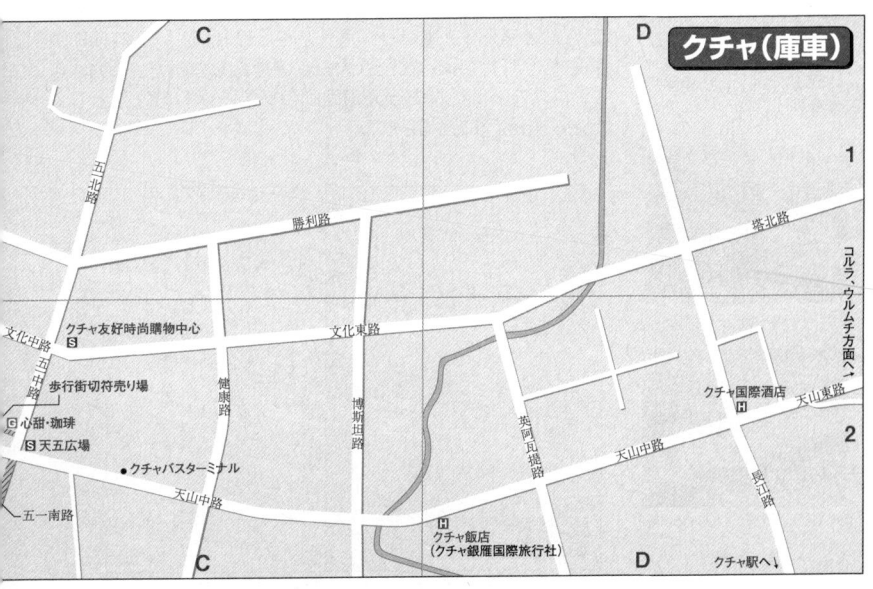

クチャ（庫車）

クチャ周辺を統治した唐代の城跡　★

亀茲古城 / 亀茲古城
きじこじょう　　qiūcí gǔchéng

　市区中心部から20分ほど西に歩いた所にある唐代の安西都護府跡。現在では「亀茲古城」と記された碑のあたりに城壁跡が見られるほかは、あたり一帯は畑やナツメ林になってしまっている。

亀茲古城の城壁跡

● ❀ ─── 郊外の見どころ ─── ❀ ●

亀茲国最大の寺院遺跡　🕐 3時間　★★★

スバシ故城 / 苏巴什故城
こじょう　　sūbāshí gǔchéng

　市区の北8km、チェルターグ山の南麓に広がる仏教遺跡で、玄奘が記した『大唐西域記』に登場するアーシュチャリア寺だと考えられており、それが正しければ、魏晋時期に創建され、唐代には亀茲国最大の寺院であった所だ。2014年「シルクロード：長安＝天山回廊の交易路網」の一部として世界文化遺産に登録された。

西寺区の入口

複数言語で解説がされている

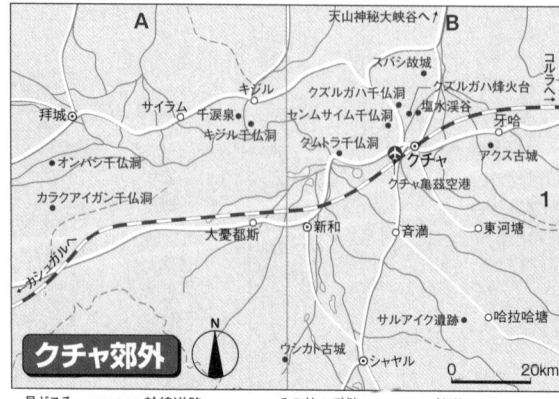

クチャ郊外

● 見どころ　──── 幹線道路　──── その他の道路　■■■ 鉄道

0　　　20km

広大なスバシ故城西寺区からは天山山脈も見渡せる

寺院は、クチャ河を挟んで東寺区と西寺区に分かれている。東寺区は山麓に沿った東西146m、南北535mの範囲にあり、その西部を中心に寺院、僧坊、北塔、石窟などが点在している。西寺区は東西170m、南北685mの範囲に南塔や石窟を中心に、かなり多くの建築物が残り、陶器、鉄器、経典などが出土している。

亀茲期の貴重な仏教遺跡 　🕒3時間　　★★★
キジル千仏洞 / 克孜尔千佛洞
せんぶつどう　　kèzīěr qiānfódòng

　クチャの西70km、拝城県にある亀茲国の仏教文化遺跡で、谷東区と谷西区、後山区、谷内区に分けられる。2014年「シルクロード：長安＝天山回廊の交易路網」の一部として世界文化遺産に登録された。

　後漢から宋代にかけて開削された石窟は、渭干河の北岸お

キジル千仏洞の谷西区全景

キジル千仏洞
Ⓜ P.258-A1
🏠 拝城県克孜爾鎮克孜爾千仏洞
☎ 亀茲石窟研究所接待部（携帯）＝18997861685、13699388985
🕐 5〜9月9:30〜19:00
　　10〜4月10:00〜18:30
🈺 なし
💴 谷西区＝70元、谷東区＝70元
※このほかガイド料（中国語）として10人以内につき100元が必要。日本語ガイドはいない
🚗 車をチャーターして行くのが一般的

●谷西区の見学可能な石窟
谷西区入場料で見学できるのは第8、10、17、27、32、34号窟
●谷東区の見学可能な石窟
谷東区入場料で見学できるのは第178、179、180、186、188、190号窟
●追加料金で見学できる石窟と入場料
▼谷西区／新1号窟(修復中。2020年中に見学可能予定)＝800元
▼谷東区／第163、171、175、196号窟＝各窟200元
▼後山区／第205、224、227号窟＝各窟200元
▼谷内区／第110、114号窟＝各窟200元。第118窟(修復中。2020年中に見学可能予定)＝300元

●注意事項
石窟内部にカメラ、バッグ、飲食物を持ち込んだり、紙や鉛筆などを持ち込んでスケッチすることは不可。石窟内に入る際、懐中電灯の貸し出しはないので、必ず自分で用意すること。

よそ40mの断崖にあり、1973年に発見された新1号窟を含めるとその数は237窟。そのうち70余窟は比較的保存状態がよく貴重な壁画が残るが、塑像は新1号窟を除くほとんどが破壊されたか持ち去られてしまった。

一般に開放されている石窟では、伎楽天画のある第8号窟、天井に太陽神、月の中のウサギ、風神などを描いた第34窟、このほか臥仏像の残る新1号窟などもおすすめだ。第220号窟と第222号窟（どちらも非公開）の題字が漢字である以外は、すべて古代亀茲語で記されているのにも注目したい。

なお、特別窟の見学を希望する場合、車をチャーターした旅行会社などであらかじめ亀茲石窟研究所接待部に連絡を入れておいてもらったほうがよいだろう。

唐代の石窟を中心とする ★

クムトラ千仏洞（せんぶつどう）／库木吐拉千佛洞 kùmùtǔlā qiānfódòng

南北朝期から西州ウイグル期（5～11世紀）にかけて、クチャの西にある渭干河東岸の岩壁に開削された石窟。市区の西約30kmに位置し、付近のクムトラ村にちなんでクムトラ千仏洞と名づけられた。

第45号窟の壁画

現存する石窟は谷口区に計32窟、窟群区に計80窟あるが、そのなかで比較的保存状態のよいものは計38窟で、なかでも1977年に発見された新1号窟と1979年に発見された新2号窟は、石窟、壁画ともに保存状態がよい。

現在見られる石窟は唐代に造られたものが多く、壁画に描かれた人物は漢民族風。亀茲様式の壁画や亀茲文字も残っており、東方と西方の文化が融合一体化した貴重な遺跡だ。

クムトラ千仏洞は亀茲石窟研究所が管理しているので、見学する場合はまず研究所のあるキジル千仏洞に行って、入場料の支払いやガイド手配などの手続きを済ませなければならない。

クムトラ千仏洞外観

2019年7月現在、見学可能な石窟は欄外のとおり。修復工事中のため変更される可能性もある。

クムトラ千仏洞
Ⓜ P.258-B1
田 市区西郊外
☎ 亀茲石窟研究所接待部（携帯）＝18997861685、13699388985
オ 5～9月9:30～19:00　10～4月10:00～18:30
休 なし
料 500元
※このほかガイド料（中国語）として10人以内につき300元が必要。日本語ガイドはいない
交 車をチャーターして行くのが一般的

●見学可能な石窟
第13、14、15、45、58、63、68、69、70、71、72号窟（状態により変更あり）

●追加料金で見学できる石窟と入場料
▼特殊窟／第34号窟＝300元

●注意事項
石窟内部にカメラ、バッグ、飲食物を持ち込んだり、紙や鉛筆などを持ち込んでスケッチすることは不可。石窟内に入る際、懐中電灯の貸し出しはないので、必ず自分で用意すること。また、5人以下での見学は受け付けていない

谷口区にある新1号窟の天井画。5世紀に描かれたもの

クチャ郊外に残る石窟群のひとつ

クズルガハ千仏洞 / 克孜尔尕哈千佛洞

せんぶつどう　kèzīěrgǎhā qiānfódòng　★

　市区の北約13km、塩水渓谷の岩壁や谷の上にある石窟群で、漢代から唐代にかけて合計46窟が開削された。そのうち壁画の残っているものは11窟だが、戦争などでかなり破損してしまい、最前列の両側にある6つの石窟のみが見学に耐え得る。ここは僧坊（僧侶の住居）跡で、生活の痕跡が残っている。壁画もあるが、描かれた当時に使われた金箔が剥ぎ取られ、残された壁画が痛々しい。

　また、管理人は在住しているが、鍵は亀茲石窟研究所にあるため、まずキジル千仏洞を見学したあとにガイドと一緒に来ることになる。

クズルガハ千仏洞全景

悲劇の伝説が残る土塔

クズルガハ烽火台 / 克孜尔尕哈烽火台

ほうかだい　kèzīěrgǎhā fēnghuǒtái　★★

　クチャからクズルガハ千仏洞に向かう途中で右折して、20分ほど行った所にある、新疆地区最大の烽火台跡。東西6m、南北4.5mの土台に、高さ約13mの土塔が残っている。2014年「シルクロード：長安＝天山回廊の交易路網」の一部として世界文化遺産に登録された。

　この烽火台には次のような話が伝えられている。亀茲国王は老年で授かった玉のように美しい王女を寵愛したが、ある日占い師に「この娘は100日以内に死ぬだろう」と宣告されてしまう。国王は驚き、この地に土塔を築いて王女をかくまうことにした。しかし、100日目に国王が贈ったリンゴを食べた王女は死んでしまい、国王は悲嘆にくれたという。

高さ13mの土の塔

クズルガハ千仏洞
- **M** P.258-B1
- **田** 市区北郊外
- **☎** 亀茲石窟研究所接待部（携帯）＝18897861685、13699388985
- **⏰** 5～9月9:30～19:00　10～4月10:00～18:30
- **休** なし
- **料** 55元
- ※このほかガイド料（中国語）として10人以内につき300元が必要。日本語ガイドはいない
- **🚗** 車をチャーターして行くのが一般的

●見学可能な石窟
第11、13、14、16、27、30、31、32号窟

●注意事項
石窟内部にカメラ、バッグ、飲食物を持ち込んだり、紙や鉛筆などを持ち込んでスケッチすることは不可。石窟内に入る際、懐中電灯の貸し出しはないので、必ず自分で用意すること。また、5人以下での見学は受け付けていない

クズルガハ千仏洞はクズルガハ烽火台の2kmほど北にある

クズルガハ烽火台
- **M** P.258-B1
- **田** 塩水溝
- **☎** なし
- **⏰** 日中
- **休** なし
- **料** 15元
- **🚗** 車をチャーターして行くのが一般的

天山神秘大峡谷
M地図外（P.258-B1上）
⊞阿格郷217国道
☎13899218556（携帯）
　13899203488（携帯）
🕐10:00 ～ 19:00
休なし
¥41元
🚗車をチャーターして行くのが
　一般的

峡谷にそびえ立つ褐色の岩山

場所によっては人ひとりがやっと通
れるだけの道幅

高速道路沿いにある絶景スポット ★★

天山神秘大峡谷 ／ 天山神秘大峡谷
てんざんしんぴだいきょうこく　tiānshān shénmì dàxiágǔ

　全長5kmを超える、天山山脈南麓に位置する峡谷。クチャの北64km、クチャと独山子区を結ぶ高速道路の独庫公路から入ることができる。その褐色の山肌から、地元ではウイグル語で「紅山」を意味する「克孜利亜」と呼ばれている。

　2019年7月現在、落石のため約半分の地点までしか進めないが、それでもゆうに片道1時間はかかるので、じっくり楽しみたい人は時間に余裕をもって行くのがおすすめ。

雄大な景観が続く天山神秘大峡谷

ホテル

クチャ飯店 ／ 库车饭店
はんてん　kùchē fàndiàn　　　　　　　　★★★★★

1号楼は5つ星、8・9号楼は3つ星のホテル。4万2000㎡余りの敷地内に立つ。庭園式の建物の中には中国料理、イスラム料理レストランのほか、プール、ジム、みやげ物店などが揃う。

M P.257-D2
⊞天山中路266号
☎1号楼=7999999　8・9号楼=7233156
FAX1号楼=7233156　8・9号楼=7776633
S1号楼=458元　8・9号楼=218元
T1号楼=418元　8・9号楼=218元
サなし
カ不可

両替　ビジネスセンター　インターネット

クチャ賓館 ／ 库车宾馆
ひんかん　kùchē bīnguǎn　　　　　　　★★★

繁華街のほど近くに位置するホテル。4つ星相当の怡賓楼と3つ星の南楼に分かれ、怡賓楼は豪華な内装や設備が自慢。中国料理、イスラム料理のレストランがある。

M P.256-B1
⊞解放路北04-1号
☎7122901
FAX7129490
S怡賓楼=218〜268元　南楼=168元
T怡賓楼=218〜268元　南楼=168元
サなし
カ不可

両替　ビジネスセンター　インターネット

ホテル

柏悦精品酒店／柏悦精品酒店
はくえつせいひんしゅてん　bǎiyuè jīngpǐn jiǔdiàn

星なしだが設備は4つ星相当。2階に火鍋のレストランがある。部屋の内装は中国風、西洋風、地中海風などに分かれている。

ビジネスセンター　インターネット

🅜P.256-B2
🏠五一南路国際社区17号楼
☎7797777
📠7129490
Ⓢ268〜318元
Ⓣ268〜318元
サなし
カ不可

天縁国際酒店／天缘国际酒店
てんえんこくさいしゅてん　tiānyuán guójì jiǔdiàn

市の中心部、金橋超市の正面にあり便利。星なしだが設備は5つ星相当。中国料理、西洋料理のレストランがある。

ビジネスセンター　インターネット

🅜P.256-B1
🏠文化中路9号
☎7333333
📠7776816
Ⓢ398〜468元
Ⓣ368〜428元
サなし
カ不可

グルメ

碧西巴格美食／碧西巴格美食
へきせいはかくびしょく　bìxībāgé měishí

繁華街にあるおしゃれな内装のレストラン。イスラム料理を中心に中国料理、西洋料理も楽しめる。ドリンクとスイーツのメニューも充実しており、カフェとしても利用できる。

🅜P.256-B1
🏠文化中路19-3号
☎7129111
オ10:00〜24:00
休なし
カ不可

杏花商業歩行街／杏花商业步行街
きょうかしょうぎょうほこうがい　xìnghuā shāngyè bùxíngjiē

長さ500mほどの通りにレストランや軽食店が並び、深夜1:00頃まで営業している商店街。この界隈には飲食店以外にも衣料品店や美容院、インターネットカフェなどが多く、若者たちが集う場所となっている。

🅜P.256-B2
🏠杏花商業歩行街
☎なし
オ9:30〜翌1:00頃
休なし
カ不可

旅行会社

クチャ銀雁国際旅行社／库车银雁国际旅行社
ぎんがんこくさいりょこうしゃ　kùchē yínyàn guójì lǚxíngshè

🅜P.257-D2
🏠天山中路266号クチャ飯店1号楼
☎7233228
📠7233178
オ5〜9月9:30〜20:00
　10〜4月10:00〜19:30
休5〜9月＝なし
　10〜4月＝土・日曜、祝日
カ不可

クチャ飯店の敷地内にある旅行会社。日本語ガイド1日400元。空港送迎100元。スバシ故城、クズルガハ千仏洞、クズルガハ烽火台、塩水渓谷を回る車のチャーター料は600元、キジル千仏洞と天山神秘大峡谷を回る車のチャーター料は600元、クムトラ千仏洞単独の車のチャーター料は400元。

新疆の野外マーケットを食べ歩こう！

新疆を旅したら、名物の食べ物を堪能できる市場や飲食街をぜひ訪ねたい。都市開発にともない夜市が閉鎖されるケースもあるが、庶民の胃袋を支える市場はまだまだ健在だ。カシュガル、トルファン、ウルムチの市場を中心に紹介しよう。

写真・文／小川智史

カシュガル・アニマルマーケット

カシュガル市街の外れ、パミール高原へと続く314国道沿いの広場で、毎週日曜日に盛大に行われるアニマルマーケットでは、たくさんの牛、羊、山羊、ヤクなどが売買される珍しい光景が広がり、場外に並ぶ食堂では新疆ならではの食事を楽しむことができる。大勢の地元の人々に交じって旅行者の姿もちらほらあり、観光スポットとしても注目を集めていることがわかる。

第一人民医院（MP.271-B1）前から出ている23路バスに乗り40分強、「荒地乡」という停留所で下車し、314国道沿いを10分ほど南下すると、敷地に入るためのゲートにたどり着く。ここから食堂や果物売りが密集する場外を北に進んでいくと、アーチ型の小さなゲートがあり、そこを抜ければ実際に動物たちが売り買いされている市場となる。

お昼を過ぎると徐々に人が減っていくので、行くなら午前中のうちに着くようにしたい。新疆を旅すれば必ず口にする羊肉が、どのような経過をたどって私たちの前に出てくるのか、ぜひ実感してみてほしい。

つながれた牛。暴れている牛はいなかった

アニマルマーケットが開かれる日は地元のウイグル族の人々がいっせいに集まる

10頭ほどにまとめてつながれた羊

酸味の利いた羊のヨーグルト

ナンに羊肉をのせスープをかけて食べる

売買を終えた人々が食堂に集まる

場外にある食堂の店先では羊や牛をさばく姿が見られる

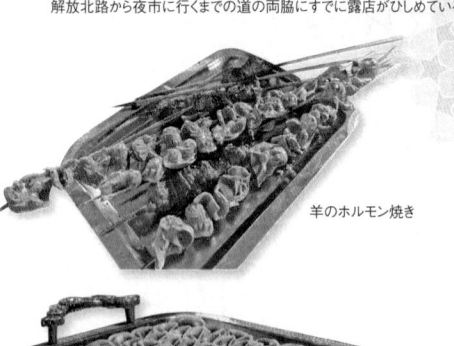

解放北路から夜市に行くまでの道の両脇にすでに露店がひしめいている

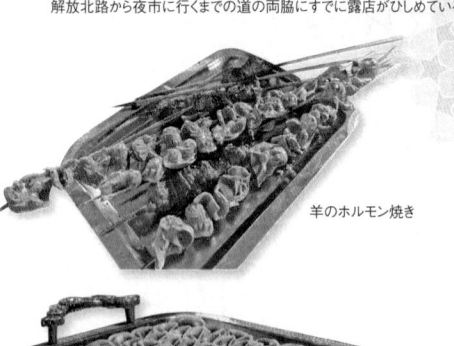
羊のホルモン焼き

カシュガルの夜市

　カシュガルでは市街のあちこちで夜市が開かれているが、旅行者にとって最も便利なのがカシュガル老城で開かれている夜市（Ｍ P.271-A1）だ。観光エリアの中心地、エイティガール広場から近く、観光客が多いため、店員も外国人への接客にある程度慣れている様子だ。一方で従来の夜市らしい雰囲気も残しており、夜の散策を楽しめる。

　どの店にも価格表示のあるメニュー表がぶらさがっていて、中国語でのやりとりが難しい旅行者でも商品を選びやすい。新疆らしい羊料理はもちろん、豊富な麺類や串焼き、魚料理まであるので、何度か足を運んでいろいろな料理を味わってみるのもいいだろう。なお、夜市にしては早い23時にクローズするので行く時間には注意。

羊肉を使ったウイグル風水餃子

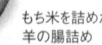
もち米を詰めた
羊の腸詰め

夜市内は店先や店の裏に椅子やテーブルがあり、購入後すぐに食事できる

新疆の夏の風物詩、黄麺

黄麺は香辛料を使った冷たいたれか、だしの利いた温かいスープで食べる

トルファンの飲食店街

　トルファンではもともと百貨大楼横の広場で夜市が開かれていたが、現在は広場の周囲に柵が設置されて夜市も閉鎖されてしまった。町なかには柏孜克里克路沿いに飲食店が林立しているので食事に困ることはないが、もし新疆らしい雰囲気を味わいたいなら、東環路と木納爾路の交差点南側にある飲食店街（[[MP.234-B2]]）を訪ねてみよう。

　地元客が集まる飲食店が軒を連ねており、夕方以降にはトラクターの露店もやってくる。必ずしもウイグル料理の店ばかりではないが、地元の名物料理をレストランよりも安価で楽しめる。

時間帯によってはトラクターの露店もある

道沿いにテイクアウトがメインの飲食店が並ぶ

イルミネーションが明るく照らす飲食スペースはビアガーデンのような雰囲気

ゲートの右から荷物検査を受けて入場する

どの店員も帽子、手袋、マスクを着用し衛生対策をしている

ウルムチ五一星光夜市

3玉10元のアイスも人気

ここ数年、ますます町の整備が進むウルムチで、新疆有数の規模をほこる五一星光夜市(→P.228、MP.216-A2)が2019年5月にリニューアルオープンした。入場に際して荷物検査があり、敷地内は何人もの警官が巡回している。どの店も従業員の衛生管理が徹底しており、衛生面で安心して夜市を楽しんでみたい人にはよいだろう。中国各地の料理の屋台のほか、ラグメンやポロなど代表的なウイグル料理を提供している店もある。

生ビールはジョッキが25元、カップが18元

新疆名物のサモサ

街角の人気店

夜市や、飲食店が集中する場所ではなく、道端でひっそりと営業をしながら、夜中でも客が絶えない人気の店もある。店先で気軽に買えるので食べ歩きにもおすすめ！　地図アプリにも出ない、ウルムチとイーニンの隠れ名店を紹介。

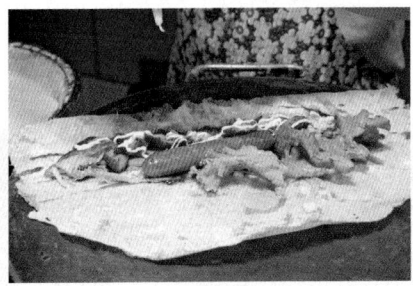

▶ウルムチ「雑糧煎餅」

　ウルムチは町のあちこちに中国式クレープ「煎餅」の店や屋台がある。もともと華北地方や山東省の料理で、ウルムチの煎餅は中の具材が少ないことも多いが、ここ「雑糧煎餅」は薄脆（薄揚げ）やレタスのほか、厚切りハム、鶏肉、ソーセージと肉がたっぷり盛られ、最後はマヨネーズも入ってボリューム満点。18元と安くはないが、十分な食べ応えがある。

雑糧煎餅／杂粮煎饼
ざつりょうせんぺい　záliáng jiānbǐng
Ｍ P.217-B2　田 紅旗路西巷　☎15276829804（携帯）
オ12:00頃～翌2:00頃　休なし　力不可

◇　◇　◇

◀イーニン「十里香」

　ほとんど露店や店先で買える飲食店のないイーニンだが、繁華街の解放西路と江蘇路の交差点北西にある小さな店「十里香」には、串焼きの香ばしい匂いにつられて道行く人々が集まってくる。練り物、揚げ物、野菜などの種類豊富な四川風の串焼きを、たっぷりの香辛料とともに味わおう。人気の練り物は1本3～5元ほどで購入できる。

十里香／十里香
じゅうりこう　shílǐxiāng
Ｍ P.292-A1　田解放西路と江蘇路の交差点北西
☎なし　オ12:00頃～翌2:00頃　休なし　力不可

269

異国情緒あふれるカシュガルのバザール

ウイグル色が濃厚な中国西端の町

カシュガル

カーシー
喀什 *Kā Shí*

● 都市データ ●

カシュガル
人口＝64万人
面積＝791km²
カシュガル地区の行政中心

地区公安局出入境管理支隊
（地区公安局出入境管理支队）
Ⓜ地図外(P.271-B2右)
田深喀大道深喀二中東側
☎2822030
 オ5～9月10:00～13:30、
　16:30～20:00
　10～4月10:00～14:00、
　16:00～19:30
休土・日曜、祝日
観光ビザの延長は不可

第一人民医院
（第一人民医院）
ⓂP.271-B1
田迎賓大道120号 ☎2970222
オ24時間 休なし

市内交通

【路線バス】運行時間の目安は
9:00～22:00、1～2元

【タクシー】初乗り3km未満8
元、3km以上1kmごとに8:00～
24:00は1.5元、0:00～8:00は1.8
元加算、7km以上1kmごとに8:00
～24:00は2.25元、0:00～8:00
は2.7元加算

❈ 概要と歩き方 ❈

　カシュガルは東トルキスタン西部の中心都市として、シルクロード貿易とともに栄えてきた。中央アジアと中国を結ぶ要衝として多くの民族、文化が行き交ったこの町は、いろいろな所にその痕跡をとどめている。例えばカシュガルという名前の由来。玉の集まる所（古ペルシア語、ペルシア語、チュルク語）であるとか、緑色の屋根をもつ建物（モンゴル語）など、さまざまな説がある。

　現在のカシュガルはカシュガル地区の中心都市であり、イスラム教徒のウイグル族が多数を占めている。

　カシュガルは、人民東路と西路、解放北路と南路の十字路を中心として発展してきた町で、人民東路を境に南側に漢族、北側にウイグル族の居住区が広がる。

　歩いておもしろいのは、北側にあるウイグル族居住地区。何の規則性もなく曲がりくねった細い道には、イスラム教と

カシュガル老城は建築を見て回るだけでもおもしろい

	1月	2月	3月	4月	5月	6月	7月	8月	9月	10月	11月	12月
平均最高気温(℃)	0.0	4.8	13.8	21.9	26.3	30.3	32.1	30.8	26.4	19.6	9.8	1.4
平均最低気温(℃)	-11.1	-6.4	1.7	8.5	12.7	16.1	18.6	17.5	12.1	4.6	-2.0	-7.9
平均気温(℃)	-6.0	-1.2	7.6	15.2	19.8	23.6	25.7	24.4	19.5	12.1	3.3	-3.9
平均降水量(mm)	2.3	5.5	5.6	5.5	11.5	6.7	7.8	7.8	5.6	2.0	2.1	1.3

ウイグル族の香りが漂っている。特にエイティガール寺院を中心としたあたりでは、職人たちがカシュガル特産の民族楽器や刺繍帽の制作に熱を入れている。

また、バザールも見逃せない。各店頭にはシルクロードの雰囲気たっぷりの商品がずらりと並び、髭を生やしたウイグル族の商人と、鮮やかなスカーフをまとった買い物客の女性が楽しそうに値段交渉をしている。

なお、町なかは歩いて回ることも可能だが、夏場は非常に暑く疲れやすいので、レンタサイクルの利用をおすすめする。自転車は楽で行動範囲も広がり、ちょっとした郊外にも気軽に行くことができる。自転車は新疆カシュガル老城青年旅舎などで借りることができる。

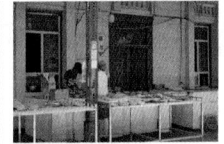

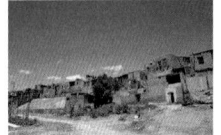

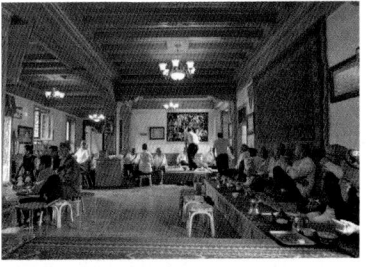

ウイグル族の男性は茶館で友人たちと交流するのが毎日の習慣だ

町のいたるところで焼きたてのナンが売られている

高台民居風景区にはウイグル族の古い町並みが残る

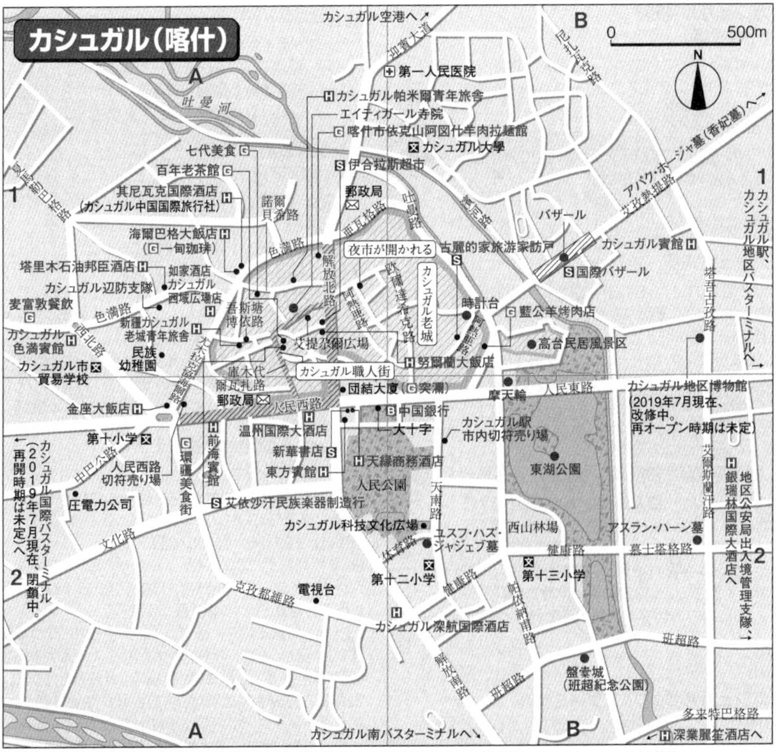

カシュガル(喀什)
カシュガル空港へ
0 500m
N
A
B
1
2
吐曼河
迎賓大道
第一人民医院
尼瓦克路
カシュガル帕米爾青年旅舎
エイティガール寺院
喀什市依克山阿図什羊肉拉麺館
カシュガル大學
伊合拉斯超市
七代美食
百年老茶館
其尼瓦克国際酒店
(カシュガル中国国際旅行社)
諾爾貝希路
郵政局
吐曼路
西瓦格路
阿帕克・ホージャ墓(香妃墓)へ
艾孜熱提路
海爾巴格大飯店
(一旬珈琲)
色満路
夜市が開かれる
古麗的家旅游家訪戸
バザール
カシュガル賓館
国際バザール
塔里木石油邦臣酒店
如家酒店
カシュガル西域広場店
カシュガル辺防支隊
解放北路
欧爾達希克路
カシュガル老城
阿熱亜路
時計台
藍公羊烤肉店
麦富敦餐飲
新疆カシュガル老城青年旅舎
吾斯塘博依路
カシュガル色満賓館
西北路
民族幼稚園
艾提尕爾広場
努爾蘭大飯店
高台民居風景区
塔吾古孜路
カシュガル駅、カシュガル地区バスターミナルへ
カシュガル市貿易学校
庫木代爾瓦扎路
カシュガル職人街
団結大廈
突瀾
摩天輪
人民東路
カシュガル地区博物館
(2019年7月現在、改修中。再オープン時期は未定)
金座大飯店
郵政局
人民西路
中国銀行
大十字
カシュガル駅市内切符売り場
温州国際大酒店
第十小学
前海賓館
環疆美食街
新華書店
天縁商務酒店
東湖公園
艾爾斯蘭汗路
銀瑞林国際大酒店へ
地区公安局出入境管理支隊へ
カシュガル国際バスターミナル(2019年7月現在、閉鎖中。再開時期は未定)へ
中巴公路
人民西路切符売り場
東方賓館
人民公園
天南路
圧電力公司
艾依沙汗民族楽器制造行
カシュガル科技文化広場
西山林場
アスラン・ハーン墓
文化路
ユスフ・ハズ・ジャジェブ墓
健康路
慕士塔格路
体育路
第十二小学
健康路
第十三小学
帕依納甫路
克孜都維路
電視台
カシュガル深航国際酒店
班超路
解放南路
班超路
盤橐城
(班超紀念公園)
多来特巴格路
カシュガル南バスターミナルへ
深業麗笙酒店へ

●見どころ　H ホテル　G グルメ　S ショップ　B 銀行　☒ 学校　✉ 郵便局　⊞ 病院　▨ 繁華街

中国国内の移動 ➡ P.338

 飛行機 市区の北約8kmに位置するカシュガル空港(KHG)を利用する。

国際線 日中間運航便はないので、北京や上海を経由し、便数の多いウルムチで乗り継ぐとよい。

国内線 北京、上海、西安、ウルムチなどとの間に運航便がある。

所要時間(目安) 北京首都(PEK)／4時間30分　上海浦東(PVG)／5時間30分　西安(XIY)／4時間30分　ウルムチ(URC)／1時間50分　イーニン(YIN)／2時間

 鉄道 市区の東約5kmに位置する南疆線のカシュガル駅を利用する。駅の正面にカシュガル地区バスターミナルがある。

所要時間(目安)【カシュガル(ks)】ウルムチ(wlmq)／特快:17時間　クチャ（kc)／特快:8時間20分　ホータン(ht)／特快:4時間30分　イーニン(yn)／快速:31時間40分

🚌 **バス** 自治区内北部を結ぶカシュガル地区バスターミナル、自治区内南部を結ぶカシュガル南バスターミナル、カシュガル国際バスターミナルがある。2019年7月現在、カシュガル国際バスターミナルは閉鎖中(再開時期は未定)。

所要時間(目安) ウルムチ／24時間　イーニン／30時間　ホータン／9時間　ヤルカンド／3時間30分　タシュクルガン／7時間

Data

✈ 飛行機

カシュガル空港
(喀什机场)

Ⓜ地図外(P.271-B1上)　🅷迎賓大道
☎2926600、2927119　🅾9:00～最終便
🅷なし　🅙不可

[移動手段] **タクシー**（カシュガル空港～エイティガール寺院)／30～35元、所要20分が目安　**路線バス**／游1、游2路「飞机场」

🚃 鉄道

カシュガル駅（喀什火车站)

Ⓜ地図外(P.271-B1右)　🅷世紀大道北路
☎5637222　🅾6:45～23:15、翌2:20～5:15
🅷なし　🅙不可

[移動手段] **タクシー**（カシュガル駅～エイティガール寺院)／30～35元、所要20分が目安　**路線バス**／20、26、28路「火车站」

28日以内の切符を販売。

人民西路切符売り場（人民西路客票代售点)

ⓂP.271-A2　🅷人民西路草湖国際1楼1号
☎なし　🅾9:30～19:30　🅷なし　🅙不可

[移動手段] **タクシー**（人民西路切符売り場～エイティガール寺院)／8元、所要7分が目安　**路線バス**／游2、13、20、25、32路「海峡购物广场」

28日以内の切符を販売。手数料は1枚につき5元。

🚌 バス

カシュガル地区バスターミナル
(喀什地区汽车客运总站)

Ⓜ地図外(P.271-B1右)
🅷世紀大道と天山東路の交差点南西

☎13909988565(携帯)　🅾9:00～21:30
🅷なし　🅙不可

[移動手段] **タクシー**（カシュガル地区バスターミナル～エイティガール寺院)／30～35元、所要20分が目安　**路線バス**／20、28路「汽车客运站」

2日以内の切符を販売。ウルムチ1便(19:00発)、イーニン1便(16:00発)。

カシュガル南バスターミナル
(喀什地区客运总站汽车南站)

Ⓜ地図外(P.271-B2下)
🅷疏勒県315国道と昆侖路の交差点南西
☎13579346510(携帯)　🅾9:00～21:00
🅷なし　🅙不可

[移動手段] **タクシー**（カシュガル南バスターミナル～エイティガール寺院)／30～35元、所要20分が目安　**路線バス**／1路「客运南站」

2日以内の切符を販売。ホータン1便(19:30発)、ヤルカンド(9:00～21:00の間60分に1便)。バスのほかに乗合タクシーもある。ヤルカンド／70元。

カシュガル国際バスターミナル
(喀什国際客运站)

Ⓜ地図外(P.271-A2左)　🅷疏附県八里橋路段広州新城　☎13579091654(携帯)
🅾8:30～21:30　🅷なし　🅙不可

[移動手段] **タクシー**（カシュガル国際バスターミナル～エイティガール寺院)／30～35元、所要20分が目安　**路線バス**／4路「吾库沙库乡」

2日以内の切符を販売。タシュクルガン1便(10:00発)、ススト(パキスタン・イスラム共和国)4月下旬～11月上旬の間、金曜日に1便(12:00発)。個人での切符購入は不可、旅行会社に依頼する。パキスタン・イスラム共和国への出国は状況が変化しやすいため、事前に必ず最新の情報を確認すること。

2019年7月現在、閉鎖中。再開時期は未定。

新疆最大のイスラム寺院　🕐1時間　★★★
エイティガール寺院 ／ 艾提尕尔清真寺
じいん　　　　　　　　àitígǎěr qīngzhēnsì

　市区の中心にあるイスラム教寺院で、新疆最大規模を誇る。1422（イスラム暦846年。明の永楽20）年に創建された後、数回の修復を経て、1872（清の同治11）年の大規模な拡張工事により南北140m、東西120m、面積1万6000㎡の巨大な寺院となった。

　正門の高さは12m、左右のミナレット（尖塔）は18mで、壁面には細密な文様が彫り込まれている。寺院内部には庭園や礼拝堂があり、イスラム教の祭日であるローズ祭やクルバン祭には、2～3万人もの信者がここを訪れる。

エイティガール寺院はイスラムの人々の精神的よりどころ

ウイグル族の生活を知ることができる　🕐1時間　★★★
バザール ／ 巴扎
bāzhā

　カシュガルに来たならば、ぜひ艾孜熱提路の国際バザール付近で開かれるバザールを訪れてみよう。果物や衣類など生活必需品を中心とした取引が行われており、ウイグル族が多く暮らすカシュガルらしい光景を目にできる。売るのもウイグル族なら、買い手もほとんどがウイグル族。眺めているだけで彼らの日常生活をうかがい知ることができる。ウイグル語の数字などを覚えて、商売上手な彼らとの値段交渉に挑戦するのも楽しいだろう。

国際バザールの建物内は案内板に従って進むとよい

エイティガール寺院
Ⓜ P.271-A1
🏠 解放北路42号艾提尕爾広場
☎ 2823235
🕐 9:30～14:00、16:00～19:00
休 なし
※ローズ祭、クルバン祭（→P.215）
　期間中は、イスラム教徒以外の
　寺院内への立ち入り禁止。寺院
　の撮影には許可が必要
🎫 45元
🚌 游1、游2、7、8、16、22、28路バス
　「艾提尕尔」

最奥にある礼拝堂

エイティガール広場では馬やラクダに乗って記念写真を撮れる（有料）

バザール
Ⓜ P.271-B1
🏠 艾孜熱提路付近
🚌 游1、7、20、23、25、27路バス「両亜市場」

ドライフルーツを扱う店も多い

場外には飲食店もある

アパク・ホージャ墓（香妃墓）
M 地図外（P.271-B1右）
田 香妃路
☎ 2950196
🕐 4月下旬〜10月上旬
　　10:00 〜 20:00
　　10月中旬〜4月中旬
　　10:30 〜 19:30
休 なし
料 30元
🚌 游1、20路バス「香妃墓」

1973年に建てられた加満清真寺

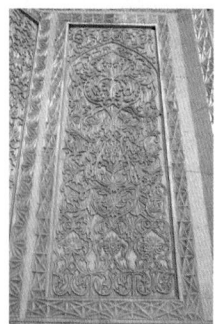
壁の装飾にも注目したい

盤橐城（班超紀念公園）
M P.271-B2
田 班超路71号
☎ なし
🕐 10:00 〜 20:00
休 なし
料 無料
🚌 32路バス「班超城」

公園内に立つ班超の像

カシュガルを統治した歴代の権力者が眠る墓地　🕐1時間 ★★★

アパク・ホージャ墓（香妃墓）/ 阿帕克霍加麻扎（香妃墓）
ほ　こうひぼ　　　　　　āpàkèhuòjiāmázā　xiāngfēimù

　16世紀末の新疆イスラム教白帽派の著名な指導者アパク・ホージャとその家族（5代72人）の墓で、別名は尊者の墓。また、乾隆帝のウイグル人妃子であった香妃（容妃）がここに葬られたと誤伝されたため、香妃墓とも呼ばれる。

　創建は1670（清の康熙9）年で、最初にここに葬られたのは、アパク・ホージャの父ホージャ・ユスフだった。その後たびたび修復、拡張が繰り返されたが、1874（清の同治13）年の大規模な修復によって、中央アジア式イスラム墓となり、モスクなどが新たに建築された。

　一族の柩を安置する建物は、緑のタイルで覆われた円形アーチ屋根をもち、四隅に立つミナレット（尖塔）のモザイクが美しい。

鮮やかな装飾の墓室の前に色とりどりの花が植えられている

後漢の名将班超の記念公園　　　　　　　　　　　★★

盤橐城（班超紀念公園）/ 盘橐城（班超纪念公园）
ばんたくじょう（はんちょうきねんこうえん）　　pántuóchéng(bānchāo jìniàn gōngyuán)

　盤橐城は市区南部に位置する、後漢の軍人、班超の西域における大本営があった所に建てられた記念公園。73（後漢の永平16）年班超は明帝の命令を受け、36名の部下を連れてピチャンを訪れ、その後、匈奴を征伐し西域都護として西域に102（後漢の永元12）年までとどまった。

　盤橐城の中には当時の都があった洛陽からカシュガルにいたるまでの物語や、東西の貿易の様子を描いたレリーフや、36名の勇者たちの像がある。班超は「虎穴に入らずんば虎児を得ず」の名言を残した名将である。

著名なウイグル人思想家の陵墓 ★★

ユスフ・ハズ・ジャジェブ墓 / 玉素普哈斯哈吉普麻扎
ぼ　yùsùpǔ hāsī hājípǔ mázā

　カシュガル市第十二小学校の敷地内にあるユスフ・ハズ・ジャジェブの陵墓。

　ユスフ・ハズ・ジャジェブはカラハン朝のベラサグン生まれのウイグル人で、11世紀後半にカラハン朝の首都カシュガルで大侍従になっていた人物。彼は、『クタドゥグ・ビリク（幸福になるために必要な知識）』という書物を著し、主君の守るべき道徳的心得を説いた。しかし、この書物はその内容よりも、世界で初めてアラビア文字を用いてトルコ語を表記したことで有名となった。

　彼は、死後カシュガル郊外に埋葬されたが、吐曼河の氾濫を避けるため現在の位置に移された。

イスラム様式のタイル装飾が建物を覆う

きれいに整備された歴史地区 ★★

カシュガル老城 / 喀什老城
ろうじょう　kāshí lǎochéng

　カシュガル老城はもとはウイグル族の住民が多く生活していたエリアだが、現在はエリア内のほとんどの建物が観光用に改修され、開けた雰囲気となった。

　解放北路を挟んで東西に分かれており、みやげ店がひしめく東側は電動カートなどを使って移動することができる（時計台付近の門が出発地点）。職人街がある西側は民族楽器や金属工芸品などを扱う店が揃っている。

広々とした通りに赤茶色の建物が並ぶ

ユスフ・ハズ・ジャジェブ墓
- Ⓜ P.271-B2
- 🏠体育路54号
- ☎なし
- 🕐5月～10月上旬
  9:00～20:00
  10月中旬～4月
  10:00～19:00
- ※オープン時間の変更時期は月初とはかぎらず、年により異なる
- 休なし
- 料30元
- 🚌8、16、32路バス「地委」、18路バス「科技文化广场」

ユスフ・ハズ・ジャジェブの棺

カシュガル老城
- Ⓜ P.271-A1～B1
- 🏠亜瓦格路10
- ☎2831191、18134807314（携帯）
- 🕐24時間
- 休なし
- 料無料
- ※景区内を移動する電動カート＝20元、馬車＝30元、人力三輪車＝30元
- 🚌7、11、15路バス「东门」

電動カートでも観光できる

細い路地を歩いてみるのもいいだろう

新疆ウイグル自治区　カシュガル　見どころ

275

カシュガル地区博物館
M P.271-B1
田 塔吾古孜路19号
☎ 2654727
オ 5〜9月10:00〜14:00、
　16:00〜20:00
　10〜4月10:30〜14:00、
　16:00〜19:00
休 月曜
料 無料
乗 游1、10路バス「地委党校」

シルクロードを紹介する博物館 ★
カシュガル地区博物館 / 喀什地区博物馆
ちくはくぶつかん　　　　kāshí dìqū bówùguǎn

　カシュガルの市区中心から東に1kmほど行った塔吾古孜路にある博物館。カシュガルを中心に、シルクロードを紹介した展示を行っている。バザールを観光した帰りにでも寄るとよい。2019年7月現在、改修中。再オープンは未定。

シルクロードに関する展示を行っている

● ❧ 郊外の見どころ ❧ ●

カラクリ湖
M P.212-A2
田 克孜勒蘇柯尔克孜自治州阿克陶県
オ 日中
休 なし
料 50元
乗 車をチャーターして行く。往復800〜1200元が目安

やや緑がかった湖面が特徴のカラクリ湖

高峰とのコントラストが見事な湖 ★★
カラクリ湖 / 卡拉库里湖
こ　　　kǎlākùlǐhú

　標高7546mのムズターグ・アタ山と、標高7649mのコングール山の麓に広がる草原の中にある湖。
　万年雪を頂いた高峰を背にした青い湖は、美しいのひと言。夏場はこのあたりにキルギス族の移動住居が出ていて、遊牧民の暮らしを垣間見ることもできる。

カラクリ湖の向こうにムズターグ・アタ山が見える

深業麗笙酒店／深业丽笙酒店　★★★★★
しんぎょうれいしょうしゅてん　shēnyè lìshēng jiǔdiàn

盤橐城（班超紀念公園）から徒歩約10分の所にある15階建ての5つ星ホテル。繁華街からは離れている。レストラン、バー、屋内プール、ジムなどを備えている。

両　替　**ビジネスセンター**　**インターネット**

Ⓜ地図外（P.271-B2下）
🏠多来特巴格路2号
☎2688888
📠2316000
Ⓢ588〜688元
Ⓣ588〜688元
サなし
カDJMV

銀瑞林国際大酒店／银瑞林国际大酒店　★★★★★
ぎんずいりんこくさいだいしゅてん　yínruìlín guójì dàjiǔdiàn

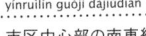

市区中心部の南東約4kmに位置する5つ星ホテル。ロビーの吹き抜けが壮観で、バスタブ付きの客室は大きくゆったりとしていて快適。150種類以上から選べるビュッフェ形式の朝食は内容が充実していておすすめ。

両　替　**ビジネスセンター**　**インターネット**

Ⓜ地図外（P.271-B2右）
🏠建設路160号
☎2655555、2912861
📠2912000
Ⓢ398〜698元
Ⓣ268〜698元
サなし
カ不可

天縁商務酒店／天缘商务酒店　★★★★
てんえんしょうむしゅてん　tiānyuán shāngwù jiǔdiàn

人民東路に面しており、人民公園の毛沢東像から西へ約100mの所に位置する。カシュガル老城に近く、散策や買い物にも便利。ホテル内にイスラム料理レストランがある。

ビジネスセンター　**インターネット**

ⓂP.271-A2
🏠人民東路8号
☎2802222
📠2802266
Ⓢ435元
Ⓣ408元
サなし
カMV

努爾蘭大飯店／努尔兰大饭店　★★★★
どじらんだいはんてん　nǔěrlán dàfàndiàn

繁華街の中心にありエイティガール寺院にも近い、観光に便利な4つ星ホテル。イスラム建築風の豪華な内装が目を引く。

ビジネスセンター　**インターネット**

ⓂP.271-A1
🏠解放北路37号
☎2596333、2653333
Ⓢ388〜588元
Ⓣ388元
③488元
サなし
カ不可

金座大飯店／金座大饭店　★★★
きんざだいはんてん　jīnzuò dàfàndiàn

人民西路の西端の六つ角にある3つ星ホテル。ホテル内に中国料理レストランがある。エイティガール寺院へは徒歩10分ほどで行くことができ、繁華街にも近い。

ビジネスセンター　**インターネット**

ⓂP.271-A2
🏠尤木拉克協海爾路2号
☎2588888、2588880
📠2588882
Ⓢ288〜388元
Ⓣ288〜388元
サなし
カ不可

カシュガル色満賓館／喀什色满宾馆　★★★
しきまんひんかん　kāshí sèmǎn bīnguǎn

1950年開業の老舗ホテル。3つの棟に分かれており、1890年に創建された旧ロシア帝国時代の領事館の建物も使用している。

ビジネスセンター　**インターネット**

ⓂP.271-A1
🏠色満路337号
☎2582129
📠2582861
Ⓢ280元
Ⓣ280元
③350元
サなし
カ不可

其尼瓦克国際酒店／其尼瓦克国际酒店
きじがこくこくさいしゅてん　　qíníwăkè guójì jiŭdiàn

星なしだが4つ星相当の設備を揃えるホテル。エイティガール寺院やカシュガル老城に近く、観光に便利。メインとなる其尼瓦克皇家大酒店のほか計4つの建物で構成されている。

ビジネスセンター　インターネット

Ⓜ P.271-A1
🏠 色満路144号
☎ 5822000
FAX 5822002
Ⓢ 大酒店=438元　中巴友誼楼=338元
　　北楼=258元　静園=158元
Ⓣ 大酒店=338元　中巴友誼楼=318元
　　北楼=258元　静園=158元
サ なし　カ 不可

カシュガル深航国際酒店／喀什深航国际酒店
しんこうこくさいしゅてん　　kāshí shēnháng guójì jiŭdiàn

星なしだが3つ星相当の設備。中国料理と西洋料理のレストランがある。繁華街からは少し離れるが、解放南路沿いで交通の便はよい。ユスフ・ハズ・ジャジェブ墓まで徒歩約5分。

ビジネスセンター　インターネット

Ⓜ P.271-B2
🏠 解放南路348号
☎ 2568888
FAX 2572339
Ⓢ 268～368元
Ⓣ 268～368元
サ なし
カ 不可

新疆カシュガル老城青年旅舎／新疆喀什老城青年旅舎
しんきょう　　ろうじょうせいねんりょしゃ　　xīnjiāng kāshí lăochéng qīngnián lǚshè

ウイグル族の伝統家屋を利用したユースホステルで、イスラム風の雰囲気を満喫できる。広い中庭があり、日当たりは良好。カフェや無料で利用できるPCもある。人気があるので夏は要予約。

ビジネスセンター　インターネット

Ⓜ P.271-A1
🏠 吾斯塘博依路233号
☎ 2823262、15276106605（携帯）
Ⓢ 160元
Ⓣ 160元
Ⓓ 55～65元
サ なし
カ 不可

カシュガル帕米爾青年旅舎／喀什帕米尔青年旅舎
はくまいじせいねんりょしゃ　　kāshí pàmĭěr qīngnián lǚshè

エイティガール寺院の近くにあるユースホステル。入口がわかりにくいので注意。共用のテラスが広く開放的。夜にはテラスで宴会が開かれることもあり、スタッフや旅行者との交流を楽しめる。

ビジネスセンター　インターネット

Ⓜ P.271-A1
🏠 諾爾貝希路艾提朶尔大巴扎7区A段3階
☎ 2823376、18099851967（携帯）
Ⓢ 160元
Ⓣ 160元
Ⓓ 60元
サ なし
カ 不可

一甸珈琲／一甸咖啡
いちでんコーヒー　　yīdiàn kāfēi

トルコ料理、ロシア料理、イタリア（パスタ、ピザ）料理のレストラン。値段はやや高めだが、豪華な内装や個室が多いことで人気があり、休日は要予約。ウイグル料理もあるが、おすすめは本格的トルコ料理。

Ⓜ P.271-A1
🏠 色満路148号海爾巴格大飯店1階
☎ 2665555
🕐 12:00～2400
休 なし
カ 不可

藍公羊烤肉店／蓝公羊烤肉店
らんこうようこうにくてん　　lángōngyáng kăoròudiàn

カシュガル老城入口の時計台近くにある羊肉串の専門店。ナンの上にのせて羊肉串を提供するのが特徴。味付けはやや濃いめだが、ナンと一緒に食べるとちょうどよい。酸味の利いたヨーグルトも人気で、テーブルに置かれた砂糖を足して甘くすることもできる。

Ⓜ P.271-B1
🏠 吐曼路
☎ 2846385
🕐 11:00～24:00
休 なし
カ 不可

グルメ

七代美食／七代美食
しちだいびしょく　qīdàiměishí

現在の店主が7代目という老舗レストラン。化学調味料を使わないウイグル族の家庭の味そのままのラグメンがおいしい。店の前で焼いている、羊のミンチ肉を使ったカバブもおすすめ。いつも客で混み合っている。

🄼 P.271-A1
🏠 諾爾貝希路
☎ 13095193336、15599914443（携帯）
🕐 10:00〜翌1:00
休 なし
カ 不可

百年老茶館／百年老茶馆
ひゃくねんろうちゃかん　bǎinián lǎocháguǎn

カシュガル職人街の中心にあるランドマーク的な茶館。その名のとおり老舗の茶館であり、地元の人と観光客でにぎわっている。タイミングがよければウイグル族による演奏とダンスを鑑賞することができる。ダンスに加わっても楽しい。

🄼 P.271-A1
🏠 吾斯塘博依路と庫木代爾瓦扎路の交差点そば
☎ なし
🕐 10:00〜22:00
休 なし
カ 不可

ショップ

古麗的家旅游家訪戸／古丽的家旅游家访户
これいてきかりょゆうかほうこ　gǔlìdejiā lǚyóujiā fǎnghù

🄼 P.271-B1
🏠 阿熱亜路940号
☎ 18097974443（携帯）
🕐 10:00〜22:00
休 なし
カ 不可

古民家を改修したギフトショップで、ウイグル族のアクセサリーやシルク、ドライフルーツや薬品などを扱っているほか、30元で民族音楽の踊りと演奏を鑑賞できる。店の前で楽器奏者が練習していることもあるので、試しに立ち寄ってみるのもよいだろう。

旅行会社

カシュガル中国国際旅行社／喀什中国国际旅行社
ちゅうごくこくさいりょこうしゃ　kāshí zhōngguó guójì lǚxíngshè

🄼 P.271-A1
🏠 色満路144号其尼瓦克国際酒店敷地内
☎ 2983156（日本語可）
📠 2983830（日本語可）
🕐 5〜9月9:30〜13:30、16:00〜20:00　10〜4月10:00〜14:00、15:30〜19:30
休 5〜9月=なし　10〜4月=土・日曜、祝日
カ 不可
🌐 www.kscits.com.cn
✉ 382004271@qq.com（日本語可）aynoorkscits@sina.com（日本語可）

切符手配代行料は鉄道1枚50元、バス30元。市内を回る車のチャーター料は1日500元（ガイドなし、5人乗り）。カラクリ湖日帰り900〜1200元（5〜7人乗り）。空港送迎300元。日本語ガイド1日500元（市内）。ウイグル族家庭訪問の手配可、料金は要相談。

Column

楼蘭とミーラン

シルクロードの歴史に興味をもつ人にとって、タクラマカン砂漠中にある楼蘭故城遺址（MP.213-C2）は一生に一度は訪ねてみたい所だろう。

楼蘭とは、「さまよえる湖」として知られるロプ・ノールの周辺を本拠地とした楼蘭国（鄯善国とも呼ばれる。紀元前176年前後〜紀元後630年）で、この国はシルクロードのひとつ西域南道の要衝としておおいに栄えたが、ロプ・ノールの移動によって衰退し、砂漠の中に消えていった。20世紀初頭にスウェーデン人探検家のヘディンによって発見されなければ、その存在は永遠に忘れ去られていたかもしれない。

楼蘭故城遺址はチャルクリクの北東約220kmに位置する。シルクロードにおける東西文化交流を考察するうえでも重要な遺跡であり、城壁は周囲1316mで、ほぼ正確な正方形をしている。城内には住居や水路の跡が残り、クシャーナ朝の貨幣、漢文やカローシュティー文字で書かれた文書、ガラス製品などさまざまな文化財が出土している。また、城郭の周辺には高さ10mの仏塔をはじめ、烽火台、古墓群なども残っている。

ミーラン故城は唐代の遺跡

楼蘭と並んで、南新疆の遺跡として忘れてならないのが、チャルクリクの北東約100kmに位置するミーラン故城（MP.213-C3）だ。英国人探検家スタインによって発見された城跡で、楼蘭国（鄯善国）の国都伊循城であった

ともいわれている。

1970年代の発掘調査で、大量の吐蕃（チベット系遊牧民）文字で書かれた木簡や兵器が発見されたことから、唐後期に造られた城郭都市で、その後廃棄されたものと考えられている。

城郭は不規則な方形で、周囲は308m。城壁の厚さは6〜9m。城郭の角には物見台の跡が残り、南と西の城壁には城門跡と思われる崩れた所がある。さらに城壁南面の外には高さ9mの小城も残る。また、ミーラン故城の付近には東西4kmにわたって仏塔や寺院跡が連なり、このオアシス都市の大きさと栄枯盛衰の歴史を物語っている。

現在のところ、楼蘭故城遺址とミーラン故城への立ち入りは禁止されている。訪れるには特別に許可を得た日本からのツアーに参加するほかない。

チャルクリクの楼蘭博物館は、楼蘭故城遺址やミーラン故城などからの出土品を展示しており、なかでも注目されるのが、子供4体を含む6体のミイラだ。　（内田和浩）

ミーラン故城の風化した城郭

ミーラン故城付近の寺院跡。荒涼とした砂漠に仏塔が静かにたたずむ

読 者 投 稿 ....

●写真は編集部

西安の化覚巷はみやげ物通り

西安の回坊風情街にある化覚巷は、みやげ物通りになっています。西羊街から左に折れると約500mにわたって両側に食品以外のみやげ物屋が連なり、鼓楼前にいたります。多くの店が集中していて、種類が豊富でほかの場所より安く購入できる便利な場所です。途中に清真大寺があります。

（兵庫県　プーチン　'19）

化覚巷を散策する際には、清真大寺も訪ねたい

広がる西安の地下鉄網

西安の地下鉄は4号線まで開通しており、近々に空港線も開通予定です。華清池までは地下鉄の工事中でしたので、交通渋滞の激しい西安ではかなり便利になるでしょう。長安通という交通カードの利用がおすすめです。

（茨城県　バガボンド　'19）

タシュクルガンからカシュガルへのバス

タシュクルガン→カシュガルを公共バスで移動しました。7時間の道中、4回トイレ休憩があったのですが、どこもトイレではなく、少し遮るものがあるだけの道端でした。また、辺境管理所らしきものが3ヵ所あり、そのすべてでパスポートのスキャンと顔認証が行われました。食事休憩はなく、管理所でバスを待つ間に売店でゆで卵やカップラーメン、クッキーを買って食べるしかありませんでし

た。乗客の人に聞くと、ウルムチ以南の長距離バスでは、こういうバス旅が当たり前ということだったので、覚悟をもって乗ってください。

（東京都　Urara　'18）

タシュクルガンの見どころの石頭城と周囲の山々

ヤルカンド訪問の注意

2019年4月末に新疆ウイグル自治区のヤルカンドに行きました。莎車賓館にチェックインしたところ、すぐに公安がやってきて、「特別な活動があるので、今は外国人は泊まれない」と、ヤルカンドを離れるように言われました。次に行く場所を聞かれ、ホータンだと答えると、ホータン行きの交通機関をすべて手配されました（費用は自己負担）。ホータンへはいくつか乗り継ぎしましたが、経由地の公安すべてに連絡が行き、ホータンのホテルに入るまで公安に見届けられました。この状況は今だけのことなのか、あるいはしばらく続くのかわかりませんが、ヤルカンドをガイドなしで訪れる際は注意が必要だと思います。

（匿名希望　'19）

ホータンの市場。旅行の前にできるだけ治安の状況を確認しよう

新疆で触れる民族音楽

シルクロードをたどって現在の新疆ウイグル自治区に伝えられた音楽は大きく分けてふたつある。ひとつは亀茲国（現在のクチャ）で隆盛した、後に日本の雅楽などへとつながっていく唐代までの音楽。もうひとつはウイグル族やカザフ族などに継承されてきたイスラム文化の影響が大きい音楽。今回はこのうち後者の音楽について紹介する。

無形文化遺産の12ムカーム

ウイグルを代表する伝統音楽といえば、十数種類の楽器のオーケストラで奏でられる「12ムカーム」で、2005年にはユネスコ無形文化遺産に登録されている。ムカームは、アラブ音楽で「旋法」を意味する「マカーム」から派生した言葉で、もともとはカシュガル、イリ、トルファン、ハミなど地域ごとに系統立てて伝えられていた音楽だった。時代とともに伝承による保存が難しくなると、1950年頃からカシュガルのムカームを中心に採集を始め、それを録音し、楽譜に残すプロジェクトが国家規模で行われた。現在「ウイグル12ムカーム」と呼ばれる音楽は、そのときに再構成されたいわば「決定版」ともいえるムカームだ。15世紀から19世紀まで44人の詩人の詩が歌詞として採られ、すべて演奏すると24時間にもなる。

楽器の種類

ムカームで使われる楽器の多くは、古典音楽ばかりでなく民衆的な音楽でも活躍する。ここでは代表的な3つの楽器を紹介するが、これらは演奏されているところを目にしなくとも、バザールなどで必ず見かけるだろう。

最もポピュラーな楽器は、ペルシア語で「ふたつの弦」を意味するドタール。新疆にかぎらず西アジア、中央アジアで広く親しまれ、歌の伴奏からインストゥルメンタルのソロ演奏まで幅広く用いられる。右手で2本の弦をかき鳴らすのが一般的な奏法。ドタールにかぎらず、中央アジアの楽器は棹が長いリュート属が多いため、似た形の楽器が少なくないが、ペグ（糸巻き）がヘッドの左側面と正面の2面に取り付けられているのが特徴だ。

ドタールの演奏。棹は長く胴は洋梨型をしている

同じく民衆的な楽器として親しまれているのがラワープ（ルワーブ）で、3コース5弦（5本の弦が2本、1本、2本の3セットに分かれている）と20フレット以上の長い棹、蛇皮張りの小さなボディをもつ。ボディの上のエラのような突起が特徴。おもに単旋律を奏でる楽器で、ピックを使って速弾きをする様はまるでロックバンドのエレキギターのようにかっこいい。この楽器は後に中国で三弦となり、琉球王国の三線を経て本州で三味線となる。

右がラワープで左がドタール。ラワープのほうが棹が短い

打楽器で最もポピュラーなのは、ダップというタンブリンに似た枠太鼓。枠の内側（膜面の内側）には多数のリングがつながれ、タンブリンにおけるシンバルと同じく、大きな音を出す役割を果たす。蛇皮を張った大型のタイプと、羊皮を張った小型のタイプがあり、民衆的な音楽から格式ばった音楽までさまざまな場面で使われる。

ダップの演奏。手首のスナップを利かせてたたく

ウイグル音楽に触れるには

新疆ウイグル自治区を訪ねてみると、実演に触れられる機会はかなりかぎられていることに気づくだろう。日本でも伝統的な邦楽が演奏されている場所は多いとは言えないが、ウイグル族の伝統音楽はそれよりもはるかに少ない。

娯楽的な要素が強いものの、最も確実なのはウルムチの国際大バザールで開催されている音楽とダンスのショーだ（→P.228）。一度にさまざまな音楽を聴けるため、初めてウイグル音楽に触れるにはおすすめだ。ただし時間も料金もそれなりに必要となる。

もう少し手軽に触れてみたいなら、カシュガルの古麗的家旅游家訪戸（→P.279）へ行くのがおすすめだ。20分程度のショーだが30元で楽しむことができる。また、ほかの新疆のダンスショーは、音楽はスピーカーで流すだけのものが多いが、ここは録音を使わず、ラワープとダップの奏者が生演奏でダンスの伴奏をしてくれる。この奏者が店先で、さながらストリートライブのように練習していることもあるので、前を通りかかってみるだけでもおすすめだ。

古麗的家旅游家訪戸でのラワープの練習風景

実際に楽器に触れてみよう

聴くだけでなく、自分でも演奏をしてみたいという人もいるだろう。バザールに行けば楽器を取り扱っている店がいくつもあるが、なかには観光客向けのおもちゃのような楽器が売られていることもあるので、あまりおすすめはできない。ちゃんとした楽器を手にするなら、カシュガルの職人街にある艾依沙汗民族楽器制造行（MP.271-A1）という老舗の楽器店に行くとよい。

さまざまな楽器を揃える艾依沙汗民族楽器制造行

もう少し気軽に楽器に触ってみたいなら、トルファンの達卜青年旅舎（→P.241）を訪ねてみよう（ちなみに宿名の「達卜」はダップのことだ）。宿にはドタールとダップ、小型のラワープが置いてあり、スタッフに断れば自由に弾かせてくれる。

達卜青年旅舎では気軽に楽器に触れられる

食べ物や服、遺跡や自然などさまざまな見どころのある新疆だが、世界に誇れる高度な音楽文化を育てた土地でもあるので、観光をするならぜひその一端に触れてみてほしい。
（小川智史）

市外局番 0903

ウイグル族の人々であふれるバザール

絨毯と玉で知られる南新疆の町

ホータン

パーティエン
和田 *Hé Tián*

都市データ

ホータン
人口＝33万人
面積＝466km²
ホータン地区の行政中心

地区公安局出入境管理支隊
（地区公安局出入境管理支队）
Ⓜ P.286-A2
⊞ 烏魯木斉南路84号公安局総合
　服務大庁
☎ 2512850
🅾 5〜9月10:00〜14:00、
　16:00〜20:00
　10〜4月10:00〜14:00、
　15:30〜19:30
㊡ 土・日曜、祝日
観光ビザを最長30日間延長可能。
手数料は160元
※ただし、訪問予定先や新疆ウイ
グル自治区の治安状況によって
は延長が認められない場合もあ
るので注意

地区人民医院
（地区人民医院）
Ⓜ P.286-B1
⊞ 文化路103号
☎ 2050120
🅾 24時間
㊡ なし

市内交通

【路線バス】 運行時間の目安は
8:00〜21:30、1〜2元

【タクシー】 初乗り2km未満5元、
2km以上1kmごとに1.5元加算

概要と歩き方

　ホータンは、新疆の南西部、タクラマカン砂漠と崑崙山脈に挟まれた所にあるオアシス都市。ホータン地区の中心地だ。

　かつては玄奘もここを訪れるなど仏教国として繁栄を遂げたが、カラハン朝の征服によりイスラム化が急速に進み、現在では新疆で最もウイグル族の割合が高い地区となっている。

　また、ホータンは古くから玉（翡翠）の産地として有名で、ホータン産の玉はホータン玉と呼ばれる。5000〜4000年前には玉の交易が行われ、世界各地へ流通させた。特産品としては絨毯も有名である。

　ホータンの繁華街は、市区中心の団結広場周辺だ。ここにはホテル、銀行、切符売り場などが集中し、塔乃依南路には小さなレストランも多くある。

　ホータンらしい場所は、やはり町の東部に広がるバザール地区だろう。毎週日曜には大きなバザールが開かれて大にぎわいだ。平日のバザールは小規模だが、ウイグル族の暮らしぶりを目にすることができて楽しい。

繁華街の中心となる団結広場の周りは、高い建物に囲まれている

	1月	2月	3月	4月	5月	6月	7月	8月	9月	10月	11月	12月
平均最高気温（℃）	0.4	5.7	15.2	23.2	27.3	30.8	32.6	31.2	27.0	20.0	10.4	2.4
平均最低気温（℃）	-9.8	-4.8	2.9	9.9	14.1	17.4	19.1	18.1	13.3	5.8	-1.5	-7.7
平均気温（℃）	-5.0	0.2	8.8	16.4	20.5	23.8	25.5	24.3	19.7	12.3	3.7	-3.0
平均降水量（mm）	1.6	2.4	1.4	2.4	7.9	7.2	4.7	3.3	2.1	0.7	0.3	0.9

Access

中国国内の移動 ➡ P.338

 飛行機 市区の南西約10kmに位置するホータン空港（HTN）を利用する。

国際線 日中間運航便はないので、北京や便数の多いウルムチで乗り継ぐとよい。
国内線 北京、ウルムチ、カシュガルなどとの間に運航便がある。
所要時間（目安） 北京首都（PEK）／6時間25分　ウルムチ（URC）／1時間45分　カシュガル（KHG）／55分

 鉄　道 市区の北約5kmに位置し、南疆線の終点であるホータン駅を利用する。

所要時間（目安） 【ホータン（ht）】ウルムチ（wlmq）／特快：22時間40分　クチャ（kc）／特快：14時間　カシュガル（ks）／特快：4時間35分　イーニン（yn）／快速：38時間30分

 バ　ス ホータン公路バスセンターを利用する。ウルムチやカシュガルへの便がある。

所要時間（目安） ウルムチ／25時間　カシュガル／9時間

Data

飛行機

ホータン空港（和田机场）
Ⓜ地図外（P.286-B2下）　🏠迎賓路925号
☎2933200　🕐始発便〜最終便
🈺なし　🈂不可
［移動手段］**タクシー**（空港〜団結広場）／40元、所要25分が目安　**路線バス**／9路「机场站」

民航航空券売り場（民航售票处）
Ⓜ P.286-A2　🏠烏魯木斉南路14号
☎2518999　🕐10:00〜20:00
🈺なし　🈂不可
［移動手段］**タクシー**（民航航空券売り場〜団結広場）／5元、所要5分が目安　**路線バス**／4路「三中」

塔西那賓館航空券売り場
（塔西那宾馆航空售票处）
Ⓜ P.286-B2　🏠北京東路139号塔西那賓館1階
☎2024088、18209030999（携帯）
🕐10:00〜22:00　🈺なし　🈂不可
［移動手段］**タクシー**（塔西那賓館航空券売り場〜団結広場）／5元、所要5分が目安　**路線バス**／2、8路「県委」、4路「県政府」

鉄道

ホータン駅（和田火車站）
Ⓜ地図外（P.286-A1上）
🏠拉斯奎鎮阿克塔什村玫瑰大道
☎7829000　🕐8:20〜19:00　🈺なし
［移動手段］**タクシー**（ホータン駅〜団結広場）／20元、所要15分が目安　**路線バス**／410路「火車站」
　28日以内の切符を販売。

迎賓路切符売り場（迎宾路客票代售点）
Ⓜ P.286-B2　🏠迎賓路423号華豫国際酒店内
☎華豫国際酒店＝6188888
🕐10:00〜14:00、15:30〜19:30
🈺なし　🈂不可
［移動手段］**タクシー**（迎賓路切符売り場〜団結広場）／7元、所要7分が目安　**路線バス**／3路「物資局」
　28日以内の切符を販売。手数料は1枚につき5元。

バス

ホータン公路バスセンター
（和田公路客運中心）
Ⓜ地図外（P.286-A1上）
🏠京通大道（ホータン駅東側）
☎2022688、2021090、13809981262（携帯）
🕐8:00〜22:00　🈺なし　🈂不可
［移動手段］**タクシー**（ホータン公路バスセンター〜団結広場）／20元、所要15分が目安　**路線バス**／410路「客運站」
　3日以内の切符を販売。ウルムチ1便（13:00発）、カシュガル1便（21:00発）。

ホータン公路バスセンター

地図

ホータン（和田）

A ───────── B

- ホータン駅、ホータン公路バスセンターへ
- 烏魯木斉北路
- 二環北路
- 宏瑞賓館 H
- 地区交通局 H
- 市第五中学 X
- 税務局
- 海爾巴格火鍋城
- 納瓦格路
- 塔乃依北路
- 地区行政署
- ホータン博物館（2019年7月現在、改修中。2020年夏に再オープン予定）
- 税服務庁
- 地区人民医院 H
- 文化提升關路
- 郵政局
- 市人民政府
- 江蘇大酒店
- ヨーカン遺址へ
- 二環路
- 北京西路
- 西域大酒店 H
- 民航航空券売り場
- 玉都大酒店
- 団結広場
- 温州浙江大酒店
- 国際歩行街
- 電信局
- 地区法院
- 加買路
- 塔西那賓館（塔西那賓館航空券売り場）
- バザール
- 花園
- ホータン賓館 H
- 市第三中学 X
- 天津国際酒店
- 西湖国際酒店
- 建設路
- 迎賓路
- 県第三小学 X
- 県委員会
- 県政府
- 北京東路
- ホータン県慈有限責任公司へ
- ユルンガシ河
- 中国銀行 B
- 烏魯木斉南路
- 二環路
- 公安局総合服務大庁（地区公安局出入境管理支隊）
- 阿恰勒西路
- 漢民族の食堂が並ぶ
- 凱合日友餐庁
- 玉洲世紀大酒店
- 阿恰勒東路
- 古江北路
- 県人民法院
- 県政府
- 崑崙公園
- 杭州湾国際大酒店 H
- 華豫国際酒店（迎賓路切符売り場）
- 人民路
- 体育場
- 県教育局
- 古江南路
- ホータン空港へ
- 県中学 X

0 ─── 500m

●見どころ　H ホテル　G グルメ　B 銀行　X 学校　H 病院　〜〜〜 繁華街

ホータン博物館
- M P.286-A1
- 住 北京西路342号
- ☎ 2519286
- 開 5〜9月10:00〜13:30、16:00〜19:30
  10〜4月10:00〜13:30、15:30〜19:00
  ※冬季（12〜2月）は状況により臨時休館することがある
- 休 水曜
  ※再開後、月曜になる可能性あり
- 料 無料
- 交 2路バス「財校」、7路バス「師専后大門」

● ✦ 見どころ ✦ ●

文明の十字路、ホータンを感じる博物館　★★

ホータン博物館／和田博物館
はくぶつかん　hétián bówùguǎn

　1979年に和田地区文物管理所として創建され、9000点以上の文物を収蔵している。1階の古代文明陳列室には、唐代の出土品「人面紋陶片」など中国人らしからぬ容貌を表した展示物が多く、シルクロードがまさに文明の十字路であったことを感じられる。また、オーレル・スタインによって発掘されたニヤ遺跡の出土品も展示されており、シルクロードの歴史を知るためには見逃せない。

　2019年7月現在、改修中。2020年夏に再オープン予定。

ホータン周辺の遺跡からの出土品を多く展示するホータン博物館

日曜には多くの人が集まる

バザール / 巴扎
bāzhā

★★

ホータンでは毎週日曜に大規模なバザールが開かれ、10万人を超える買い物客でにぎわう。その活況はカシュガルのバザールを凌ぐほど。広場の中に大きなバザール会場がひしめき合い、収まりきらない店が周辺の道に広がっている。カラフルな布や素朴な民芸品を売っているのでおみやげを探してみよう。

バザールは多くの人でごった返す

● 郊外の見どころ ●

ホータンの特産品製作の場を見学しよう

ホータン絨毯有限责任公司 / 和田地毯有限责任公司
じゅうたんゆうげんせきにんこうし　hétián dìtǎn yǒuxiàn zérèn gōngsī

★★

中心部から東に約6km、ユルンカシュ河畔にある工場で、ホータン特産の絨毯やタペストリーを製作している。工場内には、絨毯を織る工程を見学できる部屋が3つある。また、希望すれば絨毯の発送手続きもしてくれる。

ホータンの絨毯は、和田地毯の名前で広く知られており、ホータン地区の遺跡からも多数出土していることから、2600年以上の歴史をもつと考えられている。このホータン絨毯は、毛足の短いホータン羊の毛を使ってウイグル族独特のデザイン（8種類ある）で織られているのが特徴だ。

女性たちが絨毯織り作業をこつこつと続ける

バザール
Ⓜ P.286-B1 ～ 2
🏠 台北東路350号大巴扎花園小区付近
☎ なし
🕐 日曜
💰 無料
🚌 4、8、10路バス「大巴扎」

いくつかあるバザール会場の入口にはイスラム風建築の門が立つ

ホータン絨毯有限责任公司
Ⓜ 地図外（P.286-B2右）
🏠 阿和公路22号
☎ 2054553、18799444444（携帯）
🕐 10:00 ～ 14:00、15:30 ～ 19:00
🈺 日曜、祝日
💰 無料
🚌 10路バス「地毯厂」

新疆ウイグル自治区　ホータン

ホータンマップ／見どころ／郊外の見どころ

于闐国の砦跡と考えられているマリカワト故城

いつもホータン玉を探す人の姿がある

于闐国の砦跡　　　　　　　　　　　　★★
マリカワト故城 / 玛利克瓦特故城
こじょう　　mǎlìkèwǎtè gǔchéng

　市区の南約20km、ユルンカシュ河の西岸にある遺跡。漢代から唐代にかけて、于闐国が辺境防御のために造った砦であったと考えられる。

　周囲には城壁や住居と思われる痕跡が残っており、地上には陶器片が散乱しているが、国外持ち出し不許可の文化財の可能性があるため持ち帰らないこと。

　またこの古城は、ヨートカン遺址とともに地元の人が行くことはあまりなく、経験の浅いタクシーの運転手だと行き方を知らない場合もある。そのためタクシーをチャーターするときは、ホテルのフロントで手配してもらったほうが無難。

　行く途中に通るウイグル族の村は、昔ながらの農村風景といった感じで美しく、車窓も見逃せない。

ホータンの特産品が見つかるかも　　　　★
ユルンカシュ河 / 玉龙喀什河
が　　yùlóng kāshíhé

　崑崙山脈を水源とするユルンカシュ河は市区の東郊外を流れる川で、ホータンの北でカラカシュ河と合流してホータン河となる。雪解け水が流れ込むと川幅が広がり、砂漠を縦断して、タクラマカン砂漠の北を流れるタリム河と合流する。

　ホータン玉は、この川で発見されることもある。探してみるのもよいだろう。

于闐国の都城跡　　　　　　　　　　　★
ヨートカン遺址 / 约特干遗址
いし　　yuētègān yízhǐ

　市区の南西11kmの地点にある遺跡で、漢代から宋代にかけての生活の痕跡が見つかったことから、于闐国の都城跡ではないかと考えられている。現在は畑や果樹園になってしまい、土の小山が残るくらいだ。

遺跡には土の小山が残る

ホテル

華豫国際酒店／华豫国际酒店
かよこくさいしゅてん　　huáyù guójì jiǔdiàn　　★★★★

市街の南に位置する4つ星ホテル。繁華街からは遠いが、客室は清潔で快適。イスラム料理と中国料理のレストランがある。ジムやサウナなどの各種施設が揃う。

両替　ビジネスセンター　インターネット

MP.286-B2
田迎賓路423号
☎6188888
FAX6166999
S448元
T438元
サなし
カM

玉都大酒店／玉都大酒店
ぎょくとだいしゅてん　　yùdū dàjiǔdiàn　　★★★

団結広場に面した買い物に便利なホテル。サウナ、エステ、マッサージなど美容系の施設が充実しているほか、1階にはホータン玉の専門店「玉宝斎」がある。

両替　ビジネスセンター　インターネット

MP.286-A2
田広場西路11号
☎2023456
FAX2029898
S248元
T248元
サなし
カ不可

西域大酒店／西域大酒店
せいいきだいしゅてん　　xīyù dàjiǔdiàn　　★★★

市区中心部を東西に走る北京路に位置しているので移動には便利。中国料理のレストランがある。2017年に改修され、部屋がきれいになった。

両替　ビジネスセンター　インターネット

MP.286-A2
田北京西路261号
☎2511777
FAX2515169
S248元
T218〜238元
サなし
カ不可

西湖国際酒店／西湖国际酒店
せいここくさいしゅてん　　xīhú guójì jiǔdiàn

ホータンでは最高級クラスのホテルで、星なしだが設備は4つ星相当。中国料理、西洋料理のレストランがある。空港送迎サービスや切符手配代行も行っている。

両替　ビジネスセンター　インターネット

MP.286-A2
田塔乃依南路111号
☎2522222
FAX2529999
S368〜468元
T368〜468元
サなし
カMV

グルメ

凱合日瓦餐庁／凯合日瓦餐厅
がいごうじつがさんちょう　　kǎihé rìwǎ cāntīng

MP.286-B2
田阿恰勒西路玉洲世紀大酒店傍
☎2528333
オ9:00〜翌2:00
休なし
カ不可

阿恰勒西路と迎賓路の交差点そばにあるイスラム料理のカフェレストラン。看板メニューの羊肉の塊のせポロと付け合わせとヨーグルトがセットになっている。店内は天井が高く居心地がいい。

市外局番 **0999**

美しい自然を堪能できるサイラム・ノール

イリ峡谷の底に横たわる緑豊かな町

イーニン

イーニン
伊宁 *Yī Níng*

● 都市データ ●

イーニン
人口＝52万人
面積＝730k㎡
イリ・カザフ自治州の管轄下
の県級市

州公安局出入境管理支隊
（州公安局出入境管理支队）
Ⓜ地図外（P.292-A2左）
⊞広東路52号伊犁州行政服務中
　心
☎8800160、8800161
⊙10:00～18:30
休土・日曜、祝日
観光ビザを最長30日間延長可能。
手数料は160元。
※ただし、訪問予定先や新疆ウ
　イグル自治区の治安状況に
　よっては延長が認められない
　場合もあるので注意

兵団四師医院
（兵团四师医院）
ⓂP.292-A2
⊞新華西路56号
☎8023562
⊙24時間
休なし

市内交通

【路線バス】運行時間の目安は
8:00～20:30、1元

【タクシー】初乗り2km未満7
元、2km以上1kmごとに8:00～
24:00は1.4元、0:00～8:00は1.6
元加算、11km以上1kmごとに
8:00～24:00は2.1元、0:00～
8:00は2.4元加算

❀❀❀ 概要と歩き方 ❀❀❀

　南を天山山脈、北をコキルチャン、ボロホロ両山脈に挟まれるこのエリアは、新疆ウイグル自治区のなかでは降水量が多く緑豊かな地域。その中心を流れるイリ河の中流部北岸に位置するイーニンは、イリ・カザフ自治州の州都である。またこの町はモンゴル語で「金屋根の寺」を意味するグルジャという名前ももつ。主産業は農業で、ウイグル族、カザフ族、シボ族など多数の民族が居住している。

　この地区は、漢代には烏孫国の領土で、その後も長く遊牧民族の統治する所だった。やがてチンギス・ハーンの築いたモンゴル帝国の支配下に入り、彼の死後には、息子のチャガタイがこの地にチャガタイ・ハーン国を開いた。その都アルマリク（現在の霍城県北西にあったとされる）がおかれ、中央アジアの代表的な都市のひとつとなった。

　やがて18世紀になると清の直接支配下に入り、帝政ロシアに対する辺境防御の拠点として重要視された。

喀賛其民俗旅游区で見学できるウイグル族の民家

	1月	2月	3月	4月	5月	6月	7月	8月	9月	10月	11月	12月
平均最高気温(℃)	-2.9	-0.5	9.0	19.7	24.3	28.0	30.4	30.0	25.6	17.5	7.5	0.2
平均最低気温(℃)	-15.7	-12.9	-2.6	5.1	9.7	13.3	15.2	13.7	8.9	2.4	-4.1	-10.5
平均気温(℃)	-9.5	-6.7	2.7	12.2	16.8	20.4	22.7	21.7	16.9	9.2	0.9	-5.6
平均降水量(mm)	16.9	18.7	24.4	27.1	26.6	27.6	22.7	13.6	12.7	23.8	25.2	20.2

イーニンの繁華街は、漢族の多い斯大林東路から解放南路にかけての一帯と、ウイグル族の多い新華東路の一帯だ。

イーニンはさほど大きな町ではないので、市内ではバスを使えばほとんどの場所はカバーできるし、徒歩でも十分だ。ただ、見どころの多くは郊外にあるので、観光にはかなり時間がかかる。主要な観光ポイントをすべて回るには、1週間程度必要になる。時間があまりない人は、車をチャーターするか行き先を絞り込んだほうがよいだろう。

水の豊富なイーニンには町のいたるところに開渠がある

Access

（中国国内の移動 ➡ P.338）

 飛行機 市区の北約4kmに位置するイーニン空港（YIN）を利用する。

国際線 日中間運航便はないので、北京や上海を経由し、便数の多いウルムチで乗り継ぐとよい。
国内線 ウルムチ、カシュガルなどとの間に運航便がある。
所要時間(目安) ウルムチ(URC)／1時間15分　カシュガル(KHG)／2時間

 鉄道 市区の北西約6kmに位置する精伊霍線のイーニン駅を利用する。

所要時間(目安) 【イーニン(yn)】上海(sh)／特快：52時間40分　西安(xa)／特快：35時間30分　ウルムチ(wlmq)／特快：6時間5分　クチャ(kc)／快速：18時間50分　カシュガル(ks)／快速：28時間　ホータン(ht)／快速：34時間40分

 バス ウルムチ行きのバスが出ているイリ州バスセンターを利用する。

所要時間(目安) ウルムチ／14時間　コルガス(霍城)／1時間　恵遠／50分

Data

飛行機

イーニン空港（伊宁机場）
Ⓜ P.293-A1、地図外（P.292-A1上）
🏠 飛機場路273号　☎ 8222262
［移動手段］タクシー（空港〜州政府）／13元、所要15分が目安　路線バス／19路「伊宁民航站」下車、徒歩約13分。3路「農四師畜牧兽医站」下車、徒歩約17分

鉄道

イーニン駅（伊宁火車站）
Ⓜ 地図外（P.292-A1左）　🏠 新疆路火車站
☎ 共通電話＝12306　⏰ 5:30〜翌0:30
🈳 なし　💪 不可
［移動手段］タクシー（イーニン駅〜州政府）／20元、所要25分が目安　路線バス／4、10、17、21、401路「火車站」
　28日以内の切符を販売。

市街中心地からやや離れているイーニン駅

イリ河路切符売り場
（伊犁河路客票代售点）
Ⓜ P.292-A2　🏠 伊犁河路怡安家園1号
☎ なし　⏰ 10:00〜19:00　🈳 なし　💪 不可
［移動手段］タクシー（イリ河路切符売り場〜州政府）／7元、所要5分が目安　路線バス／4路「十五小学」
　28日以内の切符を販売。手数料は1枚につき5元。

バス

イリ州バスセンター（伊犁州客運中心）
Ⓜ 地図外（P.292-A1左）　🏠 解放西路460号
☎ 問い合わせ＝6765532　切符売り場＝6765530
⏰ 8:00〜21:00　🈳 なし　💪 不可
［移動手段］タクシー（イリ州バスセンター〜州政府）／15元、所要10分が目安　路線バス／1、12、101路「州客運中心」
　3日以内の切符を販売。ウルムチ2便（19:00、21:00発）、コルガス（霍城）（8:30〜21:00の間循環運行）、恵遠（12:00〜19:30の間30〜50分に1便）。

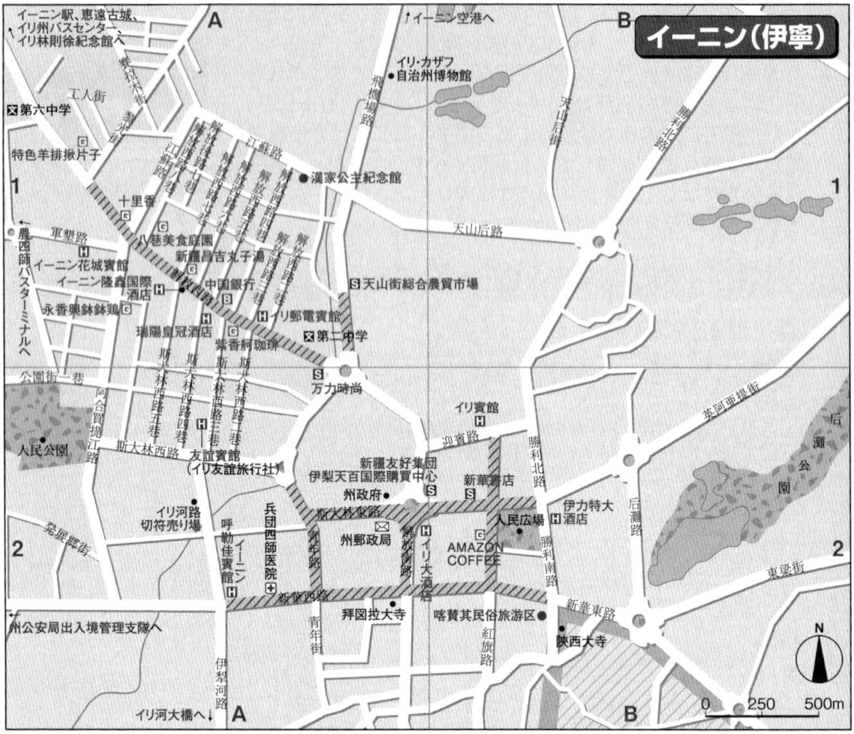

地図の凡例

イーニン駅、恵遠古城、
イリ州バスセンター
イリ林則徐紀念館へ

工人街

⊠第六中学

特色羊排揪片子

十里香

⊠第二中学

A

B

イーニン空港へ→

イリ・カザフ
自治州博物館

飛機場路

天山后路

漢家公主紀念館

1

1

江蘇路

解放路

⊠八巻美食庭園
新疆島吉丸子湯
中国銀行
イリ郵電賓館

S 天山街総合農貿市場

新華書店

宜豊路

農西師バスターミナルへ

イーニン花城賓館
イーニン隆鑫国際酒店
永香楽鉢鉢鶏

瑞陽皇冠酒店
紫香桷珈琲

万力時尚

S

公園街一巷

人民公園

斯大林西路

斯大林西路二巷

斯大林西路三巷

阿合買提江路

友誼賓館
新疆友好集団

イリ賓館

迎賓路

伊梨天百国際購貿中心
州政府

勝利北路

新華酒店

伊力特大
酒店

人民広場

州郵政局

イリ大酒店
希望路

S

⊠イリ大酒店

AMAZON
COFFEE

勝利南路

新華東路

陝西大寺

2

2

発展路街

友誼路

兵団四師医院

イリ河路
切絵賜売り場

呼勒佳賓館

青年街

州公安局出入境管理支隊へ

イリ河大橋へ↓

拝図拉大寺

喀賛其民俗旅游区

紅旗路

東梁街

B

斉同亜提街

后湖
公園

N

0 250 500m

A

B

● 見どころ　H ホテル　G グルメ　S ショップ　B 銀行　⊠ 学校　⊠ 郵便局　⊞ 病院　▨▨▨ 繁華街

喀賛其民俗旅游区

M P.292-B2
⊞ 新華東路と勝利南路の交差点
　傍
☎ 8020688、8020722
◎ 8:30 ～ 20:30　休なし
料 150元（ガイド、馬車、お宅
　訪問、砂絵賜賞、アイスクリー
　ム代を含む。所要約1時間）
⚏ 1、5、6、7路バス「市人民医院」

見学ツアーを申し込む游客中心

民族衣装をまとったガイドとともに
馬車で民家を訪問する

●～・～●　　　見どころ　　　●～・～●

石畳が美しい少数民族居住区　　　★★
喀賛其民俗旅游区／喀赞其民俗旅游区
かくさんきみんぞくりょゆうく　　　kāzànqí mínsú lǚyóuqū

　2007年に政府が整備した少数民族居住区。市街地の南東に位置し、面積は約22.9k㎡、総戸数7500戸、約2万7000人が住む。「喀賛」はウイグル語で鍋、「其」は鍋の製作や販売の仕事に従事する人を指すので、このあたりは手工業の職人が多く住む地域。石畳やカラフルな木の窓枠の家々が、中央アジアや南ヨーロッパを彷彿とさせる。

　自分で周辺を散策することもできるが、敷地はとても広い。また、ウイグル族の古民家の内部を見学したいなら、ツアーに申し込んでガイド付きの馬車で案内してもらおう。

きれいに改修されたウイグル族の民家を見学できる

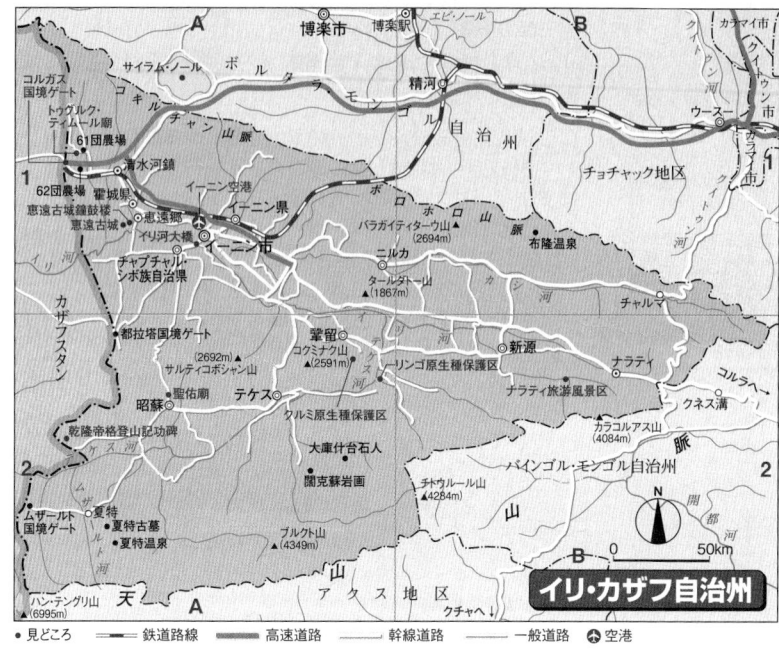

凡例：
● 見どころ　══ 鉄道路線　▬▬ 高速道路　━━ 幹線道路　── 一般道路　✈ 空港

イリ・カザフ自治州

漢と西域諸国の同盟を支えた女性たちの生涯 ★

漢家公主紀念館／汉家公主纪念馆
かんかこうしゅきねんかん　　　hànjiāgōngzhǔ jìniànguǎn

　漢家公主とは漢王朝の皇女のこと。前漢の時代、匈奴の脅威に備えていた皇帝は、支配下に入った小国の王の娘を「公主」として、烏孫国や亀茲国などの西域諸国に嫁がせて同盟を結んだ。この紀念館では、烏孫国に嫁いだふたりの公主、細君（江都公主）と解憂（楚公主）の生涯と、当時の文化について解説している。

　また、解憂の娘でのちに亀茲国に嫁いだ弟史は、漢と西域の音楽を修めた才女として歴史に名を残した。館内には彼女とその時代の音楽や詩歌についての解説もある。

漢家公主紀念館
Ｍ P.292-A1
🏠 江蘇路25号
☎ 8235361
🕐 9:00 〜 18:00
休 月曜
料 無料
🚌 12、19、101路バス「汉家公主纪念馆站」

発掘品の展示も豊富

小型の人形で当時の祭事が再現されている

漢王朝の建築様式で建てられた紀念館。1階は公主に関する解説、2階は発掘品の展示が中心

イリ林則徐紀念館

- **M** 地図外（P.292-A1左）
- **田** 福州路885号
- **☎** 8123131
- **オ** 5〜10月 10:30〜18:30
  11〜4月 10:30〜18:00
- **休** 月曜
- **料** 無料
- **□** 1、9、12路バス「世紀嘉園」

林則徐の像

イリ河大橋

- **M** 地図外（P.292-A2下）、
  P.293-A1
- **田** 伊犁河大橋
- **☎** なし
- **オ** 24時間
- **休** なし
- **料** 無料
- **□** 2、3、6、7、18路バス「伊犁河大橋」

イリ河を走るモーターボート

遊歩道もあるイリ河風景旅游区

忠臣の功績をたたえた記念館

イリ林則徐紀念館 / 伊犁林则徐纪念馆
りんそくじょきねんかん　yīlí línzéxú jìniànguǎn

　清代末の政治家林則徐の業績を紹介する記念館。彼は当時中国で社会的問題となっていたアヘンの対策を任された。広東でイギリスやアメリカの商人からアヘンを押収し焼き払うなどしたが、イギリスが武力介入してアヘン戦争（1840〜1842年）が勃発。清朝が敗れたため林則徐は責任を問われ、1842（清の道光22）年この地に左遷された。

　その後彼はイリ地区の水利事業を積極的に行い、新疆各地を訪れて農地の開墾を指揮し、少なからぬ業績を残した。

林則徐ゆかりの展示品が並ぶ

市民の憩いの場

イリ河大橋 / 伊犁河大桥
がだいきょう　yīlíhé dàqiáo

　イリ河はテケス（特克斯）、カシ（喀什）、クネス（巩乃斯）の3支流を源とする、新疆最大級の水量を誇る大河。天山山脈からの雪解け水を集め、やがてカザフスタンのバルハシ湖に注ぎ込む。

　この川に架かるのが、1975年に完成した全長300mのイリ河大橋で、夕暮れ時には家族連れでにぎわいを見せる。川の向こう側は、清代に国境警備のため、中国東北地区から移住させられたシボ族の暮らすチャプチャル・シボ族自治県。

　イリ河の北岸はイリ河風景旅游区として整備されており、川沿いをのんびりと歩くことができる。南岸にはイリ河游楽園があり、川を走るモーターボートなどに乗ることができる。

イリ河大橋は人々の憩いの場でもある

郊外の見どころ

高地に広がる塩水湖　★★

サイラム・ノール／赛里木湖
sàilǐmùhú

イーニンから北に130kmほど行った所にある東西30km、南北25km、最深部が92mの湖。面積は458㎢に及び、海抜2073mの高地にある。

景区内には駐車場を備えた見学ポイントがいくつかあり、それぞれの場所で違った風景を楽しむことができる。湖の周りには美しい草花が広がるが、遊歩道を外れて歩かないよう注意しよう。また各駐車場の付近には、サイラム・ノールで養殖している高白鮭を食べられるレストランがある。

毎年7月15日前後には周囲に住むモンゴル族とカザフ族がナーダム祭を開催する。

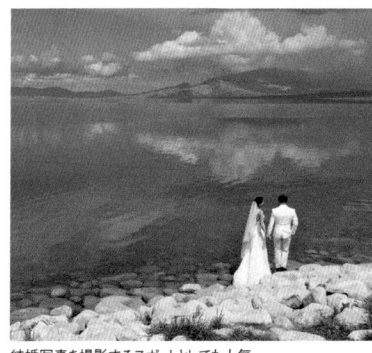

結婚写真を撮影するスポットとしても人気

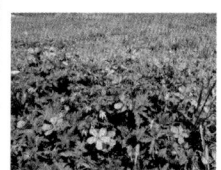

サイラム・ノール
Ⓜ P.293-A1
㊟ 博爾塔拉蒙古自治州博楽市南西部
☎ 7659990
㋔ 6:00～24:00
㊡ なし
㊕ 70元
※景区内を移動するシャトルバス＝75元
㋐ ①市内の旅行会社のサイラム・ノール日帰りツアーに参加する
②6月～10月上旬はイリ州バスセンターからサイラム・ノール行きのバスがある。1日2便で9:00～10:00の間に出発し、戻りはサイラム・ノールを15:00～17:00頃出発。片道40元、所要1時間30分が目安
🌐 www.slmhjq.com

色とりどりの花が咲いている

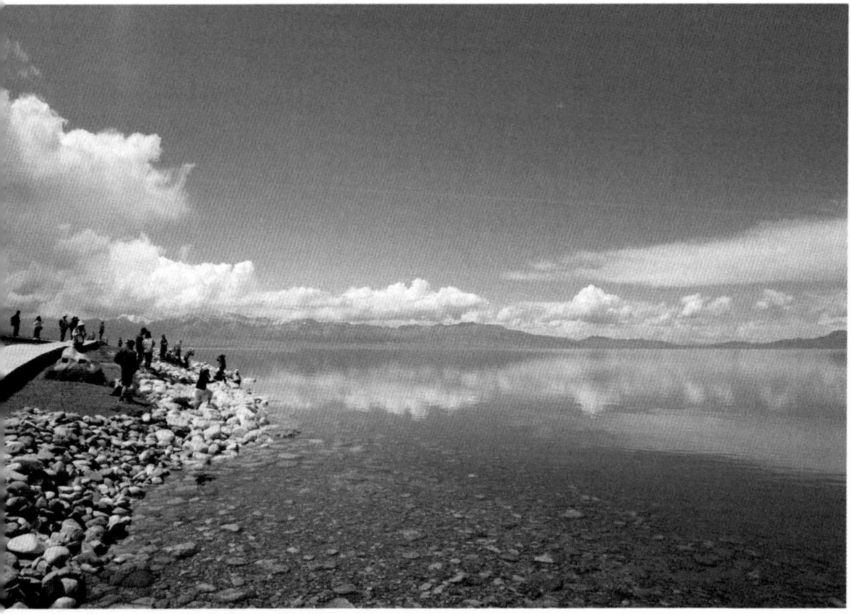
美しい湖面の向こうに雄大なボロホロ山脈が見える

恵遠古城

- P.293-A1

- 霍城県恵遠郷
- ☎ 17797890771（携帯）
- ⏰ 9:30～20:00
- 休 なし
- 料 イリ将軍府＝45元
  恵遠古城鐘鼓楼＝20元
  恵遠古城陳列館＝35元
  央布拉克民俗村＝100元（恵遠古城から央布拉克民俗村までの往復の馬車代、お宅訪問、フルーツやアイスクリーム代を含む。10人以上の場合、ひとり100元で歌と踊りのパフォーマンスを観られる）
- 🚌 ①イリ州バスセンターからバスや乗合タクシーで「霍城」行きに乗る。バス10元、所要約1時間、乗合タクシー18元、所要約45分。終点下車後、路線バスかタクシーに乗り換える。バス8:30～19:30の間30分に1便、所要約20分、2元、タクシー所要約10分、20元。霍城からイーニンへ戻る最終バスは20:30発、恵遠からイーニンへ戻る最終バスは19:30発
  ②旅行会社で車をチャーターする
- 🌐 www.hygcjq.com

ナラティ旅游風景区

- P.293-B2

- 新源県那拉提風景区
- ☎ 問い合わせ＝5290558
  チケット＝5291806
- ⏰ 景区内＝24時間
  バス＝6月～10月上旬
  8:00～20:00
  10月中旬～5月
  8:30～19:30
- 休 なし
- 料 6～9月＝95元
  10～5月＝75元
  ※積雪の場合は参観不可
  風景区内のバス＝40～80元
- 🚌 イリ州バスセンターから8:30～19:30の間30分に1便。46元、所要約3時間。「新源県」下車後、「那拉提」行きバスに乗り換える。9:00～21:00の間30分に1便。20元、所要約60分
  ※夏はイリ州バスセンターから直通バスがある。10:00、12:00発。47元、所要約3時間30分。イーニンへ戻るバスは10:00、15:00発
- 🌐 www.nalati.com

清代におけるイリ地区の中心地　　★★

恵遠古城 ／ 惠远古城
けいえんこじょう　　huìyuǎn gǔchéng

　清朝第6代皇帝乾隆帝は、精鋭部隊をこの地に投入してジュンガル部を下し、イリ地区を支配下においた。1763（清の乾隆28）年、イリ将軍明瑞が新疆経営の中心として建設したのが恵遠城だ。それ以降清代末までこの地区における政治と軍事の中心として存在し続けた。

　恵遠古城鐘鼓楼は、新城（現在の恵遠鎮。旧城はここから7kmほど南にあった）の中心にあり、ここから延びる道が東西南北の門に通じていた。イリ将軍府は鐘鼓楼から東に5分ほど行った所にある。

堂々とした姿の恵遠古城鐘鼓楼

北疆の緑の草原を楽しむ　　★★

ナラティ旅游風景区 ／ 那拉提旅游风景区
りょゆうふうけいく　　nàlātí lǚyóu fēngjǐngqū

　イーニンを中心とする北疆は雨が多く、乾燥の厳しい南疆とは異なる緑豊かなシルクロードに出合える。イーニンから国道218号線を東に280kmほど行った所にあるナラティ旅游風景区には針葉樹の森が点在し、9月上旬頃まで緑の美しい草原も見られる。風景区内にはカザフ族が住むテントが点在しており、宿泊施設もある。

美しい草原に羊が放牧されている

ホテル

イリ大酒店／伊犁大酒店
だいしゅてん　yīlí dàjiǔdiàn ★★★★

斯大林東路と解放南路の交点に立つイーニンで最も豪華なホテル。レストランでは本格的な広東料理のほか、西洋料理、イスラム料理も味わえる。

ビジネスセンター　インターネット

Ⓜ P.292-A2
🏠斯大林東路23号
☎代表=7885555、フロント=7720065
FAX 7885355
Ⓢ338〜428元
Ⓣ298〜328元
サなし
カADJMV

イーニン花城賓館／伊宁花城宾馆
かじょうひんかん　yīníng huāchéng bīnguǎn ★★★★

大通りが交差する繁華街の近くにあり交通にも買い物にも便利なホテル。近くに飲食店やショップが多いので、街歩きを楽しむのによい。ホテル敷地内には郊外ツアーを開催する旅行会社もある。

ビジネスセンター　インターネット

Ⓜ P.292-A1
🏠軍墾路7号
☎8125050、8167779
Ⓢ296〜388元
Ⓣ266〜321元
サなし
カ不可

瑞陽皇冠酒店／瑞阳皇冠酒店
ずいようこうかんしゅてん　ruìyáng huángguān jiǔdiàn

星なしだが設備は4つ星相当。中国料理のレストランがある。町のメインストリートのひとつである解放西路から脇道に入ってすぐにあり、観光や交通に便利。

ビジネスセンター　インターネット

Ⓜ P.292-A1
🏠斯大林西路四巷34号
☎8888333、8077111
FAX 8077113
Ⓢ348〜398元
Ⓣ328〜358元
サなし
カ不可

グルメ

特色羊排揪片子／特色羊排揪片子
とくしょくようはいしゅうへん　tèsè yángpái jiūpiànzǐ

黎光街から工人街へ入ってすぐの所にある、大きな赤字の看板が目印のウイグル料理のレストラン。羊肉、ニンジン、ジャガイモなどが入った具だくさんなスイカシ(すいとん)やシシカバブが人気。

Ⓜ P.292-A1
🏠工人街四巷26号
☎8998351、18399271011(携帯)
🕐12:00〜24:00
休なし
カ不可

永香興鉢鉢鶏／永香兴钵钵鸡
えいこうきょうはつはつけい　yǒngxiāngxīng bōbōjī

地元の若者が集まる小さな食堂で、新疆風スパゲティや新疆風チャーハン(ポロではない)など一風変わったメニューを楽しめる。とりわけ、スイカ、ドライフルーツ、ナッツなど新疆の特産品を使った、四川省スイーツの氷粉が食後のデザートとして人気。

Ⓜ P.292-A1
🏠阿合買提江路254号
☎15699390576(携帯)
🕐10:00〜22:00
休なし
カ不可

旅行会社

イリ友誼旅行社／伊犁友谊旅行社
ゆうぎりょこうしゃ　yīlí yǒuyì lǚxíngshè

友誼賓館の1階にある旅行会社。サイラム・ノール、恵遠古城などを回る車のチャーター料は1日、10〜6月600〜800元、7〜9月1000〜1200元。ナラティ旅游風景区1日、10〜6月700〜900元、7〜9月1000〜1200元。

Ⓜ P.292-A2
🏠斯大林西路三巷7号友誼賓館1階
☎8043860、13579711066(携帯)
FAX 8043861
🕐5〜9月10:00〜14:00、16:00〜20:00
　10〜4月10:00〜14:00、15:30〜19:30
休夏=なし　冬=土・日曜、祝日
カ不可
✉642822071@qq.com(英語可)

サイラム・ノール日帰りツアー体験記

6月中旬にイーニンに到着して最初に感じたのは、予想していたよりも肌寒い、ということだった。この時期には40℃超えも珍しくないトルファンはもちろん、ウルムチやカシュガルでも感じることのない冷気に触れて、北疆の町に来たことを実感した。翌日に参加するツアーのことも考慮し、ホテルの近くにあったスポーツ用品店で急遽上着を買った。結果としてこの判断が正しかったことを現地で知ることとなる。

ツアー当日は幸い天候に恵まれ、大型バスに30人強の参加者が集まった。参加者は若者同士やカップルが目立ち、移動中は終始にぎやかだった。

最初に到着したのは、カザフスタンとの国境にある町コルガス。国境ゲートが一部見学できるようになっており、すぐそばで大きなみやげ店が営業している。ツアーの途中で立ち寄るみやげ店は参加者に素通りされることが多いが、ここで販売していた羊毛脂のハンドクリームは大人気で、多くの女性客が購入していた。あとで調べてみるとニュージーランドやオーストラリアのおみやげとして日本でも好評のようだが、それがまさか中国の国境ギリギリの小さな町で売られているとは。

次に向かったのは、この季節ならではの見どころであるラベンダー園。霍城県は50年以上の歴史をもつラベンダーの一大産地で、生産量は中国内で97%を占めるという。

びっしりとラベンダーが咲き誇る畑がどこまでも続き、あたり一帯は芳醇な香りに包まれていた。「SNS映え」も抜群で、畑のあちこちで来場者が写真を撮り合っている。精油を生産する工場をガラス越しに見学できたり、ラベンダーに関する展示もあったりして、さまざまな楽しみ方ができる観光地だった。

その後、サイラム・ノールに向かう国道沿いにあった大きなレストランで昼食となった。テーブルごとに大皿で提供され、酢豚やチンゲンサイの炒め物といった一般的な中国料理や、新疆名物の黄麺とともに、白身魚の煮付けが運ばれてきた。この魚は、20年ほど前からサイラム・ノールで養殖されている高白鮭（コレゴヌス・ペレッド）という淡水魚だ。初めて口にしたが、淡白な味わいながら肉厚、ふわふわとした柔らかい食感で、名前のとおりサケ科の魚ではあるのだが、食べ応えはむしろ鯛に近かった。

レストランを出たあとは、いよいよサイラム・ノールを目指してバスはひたすら山道を登っていく。途中、高峰の山脈がなす見事な景観を目にして期待が高まる。

湖畔で最初にバスを降りたとき、前日に買った上着が効果を発揮してくれた。標高2000mを超えるサイラム・ノールの気温は、肌寒い

女性に人気の羊毛脂のハンドクリーム。ひとつ40元、3つで90元

かつて国境の目印として立てられた「清代18号石碑」

あたり一面を青紫に染めるラベンダー畑

克勒涌珠からのサイラム・ノールの眺め。入江のような地形で波が穏やか

と感じた市街地よりもいっそう低かったからだ。観光シーズンの6月であっても、防寒のための上着は必須だ。

　気温は低いけれど、まぶしいくらいに日は差しており、青空にかかる雲や遠くの山々を湖面にくっきり浮かび上がらせている。湖岸を見回すと、ウエディングドレスとタキシードを着たカップルが、カメラマンをつけてあちこちで写真を撮っていた。確かに、この美しい風景の中で撮る写真はふたりにとって思い出の一枚となるかもしれない。遊歩道もきれいに整備されていて、ツアーでなかったらのんびりと散歩をしたい気分だった。

　バスが停まったのは1ヵ所だけでなく、湖の南側を3ヵ所、それぞれ金花紫卉、克勒涌珠、天鵝という所を回った。金花紫卉は視界が開けた開放的な雰囲気で、特に観光客が多く集まっていた。克勒涌珠は入江のような地形で、金花紫卉とは異なる趣の風景を楽しめた。天鵝は道路を隔てて反対側に「西海草原」が広がっていて、馬を飼育するカザフ族の姿

天鵝の向かいにある広大な西海草原

なども見られた。

　サイラム・ノールに来るまでにけっこう時間を使っていたので、どのくらい滞在できるかやや心配だったが、十分過ぎるほど湖の景色を堪能できた。ツアーの参加費は300元と安くはないが、各所の入場料と、高白鮭も食べられた昼食代が含まれていたことを考えると、リーズナブルな価格だったと思う。

（小川智史）

☀ タイムスケジュール 🌙

9:00	ホテル発	15:40	サイラム・ノール（金花紫卉）着
10:40	コルガス国境ゲート着	16:50	克勒涌珠着
12:20	ラベンダー園着	18:00	天鵝着
13:50	昼食	20:30	ホテル着

地球の歩き方　投稿　｜検索🔍

『地球の歩き方』は、たくさんの旅行者から
ご協力をいただいて、改訂版や新刊を制作しています。
あなたの旅の体験や貴重な情報を、これから旅に出る人たちに分けてあげてください。
なお、お送りいただいたご投稿がガイドブックに掲載された場合は、
初回掲載本を1冊プレゼントします！

ご投稿は次の3つから！

インターネット

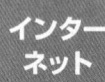

URL www.arukikata.co.jp/guidebook/toukou.html
画像も送れるカンタン「投稿フォーム」
※「地球の歩き方　投稿」で検索してもすぐに見つかります

郵便

〒160-0023　東京都新宿区西新宿6-15-1
セントラルパークタワー・ラ・トゥール新宿705
株式会社地球の歩き方メディアパートナーズ
「地球の歩き方」サービスデスク「○○○○編」投稿係

ファクス

(03)6258-0421

**郵便と
ファクス
の場合**

次の情報をお忘れなくお書き添えください！　①ご住所　②氏名　③年齢　④ご職業
⑤お電話番号　⑥E-mailアドレス　⑦対象となるガイドブックのタイトルと年度
⑧ご投稿掲載時のペンネーム　⑨今回のご旅行時期　⑩「地球の歩き方メールマガジン」
配信希望の有無　⑪地球の歩き方グループ各社からのDM送付希望の有無

─── ご投稿にあたってのお願い ───

★ご投稿は、次のような《テーマ》に分けてお書きください。
《新発見》ガイドブック未掲載のレストラン、ホテル、ショップなどの情報
《旅の提案》未掲載の町や見どころ、新しいルートや楽しみ方などの情報
《アドバイス》旅先で工夫したこと、注意したいこと、トラブル体験など
《訂正・反論》掲載されている記事・データの追加修正や更新、異論・反論など
※記入例：「○○編201X年度版△△ページ掲載の□□ホテルが移転していました……」

★データはできるだけ正確に。
ホテルやレストランなどの情報は、名称、住所、電話番号、アクセスなどを正確にお書きください。
ウェブサイトのURLや地図などは画像でご投稿いただくのもおすすめです。

★ご自身の体験をお寄せください。
雑誌やインターネット上の情報などの丸写しはせず、実際の体験に基づいた具体的な情報をお待ちしています。

─── ご確認ください ───

※採用されたご投稿は、必ずしも該当タイトルに掲載されるわけではありません。関連他タイトルへの掲載もありえます。
※例えば「新しい市内交通パスが発売されている」など、すでに編集部で取材・調査を終えているものと同内容のご投稿をいただいた場合は、ご投稿を採用したとはみなされず掲載本をプレゼントできないケースがあります。
※当社は個人情報を第三者に提供いたしません。また、ご記入いただきましたご自身の情報については、ご投稿内容の確認や掲載本の送付などの用途以外には使用いたしません。
※ご投稿の採用の可否についてのお問い合わせはご遠慮ください。
※原稿は原文を尊重しますが、スペースなどの関係で編集部でリライトする場合があります。
※従来の、巻末に綴じ込んだ「現地最新情報・ご投稿用紙」は廃止させていただきました。

旅の準備と技術

西安の城壁
写真：金井千絵

旅の準備に取りかかる

日本で情報収集

中国観光代表処

　中国の観光に関する情報提供を行っているのが中国観光代表処。ウェブサイトも開設しているので、まずはアクセスしてみよう。ただし、定期的に情報を更新しているわけではない。

　また、2019年9月現在、日本では東京と大阪に事務所があり、中国旅行に関する資料などを閲覧することが可能で、中国各地の観光に関するパンフレットも自由に持ち帰ることができる。近くに行ったときに利用してみよう。

※オープン中でも担当者が不在で対応できない場合もあり。念のため、訪問前の確認がおすすめ

■中国駐東京観光代表処

田〒105-0001　東京都港区虎ノ門2-5-2
　エアチャイナビル8階
☎(03)3591-8686　FAX(03)3591-6886
オ9:30 ～ 12:00、13:30 ～ 17:30
休土・日曜、日中両国の祝日
交東京メトロ銀座線「虎ノ門」

■中国駐大阪観光代表処

田〒556-0017　大阪府大阪市浪速区湊町
　1-4-1 OCATビル4階
☎(06)6635-3280　FAX(06)6635-3281
オ10:00 ～ 13:00、14:00 ～ 18:00
休土・日曜、日中両国の祝日
⊕www.cnta-osaka.jp
交JR関西本線「JR難波」、南海電鉄「なんば」
　阪神なんば線、近鉄難波線「大阪難波」
　大阪メトロ御堂筋線、四つ橋線、千日前線「なんば」

本を利用する

　中国に関する書籍はいろいろなジャンルのものが数多く出版されている。時間の許すかぎりガイドブック以外の書籍などで情報を収集してみよう。

【図書館】

■公益財団法人日本交通公社　「旅の図書館」

田〒107-0062　東京都港区南青山2-7-29
　日本交通公社ビル
☎(03)5770-8380
オ10:30 ～ 17:00
休土・日曜、毎月第4水曜、年末年始、その他
⊕www.jtb.or.jp/library　※蔵書検索可能
　観光の研究や実務に役立つ専門図書館。地図やパンフレット等の配布はなく、旅行の相談や問い合わせも不可だが、資料の閲覧やコピー（有料）は可能。

【中国専門書店】

■内山書店

田〒101-0051
　東京都千代田区神田神保町1-15
☎(03)3294-0671　FAX(03)3294-0417
オ火～土曜10:00 ～ 19:00
　日曜11:00 ～ 18:00
休月曜、祝日、年末年始
⊕www.uchiyama-shoten.co.jp
　1917年に上海で開業した老舗書店。

■東方書店

田〒101-0051
　東京都千代田区神田神保町1-3
☎(03)3294-1001（代表）　FAX(03)3294-1003

オ 月～土曜10:00～19:00
日曜、祝日12:00～18:00
休 年末年始、一部祝日(不定)
⊕www.toho-shoten.co.jp
中国国内で発行された鉄道や航空時刻表、各種地図、現地発行のガイドブックなどを入手可能。

シルクロードを知るための書籍

シルクロードに関しては歴史書、美術書、小説など膨大な量の書籍があるので、入手が比較的容易なものを挙げた。出発前に読んでおくと、旅のときに感慨が深くなるはず。
▼新疆物語―絵本でめぐるシルクロード
(著：王麒誠、翻訳：本田朋子／日本僑報社／980円＋税)
新疆の歴史、祭り・飲食・手工芸品などの特色ある文化、そして雄大な自然など、新疆の多彩な魅力をかわいいイラストとともに解説。
▼楼蘭
(著：井上靖／新潮文庫／637円)
強国に挟まれた楼蘭国の苛烈な運命を描く表題作ほか、班超をテーマにした「異域の人」など12編を収録。
▼さまよえる湖
(著：スヴェン・ヘディン、翻訳：鈴木啓造／中公文庫／1000円＋税)
スウェーデンの地理学者スヴェン・ヘディンは、砂漠の中を移動するといわれる湖、ロプ・ノールの謎を解明すべくタクラマカン砂漠に向かう。シルクロード探検記の古典的名著。
▼敦煌三大石窟―莫高窟・西千仏洞・楡林窟―(電子書籍)
(著：東山健吾／講談社選書メチエ／1800円＋税)
敦煌周辺にある代表的な3つの石窟を取り上げ、石窟の成り立ち、図像や仏像の意味、芸術性などを新しい解釈を加えて解説。

海外安全情報

海外旅行の安全に関する情報収集は非常に大切。中国は特に危険な国ではないが、以前に比べると治安は悪化しており、場所や時期によっては治安が不安定になることもあるので、中国やその周辺国への旅行を計画するときは、インターネットや旅行会社で安全情報を確認したほうがよい。
外務省の領事サービスセンター(海外安全相談班)では、各国の日本大使館、領事館を中心に、治安状況、日本人が被害者となった事例、感染症の有無などに関する情報を収集し、ウェブサイトなどで告知している。

■外務省領事局 領事サービスセンター
田 〒100-8919　東京都千代田区霞が関2-2-1
☎ (03)5501-8162(直通)

■外務省　海外安全ホームページ
⊕www.anzen.mofa.go.jp
※外務省の「危険情報」は、「十分注意してください」「不要不急の渡航は止めてください」「渡航は止めてください(渡航中止勧告)」「退避してください」「渡航は止めてください(退避勧告)」の4段階に区分されている。これらの情報が出ていたら注意しよう

渡航先で最新の安全情報を確認できる
外務省の提供する「たびレジ」に登録すれば、渡航先の安全情報メールや緊急連絡を無料で受け取れる。出発前にぜひ登録しよう。
⊕www.ezairyu.mofa.go.jp/tabireg

旅行会社に尋ねる

中国を専門に扱っている旅行会社で最新の中国情報を確認してみよう。特にチベット自治区への旅行に関する規定はよく変更される。ただし問い合わせのみの場合、どの旅行会社でも必ず気軽に回答してくれるというわけではない。

日本で予約できる専門旅行会社
テーマを掘り下げる旅行や、かぎられた時間で効率よく動く旅行をしたいときに頼りになるのが、この地域に強い専門旅行会社。目的や行き先を伝え、相談に乗ってもらおう。
株式会社西遊旅行
☎ 東京＝(03)3237-1391
大阪＝(06)6367-1391
⊕www.saiyu.co.jp
株式会社ユーラシア旅行社
☎ (03)3265-1691
⊕www.eurasia.co.jp

インターネットを利用する

「地球の歩き方」ホームページをはじめ、旅行会社などのウェブサイトで情報収集してみよう。

■「地球の歩き方」ホームページ
⊕www.arukikata.co.jp
海外旅行最新情報が満載の「地球の歩き方」ホームページ。ガイドブックの更新情報はもちろん、136ヵ国の基本情報、エアラインプロフィール、海外旅行の手続きと準備など、旅に役立つコンテンツが揃っている。

「地球の歩き方」ホームページのトップページ

旅の準備と技術

旅の準備に取りかかる

303

旅のモデルプランと予算

中国は日本の約25倍の国土をもつ国だ。また、3000年とも4000年ともいわれる悠久の歴史もあり、多様な気候による豊かな自然、歴史文化財など観光資源に事欠かない。それらのうち、代表的なものを見るだけでもどれだけ日数がかかるかわからないほどだ。

最初から訪れたい町や見どころが決まっている場合や長期間の旅行が可能な場合は別として、前もって大まかな旅行プランを立てておく必要があるだろう。

旅のプランを立てる

スケジュールは余裕をもって

日中間国際線、国内線の拡充と高速鉄道ネットワークの拡充によって中国の旅は年々便利になっている。通常期であれば、1回の旅行でいくつかの町を周遊する場合、ひとつの町で2〜3日を目安として考えるとよいだろう。

1週間の旅行なら2〜3ヵ所、2週間の旅行なら4〜5ヵ所、4週間の旅行なら8〜10ヵ所といったところだろう。

ただし、中国の巨大な人口に比して交通機関の輸送能力に限界があるため、春節(毎年変動する。1月下旬〜2月中旬)、労働節(5月1日。前後数日が休み)、国慶節(10月1〜7日)など、中国の大型連休期間は非常に混み合いチケットが取りにくい。このような期間に旅行する場合は、スケジュールに余裕をもたせる必要がある。

飛行機と高速鉄道を活用する

中国国内の観光客も激増しているため、有名な観光地がある町のなかには、空港が建設された所も少なくない。こういった地方の町へ移動する場合、飛行機を利用すれば、移動時間を短縮できるので、時間のかぎられた旅行でも効率的に観光できるようになった。また、時期や路線にもよるが、中国でも格安航空券が販売されるようになり、金額的に見ても飛行機の利用は、有力な選択肢のひとつとなったといえる。

高速鉄道については、利用者が急増しておりその場での購入はかなり難しくなっているが、予約アプリ(→P.358)などを活用し予約するとよい。

旅のルートづくり

まずは入国地点を決める

2019年9月現在、日本から中国西北エリアへの運航便(→P.319)については、東京発の直行便は少なく、経由便も多くはない。

もし、自分の都合に合わせて移動したい場合は、便数の多い北京か上海を入国地点に選び、中国入国後は列車や国内線を利用して中国西北エリアに移動すればよい。

船(→P.320)を利用する場合は、上陸後の中国西北エリアへの国内移動を考えると、上海がおすすめ。

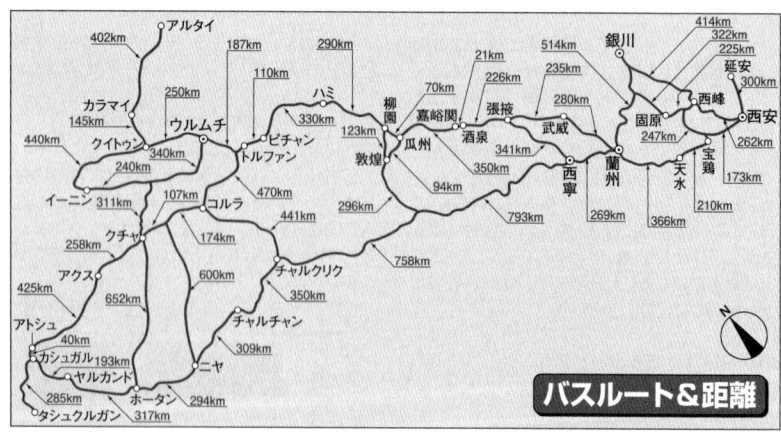

プランニング例

❶シルクロード・ハイライト（2～3週間）

《西安→敦煌→ウルムチ》

移動に飛行機を使えば10日間で回ることも可能。ウルムチからトルファンやカシュガルへ足を延ばしてもよい。西安と敦煌だけならパックツアーがたくさん出ている。

❷河西回廊の旅（4～5週間）

《西安→蘭州→武威→張掖→酒泉→嘉峪関→敦煌》

漢代に栄えた河西回廊と呼ばれるルートをたどる旅。西安→敦煌間は、列車かバスに乗る。

敦煌→西安（もしくは蘭州）間は飛行機も利用できる。

❸新疆ウイグル自治区ハイライト（2～5週間）

《ウルムチ→トルファン→コルラ→クチャ→カシュガル→ウルムチ》

天山南路北道の主要観光都市を訪れる旅。バスと列車で移動できるが、列車のほうが快適。カシュガル→ウルムチは飛行機利用も可。

❹ジュンガル地方を巡る旅（3～5週間）

《ウルムチ→イーニン→カラマイ→アルタイ（→カナス湖）→ウルムチ》

新疆ウイグル自治区北部に広がるジュンガル盆地に沿ったルート。砂漠、草原、森林と自然がすばらしいエリアだが、悪路が多く、バスでの移動は骨が折れる。しかし、上記にある町はすべてウルムチを起点に飛行機が運航されているので、これを利用すると移動は楽。ただし、冬は欠航になったり、費用が高くなったりすることは考慮しておこう。

❺天山南路周遊の旅（6～10週間）

《コルラ→クチャ→アクス→カシュガル→ヤルカンド→ホータン→ニヤ→チャルチャン→チャルクリク→コルラ》

タクラマカン砂漠の周囲を走る天山南路を一周する旅。カシュガルへはウルムチから飛行機、列車、バスいずれでもアクセス可能だが、ホータンとチャルクリクの間はバスしかない。とても過酷な旅なので時間をかけてゆっくり回ること。

時間にかぎりがある場合は、旅行会社で四輪駆動車をチャーターしよう。移動はスムーズでより快適。

気候と旅の服装

中国西北部の気候と旅のシーズン

中国のなかで最も乾燥したエリアであり、その程度は西に向かうほど激しくなる。また、気温の年較差や日較差が大きく、特に砂漠地帯では水分補給など体調管理が重要になる（→P.12）。

観光には暑い夏がおすすめだが、西安、敦煌、トルファンなどには中国内外から多くの観光客が押し寄せ、列車の寝台を確保するのに苦労する。冬は長距離バスの運行さえ少なくなる。

旅に必要な服装

基本的に日本の季節に準じたものを用意すれば問題ないが、新疆北部などの山岳地帯では夏でも長袖が必要になることがある（→P.12）。

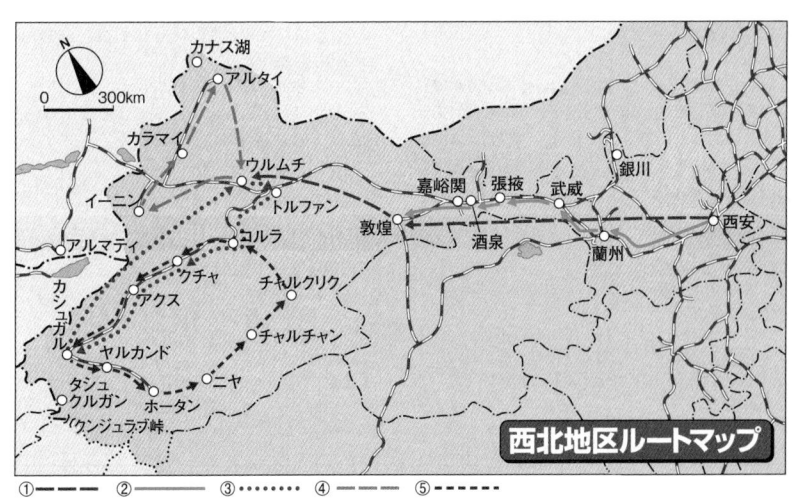

西北地区ルートマップ

① ― ―　② ―――　③ ……　④ ― ―　⑤ - - - -

旅の予算を考える

旅のスタイルで予算は変わる

　急激な経済発展にともない中国の物価もかなり上昇している。しかし、日本や欧米に比べればまだまだ安く、節約旅行も可能だ。一方、日本や欧米に負けず劣らぬ高級ホテルもあり、そういったホテルを利用し、日本語ガイドを付け、車をチャーターして移動するような豪華旅行もできる。

　現地での1日当たりの費用の目安として、豪華旅行が約5～6万円、一般旅行が約1万5000～3万円、節約旅行が約7000円と考えればよい。

旅行予算の内訳

❶日本での旅行準備

　旅行出発前に準備するものや事柄として、パスポート取得、日中間の交通費(飛行機、船)、ビザ代(該当者のみ)、海外旅行保険などがあり、それぞれに料金が発生する。詳細事項については、下の「旅行予算の内訳」該当項目後ろにあるページに概要を挙げているので、そちらを参考にしてほしい。

❷宿泊費

　中国旅行で誰もが確実に用意しなければならない費用であり、「旅のスタイルで予算は変わる」で記したように、希望する旅行のグレードや訪問する町(都会か田舎町か)によって大きく変わってくる部分でもある。

　目安としては、地方都市のドミトリー利用で1泊60元(1ベッド)、都市部の3つ星クラスで1泊300元から(1室)、といった感じだ。

　なお、公称価格より安く宿泊できるケースが増えているので、3つ星ホテルも利用しやすくなっている。チェックイン時には、とりあえず値段交渉をしてみよう。

❸食費

　宿泊費と同様に、どのような旅をするのかで異なってくる。町なかの食堂クラスなら1食30元もあればおなかいっぱいになるし、高級レストランで海鮮料理を食べようと思えば、1食1000元が

必要となる。

　せっかく中国を旅行するのに、すべて食堂で済ませるというのも悲しいので、滞在中1回くらい、当地の有名レストランに行ったり名物料理が食べられるよう予算を確保しよう。

　中国料理は基本的に大人数で食べることを前提としているので、人数を集めて食事に行くと、ちょっとしたレストランでもひとり当たりの食費は安くなる。

❹観光に必要な費用

　見どころなどへの交通費は、移動手段によって大きく異なる。路線バスだけで回れるなら1日20～30元と考えればよいが、時間的なロスが出てしまう。タクシーなら1日チャーターして1台500～1500元。2～3人で行動できれば、費用は頭割りで済む。

　入場料は、世界遺産を中心に100元を超える所も出ている。予算にかぎりのある場合、訪れたい観光地に優先順位をつけておくとよいだろう。

❺都市間の移動費用

　便数が多く、予約も必要なく利用できるのは長距離バス。豪華バスや寝台バスを利用して500km100元が目安。ただし、安全の面から夜間の利用は避けたほうがよい。

　また年配者(60～65歳以上)は、パスポートなど年齢を証明できるものを提示すれば何かしらの割引を受けられることが多い。学生割引がある場合もあるので、学生は学生証を持参するとよいだろう。

　旅行者の利用が最も多いのは列車だ。2017年7月、陝西省宝鶏と甘粛省蘭州間の高速鉄道が開通した。これにより、西安から新疆ウイグル自治区のウルムチまで、シルクロードの主要都市を結ぶ全長約2300kmの高速鉄道が全線開通した。所要時間は最短で15時間30分と、格段に便利になった。寝台券の入手はますます難しくなっているが、短距離区間を走る列車の座席なら前日や当日の入手は簡単だ。

　中・長距離の移動には飛行機がおすすめ。格安航空券を利用すれば、区間によっては1等寝台と変わらない料金のこともある。

■旅行予算の内訳

出発前(日本)	旅行中
★空港や港までの交通費	★宿泊費　関連▶ 各都市のホテル項目
★日中間の交通費	★食費
関連▶ P.316	★観光費用
☆パスポート(すでに所持していれば不要)	関連▶ 各都市の見どころや旅行会社項目
関連▶ P.308	☆都市間の移動費用
☆ビザ代(原則として15日以内の旅行は不要)	関連▶ 各都市のアクセス項目
関連▶ P.309	☆おみやげ
☆海外旅行保険　関連▶ P.311	☆予備の費用(病気やけがに備えて)
☆衣類など旅行に携帯する物　関連▶ P.307	

★誰でも必要　☆それぞれの都合で必要になる

■荷物チェックリスト

	品名	必要度	準備	荷造り	備考
貴重品	パスポート(→P.308)	◎			残存有効期限を必ずチェックすること
	航空券・乗船券(→P.316)	◎			名前、出発日時、発着空港の確認を！
	現金(→P.312)	◎			しっかり保管・管理しよう！
	クレジットカード(→P.314)	◎			ホテルチェックイン時のデポジットとして利用可能。ICカードは暗証番号を忘れずに！
	海外旅行保険(→P.311)	○			万一のときのために加入しておくと心強い
	顔写真(4.5×3.5cm)	○			撮影6ヵ月以内(カラー写真が望ましい)のもの。各種書類申請時に必要
	戸籍謄(抄)本(→P.308)	△			パスポート紛失時に必須。発行6ヵ月以内のもの
	パスポートのコピーとチケットの控え	◎			オリジナルとは違う所に入れて保管すること
	緊急連絡先を控えたメモ	◎			いざというときに慌てないように
衣類	下着／靴下	◎			使い捨てでもかまわないものなら、帰国時に荷物が減る
	一般衣類	◎			着慣れた楽なものを。現地でも購入できる
	何か羽織るもの	○			夏でも必要。クーラーは半端ではない
	防寒具	△			北方や高地では、季節を問わずあるとよい
日用品	石鹸／シャンプー／歯ブラシ	○			現地でも入手できるが、使い慣れたものがいい人は
	ティッシュ／トイレットペーパー	○			現地でも入手できるが、品質の気になる人は
	マスク／化粧品／薬品／生理用品	○			自分に合ったものを用意しておいたほうが安心
	ジップ付き1ℓの透明ビニール袋	○			化粧水や目薬などを機内に持ち込むなら必須
	100mℓまでの液体を入れる容器	○			小分けした液体は上記の袋に入れれば機内に持ち込める
	タオル／手ぬぐい	○			3つ星以上のホテルならほぼ置いてある
	洗剤／洗濯ひも／洗濯ばさみ	○			長期旅行の際は、持っていく衣類を少なくするためにも必要
	つめきり	△			長期旅行なら必須。ただし、機内持ち込み不可。託送荷物に入れること
	予備のめがね／コンタクト	△			念のため、必要な人は準備していこう
雑貨	サングラス／日焼け止め／帽子	○			シルクロードは日差しが強烈
	南京錠／ワイヤー鍵	◎			自分の荷物は自分で守ろう！
	ビーチサンダル	○			部屋履きやシャワールームで重宝する
	ビニール袋	○			洗濯物や汚れ物を入れるなど、あれこれ使える
	傘／カッパ	○			現地でも入手可能
	カメラ	◎			砂ぼこりから保護するためのビニール袋もあるとよい
	懐中電灯	△			石窟など暗い観光地で役に立つ
	予備の乾電池	△			現地でも入手できるが、すぐ交換してすぐ使うにはあると便利
	携帯やデジカメの充電器、変換プラグ	△			現地での入手は難しい
	モバイルバッテリー(→P.336)	△			リチウムイオン電池は扱いに注意
	目覚まし時計	△			安宿には備え付けの目覚まし時計はない
	シェーバー	△			電池式か、充電式なら海外対応のものを！
	ガイドブック／地図	◎			今読んでいるこの本を置いていかないで！
	メモ帳／筆記用具	○			旅の記録にはもちろん、筆談でも活躍
	裁縫道具	△			長期旅行なら。機内には持ち込めないので託送荷物に！

◎＝必需品／○＝あると便利／△＝特定の人・時期・エリアに必要

パスポートとビザ

パスポートの取得

パスポートには5年間有効と10年間有効の2種類があり、どちらも有効期間内なら何回でも渡航できる数次旅券。渡航先や目的にも制限がない。ただし、20歳未満の人は5年間有効のものしか申請できない。サイズは12.5cm×8.8cmと胸のポケットに入る大きさ。申請料は5年用が1万1000円、10年用が1万6000円(受領時に指定の印紙で支払う)。

パスポートの申請は、基本的に住民票がある都道府県の旅券課で行うが、学生、単身赴任者、災害により一時的に避難している人などで住民登録が現住所ではなく、実家の住所のままという場合、現在住んでいる所で申請できる居所申請という制度がある。詳細は旅券課に問い合わせをすること。

また、申請書のオリジナルに本人のサインがあれば代理申請も可能。旅行会社に戸籍、写真などの必要書類を送付すると、手数料5000〜1万円程度で代理申請をしてくれる(受領は代理不可)。

10年用

5年用

パスポートの申請書類

❶一般旅券発給申請書(1通)
❷指定の規格を満たした写真(1枚)(タテ4.5cm×ヨコ3.5cm)
❸戸籍謄本(抄本)(申請日前6ヵ月以内作成1通)

都道府県パスポートセンターでパスポートを申請する場合、原則として住民票は不要。詳しくは外務省のウェブサイトで確認を。
❹身元確認のための証明書
運転免許証や写真付き個人番号カード(マイナンバーカード)、写真付き住基カードを1点、または写真のない保険証や年金手帳などと社員証や学生証を組み合わせて持参する。
❺(未成年者のみ)保護者の同意サインまたは同意書

■各都道府県の担当窓口の一覧

パスポートA to Z(外務省)
⊕www.mofa.go.jp/mofaj/toko/passport/pass_6.html

■東京の担当窓口

東京都生活文化局都民生活部旅券課
⊞〒160-0023　東京都新宿区西新宿2-8-1
　東京都庁都民広場地下1階
☎電話案内センター=(03)5908-0400
⊕www.seikatubunka.metro.tokyo.jp/passport

■大阪の担当窓口

大阪府パスポートセンター
⊞〒540-0008　大阪府大阪市中央区
　大手前3-1-43
　大阪府庁新別館南館地下1階
☎(06)6944-6626
⊕www.pref.osaka.jp/passport

パスポートの受領

パスポートは通常、申請後6〜10日後に発給される。受領の際は必ず本人が、受領書、発給手数料を持って窓口に取りに行く。印鑑が必要となる場合もあるので、念のため持っていこう。

パスポートに関する注意

国際民間航空機関(ICAO)の決定により、2015年11月25日以降、機械読取式でない旅券(パスポート)が原則として使用できない。日本では1992年11月以降、機械読取式となっているが、2014年3月19日以前に旅券の身分事項に変更があった人はICチップに反映されておらず、国によっては国際標準外と判断される可能性もあるので注意が必要。

外務省による関連通達
⊕www.mofa.go.jp/mofaj/ca/pss/page3_001066.html

ビザの取得

ノービザと観光ビザ

　中国政府は日本国籍者に対し、15日以内の滞在についてはビザを免除しているが16日以上の滞在については、ビザの取得を義務づけている。ノービザ入国については、ほかにも注意事項があるので、下記コラム参照のこと。

　渡航目的によってビザの種類は異なり、2019年9月現在、観光目的で入国する者に対して発給されるのは観光ビザ（Lビザともいう）で、中国滞在が許可されるのは、一般的に30日間のみ。

　観光ビザの申請については、個人での申請可否を含め中国大使館、各総領事館で規定が異なる。さらに、ビザの発給については、当該国の大使館、総領事館に決定権があるため、突然必要書類等が変更になることもある。

　旅行会社に手続きを依頼した場合、1次渡航の観光ビザで7000～1万円が相場で、航空券などと一緒に申し込むと安くなることが多い。

観光ビザ申請に必要なもの

　2019年9月現在、中国のビザ申請は審査が非常に厳しくなっている。必要書類が不備なく揃っていないと受理してもらえないので注意。観光ビザの申請に必要な書類は次の5点。

❶パスポート原本およびその写し
※余白2ページ以上、残存有効期間6ヵ月以上
❷6ヵ月以内に撮影したカラー証明写真1枚
※サイズはタテ4.8cm×ヨコ3.3cm（背景は白）
❸中華人民共和国査証申請表

ノービザ入国時の注意点

注意点

　日本国籍者のノービザ入国について、現地で確認した情報をもとに、以下に要点をまとめる。

❶パスポート（一般旅券）を持ち、商用、観光、親族訪問、トランジットの目的で中国に入国する日本国籍者は入国日から15日以内の滞在の場合、ビザが免除される。ただし、入国地点は、必ず外国人の通過が許可された入出国（入出境）ポイントであること。

❷ノービザで入国する際、入国審査（イミグレーション）で復路航空券の提示は不要。

注意：中国の入国審査処では、場合によっては「復路航空券の提示を求めることもある」と言っていたので、15日以内に日本に帰国、または第三国に出国する航空券を購入しておくことが望ましい。

❸有効なパスポートを所持していること。

注意：領事部は「ノービザ入国の場合、所持している帰国のための航空券に記載されている日付よりもパスポートの失効日があとであること」としている。しかし、有効期間が帰国日の翌日までのパスポートを持って上海浦東国際空港で入国審査を受けた際、別室に呼ばれ、関係部署への確認の結果、ようやく入国が許可されたという事例もある。

　また、パスポートの残存有効期間が6ヵ月を切る乗客については、搭乗手続きをほかの乗客と区別する航空会社もあるようだし、旅行会社によって「6ヵ月プラス中国滞在日数が必要」というところもある。

　以上を考慮すると、残存有効期間が6ヵ月を切ったパスポートを所持している人は、パスポートの更新を行っておいたほうが無難だ。

❹登山やバイク、乗用車を利用するなど特殊な観光をする場合およびチベット自治区を訪問する場合は、必ずビザの取得が必要。

※チベット自治区滞在を含め、中国滞在が15日以内の場合、ノービザでかつチベット自治区滞在のための書類が正式発行された事例もある

❺15日以内の滞在予定で中国に入国したが、何らかの事情で15日を超える滞在となってしまう場合は、現地の公安局の出入境管理部門でビザを申請しなければならない。

　なお、滞在許可期間を超過した者は、公安機関と入国審査で規定に基づく処罰が与えられることになるので注意が必要。

注意：いくつかの公安局出入境管理部門に確認したところ、「原則としてノービザ入国者に対して、中国入国後にビザを発給することはない」との回答もあった。実際には、発給されたという情報も確認できたが、15日間目いっぱい滞在する予定の人は、念のため中国入国以前に滞在目的に合ったビザを取得したほうが無難。

そのほかの注意

　中国に10日間滞在したあと、いったん香港に出て、再び中国に入国して日本に帰国する予定だったが、航空券に記載されていた日本出国日と帰国日までの日数が15日を超えていたため、そのとき利用した某航空会社では、内規によってノービザでの搭乗を拒否され、仕方なくノーマルチケットを購入することになった（ただし、使用したのは最初に購入したほうで、ノーマルチケットは帰国後に払い戻してもらえた）。

　これは、中国入国を拒否されて強制送還などになった場合、その費用を航空会社が負担しなければならないという事情を航空会社が回避するための手段と考えることができる。上記のようなルートの旅行を計画している人は、航空券購入時に正直に事情を説明し、可能かどうか確認しておこう。

　記事は2019年9月現在の状況に基づいて作成した。旅行計画時や出発前には、最新の状況を確認すること。

（地球の歩き方編集室）

※⊕www.visaforchina.orgからダウンロード可能
❹航空券またはeチケット控えのコピー
❺下記のいずれか
・ホテル手配確認書
・中国国内機関発行の招聘状（FAX、写し可）
※招聘状は、東京・名古屋は旅行会社で代理申請
　の場合、英文不可。大阪は個人申請・代理申請
　ともに英文不可
・中国在住者発行の招聘状（FAX、写し可）と発行
　者の身分証明書両面コピーおよびパスポート
　（中国人）または中国滞在証明の写し（外国人）
※招聘状は、東京・名古屋は旅行会社で代理申請
　の場合、英文不可。大阪は個人申請・代理申請
　ともに英文不可
　観光ビザ以外の場合は、「中国ビザ申請サービ
スセンター」（→P.311）のウェブサイトで確認
したり、旅行会社に問い合わせたりするとよい。
特に写真についてはサイズや背景以外にも非常
に厳格な規定があり、規定外のものだと申請を受
け付けてくれないので注意が必要。詳細は「中国
ビザ申請サービスセンター」のウェブサイトのメ
ニューバー「基本情報」>「お知らせ」>「ビザ申
請の際提供する写真について」で確認できる。

在日中国大使館・総領事館

中華人民共和国駐日本国大使館（領事部）
管轄区：東京都、神奈川県、千葉県、埼玉県、長野県、
山梨県、静岡県、群馬県、栃木県、茨城県
※ビザ申請はP.311の囲み記事参照
⊞〒106-0046
　東京都港区元麻布3-4-33
㊡土・日曜、日中両国の祝日
⊕www.china-embassy.or.jp/jpn

中華人民共和国駐大阪総領事館
管轄区：大阪府、京都府、兵庫県、奈良県、和歌山県、
滋賀県、愛媛県、徳島県、高知県、香川県、広島県、
島根県、岡山県、鳥取県
※ビザ申請はP.311の囲み記事参照
⊞〒550-0004
　大阪府大阪市西区靱本町3-9-2
㊡土・日曜、日中両国の祝日
⊕osaka.china-consulate.org/jpn

中華人民共和国駐福岡総領事館
管轄区：福岡県、佐賀県、大分県、熊本県、鹿児島県、
宮崎県、沖縄県、山口県
※ビザ申請は旅行会社を通して行う
⊞〒810-0065
　福岡県福岡市中央区地行浜1-3-3
☎(092)752-0085
㊡土・日曜、日中両国の祝日
⊕www.chn-consulate-fukuoka.or.jp/jpn

中華人民共和国駐長崎総領事館
管轄区：長崎県
※ビザ申請は旅行会社を通して行う
⊞〒852-8114
　長崎県長崎市橋口町10-35
☎(095)849-3311
㊡土・日曜、日中両国の祝日
⊕nagasaki.china-consulate.org/jpn

中華人民共和国駐札幌総領事館
管轄区：北海道、青森県、秋田県、岩手県
※ビザ申請は旅行会社を通して行う
⊞〒064-0913
　北海道札幌市中央区南十三条西23-5-1
☎(011)563-5563
㊡土・日曜、日中両国の祝日
⊕sapporo.china-consulate.org/jpn

中華人民共和国駐名古屋総領事館
管轄区：愛知県、三重県、岐阜県、福井県、富山県、
石川県
※ビザ申請はP.311の囲み記事参照
⊞〒461-0005
　愛知県名古屋市東区東桜2-8-37
㊡土・日曜、日中両国の祝日
⊕nagoya.china-consulate.org/jpn

中華人民共和国駐新潟総領事館
管轄区：新潟県、福島県、山形県、宮城県
※ビザ申請は旅行会社を通して行う
⊞〒951-8104
　新潟県新潟市中央区西大畑町5220-18
☎(025)228-8888
㊡土・日曜、日中両国の祝日
⊕niigata.china-consulate.org/jpn

周辺国のビザ（2019年9月現在）

各国の情報
　必ず最新の情報を確認すること

①パキスタン
　ビザが必要で、個人でも取得可能。申請の必要
な書類は次の5点
❶パスポート原本
※余白2ページ以上、残存有効期間＝パキスタン
　入国時に6ヵ月以上
❷6ヵ月以内に撮影したカラー証明写真2枚（無帽）
※サイズはタテ4.5cm×ヨコ3.5cm
❸ビザ申請表
※ウェブサイトからダウンロード可能。英語で
　記入
❹航空券または航空券予約書（コピー可）

※陸路でパキスタンへ行く場合は旅行計画書も必要

❺下記のいずれか
・ホテルの予約書（コピー可）
・友人宅に泊まる場合は、当該友人署名入りの英文かウルドゥー語の誓約書と当該友人のパスポートのコピー

■在日パキスタン・イスラム共和国大使館
⊞〒106-0047　東京都港区南麻布4-6-17
☎(03)5421-7741　🖷(03)5421-3610
🌐www.pakistanembassytokyo.com/ja

②カザフスタン
※観光目的の場合、最大30日間の無査証滞在が可能。30日を超える滞在に関してはビザの取得が必要だが、詳細は駐日カザフスタン共和国大使館に問い合わせること

■在日カザフスタン共和国大使館
⊞〒106-0041　東京都港区麻布台1-8-14
☎(03)3589-1821　🖷(03)3589-1822
🌐mfa.gov.kz/ja/tokyo

中国ビザ申請サービスセンター

2016年10月より、混雑緩和と待ち時間短縮などを目的に「中国ビザ申請サービスセンター（中国签证申请服务中心）」へ関連業務が委託されている。

該当するのは、東京の中華人民共和国大使館領事部、大阪と名古屋の中華人民共和国総領事館各管轄区における一般旅券所持者で、個人による申請が可能。また、旅行会社での代理申請も可能だが、指定業者のみの取り扱いになっている。

諸費用は、ビザ申請料のほかに手数料が必要。料金や所要日数については要問い合わせ。なお、一般旅券所持者による香港特別行政区とマカオ特別行政区の査証に関しては、大使館領事部と各総領事館で受け付ける。

■中国ビザ申請サービスセンター
（中国签证申请服务中心）
🌐www.visaforchina.org

■東京ビザ申請サービスセンター
⊞〒105-0001　東京都港区虎ノ門4-1-17神谷町プライムプレイス8階
☎(03)6430-2066　🖷(03)6432-0550
✉tokyocenter@visaforchina.org
🔵ビザ申請=9:00〜15:00　ビザ受領=9:00〜16:00
🚫土・日曜、祝日

■大阪ビザ申請サービスセンター
⊞〒541-0059　大阪府大阪市中央区博労町3-3-7ビル博丈9階
☎(06)4300-3095　🖷(06)4300-3167
✉osakacenter@visaforchina.org
🔵ビザ申請=9:00〜15:00　ビザ受領=9:00〜16:00
🚫土・日曜、祝日

■名古屋ビザ申請サービスセンター
⊞〒460-0003　愛知県名古屋市中区錦1-5-11名古屋伊藤忠ビル4階413号
☎(03)6430-2066　🖷(052)228-0129
✉nagoyacenter@visaforchina.org
🔵ビザ申請=9:00〜15:00　ビザ受領=9:00〜16:00
🚫土・日曜、祝日

旅の準備と技術

海外旅行保険

ネットで申し込む海外旅行保険

体調を崩したりカメラを盗まれたり、さまざまなアクシデントの可能性がある海外旅行。こうしたとき頼りになるのが海外旅行保険だ。

保険の種類と加入タイプを大別すると、補償内容を組み合わせた「セット型」保険と自分で補償内容を選択する「オーダーメイド型」保険とに分けられる。前日までに申し込めば、自宅から空港までのトラブルもカバーされる。

「地球の歩き方」ホームページで海外旅行保険に加入できる。24時間いつでも加入できて、旅行出発当日でも申し込み可能。詳しくは「地球の歩き方」ホームページで。
🌐www.arukikata.co.jp/hoken

最終的には空港でも申し込める

通貨・両替・カード

中国の通貨

中国の通貨は人民元(人民幣、中国元ともいう)といい、アルファベットではRMBと表記する。中国国内の指定銀行では主要な外貨の両替業務を扱う。もちろん日本円との両替も可能で、2019年9月15日現在のレートは1元≒15.4円。

■中国銀行の当日レート (中国語・英語)
🌐www.boc.cn/sourcedb/whpj
※「牌价选择」から「日元」を選択し、「现钞买入价」をチェック

日本で人民元を入手する

人民元への両替が可能なスポット

日本国内で人民元への外貨両替を扱うスポットは増えている。ただし、中国国内で人民元に両替するのに比べ、換金レートが悪い、換金可能な金融機関が都市部に集中している、取引額に制限が設けられているなどの不便な点もある。

おもな外貨両替取り扱い銀行
■SMBC信託銀行 PRESTIA EXCHANGE
🌐www.smbctb.co.jp/index.html

■みずほ銀行
🌐www.mizuhobank.co.jp/tenpoinfo/gaika_ryogae

■三菱UFJ銀行
🌐www.bk.mufg.jp/tsukau/kaigai/senmon

外貨両替専門店
■トラベレックスジャパン
☎(03)3568-1061　🌐www.travelex.co.jp

■東京クレジットサービス
ワールドカレンシーショップ
☎レートの問い合わせ=(03)5275-7610
🌐www.tokyo-card.co.jp/wcs/wcs-shop-j.php

空港
■成田国際空港
🌐www.narita-airport.jp
「空港で過ごす」>「サービス施設」>「銀行／両替所」

■羽田空港 (東京国際空港)
🌐www.haneda-airport.jp
「国際線フライト情報」内の「銀行・外貨両替」をクリック

■関西国際空港
🌐www.kansai-airport.or.jp
バーメニューから「便利なサービス」>「お金・両替・保険」>「外貨両替所」

■中部国際空港 (セントレア)
🌐www.centrair.jp
「サービス・施設案内」>「外貨両替・お金・保険」で必要なメニューをクリニック

中国で人民元に両替する

両替の手順と注意点

銀行の窓口で現金を人民元に両替する場合は、備え付けの用紙に必要事項を記入し、お金とパスポートを一緒に窓口に出す。

お金を受け取ったら、その場で金額を確認し、紙幣に損傷があれば、交換してもらおう。いったんその場を離れてしまうと、金額が合わないなどの苦情には一切応じてくれないので注意しよう。

お金と一緒に受け取る両替証明書は、再両替す

■お金の持っていき方

おすすめ度			
★★★	日本円やUSドル、ユーロなどの現金を持参し、中国で両替する	メリット	日本での両替よりレートがよい。日本円の場合、両替しなかったぶんは帰国後そのまま使える
		デメリット	中国到着後、すぐに両替が必要。盗難に備える必要がある
★★	クレジットカードを利用する (買い物およびキャッシング)	メリット	現金の管理が不要。場合によってはキャッシングでも現金両替よりレートがよい
		デメリット	使用できる場所に制限がある。スキミングや架空請求などに注意が必要
★★	海外専用プリペイドカードやデビットカードを利用する (買い物およびATMでの人民元引き出し)	メリット	口座残高以上は使えないので予算管理に便利
		デメリット	都市部以外では使用できる場所に制限がある
★	日本国内で両替し、人民元をあらかじめ入手する	メリット	現地到着後、すぐに行動できる
		デメリット	両替レートが悪い

※短期旅行なら日本円現金とクレジットカード持参がいちばん便利

るときに必要となるので、中国から出国するまでしっかり保管すること（ただし、有効期間に注意）。

このほか、2019年9月現在、一部の銀行では口座をもたない外国人は両替できなケースもあるので注意が必要。

両替には携帯電話の番号が必須

中国の銀行で両替する場合、その銀行に口座をもっていないと、中国の携帯電話番号（スマートフォンを含む）の通知が必要となる。

上記ふたつをもっていない人は、原則として「个人税收居民身份证明文件」という書類に必要事項を記入すれば両替できる。ただし、マイナンバーや健康保険証番号など日本の個人識別番号をひとつ記載しなければならない。覚えていない人はメモしておこう。

マイナンバー要求の根拠は、国税局の公式ウェブサイトで確認できる。

■国税局
⊕www.nta.go.jp
「番号制度概要に関するFAQ」
※Q3-13-2をクリック

海外専用プリペイドカード

外貨両替の手間や不安を解消してくれる便利なカードのひとつ。多くの通貨で日本国内での外貨両替よりレートがよく、カード作成時に審査がない。出発前にコンビニATMなどでチャージ（入金）した円の残高範囲内で、渡航先のATMから現地通貨を引き出したりショッピングに使える。別途各種手数料がかかるものの、使い過ぎや多額の現金を持ち歩く不安はない。おもに下記のようなカードが発行されている。

■クレディセゾン発行 「NEO MONEY ネオ・マネー」
⊕www.neomoney.jp

■アクセスプリペイドジャパン発行 「CASH PASSPORT キャッシュパスポート」
⊕www.jpcashpassport.jp

■アプラス発行 「GAI CA ガイカ」
⊕www.gaica.jp

■同 「MoneyT Global マネーティーグローバル」
⊕www.aplus.co.jp/prepaidcard/moneytg

■マネーパートナーズ発行 「Manepa Card マネパカード」
⊕card.manepa.jp

デビットカード

使用方法はクレジットカードと同じだが支払いは後払いではなく、発行金融機関の預金口座から即時引き落としが原則。口座残高以上に使えないので予算管理をしやすい。加えて、現地ATMから現地通貨を引き出すこともできる。

■JCBデビットカード
⊕www.jcb.jp/products/jcbdebit

■Visaデビットカード
⊕pay-with-visa/find-a-card/debit-cards.html

銀聯カード

「銀聯」とは、2002年に中国の80以上の金融機関が立ち上げた金融サービス機関で、そこが発行する「銀聯カード」は中国国内外で利用できるプリペイドもしくはデビットタイプのマネーカード。2009年からは、日本国内でも発行されている。

「銀聯カード」は中国、香港、マカオにある中国銀聯に加盟する300万前後の店舗で利用可能で、銀聯マークのあるATMで現地通貨の引き出しもできる（不可のカードもある）。カードの種類により提供されるサービスが異なるので、専用ウェブサイトにアクセスして詳しい情報を確認しよう。

■中国銀聯
⊕jp.unionpay.com
■中国銀行銀聯デビットカード
中国銀行（Bank of China）東京支店が発行する海外初の「銀聯デビットカード」。
⊕www.bankofchina.com/jp/jp
※トップページ「個人向け業務」＞「カード」の中の「銀聯デビッドカード」
■三井住友銀聯カード

■両替のお得度 （そのときのレートにより一概に言えない部分もあり、あくまでも目安）

市中の中国銀行		市中の一般銀行		ホテル		空港の中国銀行		空港の両替所		日本での両替
基本レートでの両替が可能。1元以下の端数も受け取れる	＞	中国銀行のレートに若干の手数料が上乗せされるケースが多い	＞	1元以下の端数は切り捨てられるのが一般的	＞	市中の支店とレートは同じだが、空港によっては他店より高い手数料が必要となることも	＞	空港などにある両替所は、中国銀行に比べて基本レートが悪いうえ、1回につき50～60元の手数料が必要		銀行と外貨両替店ではレートが異なる。外貨両替店で大量に両替すればやや有利になることもある

313

三井住友カードが発行する銀聯ブランドのクレジットカード。
※使用時、申し込みのときに設定した4ケタの暗証番号の前に「00」を付けて6ケタとして入力し、サインもする。暗証番号を忘れると使えないので注意
⊕www.smbc-card.com/mem/addcard/ginren.jsp

クレジットカード

　中国でもクレジットカードを利用できる場所は増えている。中級以上のホテルでは、チェックインの際にクレジットカードをデポジット(保証金)代わりに使えるため、とても便利だ。カードを使える所で必ず使えるといっていいのが、VISAとMasterCard。JCBも使える所が増えている。その次が、アメリカン・エキスプレス。ダイナースはまだまだ使える所が少ない。また、カード利用可の表示があっても中国の銀聯カードのみで国際カードが使えない店も多いので注意。

ICカードは暗証番号に注意

　クレジットカードのスキミング対策などでICカード(ICチップ付きのクレジットカード)の導入が進んでいるが、このカードで支払う際には、サインではなくPIN(暗証番号)が必要となる。この番号を忘れるとカードを使用できなくなるので、日本出発前にカード発行金融機関に確認し、忘れないための工夫をしておこう。

カード払いは通貨とレートに注意!

　海外でクレジットカードを使った際、カード決済のレシートが現地通貨ではなく、日本円で決済されていることがある。日本円換算でのカード決済自体は違法ではないのだが、不利な為替レートが設定されていることもあるので注意しよう。
　サインする前には通貨と為替レートをしっかり確認すること。店側の説明なしで勝手に決済されたときは、帰国後でもカード発行金融機関に相談を。

クレジットカードの紛失、盗難

　大至急カード発行金融機関に連絡し、無効化すること。万一の場合に備え、カード裏面のカード発行金融機関、緊急連絡先を控えておこう。現地警察に届け出て紛失・盗難届出証明書を発行してもらっておくと、帰国後の再発行手続きがスムーズ。

クレジットカードでのキャッシング

　日本円現金を銀行や両替所で人民元に両替すると手数料が必要だったり、レートが意外に悪かったりする。また、LCCなどの深夜早朝便で到着した場合は両替窓口が開いていない。中国では大手銀行の24時間ATMが空港や地下鉄駅、ショッピングセンターなど各所にあるので、ATMを使いクレジットカードで人民元をキャッシングすると工夫次第では現金両替よりお得になる。肝要なのは、クレジットカードの締め日を把握し、それ以前に繰り上げ返済をすること。手数料の有無や金利などは各社で異なるので、事前によく検討しておこう。

国際キャッシュカード

　国際キャッシュカードとは、日本で金融機関に預けた日本円を旅行先のATMなどから現地通貨で引き出せるカードのことで、中国でも中国銀行などのATMで利用できる。
　このカードは、メガバンクなどの銀行で発行しているが、それぞれに条件が異なるので、ウェブサイトなどで相違を比較、確認して申し込むようにしよう。

人民元が余ったら

人民元の持ち出し制限

　海外に持ち出すことのできる人民元の限度額は2万元(2019年9月15日現在のレートで約30万円)となっているので、注意が必要。

人民元を外貨に両替する

　余った人民元は、国際空港にある銀行(中国銀行など)で再両替することができる。日本国内の外貨両替スポット(トラベレックスなど)でも人民元を日本円に両替できるが、いずれも換金レートは悪い。

再両替時の注意

　再両替時に必要となるのが、両替する人民元、両替証明書、パスポート。これらを合わせて銀行の窓口に提出する。あとは係員が書類に記入して、外貨と余った人民元(少額)を手渡してくれる(順番待ちのときは番号札を渡される)。なお、手続きには時間がかかるので、早めに窓口に行くこと。
　また、人民元から外貨への両替は、提出する両替証明書に記載された金額が上限となるので、滞在中、いちばん多く両替したときの両替証明書を保管しておくようにしよう。両替証明書の有効期間は両替日より24ヵ月。

『第5套改訂版2回目』100元札

『第4套』100元札

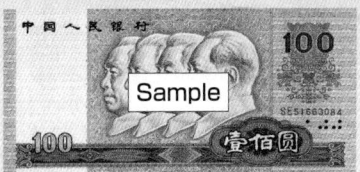

『第5套改訂版』50元札

『第4套』50元札

『第5套改訂版』20元札

『第5套』20元札

『第5套改訂版』10元札

『第5套改訂版』5元札

※『第5套』紙幣と『第5套改訂版』紙幣はマイナーチェンジ。表面左の図柄や右端の波紋の有無、
　裏面YUANの有無などが相違点

『第4套』2元札

※第5、6套にはない

『第4套』5角札

※第5、6套にはない

『第5套』1元札

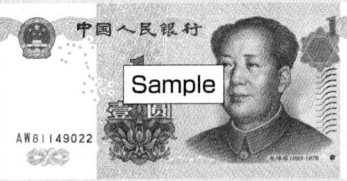

『第5套』硬貨

1元硬貨　　　5角硬貨　　　1角硬貨

渡航手段の手配

飛行機と航空券

2019年9月現在、日本の24空港と中国の42空港（香港とマカオを含む）の間に定期便が運航されている（中国西北エリアと経由地となる都市→P.319）。

直行便と経由便、乗り継ぎ便

飛行機では、出発地点と目的地の間を直接結ぶ直行便と出発地点と目的地の間に中継地が入る経由便の2種類がある。

2019年9月現在、日本と中国西北エリアを結ぶ直行便は、東京（成田）、関西、中部、静岡、那覇空港発着のみ。中部空港からは上海経由の蘭州行き、関西空港からは、青島経由のウルムチ、上海経由の銀川行きがある。そのほかの都市へ行く場合は、北京、上海など日本からの直行便がある都市で乗り継ぐ必要がある。

航空券の種類

航空券にはいろいろな種類があり、条件によって同じルートであっても料金が異なる。

国際線の航空券は、大きく正規航空券、ペックス航空券、格安航空券の3つに分けることができる。運賃は、正規の航空券が最も高く、その次にペックスの航空券、そして最も安いのが格安航空券となる。個人旅行者が購入しているのは、ほとんどが格安航空券だ。

正規航空券

ノーマルチケットと呼ばれる正規航空券は航空会社お墨付きのチケット。格安航空券の数倍の値段だが、

❶一般の旅行会社や航空会社で購入でき、その場で座席の有無がわかる。
❷発券から1年間有効で、出発日や帰国日を自由に変更できる。
❸途中の都市に降りることができる（Y2には制限あり）。
❹利用便を変更することができる。
などのメリットがある。出発日が変更になったときや現地で病気になり、予定を変更して早めに帰国したい場合には、この航空券が役に立つ。また、帰国便が欠航になっても別の航空会社の便に簡単に乗り換えられる。

ペックス航空券

ペックス航空券とは各航空会社が個人向けに直接販売する正規割引航空券。正規航空券より安いぶんだけ制限もある。詳しい条件は各航空会社の公式ウェブサイトでチェックできる。

格安航空券

ディスカウントチケットとも呼ばれる航空券。旅行会社によって販売価格が異なるので数社を比較検討するとよい。格安航空券を扱っているほとんどの旅行会社で中国への航空券を扱っているが、中国国内の航空券を一緒に手配するとな

■日中間移動に便利な定期運航便のあるおもな航空会社の国際線予約・案内電話とウェブサイト

航空会社名／2レターコード	東京（03）	大阪（06）	名古屋（052）	福岡（092）	そのほか		
中国国際航空／CA					0570-0-95583		
キャセイパシフィック航空／CX					0120-46-3838		
中国南方航空／CZ	5157-8011	6448-6655	218-8070	481-8181			
デルタ航空／DL					0570-077-733		
上海航空／FM	3506-1166	6448-5161	201-6668	262-2000			
四川航空／3U					中国(86)28-95378		
海南航空／HU	6809-1988						
香港航空／HX	6269-9608	4708-3815			050-3852-0709		
日本航空／JL	5460-0511	6344-2365	261-2531		0570-025-031		
大韓航空／KE		6264-3311			0088-21-2001		
中国東方航空／MU	3506-1166	6448-5161	201-6668	262-2000	成田 (0476) 34-3945		
全日本空輸（全日空）／NH	6741-6685	7637-6675	586-8851	724-5503	0570-029-333		
アシアナ航空／OZ	5812-6600				0570-082-555		
山東航空／SC		6252-1131					
深圳航空／ZH					0570-0-95583（CAが代行）		
上海吉祥航空／HO		6445-6688					
春秋航空／9C・春秋航空日本／IJ					0570-666-188		

ると、取り扱い旅行会社はさらに少なくなる。

格安航空券には制約がある

格安航空券は値段が安いぶん、いろいろと制限が付いているが、簡単にまとめると、次のようなことになる。

❶払い戻し不可（NON RFD）

発券された航空券は、どんな理由があっても払い戻しはできない。

❷航空会社の変更不可（NON END）

自分の都合で搭乗予約した航空会社を変更することができない。

❸予約内容変更の不可（NON RTE）

出発日、帰国日、ルートの変更が一切できない。❶と❷はそれほどの問題はないだろうが、❸が格安航空券最大のデメリットで、運賃が安い理由も実はここにある。例えば、帰国間近に病気になってしまい帰国日を延ばしたいと思っても、帰国日は変更してもらえない。

格安航空券の種類

格安航空券にはいろいろな種類があるので、旅のプランに合ったチケットを購入しよう。

中国行きのチケットの種類は以下のように分けられる。

❶FIXとOPEN

格安航空券は、基本的に帰国日を出発前に決め、その帰国日を変更できないものと、帰国日を変更できる（ただし制限はある）ものがある。前者をFIX航空券、後者をOPEN航空券といい、パンフレットなどには、7日間FIXとか30日間OPENと表示してある。料金は、オープンチケットのほうが高い。

蘭州中川空港

❷単純往復とオープンジョー

2点間を単純に往復するチケットのほかに、到着空港と帰国便の出発空港が異なるオープンジョーと呼ばれる航空券がある。例えば【成田→北京／上海→成田】などがこれに当たる。料金は、オープンジョーのほうが高くなる。

※有効期間に注意

すべての航空券には、出発日からカウントした有効期間が設定されており、その期間内に航空券を使用しなければ、使えなくなってしまう。また、有効期間には、7日間、21日間、30日間、1年間などいろいろなものがあるが、これによって金額も異なってくるので、自分の旅行予定により合致した航空券を購入する必要がある。

格安航空券やツアー、ホテルの手配がオンラインで可能

格安航空券のオンライン手配なら「アルキカタ・ドット・コム」。全国23の空港発着の航空券を手配できます。業務渡航やビジネスクラスの手配も可能。ネットで検索と照会をすれば、回答はメールで。各種パッケージツアーも申し込め、世界中のホテルも予約可能。急ぎの場合は電話で部屋を確保できます。

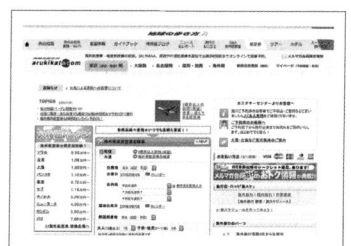
「アルキカタ・ドット・コム」トップページ
🌐www.arukikata.com

URL
www.airchina.jp
www.cathaypacific.com/jp
www.csair.co.jp
ja.delta.com
www.ceair.com/fm.html
global.sichuanair.com
www.hainanairlines.com
www.hongkongairlines.com/ja_JP/homepage
www.jal.co.jp
www.koreanair.com
www.chinaeastern-air.co.jp
www.ana.co.jp
jp.flyasiana.com
www.shandongair.com.cn（中国語）
www.shenzhenair.com（中国語）
jp.juneyaoair.com
j.springairlines.com

eチケットと、ウェブ（オンライン）チェックイン

eチケット

「eチケット」とは電子航空券の別名で、航空券を各航空会社が電子的に保管することによって、空港で航空券を提示することなく、搭乗券を受け取ることのできるサービス。このサービスを利用すれば、紙の航空券は不要で、eメールやファクス、郵便などで送ってもらった「eチケット」の控えを空港に持参するだけでよい。

申し込み時にクレジットカード番号やパスポート番号を通知する必要があること、中国入国審査時には帰国便の「eチケット」控えを持っていくなどの注意も必要だが、❶出発直前でも条件が整えば申し込みが可能、❷航空券の盗難や紛失などの心配が不要（「eチケット」控えを再発行するだけでよい）といったメリットがある。

ウェブ（オンライン）チェックイン

公式ウェブサイトからチェックイン手続きを行える「ウェブ（オンラインと呼ぶ会社もある）チェックイン」サービスを提供している航空会社がある。事前に、搭乗する航空会社のウェブサイトにアクセスしてチェックインを済ませておけば空港での手続きが簡単で済む。時間節約のためと、オーバーブッキングに巻き込まれないためにも利用できる場合は利用したほうがよい。

詳細は各航空会社の公式ウェブサイトで確認を。

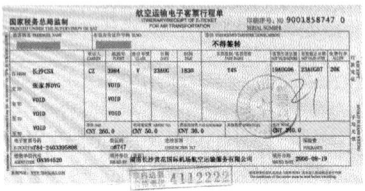

中国のeチケット領収書。忘れずに空港へ持っていこう

シーズナリティ

航空券の料金と密接に関係するものにシーズナリティ（季節や時期による料金変動）がある。

中国への飛行機は、観光シーズンである4月から10月までが高く、オフシーズンである11月から3月までが安い。ただし、年末年始、ゴールデンウイーク、お盆の時期は例外で、正規航空券と大きくは変わらない。また、訪日観光客の増加にともない、1～2月の春節や9～10月の中秋節、国慶節といった連休時期や、日本の花見の時期、紅葉の時期などに料金が高騰する傾向が目立つ。

このシーズナリティは航空会社や販売している旅行会社によって数日ずれることもあるので、航空券購入時には情報収集し、比較検討することで、旅行費用を節約できる。

そのほかの注意点

2019年9月現在、航空会社は運賃に燃油特別付加運賃を加えて航空券を販売している。この燃油特別付加運賃は、原油を仕入れた時点の原油価格を考慮して決定するため、金額が変わることがある。このため、航空運賃とは別に徴収される場合もある。航空券購入の前には、このあたりのこともしっかり確認する必要があるだろう。

マイレージサービス

マイレージサービスとは、搭乗区間の距離をマイル数でカウントし、規定のマイル数に到達すると、無料航空券や座席のアップグレード（例えば、エコノミークラスからビジネスクラスに変更）などの特典が受けられるサービスのこと。サービス内容や諸条件は航空会社によって異なる。詳細は各航空会社のウェブサイトなどでチェックしよう。

中国線の場合、1往復で獲得できるマイル数が少なく、特典を受けるには何度も利用しなければならないが、航空会社同士が提携したり、クレジットカード利用などでもマイルが加算されたり、マイルを貯めやすい仕組みになっている。

各航空会社でマイル加算のキャンペーンを展開することもあるので、こまめに情報をチェックしよう。各航空会社間の提携関係はよく変更となるので、こちらも定期的にチェックしよう。

三大マイレージサービス・グループ

※2019年9月現在

■スターアライアンス

⊕www.staralliance.com/ja

全日空（ANA）、アシアナ航空、ユナイテッド航空、ルフトハンザ航空、中国国際航空など27の航空会社が加盟している。

■スカイチーム

⊕www.skyteam.com/ja

デルタ航空、大韓航空、中国東方航空など19の航空会社が加盟している。

■ワンワールド

⊕ja.oneworld.com

キャセイパシフィック航空、ブリティッシュ・

■中国西北エリアおよび経由するおもな都市と日本との運航線一覧　　2019年9月12日現在

	北京	上海浦東	上海虹橋	広州	香港	西安	ウルムチ	銀川	蘭州
成田	○	◎		◎	○	○			
羽田	◎	◎	◎	◎	◎				
関西	◎	◎		◎	○	○	●	●	
中部	◎	◎		○	○	○			●
福岡	●	◎			◎				
札幌	◎	◎			◎				
旭川									
仙台	●	◎							
茨城		◎							
静岡		◎				◎			
新潟		◎							
小松		◎			◎				
富山		◎							
岡山		◎							
広島	●	◎			◎				
高松		◎			◎				
松山		◎							
長崎		◎			◎				
佐賀		◎							
鹿児島		◎			◎				
沖縄	◎	◎			◎	◎			

◎＝直行便のみ　○＝直行便＆経由便　●＝経由便のみ　※休航になる場合もあるので航空会社に確認のこと

エアウェイズ、日本航空など13の航空会社が加盟している。

クレジット機能付きのマイレージカード（日本航空「JALマイレージバンクカード」）

西安咸陽国際空港

国際観光旅客税

2019年1月7日より日本を出国するすべての人に、出国1回につき1000円の国際観光旅客税がかかる。支払いは、原則として航空券代に上乗せされる。

フェリー

日本から中国へは定期船が運航されている。便数がかぎられる、港から目的地までの移動が大変などのマイナス面もあるが、多くの荷物を持ち込めるなどのメリットもある。

なお、フェリーはメンテナンスなどで運休となることもあるので注意しよう。

新鑒真號 （大阪・神戸⇔上海）

大阪・神戸と上海とを結ぶ貨客船。火曜11:30に出発し、木曜午前に上海に到着する。上海からは土曜12:30に出発し、月曜9:30に日本に到着する。乗船券は、乗船日の2ヵ月前から日中国際フェリーまたは、全国各旅行会社で予約、販売している。インターネットでの予約も可能。

【日本側問い合わせ先】

日中国際フェリー株式会社
〒550-0013
大阪府大阪市西区新町1-8-6三愛ビル2階
☎(06)6536-6541　℻(06)6536-6542
🌐www.shinganjin.com

【中国側問い合わせ先】

中日国際輪渡有限公司
（中日国際轮渡有限公司）
〒上海市虹口区東大名路908号金岸大厦18階
☎(021)63257642　℻(021)65957818
🌐www.chinjif.com

■新鑒真號運賃表

単位：円

等級	定員(部屋数)	一般個人		学生・障害者	
		片道	往復	片道	往復
貴賓室(洋室)	2人(2)	10万	15万	9万	13万5000
特別室(洋室)	2人(8)	4万	6万	3万6000	5万4000
1等室(洋室)	4人(12)	2万5000	3万7500	2万2500	3万3700
2等室(洋室)	8人(30)	2万	3万	1万8000	2万7000
2等室(和室)	合計37人(3)	2万	3万	1万8000	2万7000

※1 貴賓室は1部屋当たり（定員2人）の運賃。そのほかは大人1人当たりの運賃

※2 燃油特別付加運賃として、1人片道2000円、往復4000円を別途支払う

※3 日本から出国する2歳以上の乗客は国際観光旅客税として、1人1000円を別途支払う

蘇州號 （大阪⇔上海）

大阪と上海を結ぶ貨客船。金曜12:00に出発し、日曜に上海に到着する。上海からは火曜11:00に出発し、日本に木曜9:00に到着する。乗船券は、乗船日の2ヵ月前から上海フェリーまたは、全国各旅行会社で予約、販売している。インターネットでの予約も可能。

【日本側問い合わせ先】

上海フェリー株式会社
〒541-0058
大阪府大阪市中央区南久宝寺4-1-2御堂筋ダイビル5階
☎(06)6243-6345　℻(06)6243-6308
🌐www.shanghai-ferry.co.jp

【中国側問い合わせ先】

上海国際輪渡有限公司
（上海国际轮渡有限公司）
〒上海市虹口区東大名路908号金岸大厦15階
☎(021)65958666　℻(021)65379111

■蘇州號運賃表

単位：円

等級	定員(部屋数)	一般個人		学生・障害者	
		片道	往復	片道	往復
貴賓室(洋室)	2人(2)	10万	15万	9万	13万5000
特別室A(洋室)	2人(6)	4万	6万	3万6000	5万4000
特別室B(洋室)	4人(10)	3万7000	5万5500	3万3300	4万9950
特別室C(洋室)	1人(6)	3万8000	5万7000	3万4200	5万1300
1等室	5人(10)	2万7500	3万7500	2万2500	3万3750
2等室A	5人(22)	2万2000	3万3000	1万9800	2万9700
2等室B(洋室)	40人(1)	2万	3万	1万8000	2万7000
2等室B(和室)	16人(1)	2万	3万	1万8000	2万7000

※1 貴賓室は1部屋当たり（定員2人）の運賃。そのほかは大人1人当たりの運賃

※2 燃油特別付加運賃として、1人片道2000円、往復4000円を別途支払う

※3 日本から出国する2歳以上の乗客は国際観光旅客税として、1人1000円を別途支払う

関西と上海を結ぶ新鑒真號

大阪と上海を行き来する蘇州號

日本を出国する

時間帯や時期によっては空港アクセスや空港内が非常に混雑するケースがある。混雑に加え、テロ対策などでチェックインや出国審査に予想外の時間がかかるケースも生じている。空港には出発2時間前には到着し、早めにチェックインや出国審査を済ませておくことをおすすめする。出国の手順については下記の表を参照。

船便利用の場合も、飛行機利用のときと手続きの流れに大きな違いはない。運航会社ごとに乗船手続きの締め切り時刻が決まっているので、それに遅れることのないよう早めにターミナルに到着しよう。

機内への液体物持ち込みは原則禁止

テロ対策のため、100mlを超える液体物の空港保税区域(出国審査後のエリア)および機内への持ち込みは日中各空港ともに禁止となっている。つまり、出国審査前に一般エリアの売店で購入した飲み物や化粧品類は持ち込めないということ。

出国審査後に免税店で購入した酒や化粧品などは持ち込みが可能。

100ml以下の医薬品などは透明ビニール袋に入れるなどして持ち込めるが、制限があるので詳細は事前に空港や各航空会社に問い合わせを。
※液体物にはレトルトカレーや漬物、味噌類など水分が多い半固形物も含まれる

出国前に税関申告が必要なもの

高級時計や宝飾品、ブランドバッグなど高価な外国製品を持っていく人は、出国前に税関で専用の用紙に記入するとともに、現物を提示して申告する。無申告のまま出国すると、現に身に着けているものであっても、海外で購入したとみなされ、課税の対象となってしまうことがある。加工・修繕のために持ち出す場合には、一般の貿易貨物と同様の輸出手続きが必要となる。

申告が必要かどうかわからない場合は、出国審査カウンター手前にある税関カウンターで相談するとよい。

■飛行機で日本を出国するときの手順

1 チェックイン

空港に着いたらチェックインカウンターへ。航空券かプリントアウトしたeチケット控えまたはバウチャーとパスポートを提示して手続きを行い、搭乗券(ボーディングパス)を受け取る。託送荷物はここで預けて引換証(バゲージクレームタグ)をもらう。リチウム、リチウムイオン電池は預けられない。(→P.336)
※旅客サービス施設使用料や燃油特別付加運賃は、原則として航空券購入時に航空券代金に加算されている。なお、原油価格が大幅に上昇した場合、空港で燃油特別付加運賃を追加徴収されることもある
※空港へは出発2時間前までに。荷物検査に時間がかかるので、ぎりぎりだと搭乗できない場合もある。手続き締め切りは通常出発1時間前(航空会社や空港により異なる)

↓

2 安全検査(セキュリティチェック)

機内持ち込み手荷物の検査とボディチェック。ナイフや先のとがった工具は機内持ち込み不可(発見時は任意廃棄)なのであらかじめ預けておくこと。また、液体物やリチウムイオン電池の機内持ち込みには注意が必要。詳細は利用する航空会社へ!

↓

3 税関申告(該当者のみ)

高価な外国製品(時計や貴金属、ブランド品など)を身につけているときは、あらかじめ税関に申告しておく。申告しないと帰国時に海外で新たに購入したものと見なされて課税されてしまう。申告が必要かどうかは出国審査の前に税関カウンターに問い合わせを!

↓

4 出国審査(イミグレーション)

パスポートを提示し出国スタンプを押してもらう。カバーは外しておく。出国審査場では写真撮影と携帯電話の使用は禁止
※羽田、成田、中部、関西、福岡で顔認証ゲートが導入され出国スタンプの省略など、出国審査がスピーディになった。登録は不要

↓

5 免税品ショッピング

出国審査が終わったあとは免税エリア。旅行中に吸うたばこなどはここで購入。中国入国の際の免税範囲は酒1.5ℓと紙巻きたばこ400本まで(→P.322)

↓

6 搭乗

搭乗券に記載されたゲートから搭乗。搭乗開始は出発30分前から。遅くとも搭乗時刻15分前にはゲート前にいるようにしたい
※成田国際空港第2ターミナルや関西国際空港は免税店のあるエリアとゲートがとても離れているので、時間に遅れないように注意

中国に入国する

中国の入国手続き

乗り継ぎ便の場合

　2019年9月現在、日本から中国西北エリアへの直行便は成田、関西、中部、静岡、沖縄発着のみ。乗り継ぎ便を利用する場合、北京や上海など最初の到着地で、直行便と同様に入国手続きを行い、手荷物もいったん受け取らなければならない。以下の手続きは、最初の到着地でのもの。なお、上海で乗り継ぐ場合、羽田発の便以外は上海浦東国際空港に到着するが、西北エリア各都市への出発は上海虹橋国際空港となる場合がある。両空港はエアポートバスで結ばれている。

上海浦東国際空港のチェックインカウンター

北京首都国際空港に到着

■中国入出国の際の免税範囲など

品物	内容
現金	外国通貨でUSドル換算US$5000、人民元で2万元までは申告不要。これを超える場合は要申告
物品	贈答品などとして中国国内に残す物品で人民元換算2000元を超えるものは要申告（中国在住者は申告不要）
酒・たばこ・香水	酒類（アルコール度数12％を超えるもの）1.5ℓまで 紙巻きたばこ400本、葉巻100本、刻みたばこ500gまで（日本入国時には注意が必要→P.336） 香水については個人で使用する範囲ならば申告不要
※輸出入禁止品 ○は入国時 ●は出国時	○ ● あらゆる種類の武器、模造武器、弾薬、爆発物 ○ ● 偽造貨幣、偽造有価証券 ○ ● 中国の政治、経済、文化、道徳に対して有害な印刷物、フィルム、写真、音楽レコード、映画フィルム、テープ・CD（オーディオおよびビデオ）、コンピューター用ストレージ機器 ○ ● あらゆる猛毒類 ○ ● アヘン、モルヒネ、ヘロイン、大麻および習慣性麻酔薬や向精神性薬品 ○ 新鮮な果物、ナス科野菜、生きた動物（ペットとしての犬猫は除外）、動物標本、動植物病原体、害虫および有害生物、動物の死体、土壌、遺伝子組み換え有機体組織およびその標本、動植物の疫病が発生・流行している国や地域と関連のある動植物およびその標本やそのほかの検疫物 ○ 人畜の健康に障害を及ぼす物品、流行性疾病が流行しているエリアから運ばれてきた食品や薬品およびその他の物品 ● 国家機密をともなった原稿、印刷物、フィルム、写真、音楽レコード、映画フィルム、テープ・CD（オーディオおよびビデオ）、コンピューター用ストレージ機器 ● 貴重文化財および輸出を禁止された遺物 ● 絶滅を危惧される動物および希少動植物（それらの標本も含まれる）、またそれらの種子や生殖物質

※中国では外国人による無許可の測量行為が法で禁止されているため、測量用携帯GPS機器は持ち込まないほうが無難
※文化財の無断持ち出しは禁止。具体的には、1911年以前に生産・制作された文化財はすべて禁止、1949年以前に生産・制作された歴史的・芸術的・科学的価値があるものは原則禁止、1966年以前に生産・制作された少数民族の代表的文化財はすべて禁止。化石はすべて禁止

中国に入国する際には、着陸の1時間くらい前に、機内で中国の入国／出国カード（一体型またはそれぞれで切り離したもの）や税関申告書（該当者のみ）などの書類が配られるので、提出が必要なものを到着までに記入しておく（記入例→P.324〜326）。

「入出境健康申告カード（Health Declaration Form on Entry / Exit）」の提出は、感染性の高い病気の拡大等により、義務となったり廃止されたりと状況が変わるので出発前に確認すること。

義務となった場合、入国者は中国入国後7日間のスケジュールと連絡可能な住所、電話番号、交通手段およびフライトナンバー（バス・船を含む）の記入を求められるほか、申告する身体症状も多い。

2018年から中国に入国する際、入国審査において個人生体識別情報が採取されることになった。まずは機械による指紋採取。機械の設置場所は空港により異なる。指紋採取を終え、機械から出力された紙を受領したら（空港によっては紙は出力されない）入国カウンターに進む。指紋採取は一度行えば、2回目以降の入国時は必要ない。直接入国カウンターへ進もう。

入国カウンターでは、パスポートと入力カードを担当官に渡し、係官の指示に従い、デスクに設置されたカメラに正対し、顔画像を読み取らせる。窓口横にある機械で左手の親指を除く4本の指をタッチして指紋認証する。以上の手順に不備がなければ、質問されることもない。パスポートに入国スタンプが押されたあと、パスポートのみを返却してくれ、入国審査は完了。

入国審査が終了したら、次は託送荷物の受け取りだ。自分が乗った飛行機のフライトナンバーと搭乗地が表示されているターンテーブルに向かい、自分の荷物が出てくるのを待つ。中国では、出てくるまでにけっこう時間がかかるので、気長に待とう。なお、託送荷物のない人はそのまま入出国旅客荷物物品申告に向かう。

自分の託送荷物を受け取ったら、次は税関申告。申告する物品がある人は、入出国旅客荷物物品申告書（→P.326）に必要事項を記入し、税関に提出しなければならない。

税関申告では該当するゲートを通らなければならないので注意しよう。申告不要な人は、緑色の●が目印である「NOTHING TO DECLARE」のゲート（荷物のX線検査がある場合がある）、申告が必要な人は、赤色の■が目印の「GOODS TO DECLARE」のゲートを通る。

これらの手続きが完了したら、出口に向かう。そこで荷物とバゲージクレームタグの照合が行われるのだが、ノーチェックのことが多い。

日本からの運航便がある国際空港では、出口の手前や税関を出たロビーに外貨を人民元に両替できる銀行や外貨ショップがある所が多いので、人民元を持っていない人はここで両替しよう。なお、外貨ショップは銀行よりレートが悪く、手数料を取られることもある。

経由便の場合

日本から中国西北エリアへの経由便は、2019年9月現在、成田発着の西安行きのほか関西発着のウルムチ行きなどがある。経由便の場合、経由地で降機して入国手続きを行ったら、同じ飛行機に戻るので、託送荷物を受け取る必要はないが、手荷物はすべて持って降りる必要がある。到着後の流れは以下のとおり。

飛行機を降りた所でサインボードなどを持った職員が出迎え、トランジット・ボーディングパスを渡してくれる。全員が集まったところで、職員が誘導してくれるので、移動して入国審査を受け、トランジット乗客専用の待合室に移動し、準備が整うまでそこで待機する。その後、アナウンスに従い、再び飛行機に乗り込む。

税関申告は最終目的地で手続きを行い、該当者はそこで税関申告書を提出する。

■入国審査の流れ

1	検疫
状況によって「出入境健康申告カード」提出が必要となることもある。発熱や嘔吐などの症状がある人は係官に申し出ること ※2019年5月現在提出不要	

↓

2	入国審査
必要書類を持って自分に該当する審査窓口に並ぶ。順番が来るまで白線を越えないこと。なお、経由便利用者は指示に従い、最終目的地に向かう 必要書類＝中国の入国カード（→P.324〜325）、パスポート 審査窓口＝中国人、外国人、外交官・乗務員に分かれる。日本人観光客は「外国人」窓口に並ぶ ※2018年から入国時の指紋採取と顔画像登録が施行されている。対象は満14歳から70歳までの外国人。入国審査に入る前に専用の端末があり、自分で指紋登録を済ませてから審査窓口へ向かう。	

↓

3	荷物の受け取り
フライトナンバーと出発地が表示されたターンテーブルで自分の荷物が出てくるのを待つ。万一、荷物の破損や紛失といった事故が発生したら、速やかに係員に申し出ること	

↓

4	税関検査
託送荷物を受け取ったら、税関検査場所に移動する。免税範囲を超えた場合や申告が必要なものは入出国旅客荷物物品申告書（→P.326）に記入し、係官に提出してスタンプをもらう	

↓

5	出口に向かう
出口の前でバゲージクレームタグと託送荷物に貼られたシールの番号をチェックにされる場合もあるので、バゲージクレームタグの半券をすぐに取り出せるようにしておこう	

入出国書類の記入例

入出国に必要な書類

　中国に入国する際は、基本的に入国カードと出国カードが一体となった外国人入国／出国カードを提出する。

　2019年9月現在、入国カードと出国カードは切り離されて入国審査の前に置かれている所が多い（機内配布のものは一体型もあり）。

　このほか、税関に申告する物品（→P.322）がある人は、入出国旅客荷物物品申告書を提出しなければならないので注意すること。

入国／出国カード

　入国／出国カードにつき、日本人は、名前をはじめ、すべての項目をローマ字（英文）で記入しなければならないことに注意したい。

　したがって、本人サイン以外は漢字や仮名で記入してはならない。

　入出国書類は係官の目の前で記入する必要はない。航空券購入時やツアー申し込み後、さらに

は機内や船内などで事前に書類を入手できるので、暇な時間に記入しておけば、入出国や税関申告のときにスムーズだ。事前に入手できない場合は入国審査や税関検査台の前に置いてあるので、その場で記入する。

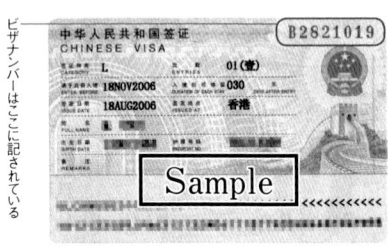

ビザナンバーはここに記されている

健康申告書類

　2019年9月現在提出不要だが、新型インフルエンザの流行などの状況によって、「出入境健康申告カード」の提出が必要となることがある。

■入国／出国カード
※右が入国カード、左が出国カード

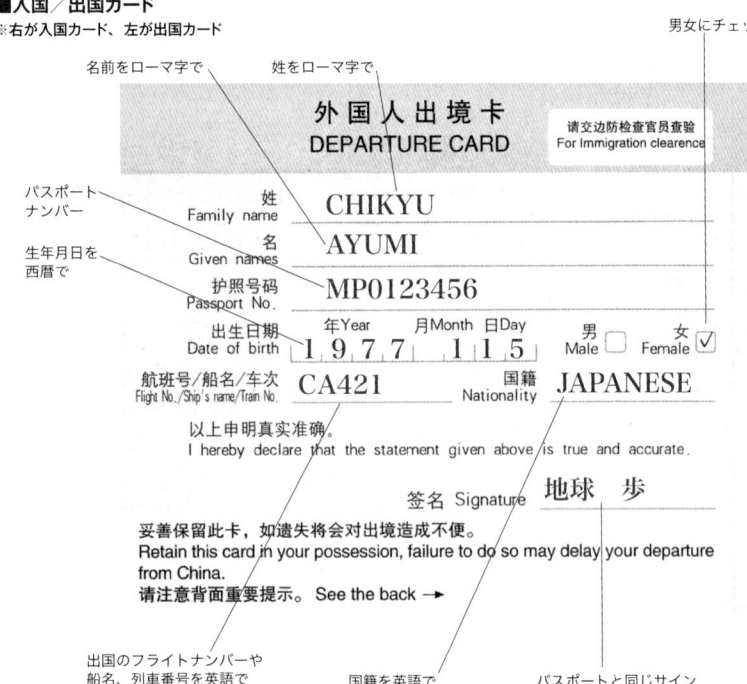

名前をローマ字で
姓をローマ字で
男女にチェック
パスポートナンバー
生年月日を西暦で
出国のフライトナンバーや船名、列車番号を英語で
国籍を英語で
パスポートと同じサイン

出入境健康申告カードの記入項目

1. 中国入国後7日以内の日程と連絡先（ホテル名）、旅行継続の場合のフライトナンバーと搭乗予定日
2. 7日以内に中国出国の場合は出国日と目的国およびフライトナンバー
3. 過去7日以内に滞在した国と都市
4. 過去7日以内のインフルエンザ患者との接触の有無
5. 発熱、咳、のどの痛み、筋肉・関節痛、鼻づまり、頭痛、下痢、嘔吐、鼻水、呼吸困難、だるさ、その他の症状の有無

出入境健康申告カード

入出国旅客荷物物品申告書

中国入出国時の税関において、申告する物品のない人は申告書の記入、提出は不要。ただし、申告する物品のある人は、従来どおり申告書の記入、提出が必要だ。

中国入国時の注意

中国での入国審査時に本書を見つけられ、没収される、別室に連れていかれる、などのトラブルが発生しています。

没収は空路ではなく、陸路の国境で起きることが多く、理由はそのときその場の審査官によりさまざまです。おもに中国側の政治的立場に基づく何らかの事由を理由として述べるようですが、本書には直接、あるいはなんら関係がないことであっても咎められる事例が報告されています。

こういったトラブルを避けるため、入国手続きの際には、本書をしまっておくことをおすすめします。書類の記入例などは、該当ページをコピーしたり、破いたりして書類記入時の参考にするよう対処してください。万一、トラブルが発生した際には、最寄りの日本国大使館や領事館（→P.349）にご連絡ください。

姓をローマ字で　　　宿泊予定ホテル名を英語で　　名前をローマ字で　パスポートナンバー
国籍を英語で

外国人入境卡
ARRIVAL CARD

请交边防检查官员查验
For Immigration clearence

CHIKYU	名 Given names	AYUMI
JAPANESE	护照号码 Passport No.	MP0123456
BEIJING HOTEL		男 Male ☐　女 Female ☑

男女にチェック

年Year 1977　月Month 1　日Day 15

入境事由（只能填写一项）Purpose of visit (one only)

会议/商务 Conference/Business ☐　访问 Visit ☐　观光/休闲 Sightseeing/in leisure ☑

B7654321

探亲访友 Visiting friends or relatives ☐　就业 Employment ☐　学习 Study ☐

TOKYO, JAPAN

返回常住地 Return home ☐　定居 Settle down ☐　其他 others ☐

CA422

入国の目的。観光の人は「Sightseeing/in leisure」にチェック

准确。
that the statement given above is true and accurate.

签名 Signature 地球 歩

パスポートと同じサイン

生年月日を西暦で
ビザナンバー（ノービザ入国時記入不要）

入国のフライトナンバーや船名、列車番号を英語で
ビザ発給地（ノービザ入国時記入不要）

■中華人民共和国税関　入出国旅客荷物物品申告書

※申告が必要な人のみ記入して、提出する

名字（Surname）、名前（Given Name）をローマ字で。男女にチェック（男性はMale、女性はFemale）

生年月日を西暦で（年／月／日の順）。国籍を英語で

パスポートナンバー

【入国の場合は左欄に記入】
出発地

入国のフライトナンバーや
船名、列車番号を英語で

入国年月日

入国に際し、以下の物品を
持ち込む場合はチェック

1.動物、植物、動植物製
品、微生物、生物学的製
品、人体組織、血液、および
血液製剤

2.（中国居住者）中国国外
で取得した物品で、人民元
換算5000元を超えるもの
（中国非居住者はチェック
不要）

3.（中国非居住者）中国国
内に残す予定の物品（贈り
物などとして）で、人民元換
算2000元を超えるもの（中
国居住者はチェック不要）

4.1500mℓを超えるアルコー
ル飲料（アルコール度数12
％以上）、400本を超える紙
巻きたばこ、100本を超える
葉巻、500gを超える刻みた
ばこ

5.2万元を超える人民元の
現金、またはUSドル換算で
US$5000を超える外貨の
現金
※トラベラーズチェック（T/
C）は本規定の対象外

6.別送手荷物、商業価値
のある物品、サンプル、広告
品

7.その他の税関に申告すべ
き物品

【出国の場合は右欄に記入】
目的地

出国のフライトナンバーや
船名、列車番号を英語で

出国年月日

出国に際し、以下の物品を
持ち出す場合はチェック

1.文化的遺物、絶滅に瀕し
た動植物およびそれらの標
本、生物学的資源、金、銀、
その他の貴金属

2.（中国居住者）ひとつが
人民元換算5000元を超え
るカメラ、ビデオ、ノートPCな
どの旅行必需品で、中国国
内に持ち帰るもの

3.2万元を超える人民元の
現金、またはUSドル換算で
US$5000を超える外貨の
現金
※トラベラーズチェック（T/
C）は本規定の対象外

4.商業価値のある物品、サ
ンプル、広告品

5.その他の税関に申告すべ
き物品

「私は裏面の注意書き
を読んだうえで真実を
申告します」という意
味で、パスポートと同じ
サインをする

上記左欄の1〜7、右
欄の1〜5に該当する
場合、該当する物品
の詳細を記入（左から
物品名／貨幣の種
類、型番など、数量、
金額）

●税関申告時に便利な英語物品名

カメラ	CAMERA
ビデオカメラ	VIDEO CAMERA
ノートパソコン	NOTE PC
ゴルフ用品	GOLF ARTICLE
腕時計	WATCH
宝石	JEWEL
酒類	LIQUOR
紙巻きたばこ	CIGARETTE
現金	CASH

西安咸陽国際空港第3旅客ターミナル

西安咸陽国際機場: **U** www.xxia.com
(2019年9月現在)

〔2階 出発ロビー〕

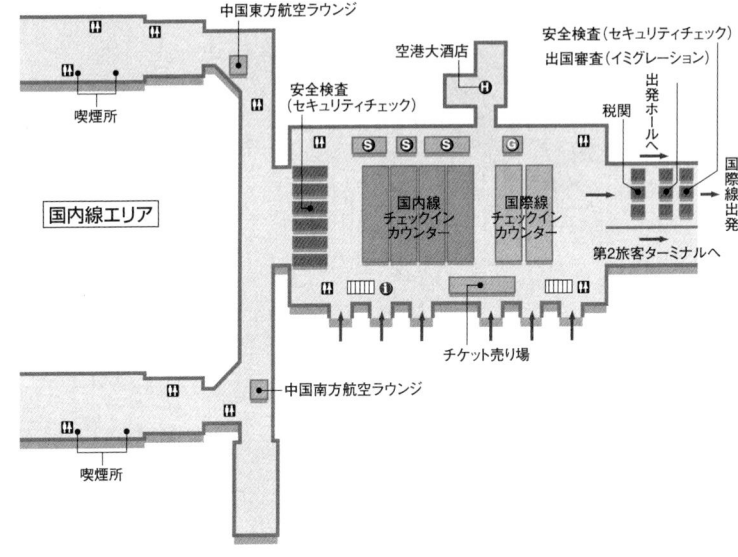

〔1階 到着ロビー〕

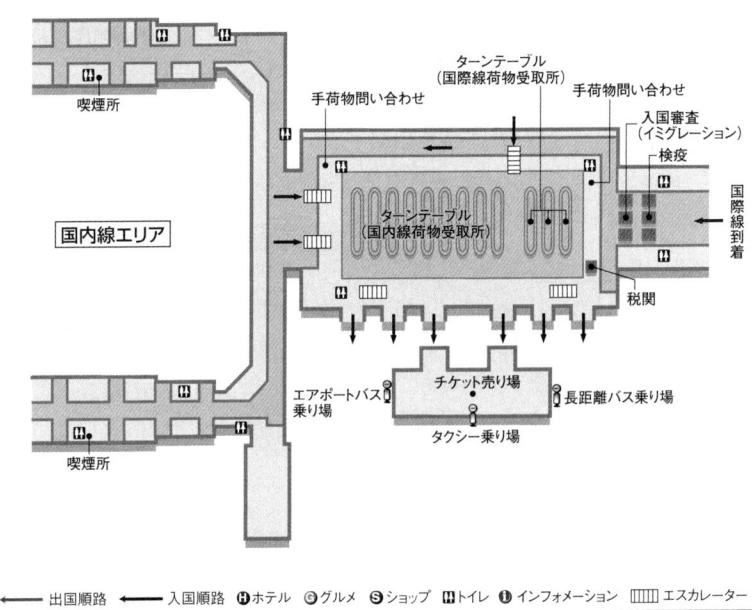

←── 出国順路　──→ 入国順路　**H**ホテル　**G**グルメ　**S**ショップ　**H**トイレ　**①**インフォメーション　|||||エスカレーター

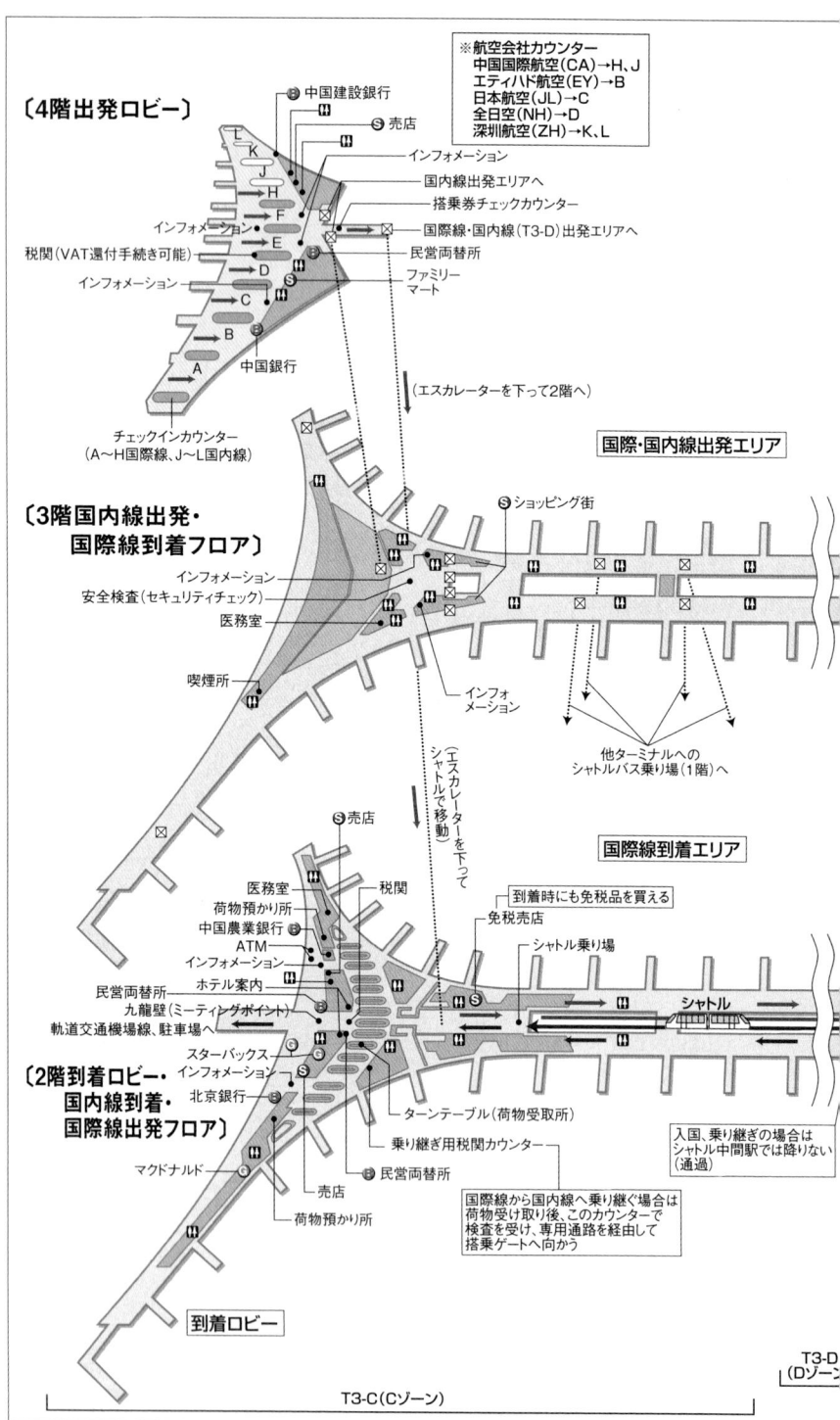

※航空会社カウンター
中国国際航空(CA)→H、J
エティハド航空(EY)→B
日本航空(JL)→C
全日空(NH)→D
深圳航空(ZH)→K、L

〔4階出発ロビー〕

中国建設銀行
売店
インフォメーション
国内線出発エリアへ
搭乗券チェックカウンター
国際線・国内線(T3-D)出発エリアへ
民営両替所
ファミリーマート

インフォメーション
税関(VAT還付手続き可能)
インフォメーション

中国銀行

チェックインカウンター
(A～H国際線、J～L国内線)

(エスカレーターを下って2階へ)

国際・国内線出発エリア

〔3階国内線出発・
国際線到着フロア〕

ショッピング街

インフォメーション
安全検査(セキュリティチェック)
医務室

喫煙所

インフォメーション

(エスカレーターを下って
シャトルで移動)

他ターミナルへの
シャトルバス乗り場(1階)へ

国際線到着エリア

売店

医務室
荷物預かり所
中国農業銀行
ATM
インフォメーション
民営両替所
ホテル案内
九龍壁(ミーティングポイント)
軌道交通機場線、駐車場へ
スターバックス
インフォメーション
北京銀行

〔2階到着ロビー・
国内線到着・
国際線出発フロア〕

税関

到着時にも免税品を買える
免税売店

シャトル乗り場

シャトル

マクドナルド

売店
荷物預かり所

ターンテーブル(荷物受取所)
乗り継ぎ用税関カウンター
民営両替所

入国、乗り継ぎの場合は
シャトル中間駅では降りない
(通過)

国際線から国内線へ乗り継ぐ場合は
荷物受け取り後、このカウンターで
検査を受け、専用通路を経由して
搭乗ゲートへ向かう

到着ロビー

T3-C(Cゾーン)

T3-D
(Dゾーン)

北京首都国際空港第3旅客ターミナル

北京首都国際機場：U www.bcia.com.cn
※日本との直行便の場合、
　中国国際航空（CA）、エティハド航空（EY）、
　日本航空（JL）、全日空（NH）、深圳航空（ZH）が使用
※空港内は全面禁煙
（2019年9月現在）

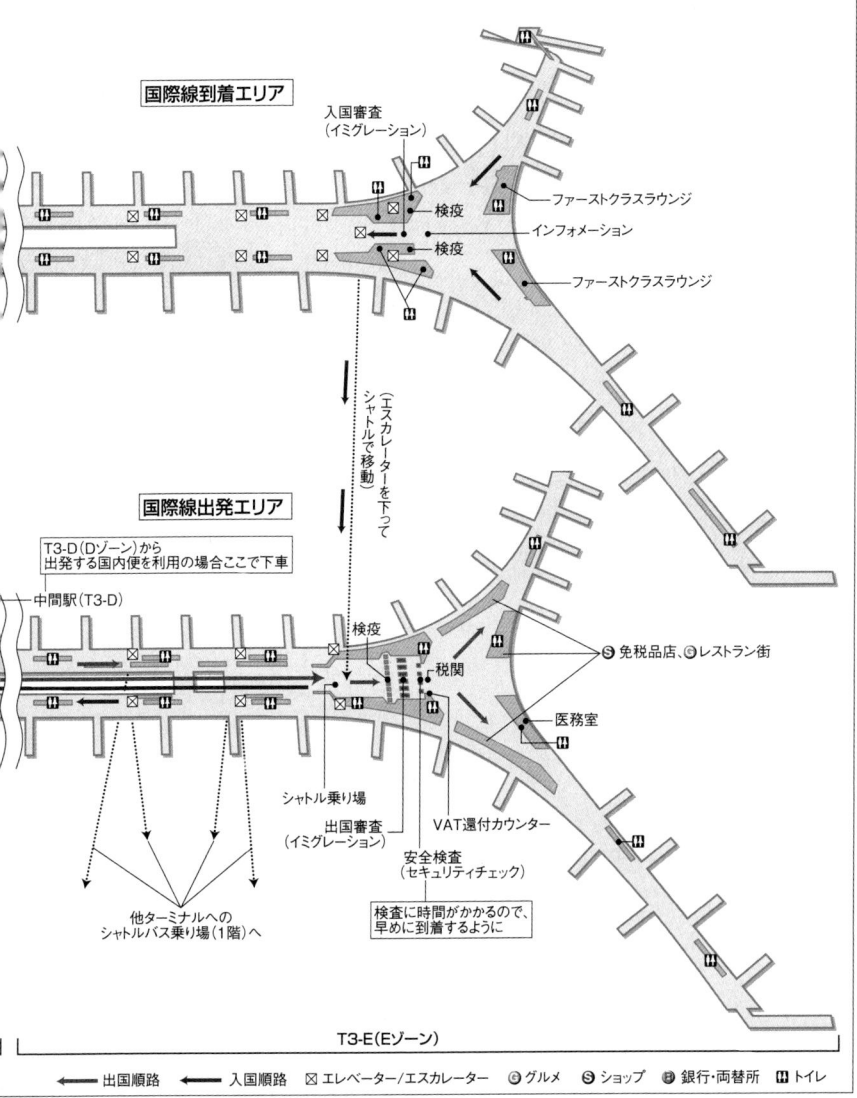

国際線到着エリア

入国審査
（イミグレーション）

検疫

検疫

ファーストクラスラウンジ

インフォメーション

ファーストクラスラウンジ

（エスカレーターを下って
シャトルで移動）

国際線出発エリア

T3-D（Dゾーン）から
出発する国内便を利用の場合ここで下車

中間駅（T3-D）

検疫

税関

⑤免税品店、⑥レストラン街

医務室

シャトル乗り場

出国審査
（イミグレーション）

VAT還付カウンター

安全検査
（セキュリティチェック）

他ターミナルへの
シャトルバス乗り場（1階）へ

検査に時間がかかるので、
早めに到着するように

T3-E（Eゾーン）

◀━━ 出国順路　　━━▶ 入国順路　　⊠ エレベーター/エスカレーター　　⑥ グルメ　　⑤ ショップ　　⑲ 銀行・両替所　　🚻 トイレ

329

北京首都国際空港第2旅客ターミナル

北京首都国際機場：U www.bcia.com.cn
※日本との運航便の場合、海南航空（HU）、
　中国東方航空（MU）、
　パキスタン航空（PK）が使用
※空港内は全面禁煙
（2019年9月現在）

〔3階入国手続きロビー〕

〔2階出発ロビー〕

※航空会社カウンター
中国南方航空（CZ）→B、C
海南航空（HU）→C、D、E
中国東方航空（MU）→D
パキスタン航空（PK）→A

〔1階到着ロビー〕

※第2旅客ターミナル内に
銀行はなく、両替取り扱いは
民営両替所のみ

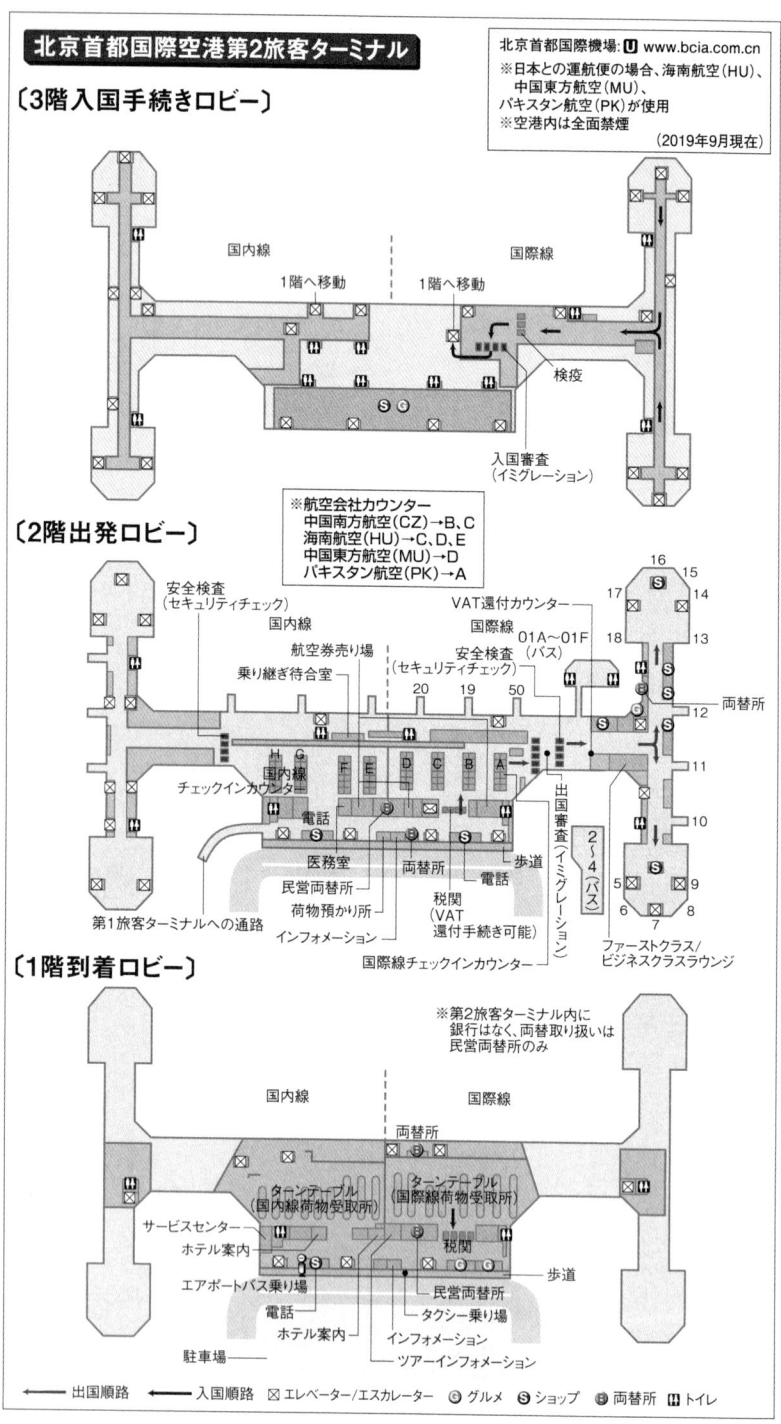

←── 出国順路　　←── 入国順路　　⊠ エレベーター/エスカレーター　　🅖 グルメ　　🅢 ショップ　　🅔 両替所　　🚻 トイレ

330

上海浦東国際空港第1ターミナル

上海機場（集団）有限公司: 🇺 www.shanghaiairport.com
※空港内は全面禁煙
※VAT還付は、チェックイン前に税関で手続きしたあとに
3階出発ロビーの19ゲート付近「離境退税」の表示がある
還付窓口で払い戻しを受ける（24時間受付）
（2019年9月現在）

〔3階 出発ロビー〕

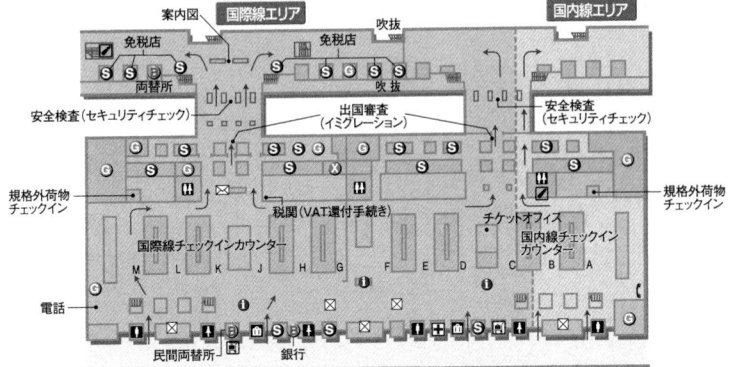

※2階はレストランフロア

〔1階 到着ロビー〕

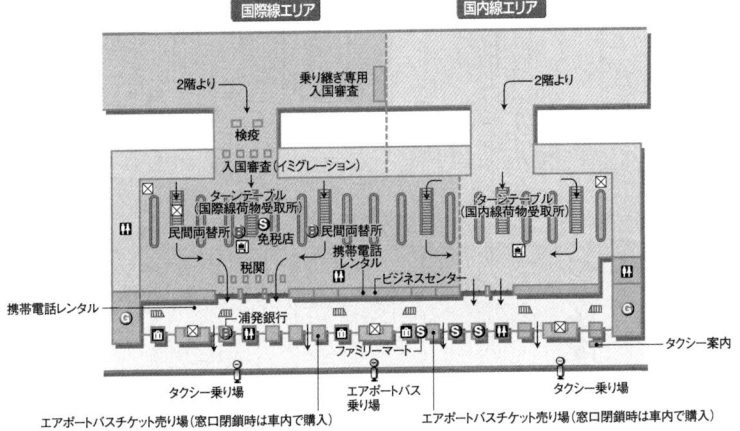

〔上海浦東国際空港全体図〕

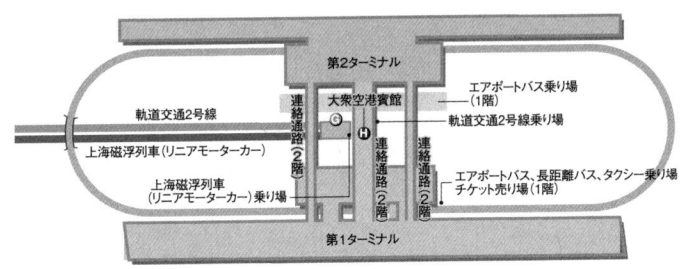

◀━━ 出国順路 ◀━━ ━━▶ 入国順路 ━━▶ ☒エレベーター/エスカレーター Ｈホテル ◎グルメ Ｓショップ ✕リラクセーション ⊕銀行・両替所
✕郵便局 Ｈトイレ ❶インフォメーション ✚救護室 🔲手荷物預かり所 🔄カート置き場 ☑授乳室

※2019年9月現在、サテライトターミナルが運用準備中。サテライトターミナルへはシャトルを利用

上海浦東国際空港第2ターミナル

上海機場(集団)有限公司⓾ www.shanghaiairport.com
※空港内は全面禁煙
※4階はレストランフロア
※VAT還付は、チェックイン前に税関で手続きしたあとに3階出発ロビーのD83ゲート付近「離境退税」の表示がある専用窓口で払い戻しを受ける(24時間受付)

(2019年9月現在)

〔3階 出発ロビー〕

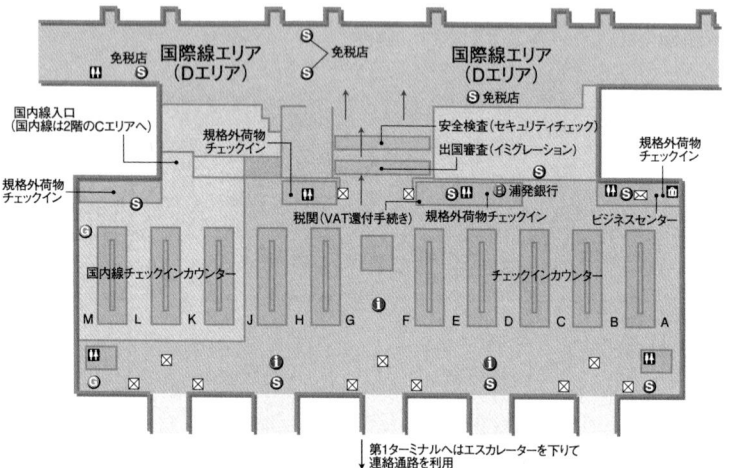

第1ターミナルへはエスカレーターを下りて
連絡通路を利用

〔2階 到着ロビー〕

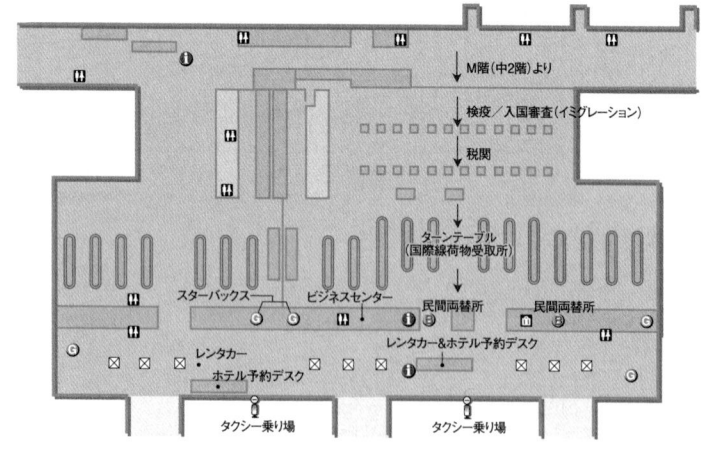

※1階はエアポートバス乗り場

←── 出国順路　←── 入国順路　⊠エレベーター/エスカレーター　Ⓖグルメ　Ⓢショップ　銀行・両替所
⊠郵便局　🚻トイレ　❶インフォメーション　🛄手荷物預かり所

※2019年9月現在、サテライトターミナルが運用準備中。サテライトターミナルへはシャトルを利用

上海虹橋国際空港第1ターミナル

上海機場（集団）有限公司: ⬛ www.shanghaiairport.com
※空港内は全面禁煙
※VAT還付は、チェックイン前に税関で書類手続きした後に
　2階出発ロビーの制限エリア内にある「離境退税」の
　表示がある還付窓口で払い戻しを受ける

（2019年9月現在）

〔2階/3階/4階 出発ロビー〕

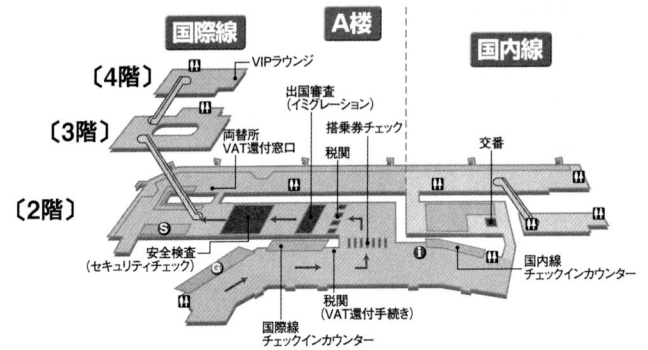

国際線　　A楼　　国内線

〔4階〕　VIPラウンジ

〔3階〕　出国審査（イミグレーション）　搭乗券チェック
　　　　　両替所　税関　　交番
　　　　　VAT還付窓口

〔2階〕
安全検査（セキュリティチェック）
国際線チェックインカウンター
税関（VAT還付手続き）
国内線チェックインカウンター

〔1階 到着ロビー〕

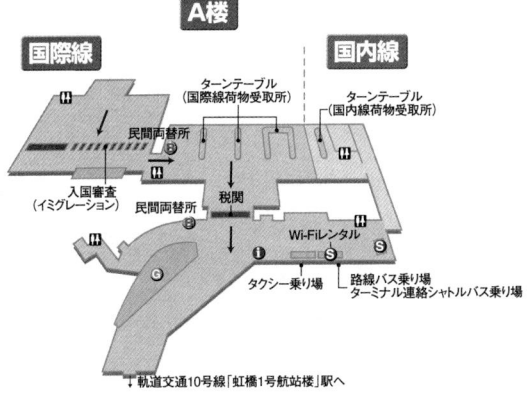

A楼

国際線　　　　　　国内線

ターンテーブル（国際線荷物受取所）
ターンテーブル（国内線荷物受取所）
民間両替所
入国審査（イミグレーション）
民間両替所
税関
Wi-Fiレンタル
タクシー乗り場
路線バス乗り場
ターミナル連絡シャトルバス乗り場

↓軌道交通10号線「虹橋1号航站楼」駅へ

〔上海虹橋国際空港 第1ターミナル（1号航站楼）全体図〕

（1階）

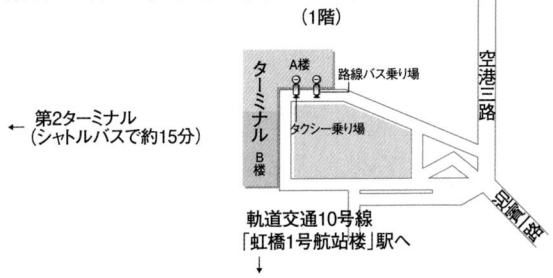

A楼　路線バス乗り場
ターミナルB楼　タクシー乗り場

← 第2ターミナル（シャトルバスで約15分）

空港三路
民原路

軌道交通10号線「虹橋1号航站楼」駅へ
↓

←── 出国順路　←── 入国順路　Ⓖグルメ　Ⓢショップ　Ⓔ銀行・両替所　Ⓦトイレ　ⓘインフォメーション

上海浦東国際空港マップ／上海虹橋国際空港マップ

ぷらっと、
旅に出よう。

もっと気軽に旅をして欲しいという思いを込めて
「地球の歩き方Plat」シリーズが生まれました。
軽くて持ち歩きにも便利なコンパクト版なのに、
とっても中身が濃いのは地球の歩き方が作っているから。
限られた時間の中で効率よく旅するための情報を
「72時間で目一杯楽しむ」ことをテーマに
ギュギュッと詰め込んで一冊にまとめました。

Enjoy Your
72 HOURS

地球の歩き方
[ぷらっと]
Plat

自分流の気軽な旅に、ちょうどいい地球の歩き方

www.arukikata.co.jp/plat

中国を出国する

帰国時の諸手続き

リコンファーム

リコンファームとは飛行機の予約の再確認のことで、中国語では「確認座位 quèrènzuòwèi」などという。搭乗予定時刻の72時間前までに行わなければならないが、今では必要なケースは少ない。

リコンファームは、利用する航空会社の連絡先に電話をかけ、搭乗日、フライトナンバー、目的地、氏名、中国国内での連絡先(ホテルの電話番号と部屋番号、または携帯電話の番号)を伝えればよい。日系の航空会社なら日本語も通じるが、それ以外は中国語か英語の対応となる。

航空券の変更

オープンチケットや帰国日などを変更できる航空券を購入した人は、帰国日がわかった時点で早めに手続きを行おう。手続きの内容や方法は「リコンファーム」とほぼ同じ。

中国出国時の注意点

出国時の諸注意

中国には輸出禁止品や持ち出し制限(→P.322表)があり、日本には持ち込みが制限・禁止されている物品(→P.337)があるので要注意。

中国入国時に税関で申告する物品があった人は、そのときに受け取った申告書(右半分が出国旅客物品申告書になっている)を提出して手続きを行う。

■中国の輸出禁止品

中華人民共和国持ち込み禁止物品範囲内のすべての物品(P.322表の輸出入禁止品)
内容が国家機密にかかわる原稿、印刷物、フィルム、写真、レコード、映画、録音テープ、ビデオテープ、CD、VCD、DVD、BD、コンピューター用の各種メディアおよび物品
文化遺産およびその他輸出禁止物品(→P.322)
絶滅の危機に瀕している希少動植物(標本含む)およびその種子、繁殖材料

■飛行機で中国を出国するときの手順 (北京首都国際空港の例。空港により順序の異なることがある)

※2019年9月現在、空港では厳格に手続きを進めているため出国審査を終えるまでにかなりの時間がかかる

1　空港へ向かう
少なくとも出発予定時間の2時間前には空港に到着しておくこと。チェックイン締め切りは通常出発1時間前。また、タクシーを利用するつもりの人は、前もってフロントで手配しておくこと。道端で流しのタクシーをつかまえるのは至難の業となる都市もある

↓

2　チェックイン
自分の利用する飛行機が発着するターミナルのチェックインカウンターへ。カウンターでは、航空券かプリントアウトしたeチケット控えまたはバウチャーとパスポートを提示し、搭乗手続きを行う。託送荷物があればここで預ける。リチウム／リチウムイオン電池は託送荷物に入れないように。無料で預けられる荷物の重量は事前に確認しておこう。超過した場合は、搭乗便を運航する航空会社の規定に従って超過料金を支払わなければならない。VAT還付を受ける物品を託送する場合は、先に税関事務所で手続きをする
※ウェブチェックインを導入している航空会社の場合、当日の手続きが簡単になるので、ウェブチェックインをしておいたほうがよい

↓

3　出国手続きを行うフロアに向かう
税関申告、出国審査はターミナルを奥に進んだ所にある空港もある。早めに移動するようにしたい

↓

6　税関申告(該当者のみ)
該当者は、入出国旅客荷物物品申告書(記入例→P.326)に必要事項を記入し、税関職員に提出する

↓

4　出国審査(イミグレーション)
係官にパスポート、搭乗券(ボーディングパス)、出国カード(→P.324)を提出し、パスポートに出国スタンプを押してもらう。出国カードを持っていない場合は、審査カウンターの前で出国カードを取り、記入する。審査時には、通常質問をされることはない

↓

5　安全検査(セキュリティチェック)
機内持ち込み手荷物の検査とボディチェック。ナイフや先のとがった工具などは機内持ち込み不可(発見時は任意廃棄)なので、受託手荷物に入れておくこと。モバイルバッテリーなどリチウムイオン電池の機内持ち込みには容量制限があるので注意(→P.336)。テロ対策から検査は厳重でかなり時間がかかる

↓

7　免税品ショッピング
免税店では人民元、外貨ともに使用可能。ただ、中国の場合、免税店の品揃えは他国に比べ見劣りする。VAT還付カウンター(還付金受け取り窓口)はこの免税フロアにあることが多い

↓

8　搭乗
買い物などに気を取られ、搭乗時間に遅れる人もいる。少なくとも出発45分前には指定されたゲートの前にいるようにしよう

飛行機で出国する

　航空会社によりターミナルが分かれている空港もあるので、事前にインターネットや航空会社の問い合わせ窓口などで確認しておこう。また、大都市の空港はかなり広いので、チェックインを終えて搭乗券（ボーディングパス）を入手したら、まずはしっかりと搭乗ゲートを確認しよう。うっかり間違えてしまうと、乗り遅れてしまう恐れがある。また、時間によっては混み合って出国審査にたいへん時間がかかるので、早めに出国しよう。

　国内線を乗り継いだり経由便を使って中国を出国する場合、出国手続きは中国の最終出発地で行うので注意しよう。例えば、敦煌→北京→成田というフライトでは、出国手続きは北京で行う。

持ち込み制限

液体物

　中国民用航空総局（CAAC）の通達によって、中国でも機内への液体物持ち込みに制限が加えられている。内容は日本と同じで、次のとおり。
❶すべての液体物は100㎖以下の容器に入れる。液体物には、歯磨きやヘアジェルなども含まれる。
❷❶の容器をすべてジッパー付きの透明プラスチック袋に入れる。サイズは最大で20×20cm。
❸機内に持ち込めるのは❷の袋ひとつだけ。

リチウムイオン電池（2019年9月現在）

　携帯電話やカメラ、モバイルバッテリー、PCなどの電源として使用されている**リチウム電池、リチウムイオン電池を託送荷物に入れることは禁止**。

　また、ワット時定格量（Wh）によって個数制限が設けられているので注意が必要となる。100Wh以下の予備電池は無制限。100Whより多く160Wh以下は2個まで。160Whを超えるものは不可。詳しくは各航空会社に確認を。

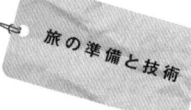

旅の準備と技術

日本へ帰国する

入国手続き

　飛行機、船ともに手続きはほぼ同じ。最初に検疫があるが、中国の場合は基本的に申告不要（伝染性の疾病が発生した場合は別。また、体調が異常なときは健康相談室へ）。パスポートを提示して帰国のスタンプをもらったあとターンテーブルから自分の荷物を受け取り税関検査台に進む。免税範囲内なら緑色、超えている、あるいはわからない場合は赤色の検査台で検査を受ける。

　税関検査台では「携帯品・別送品申告書」1部（おみやげやオーダーメイド品などを現地から郵送した人は2部）を係官に提出する。免税の範囲や輸入禁止品は別表を参照。

　帰国した気の緩みから到着ロビーでの荷物の盗難が相次いでいるので注意しよう。

■税関
⊕www.customs.go.jp

■日本帰国の際の免税範囲

品名	数量または価格	備考
酒類	3本	1本760㎖程度のもの
たばこ	紙巻きのみ：400本 葉巻のみ：100本 その他：500g	※免税数量は、それぞれの種類のたばこのみを購入した場合の数量。複数の種類のたばこを購入した場合の免税数量ではない ※「加熱式たばこ」の免税数量は、紙巻きたばこ400本に相当する数量
香水	2オンス	1オンスは約28㎖
1品目の海外市価が1万円以下の物	全量	下記の免税枠20万円に含めなくてよい
その他	海外市価の合計が20万円以内の物	品物の合計額が20万円を超える場合、20万円分を免税とし、残りの品物に課税する。どれを課税品とするかなどは税関が相談に応じてくれる

※2021年10月1日からは、紙巻たばこ200本、葉巻たばこ50本、加熱式たばこ個装等10個、その他のたばこ250gとなる
Ⓤwww.customs.go.jp/kaigairyoko/cigarette_leaflet_j.pdf

■日本への持ち込みが禁止されているもの

品名	備考
麻薬、大麻、けしがら、アヘン吸煙具、覚せい剤、向精神薬など	アヘン、大麻種子(麻の実)も規制対象
けん銃等の銃砲およびこれらの銃砲弾や、けん銃の部品	
爆発物、火薬、爆薬など	ダイナマイトなど
化学兵器の禁止および特定物質の規制等に関する法律第2条第3項に規定する特定物質	化学兵器の原材料となる物質
感染症の予防および感染症の患者に対する医療に関する法律第6条第20項に規定する一種病原体等および同条第21項に規定する二種病原体等	痘そうウイルス、ペスト菌や炭疽菌など
貨幣や紙幣、または銀行券、印紙、郵便切手または有価証券の偽造品、変造品、模造品や、偽造クレジットカードなど(生カードを含む)	偽造金貨や偽札など含む
公安または風俗を害すべき書籍、図画、彫刻物その他の物品	わいせつ雑誌、わいせつDVDなど
児童ポルノ	
特許権、実用新案権、意匠権、商標権、著作権、著作隣接権、回路配置利用権または育成者権を侵害する物品	不正コピーDVDや不正コピーソフトなど
不正競争防止法第2条第1項第1号から第3号までに掲げる行為を組成する物品	偽ブランドなど
植物防疫法や家畜伝染病予防法において輸入が禁止されているもの	詳細については最寄りの動物検疫所、検疫所に問い合わせ。特定外来生物については環境省自然環境局野生生物課に問い合わせ

■日本への持ち込みが規制されているもの

品名	備考
ワシントン条約により輸入が制限されている動植物やその製品	ワニ、蛇、リクガメ、象牙、じゃ香、サボテンなど(漢方薬などの加工品、製品も規制の対象となる)
事前に検疫確認が必要な生きた動植物、肉製品(ソーセージやジャーキー類含む)、米など	植物:税関検査の前に検疫カウンターでの確認が必要 動物:動物検疫所ウェブサイトで渡航前に確認を ⊕www.maff.go.jp/aqs/
猟銃、空気銃、刀剣(刃渡り15cm以上)など	公安委員会の所持許可を受けるなど所定の手続きが必要
医薬品、化粧品	医薬品および医薬部外品:2ヵ月分以内、外用剤:1品目24個以内、化粧品:1品目24個以内、医療器具:1セット(家庭用のみ)
輸入貿易管理令で規制され、経済産業大臣の輸入割当や承認が必要なもの	1000枚を超える大量の海苔など

■携帯品・別送品申告書(別送品がある場合は2部提出)

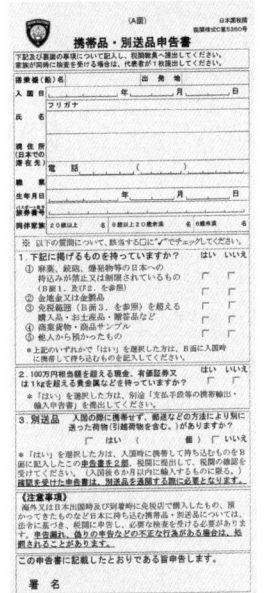

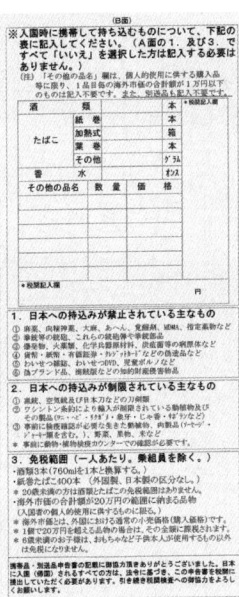

※土が付いていない野菜、切り花などは持ち込みが可能。その際は、税関検査前に植物検疫カウンターで現物を見せて検査を受ける

※肉類は基本的に持ち込みができないが、常温保存が可能な缶詰、レトルトパウチ加工(真空パックとは異なる)のものは持ち込み可能。ジャーキー類やハム、ソーセージなど(金華ハム、調理済み北京ダックなど含む)は上記加工品以外は不可。町なかや空港で売っているハムや北京ダックはほぼ持ち込めないと考えてよい

※日本薬局方の生薬として記載されているものは日本では薬品の扱いとなるので量に注意。例えば桂皮やナツメなど

※2019年4月から肉製品の違法持ち込みに対する対応が厳格化されている。任意放棄の有無に関わらず輸入申告なしの肉製品が発見された場合は罰則の対象となるほか、パスポートや搭乗券の情報を記録するため、検査に時間を要する結果となる

中国国内の移動

飛行機を利用する

航空券の購入

　中国もオンライン化が主流となり、端末のある航空券売り場なら現地以外のフライトも購入できるようになり、旅行の手配が楽になった。

　町なかの旅行会社などではディスカウントチケットも扱うようになっている。ただし、キャンセル時の払い戻し（基本的に購入場所のみ）などでトラブルが発生することもあるので、よく考えてから購入しよう。

　購入時には、購入書に必要事項を記入する必要があるので、お金とあわせてパスポートを忘れないように持っていこう。なお、国内線でもリコンファームが必要となる場合もあるので注意。

搭乗手順

　国内線の利用方法は基本的に次のとおり。

❶1時間前までには空港に行く

　チェックインカウンターのオープン時間は、空港によって異なるが、出発時間の45分前まで。手続きを始めて飛行機に乗り込むまでに30分は必要なので、出発時間の1時間前には空港に到着しているようにしよう。空港のある町では、航空券売り場などからエアポートバスが出ていることが多いので、これを利用すると安くて便利。

❷空港に到着する

　係員にパスポートと航空券を見せる。空港の入口で荷物のX線検査を行う。

■主要掲載都市間のエコノミー料金と所要時間（目安）

	北京	上海虹橋	上海浦東	西安	西寧	銀川	蘭州	天水	張掖
北京		820	810	950	1130	770	570		
上海虹橋	2:10			840					
上海浦東	2:15			840	1080	820	820		460
西安	1:55	2:30	2:15		320	380	830	270	290
西寧	2:30		3:00	1:30					
銀川	2:00		2:40	1:10			540		
蘭州	2:05		2:40	1:15	1:00				350
天水				1:20					
張掖			3:30	2:00			1:00		
嘉峪関	5:00		6:00	2:00			1:30		
敦煌	3:00			2:15	1:30		1:40		
ウルムチ	3:40	4:20	4:20	3:20	2:30	3:00	2:30		
トルファン				3:15			2:25		
ハミ				2:40					
クチャ				3:15					
カシュガル	4:30		5:30	4:30					
ホータン	6:25								
イーニン									

❸チェックインする

自分が乗るフライトナンバーが表示されたチェックインカウンターに並ぶ。順番が来たらパスポートと航空券を係員に手渡し、搭乗券を発券してもらう。

託送荷物には引換証（バゲージクレームタグ）を付けてもらい、控えの半券を受け取る。搭乗券に貼られることもある。荷物が規定重量を超えた場合は指定のカウンターで超過料金を支払う。

❹待合室へ行く

待合室に入る前に安全検査（セキュリティチェック）を受ける。まずはカウンターで係官にパスポート、搭乗券を手渡す。係官は中をチェックしたあと、搭乗券に確認済みのスタンプを押して、パスポートとともに返してくれる。次に手荷物検査とボディチェックがある。手荷物はX線検査機に通し、本人は危険なものを身につけていないかどうかチェックされる。PCやタブレット端末は手荷物から出して、単独でX線検査機を通すこと。

❺飛行機に搭乗する

出発時刻の30分くらい前になると搭乗手続きが始まるので、搭乗券に書かれてある搭乗ゲートに並ぶ。自分の順番が来たら、係員に搭乗券を渡し、搭乗券の半券を受け取る。搭乗ゲートから直接搭乗できる場合もあれば、飛行機がある場所までシャトルバスに乗るか歩いて行き、タラップを上がって搭乗することもある。

機内でのルールは日本と同じ。中国の国内線は空港内も機内も禁煙だ。機内では飲み物や食事が提供される。

❻目的地に着いたら

飛行機が目的地に着陸したら、託送荷物の受け取り場所を目指す。荷物を受け取ったら、出口に向かう。

空港によっては出口で荷物チェックをする所もある。このとき、引換証（バゲージクレームタグ）の半券を提示し、間違いなく自分の荷物であることを証明しよう。

2019年9月14日現在（単位は元）

嘉峪関	敦煌	ウルムチ	トルファン	ハミ	クチャ	カシュガル	ホータン	イーニン
1990	2340	2100				1780	1690	
	970					1490		
1210		1210				2430		
660	1650	740	530	830	970	980		
	540	1480						
		720						
560	650	590	680					
	150							
0:55		530						
	1:40			500	670	390	480	200
						480		460
		1:10						
		1:00						
		1:50	2:15				660	1710
		1:45				0:55		
		1:15	1:40			2:00		

鉄道を利用する

利用者の最も多い交通機関

　鉄道は、中国を旅行する者が最も利用する交通機関だ。長距離の移動から短距離移動まで利用でき、予算や好みによってクラスを選べるのはありがたいが、バスと異なり、乗車券を前もって購入しなければならない点や寝台券の入手が難しいことがマイナスといえる。

おもな列車の種類

　高速鉄道の開業や新型車両の導入にともない、列車の種類も多様化している。種別は列車番号の頭文字で区別。

■D＝動車／dòngchē
　時速200キロ以上で走る高速列車「CRH」などを含む動力分散型列車。短距離運行が比較的多かったが、長距離列車も増えている。

■C＝城際／chéngjì
　高速列車「CRH」を使った都市間列車。蘭州西～蘭州中川空港間などで運行。

■G＝高鉄／gāotiě
　CRHでも高速新線を使い、時速300～350キロ運転をする最高速タイプの列車。西安北～北京西や西安北～上海虹橋間などで運行。

■Z＝直達／zhídá
　25T型という客車で運行される特快列車。料金は特快列車と同じ。

■T＝特快／tèkuài
　昔からある標準的な特急列車。昼行も夜行もあり、高速化が進んでいる。

■K＝快速／kuàisù
　特快よりも停車駅が多く、地方路線をカバーする運行が多い。設備は見劣りする。

■L＝臨時／línshí
　繁忙期に運行される臨時列車。速度や設備は快速に準じる場合が多い。

■Y＝旅游／lǚyóu
　主として観光用に運行される列車。設備や運行形態は地域により多様。

■頭文字なし＝普通／pǔtōng
　ローカル線で運行されている普通列車。列車番号1001～5998は普通旅客快車（普快）、6001～8998は普通旅客慢車（慢車）。

高速鉄道の座席種類

■1等（一等）／yīděng
　日本でいうグリーン車。片側2列で座席はゆったりしている。在来線の軟座に相当する。

■2等（二等）／èrděng
　日本でいう普通車。片側2列＋3列で、座席間隔は日本の新幹線普通車とほぼ同様。

高速鉄道のプラットホーム

■商務（商务）／shāngwù
　北京南～上海虹橋の京滬高速鉄道など一部路線に設定。1等より上級で、飛行機のビジネスクラス並みの豪華シート。

■特等・観光（特等・观光）／tèděng・guānguāng
　路線により呼び方が異なるが、前面展望可能な車両を使用した一部の列車の先頭車と最後尾にある展望席。座席は1等と同じ。

在来線座席の種類

■硬座（硬座）／yìngzuò
　運賃が最も安く、利用者も多い座席。シートは硬く、長距離移動はかなりこたえる。

■軟座（软座）／ruǎnzuò
　寝台車両のない短距離列車にだけあるクッションの利いた座席。エアコン完備のものが多く、かなり快適に過ごせる。

■硬臥（硬卧）／yìngwò
　運行が日をまたぐ列車に連結される二等寝台席。リーズナブルなため、常時購入希望者が多く、入手はとても難しい。
　上・中・下段の3段に分かれ、2列が向かい合う形で並んでいる（仕切りはない）。

■軟臥（软卧）／ruǎnwò
　上下2段のベッドがあるコンパートメント式の寝台席。1列車当たりの座席が少なく切符の入手は困難。ひとつのコンパートメントは定員4人。

列車の運賃

　切符の料金は、乗車券（硬座と軟座の2本立て）、寝台券（硬臥と軟臥の2本立て）、列車の種類（日本の特急料金などに相当する料金）、エアコンの有無によって構成され、それぞれ距離に応じて段階的に高くなっていく仕組みになっている。料金については『全国鉄路旅客列車時刻表（全国版／中国鉄道出版社）』があれば、チェックできる（日本なら中国書籍専門店で購入できる）。また、P.343のウェブサイトでもチェック可能。

切符の購入方法

　所在地以外の町から発車する列車の切符も購

入可能（一部不可）となっているので、旅程が決まったら、早めに購入することが重要。切符の購入方法には次の方法がある。

❶旅行会社に依頼する

1枚につき20〜50元の手数料が必要。購入に身分証明が必要となってからは、手続きを扱わない旅行会社もある。

❷一般窓口で購入する

切符の販売窓口は駅や市内の鉄道切符売り場にある。場所や営業時間などについては、各都市のアクセス欄中の「鉄道」を参照。

窓口では自分の希望する切符が必ず購入できるわけではないので、第5希望くらいまでピックアップしておこう。日時、列車番号、座席の種類、枚数を事前に紙に列挙しておき、それを販売員に見せると確実だ。

❸日本で予約する

Trip.comを利用すれば日本で切符の予約ができる（→P.343）。予約が完了すると番号をもらえるので、出力するかスマートフォンに保存し、駅や町なかの切符売り場で番号を示して、切符を受け取ることができる（パスポートが必要）。なお、町なかの売り場は、1枚5元の手数料がかかるので注意。

列車切符購入時の注意点

一部列車を除き、切符を購入する際は身分証明書（パスポート）の提示が必要。代理購入の場合は、代理人（旅行会社や友人）に証明書のコピーを送付して依頼する。外国人の切符購入は駅などの窓口でのみ可能で、自動券売機は2019年9月現在非対応。

乗車から下車まで

❶駅に着いたら待合室に入る

発車時刻の15分前に改札を通れば列車に乗れるが、余裕をみて発車時刻の1時間前には駅に着くようにしたい。

駅の入口で、切符を見せ、荷物のX線検査を受けて待合室に入る。待合室は複数あるが、列車や座席の種類によって場所が決まっているので、わからないときは駅員に尋ねよう。

中に入ると列車番号が記されたボード（または電光掲示板）がかかっている。室内にはベンチシートが並んでおり売店もある。なお、軟座、軟臥の乗客用には、ソファなど設備の整った待合室が用意されている駅もある。大きな駅では、快適度の高い有料待合室の設置も進んでいる。

❷改札を通ってプラットホームへ

発車時刻の15分ほど前から改札が始まる。長距離列車になると長蛇の列となる。

改札口には駅員が立っているので、自分の番が来たら切符を見せる。改札が終わったら自分の列車が停まるプラットホームに行く。案内板は出ていないことが多いが、周りの人について行けば迷わないだろう。ほかの乗客が多量の荷物を持って走っているのは、車内での置き場を確保するためなので、一緒に走る必要はない。始発列車の場合は、ホームにすでに列車が停車しているので、自分の切符に書かれている車両を探す。途中駅から乗車する場合、切符の種類ごとに並ぶ位置が決まっているので、指示された場所で待つ。

❸列車に乗る

車両の乗降口には乗務員がいるので、切符を見せて乗車する。寝台車の場合は、乗車時にプラスチック製の切符預かり証（換票証）を切符と交換することになっており、切符は下車時にそれと交換で受領する。軟臥では同時にパスポートを提示して名前などを乗務員がチェックする。

乗ったら自分の座席を探して荷物の置き場所を確保する。硬座の自由席の人は、硬座車両を歩いて空いた席を探す。

❹座席を換える

乗車したあとで、切符の種類を換えることもできる。乗車したら切符交換車両に行く。列車ごとに異なるので、乗務員に尋ねること。真ん中近くの硬座車両の端にあることが多い。手続きは先着順なので、乗車したらすぐにここに行って並ぼう。しばらくすると空席状況をチェックした乗務員が戻ってくるので、順番が来たら切符を渡して、希望する座席を申し出る。空きがあれば差額料金と引き替えに新しい切符をくれる。

また、軟臥で友人同士がバラバラのコンパートメントになっていたときなど、寝台車両では乗客同士の交渉で席を交換することができる。その場合、必ず乗務員にその旨を告げて、切符預かり証も交換しておくこと。

❺下車する

列車が目的地に着く1時間ほど前に、寝台では乗務員が切符預かり証と切符を交換に来る（座席利用者は自分で自分の切符を管理する）。

列車が停車してホームに降りたら、人の流れに沿って出口を目指す。出口には駅員がいるので、ここで切符を渡す。記念に切符が欲しい場合は申し出れば少し破くなどして渡してくれる。

バスを利用する

小さな町まで網羅するバス

中国の交通手段を血管にたとえるなら、鉄道が大動脈、バスが毛細血管といったところだろうか。バスの路線は長短織り交ぜ、中国全土を網の目のように覆っているので、かなり小さな町まで

行くことができる。

　中国西北エリアのうち、新疆南部は鉄道がホータンまでしか開通していないため、バスがおもな交通手段となる。ホータンから東方面へは、ニヤ、チャルチャンへのバスがあり、チャルクリクへはチャルチャンで、コルラへはチャルクリクでバスを乗り継ぐ。ただし、状況が変わりやすいので、事前に旅行会社などで情報を収集しておこう。

　また、新疆の長距離バスは、たびたび公安検査場で停車し、乗客の検査を行う。外国人の場合、検査に時間がかかることがある。そのため事前に旅行会社などで情報を収集したほうがよい。

陝西省の興平バスターミナルで発車を待つバス

バスの特徴

　中国のバスのなかには、超長距離を走るものもあるが、バスの利用価値が高いのは、5時間以内（目安は300〜400km）の移動をする場合だろう。

　鉄道だと列に並んで切符を購入しなければならないし、途中駅から乗車した場合、まず座席は確保できない。これがバスだと、切符は当日でも購入できる。そのほか、鉄道よりはるかに路線や便数が多いこともメリットとして挙げられる。

　もちろん欠点もある。最大の欠点は安全面の軽視だ。運転手はとにかくスピードを出す。こういったことは、乗客の心がけで解決できるようなことではないが、夜間の移動や長距離の移動にはできるだけ利用しないなどの注意が必要だ。

切符売り場の窓口。希望の行き先や枚数を係員へ伝える。紙に書いて渡すと購入がスムーズ

バスターミナル

　バスターミナルは、町の中心部にある場合が多く、都市部では2、3ヵ所以上に分かれている所が多い。

　切符はバスターミナル内の切符売り場で2〜10日前から（近郊は当日券が多い）販売されているので、「その便に乗らなければ」という人は前日までに購入しておくとよいだろう。切符を購入する際は身分証明書（パスポート）の提示が必要。

　なお、やりとりは基本的に中国語なので、言葉に不安のある人は、行き先・日時・枚数などを紙に書いて販売員に渡せばよい。

陝西省乾県バスターミナル

バスの乗り方

　特別な順序があるわけではない。20分前までにバスターミナルに行き、入口で荷物のチェックを受け、待合室に入る。出発の10分ほど前から検札が始まるので、それを終えたら自分の乗るバスに向かい、荷物を積み込む。

　なお、切符を当日購入しようと考えている場合は、少し早めにバスターミナルに向かおう。また、大きいバスターミナルだと、同じ時間帯に同じ目的地に向かうバスが重なることもあるので、時間間際の行動は避けたい。

西安の城西バスターミナルの待合室

インターネットで中国の鉄道検索

中国の列車に関する各種情報はウェブサイトも充実しており、ネット環境が整っていれば、時刻表からリアルタイムで余剰切符の状況まで知ることができる。

数あるウェブサイトのなかでもおすすめなのが、中国鉄路の公式ウェブサイト「中国鉄路12306」。

このウェブサイトには、切符購入、空席検索、列車時刻表検索、切符予約開始時間検索、運行状況検索、切符販売地点検索などのメニューが用意されている。公式ウェブサイトなので情報の精度も高い。メニューはトップページ上の青い部分にあるが、購入や変更、払い戻し、そのほか会員加入の手続きは中国の銀行口座をもたない外国人旅行客には原則対応していない。

■**中国鉄路12306**

（中国鉄路12306）

⊕www.12306.cn/mormhweb

※一部ブラウザでは、セキュリティエラーが出る場合があるが、ページを開くボタンをクリックすればアクセスできる。IEの使用がおすすめ

おすすめメニュー

「余票査詢（空席検索）」

リアルタイムで各列車の残席と発着時刻を確認できるメニュー。必須項目は、調べたい区間（出発地と目的地）をプルダウンで選択、日付（当日から29日以内）をバーからクリックし、右上にある「査詢」ボタン（オレンジ）をクリックすると結果が表示される。

この際、乗車駅と降車駅は、中国語のピンイン（発音表記）の頭文字順に一覧が出てくるので、そこから選択すればよい。ピンインによる直接入力も可能。その場合、「北京南／běi jīng nán」であれば「bjn」または「beijingnan」と入力する。

「验证码」とは？

各種情報を検索する際に「验证码」という入力項目が表示されることがある。画面に表示された英数字4文字を入力すればよい。

「购票／预约（切符購入／予約）」

「中国鉄路12306」上で購入でするには下記のような条件があり、観光で訪れる外国人が事前に中国外から切符を押さえるのは現実には非常に困難である。

●**切符のネット購入に必要な条件**

・決済手段はデビットタイプの銀聯カードもしくは中国内指定銀行のキャッシュカードのみ（国際クレジットカードは不可）

・予約後に決済しないと無効（支払わずに予約だけするのは不可能）

・予約手続きの前に「支付宝」など中国のオンライン決済システムと公式サイトに決済情報や個人情報を登録しておく（すべて中国語）

●**賢い使い方と日本での切符予約方法**

オンラインで切符を買うことはできないが、残席がリアルタイムで表示されるので混雑状況を知るには有用だ。残席が少ない場合は早めに駅や市内切符売り場の窓口で切符を購入しておこう。

出発前に日本から中国の鉄道切符を買っておきたい場合は、民間オンライン旅行会社のTrip.comを利用するとよい。列車の検索と国際クレジットカード決済による支払いができる（手数料が必要）。切符は予約受理番号が記載されたメールをプリントアウトして駅の窓口や市内切符売り場に持参し、パスポートを提示して受け取るか、中国内指定箇所（ホテルなど）に宅配を依頼する（有料）。

⊕jp.trip.com

●**日本語版の中国鉄道時刻表**

2014年夏から、日本語版の列車時刻表が自費出版されている。詳細はウェブで。

中国鉄道時刻表研究会

⊕www.shikebiao.info

（記事内容は2019年9月現在）

「中国鉄路12306」のトップページ

市内交通

空港と市街地の間の移動

エアポートバスで市内へ

　運航便の少ない地方空港を除き、ほとんどの空港と市内はエアポートバスで結ばれている。これが手頃な価格で簡単に利用できる移動手段だ。

　空港から市内に向かうバスは、1階の到着ロビー出口付近が乗り場になっていることが多い。場所がわからないときは空港の職員に尋ねよう。切符は空港内のカウンターで売っている所と乗車して車掌から購入する所とがある。距離にもよるが、料金は10〜30元程度。

　このほか、路線バスが空港まで運行されている町もあるが、空港のターミナルから停留所まで少々離れている所があるので注意。

タクシーで市内へ

　空港の内部や外には客引きがいっぱいいるが、空港の到着ロビーの前にタクシー乗り場があるので、トラブルを防ぐためにも必ずこういった乗り場で乗車すること。

　タクシーがらみのトラブルで最も多いのが、空港から市内へのタクシーだ。初めてその町に着いた人も多いからだろうが、相場の5〜10倍もの料金を平気でふっかけてくる運転手がいる。空港の出口で声をかけてくる運転手は、ほとんどがこういった手合いだから、絶対に無視すること。

　空港と市内の間の料金相場がわからない場合は、空港の職員やホテルの従業員に尋ねれば、だいたいの料金がわかる。

　また、各都市のアクセス欄にも料金の目安を記載しているので、参考にしてほしい。とにかく、タクシーにボられないためにも、相場を確認してから乗車するようにしたい。

空港へのアクセス

　エアポートバスで市内から空港へ行く場合、出発地点は、都市によって異なるので、航空券を購入するときに確認しておこう。

　便数の多い都市では20〜30分おきにバスが出ている。しかし、地方の小さな空港だと、フライトに合わせてエアポートバスも出発しているので、自分が利用するバスの出発時刻を知っておく必要がある。これも航空券購入時に確認しておこう。

西安咸陽国際空港と市街地とを結ぶエアポートバス

町なかの交通機関

タクシー

　日本人旅行者が中国を旅行するとき、タクシーは町なかの移動や近郊の観光に最も便利な乗り物であることは間違いない。初乗り料金が5〜10元(距離は3km程度)、それ以降も1kmにつき数元加算されていく程度なので、気軽に利用することができる。

　中国のタクシーも手を挙げれば停まってくれるし、希望すれば降りるときに領収書を発行してくれる。ただ、日本のように自動ドアのものはない。このほか、反対車線を走っているタクシーはなかなか停まってくれない。

　注意すべき点は、料金に関するトラブルが少なくないこと。なかには、メーターを使用せず、最初に話し合いで決める町もあるので、必ず乗車前に交渉すること。言葉に自信がなければ、ノートにでも書いてもらうとよいかもしれない。

　トラブル発生時には、運転手の名前(運転席や助手席の前に表示してある)や車のナンバーを控えておくと後々の処理がやりやすくなる。

西安の町なかを走る黄色のタクシー

路線バス

　町なかで安く、利用しやすい交通機関といえば路線バスだ。都市部では網の目状に張り巡らされていて、直行するバスがなくても、うまく乗り継いで目的地に行くことができる。

西安の路線バス

　これが中規模の都市になると、路線数はさほど多くはない。もっと地方の町に行くと、路線バスのない町もある。
　空調付きのバスと付いていないバスが同じ路線を走ることがあるが、金額は後者が安い。また、私営で運行しているミニバス(路線番号もある)が走っている町もあるが、料金は割高。

路線バス車両の内部

　路線バスの多くはおつりが出ないワンマンバスなので、乗車前に小額の貨幣を準備しておく必要がある。市区から郊外に向かうバスは、距離によって料金が変わるものが多いので、車掌が同乗していることが多く、その場合おつりはもらえる。
　最後に路線バス利用時の注意点。スリやひったくり、置き引きなどには十分に注意しよう。また、夜間にあまり乗客のいないバスの利用も避けたほうがよい。

一般的な路線バスの停留所には時刻表の掲示はない

地下鉄

　2011年9月に西安に初の地下鉄が開通。2019年9月現在、市区を東西に走る1号線と、南北に走る2号線、北東から南西を結ぶ3号線、2号線の東側を並走する4号線が開通している。運賃は2元〜8元。また、蘭州やウルムチでも地下鉄が開通している。

西安の地下鉄の1回乗車券

そのほか

■三輪リキシャ

　地方都市や観光地でよく見かける。幌も付いており、雨の日や短距離の移動には便利。料金はひと乗り3〜5元といったところ。料金を巡るトラブルが最も多い乗り物でもあるので、乗車前に料金を確認しておこう。
　なお、都市中心部への乗り入れが禁止されている場合もあることを覚えておこう。

西安のイスラム街を走る三輪リキシャ

■バイクタクシーなど

　田舎の辺鄙な観光地などに出かけると、停留所にバスが到着するとバイクタクシーが群がってくる光景を目にするだろう。彼らは公式な営業許可を持ってやっているわけではないので、事故や料金のトラブルなども多い。できるだけ利用は避けたい。
　ほかにもトラクターやオート三輪、トラックなどが地元住民の交通手段として活躍している所もある。バスターミナルや幹線道路などから村までの交通手段なので、距離が長くなる場合は交渉が必要。

体調管理

酒泉の病院

体調管理に注意を払おう

無理な行動は控えよう

　日本と中国の時差は1時間。ヨーロッパなどの旅行と比較すると、時差に悩まされることもなく、到着後すぐに行動することができる。しかし、脂っこい食事や乾燥した気候など日本での生活と異なる面も少なくなく、長期間の旅行では、その積み重ねでストレスや疲労がたまる。

　いったん体調を崩すと、回復までに思わぬ時間を取られてしまうので、こういった症状を感じたときは無理をせず、休養することが大切だ。

常備薬を持参しよう

　もし病気になってしまっても、風邪や下痢程度のことが多いので、日本から常備薬を持っていくとよい。中国でも、漢方以外に一般的な西洋薬を町なかの薬局で購入することができるが、言葉の問題で店員に症状をうまく説明できないとか、現地の薬が自分の体に合わないということも考えられる。薬は飲み慣れたものが安心だ。

　こういったことから、いざというときのために、頭痛薬、風邪薬、下痢止め、抗生物質、絆創膏などを携帯することをおすすめする。

こまめに水分補給をしよう

　旅行中は水分が不足しがち。特に中国の夏は長く厳しいので、エリアを問わず注意が必要だ。したがって、お茶を飲むなり、果物を摂取するなりして、意識的に水分の補給をはかるようにしよう。

　現地の人は水道水を平気で飲んでいるが、日本で生活する人がこの水を飲んだら、かなりの確率で下痢になってしまう。生水の摂取は避けること。

　ホテルの部屋には、電気湯沸かし器やポット、それにティーバッグが用意されている（ドミトリーは異なる）ので、それを使えばいいし、水筒などにお湯やお茶を移し替えておけば、町なかでも簡単かつ安価に水分補給ができる。

　列車内でも車両に設置された給湯器でお湯を調達できるので、カップと茶葉やコーヒーなどを用意しておけば水分補給が可能だ。

　かなりの田舎に行ってもミネラルウオーターが売られている（地方に行くほど高くなる）ので、水分補給にこれらを利用するのもよい。

注意したい病気

　風邪以外にも、次のような病気には注意したいところだ。

■下痢

　気候や食べ物が合わず下痢になる人は多いが、市販の下痢止めの薬でたいてい治る。

　細菌性の下痢もあるが、こちらは便が水のような状態になり、嘔吐、発熱などの症状が出る。いずれにしろ下痢がひどい場合はすぐ病院に行くこと。

■肝炎

　中国でよくかかる肝炎は、初めは風邪のような症状で黄疸が出る。1ヵ月ほど入院して安静にしていれば回復するが、無理をすると命にかかわるので、黄疸症状が出たら病院で医師の診断を受けること。

■狂犬病

　急激な経済発展を遂げている中国の都市部では、ペットとして犬猫に人気が出ている。基本的に届け出や、犬は狂犬病の予防接種が義務付けられているのだが、無届けのことが多い。そのほとんどが予防接種を行っておらず、狂犬病が少なからず発生している。旅行中はむやみに犬猫に接触しないように心がけ、心配な人は日本で予防接種をしていこう。

■高山病

　高山病は標高1800～2500mを超える高地に行ったとき、気圧や摂取する酸素量の減少によって人体に生じるさまざまな症状（低酸素症）の総称。具体的には、吐き気や頭痛、手足のむくみなどの症状が見られる。

　症状が現れたときは無理をせず、できるだけ早く病院に行くとか、下山するなどの対処を取ろう。

病気になったら

ホテルの従業員に相談する

病状が悪化し、薬では対処できなくなったら病院に行くしかない。しかし、見知らぬ土地で病院を探し、診察してもらうのは心配なものだ。まずは、ホテルのフロントに相談してみよう。外国人の多く暮らす大都市には、外国人に対応できる病院は少なくないので、そういった所に連れて行ってもらおう。

言葉に不安があるなら、フロントで旅行会社などに日本語ガイドを手配してもらうという手もある。

なお、4つ星以上のホテルであれば、ホテル内に提携した医師がいるケースが多く、彼らのほとんどは英語ができる。

病院での手続き

受診の流れ

病院で診察を受ける流れは、おおまかに次のようになっている。

❶受付で症状を説明し、診察の申し込み（挂号）を行う。このとき、「内科」や「外科」など診察を希望する部門ごとに診察料を前払いする（10元程度）ことになっている。

❷指示された診察室（診室）に入って診察を受ける。ただし、ほとんどの医師は中国語（よくて英語）しか話せない。

❸医師に処方箋（注射や点滴、検査などを含む）を書いてもらい、薬局や検査室に行く（それぞれの過程で会計所に行って精算する）。

❹入院が必要なら、入院手続きを行う。

病院に行く際には、パスポートとある程度の現金が必要なので忘れないように。

また、海外旅行保険に加入し、帰国後精算する予定の人は、診断書（できれば英語）や領収書をもらっておくこと。

感染症情報と予防接種

海外渡航者のための感染症情報

厚生労働省のウェブサイトに「海外渡航者のための感染症情報」のページがある。海外渡航者に向けて、健康面の注意や予防接種などに関する情報が掲載されており、ひととおりの知識を得ることができる。一度目を通しておこう。

■厚生労働省検疫所
「海外で健康に過ごすために」
⊕www.forth.go.jp

予防接種

日本では、検疫所などで予防接種を受けることが可能（要予約）だ。基本的に長期旅行者以外は必要ないが、心配ならば最寄りの検疫所に連絡をしてみよう。

なお、一定期間あけて数回接種が必要なものもあるので注意しよう。

おもな検疫所

■東京検疫所
☎検疫衛生課＝(03)3599-1515
📅予約・問い合わせ(祝日を除く)
　月〜金曜9:00〜12:00、13:00〜17:00
⊕www.forth.go.jp/keneki/tokyo

■大阪検疫所
☎予防接種＝(06)6571-3522
📅予約・問い合わせ(祝日を除く)
　月〜金曜10:00〜12:00、13:00〜16:00
⊕www.forth.go.jp/keneki/osaka

■名古屋検疫所中部空港検疫所支所
☎検疫衛生課＝(052)661-4141
　予防接種＝0569-38-8205
📅予約(祝日を除く)
　月〜金曜9:00〜17:00
⊕www.forth.go.jp/keneki/nagoya

シルクロードでの健康管理

甘粛省や新疆ウイグル自治区の砂漠地帯はとにかく乾燥している。夏は砂漠にいると40℃以上になることはざらであり、頻繁に水分補給するように気をつけたい。また日差しも非常に強いので、帽子やサングラスを着用したほうがいいだろう。また、風が吹くと砂が舞うため、マスクやスカーフがあると便利。目に細かい砂が入ることもあるので、できれば目薬も持参したい。

バザールでの飲食は、シルクロードの旅での大きな楽しみだが、できるだけ火を通したものを選んで食べよう。メロンやスイカの切り売りはおいしそうに見えるが、肉を切った包丁を洗わずにスイカを切っていることなどは日常茶飯事だ。また食物にハエがとまっていても気にしない露店も多い。

安全対策

中国の治安状況

中国の治安は悪化の一途

中国では、凶悪犯罪が年々増加しており、公安当局はその取り締まりに力を入れているが、犯罪が沈静化する気配はない。

日本人は狙われている

日本人は金持ちと思われているし、ちょっとしたきっかけで相手の反日感情を呼び覚ましてしまうこともあるので、十分注意しよう。

日本語で話しかけられて、親切にしてもらい、その後レストランなどに連れていかれて、法外な料金を請求されたというケースもあるので、日本語でなれなれしく話しかけられた際には、十分注意しよう。

また、麻薬密輸に関係して処罰される日本人も増えている。なかには知らないうちに巻き込まれた場合もあるようで、見知らぬ人から荷物を日本に届けてくれるよう依頼されても絶対に引き受けてはならない。中国では麻薬に関する犯罪に対して死刑を含む厳罰で対処しており、日本人もその例外ではない。

トラブルに遭ったら公安局へ行く

盗難や事故に遭ったときは、まず公安局(中国の警察)へ行くこと。外国人専門に対応する部門は、外事科や外国人管理処などと呼ばれることが多い。盗難に遭った場合は、こういった部門に行って、盗難証明書(または紛失証明書)を発行してもらう。

届け出を出しても、盗まれたり落としたりしたものが戻ってくることはまずないし、捜査をしてくれることもないが、もし、海外旅行保険などで携行品損害補償をかけていれば、あとで保険会社にこれらの証明書を提出し、保険金を請求することができる。

なお、調書は中国語で書かなければならないので、中国語ができない人は、中国語を話せる日本人か日本語の通訳(旅行会社などに依頼する)と一緒に行くこと。これは公安局に日本語のできる職員が少ないため。

盗難・紛失時の対処法

素早く手続きを進める

携行品・お金の盗難や紛失はよく発生する旅行中のトラブルだ。トラブルに巻き込まれると大変なショックを受けるが、損害を軽く抑えるためにも迅速な対応が必要となる。

したがって、盗難や紛失などのトラブルに見舞われたら、すぐに行動できるよう、旅行出発前に連絡先などをまとめておくとよいだろう。

パスポート (旅券) をなくしたら

万一パスポート(以下旅券)をなくしたら、まず現地の警察署へ行き、紛失・盗難届出証明書を発行してもらう。次に日本大使館・領事館で旅券の失効手続きをし、新規旅券の発給(※1)または、帰国のための渡航書の発給を申請する。

旅券の顔写真があるページと航空券や日程表のコピーがあると手続きが早い。コピーは原本とは別の場所に保管しておこう。

必要書類および費用
■失効手続き
・紛失一般旅券等届出書
・共通:写真(縦45mm×横35mm) 1枚 ※3
■発給手続き
・新規旅券:一般旅券発給申請書、手数料(10年用旅券1万6000円、5年用旅券1万1000円) ※1 ※2
・帰国のための渡航書:渡航書発給申請書、手数料(2500円) ※2
・共通:現地警察署の発行した紛失・盗難届出証明書
・共通:写真(縦45mm×横35mm) 1枚 ※3
・共通:戸籍謄本または抄本 1通 ※4
・帰国のための渡航書:旅行日程が確認できる書類(旅行会社にもらった日程表または帰りの航空券)
※1:改正旅券法の施行により、紛失した旅券の「再発給」制度は廃止
※2:支払いは現地通貨の現金で
※3:撮影から6ヵ月以内。IC旅券作成機が設置されていない在外公館での申請では、写真が3枚必要
※4:発行から6ヵ月以内。帰国のための渡航書の場合は原本必要

「旅券申請手続きに必要な書類」の詳細や「IC旅券作成機が設置されていない在外公館」は、外務省のウェブサイトで確認を。
🌐www.mofa.go.jp/mofaj/toko/passport/pass_5.html

■T/C (トラベラーズチェック)

所有していたT/Cの発行元に電話して、リファンド(再発行または払い戻し)手続きをする。

■航空券

eチケットは紛失する心配がないので安心。「eチケット控え」を紛失した場合も無料で再発行できる。当日忘れてもパスポートなどの公的書類で本人確認ができれば搭乗可能。

紙片の航空券を紛失した際は、基本的に代替え航空券の購入が必要。詳細は利用航空会社に確認すること。

■携行品

海外旅行保険に加入していれば、旅行中に盗難・破損・火災などで損害を受けた場合、各保険会社の規定に従って保険金を受け取ることができる。損害に遭ったら、指定された連絡先に電話をして、どのような行動をとればよいのか確認しよう。

保険金は、基本的に日本に帰国してからの申請、受け取りとなることが多いので、現地の関連部署が発行する書類(盗難の場合は公安局の盗難証明書)を入手しておくこと。

■クレジットカード

クレジットカードを盗難・紛失した場合、カードの悪用を防ぐためにも所有していたクレジットカードの届け出先に大至急連絡を入れること。そのためにも、必ず出発前に緊急連絡先をメモしておこう。

中国にある日本大使館・総領事館

■在中国日本国大使館領事部

🏠北京市朝陽区亮馬橋東街１号

☎パスポート関連＝(010)65326539／2628
　邦人保護＝(010)65325964

🆕(010)65329284

🌐www.cn.emb-japan.go.jp

■在上海日本国総領事館　別館　領事部門

🏠上海市長寧区延安西路2299号上海世貿大厦13階

☎(021)52574766　🆕(021)62786088

🌐www.shanghai.cn.emb-japan.go.jp

※夜間、休日の緊急事態発生時には、代表電話にかけ、内線0で緊急連絡事務所につながる

シルクロードでの安全対策

まず、注意したいことは、スリや置き引き。シルクロードでの旅は長距離列車や長距離バスに乗ることが多い。長旅で疲れて、つい荷物管理がおろそかになってしまうことがある。パスポートや現金は必ず身につけていること。現金は全額を１ヵ所にしまうより、分けて身につけていたほうがいい。中国人は長旅の際に、下着にポケットを作って現金を入れている人もいるくらいだ。カメラや音楽機器なども同様。できれば使わないときはかばんにしまい、あまり人に見せないほうが無難である。長距離列車の中のスリグループは、狙ったら２日間くらい時間をかけて、こちらが油断するのを待っていることもある。

シルクロードの大きな魅力は夜市やバザールの散策。ただし、人混みの中には必ずスリがいると思って間違いない。かばんは後側や側面にぶら下げず、前に回して手で押さえながら歩くに越したことはない。買い物に出るときは現金を小分けにして持ち、必要なぶんだけすぐ出せるようにしておこう。

シルクロードは田舎町が多い。メインストリートを一歩外れれば真っ暗ということがよくある。特に女性は、暗い夜道のひとり歩きは避けよう。また、「うちにフルーツを食べに来ませんか?」などと招待してくる人もいるが注意しよう。もちろん言葉どおり親切な人もたくさんいる。が、いい人ばかりではないのはどこも同じ。特に女性はひとりでは行ってはいけない。あなたは日本の町で見知らぬ人に声をかけられて、すぐ家に行くだろうか? 旅先の解放感は思わぬ事故につながることもあるのだ。

男性のなかには、怪しげなイルミネーションの美容院(実態は風俗店)などについつい足を向けたくなる人もいるかもしれない。しかし、コワもてのお兄さんに法外な料金を請求されたり、性病に冒されたりする危険性も大きい。近寄るべからず!

また、近年の新疆ウイグル自治区は警備体制が強化されており、長距離の列車やバスのチケット購入時や移動中、駅への入場時や列車からの降車時、ホテルのチェックインに際してなど、さまざまな場面で外国人観光客に対して身分確認がなされたり、パスポートとともに顔写真を撮られたりすることがある。身分確認の質問事項は、滞在の目的(観光、ビジネス)、その都市での滞在場所、滞在期間、職業など一般的なものだが、警戒を解くために滞在プランを明確に説明しなければならないこともある。

混雑する場所では油断は禁物

ホテルの手配と利用

ホテルを予約する

予約サイトを利用する

中国のホテルもインターネットの予約サイトを利用して手配できる。日本語サイトを使えば、中国語や英語ができなくてもほとんど問題はない（中国や英語圏のサイトを使う場合は簡単な語学力が必要）。さらに、ときおり行われるキャンペーンなどでホテルが表示している正規料金よりかなり安く手配できることもある。

中国のホテル

ホテルの種類

中国には「旅社」と呼ばれる格安の宿から、スイートルームを備えた外資系の超高級ホテルまで、数も種類もさまざまなホテルが用意されている。

ホテルの制限

外国人は、自由に好きなホテルに泊まれるわけではない。中国では、誰でも宿泊できるホテルと中国人や華僑などしか宿泊できないホテルなどに区分されている。

外国人の宿泊できないホテルには「旅社」など、安ホテルが多いので、宿を取る前に、フロントでしっかり確認しておこう。運が悪いと夜中に公安職員の巡回を受け、罰金などの処分を受ける場合もある。

また、友人、知人の家に泊まる場合は自ら公安局に出向いて登記する必要がある。

※宿泊に際し、登録のない者は家族でも届け出が必要とされる事例も発生しているので注意が必要

ホテルのランク

外国人が宿泊できるホテルは「渉外ホテル」と呼ばれ、6つのランクに分かれている。これは国家観光局が認定しているもので、星の数でランクを表しており、最高級が5つ星で最低が星なし（単に「渉外ホテル」と呼ばれることもある）となっている。

日本人が快適に滞在できるのは3つ星以上のホテル。一般的に、これ以下になるとサービスや治安の面で問題が出てくる。しかし、4つ星、5つ星の許可待ちだとか、高級ホテル並みの設備をもつが星なしの「渉外ホテル」という物件もあるので、一概には言えない。

おすすめホテル

中国各地に増えているのが、「経済型連鎖酒店」というタイプのホテル。都市部でも200～400元というお手頃価格。

客室内はシンプルかつ機能的で、シャワー（バスタブはない）、インターネット回線、エアコン、テレビなどの設備がある。また、相対的に立地条件もかなりよい。

タイプとしては、全国展開しているものから「省」や「市」などかぎられたエリアで展開するものまである。都市部であれば、如家酒店や7天連鎖、速8酒店、錦江之星などのチェーンホテルがある。

便利な「経済型連鎖酒店」だが、これらのチェーンホテルの一部に当局の指導により外国人の宿泊はできない支店があるので注意が必要（公式ウェブサイトで確認可能）。

■首旅如家（ホテルブランド「如家酒店」など）
⊕www.bthhotels.com（英語・中国語）

■鉑涛酒店集団（ホテルブランド「7天酒店」など）
⊕www.plateno.com（英語・中国語）

■速8酒店
⊕www.super8.com.cn（中国語）

■錦江之星
⊕www.jinjianginns.com（中国語）

■華住酒店集団
⊕www.huazhu.com（英語・中国語）

中国全土に支店を広げる錦江之星

部屋代

部屋代はひと部屋当たり

基本的に中国ではひと部屋当たりで計算するので、ツインルームにひとりで泊まってもふたりで泊まっても部屋代は同じ。

なお、ドミトリールームは、1ベッド当たりの計算となっている。

ドミトリールーム（6人部屋）

サービスチャージと諸税

正規の部屋代以外に、高級ホテルでは10～15％のサービスチャージが加算されることがある。サービスチャージがかかるホテルでは、ホテル内のレストランなどいろいろなものに加算されることが多い。また、一部の地方では、「都市建設税」などの税金が付加される場合もある。

宿泊費には6％の増値税（一種の消費税）が加算されているが、ホテルによって内税と外税に分かれている。

チップは不要

中国ではチップは不要。ホテルでも渡す必要はないし、高級ホテルではその代わりにサービスチャージを支払っている。チップを露骨に請求する客室係員や、宿泊客に「チップをあげてください」というガイドに出会ったとしても、感謝の気持ちであげたいと思ったときに数十元渡せば、それで十分だ。

部屋代はシーズンや曜日で変動する

中国でもホテル料金は季節によって変動する。基本的に4～10月がオンシーズンで、11～3月がオフシーズン。これは中国の観光シーズンが春から秋にかけてだからだ。特に西北エリアの寒さの厳しい都市では、冬には料金が下がるばかりでなく、休業してしまうホテルもあるので確認が必要。

ホテルに宿泊する

チェックイン

一般的なホテルでは、14:00以降にチェックインし、12:00までにチェックアウトする規則になっているが、早朝や夜中でもチェックインはできる。なお、予約時にチェックインが遅くなることがわかっていたら、必ずその旨を伝えておこう。また、到着予定時刻より遅れそうな場合、ホテルに連絡を入れないと予約を取り消されることもある。

予約なしで直接ホテルに出向いて宿泊する場合、フロントで部屋があることを確認し、料金交渉を行う。部屋が決まったら、チェックインカードに必要事項を記入し（不要な所もある）、支払い方法を決める。

カード払いの場合はクレジットカードを係員に渡して確認してもらう。現金払いの場合は、デポジット（保証金）を要求される。金額の目安は、宿泊予定日数＋1泊分。発行された預り証はしっかり保管しておくこと。カードを利用できないホテルでは、必ずデポジットが必要になるので、人民元の現金を用意しておこう。

手続きが終わったら、宿泊カードと部屋のキーをもらう。宿泊カードは遅く戻ってきたときなど提示を求められるので、宿泊中は携帯しておくこと。

チェックアウト

チェックアウトのときは、フロントでキーを渡して精算してもらう。精算書の内容は必ず確認すること。チェックインのときにデポジットを払った人は、預り証を提示して差額を支払うか余りを返金してもらう。クレジットカードの人は、金額を確認してサインする。

原則として、チェックアウトは午前中。ほとんどのホテルでは荷物を預かってくれるので、列車などの出発時間が午後のときは、フロントに荷物を預けておくと便利だ。

ホテルのロビーカウンター

ビザの延長と外国人旅行証

ビザの延長

滞在を延長する

　日本で取得した観光ビザ(Lビザ)の有効期間は30日間。中国では、原則的に1回だけ滞在期間を延長できる。2回目のビザ延長は特別な理由が必要。

　延長を申請した期間の滞在費が十分かどうかを確認されることもある。公安局の規定では、その目安を1日US$100相当の所持金としている。所持金は現金だけでなくT/Cなどでもよく、また外貨、人民元のいずれでもかまわない。

　ビザ延長の申請は基本的に市や自治州などの行政機関がおかれている比較的規模の大きな町の公安局(まれに行政サービス機関)で行う。

　外国人を管理している部門に行くと申請用紙が置いてあるので、必要事項を記入して、パスポートと手数料160元、写真、宿泊証明書(滞在ホテルや指定された公安局で出してもらう)を提出する。その際、それ以降の旅行スケジュールを質問されることもある。

　取得には当日～5業務日(土・日曜、祝日は含まず)が必要となるので、時間に余裕をみて行動しよう。ただし、ビザの延長は申請日からカウントされるので、早過ぎるとそれだけ滞在期間が短くなる。

　滞在延長が許可されると、入国したときのビザに失効のスタンプが押され、パスポートに新しいビザシールが貼られて戻ってくる。たまに、延長期間が間違っていることもあるので、パスポートを受け取ったら、その場で記載事項を確認し、問題を発見したらすぐに申し出ること。

ノービザ入国者

　2019年9月現在、一部を除き、中国ではノービザ入国者の滞在延長を認めている。必要な書類や注意事項は観光ビザ所持者の場合と同じ。ただし、新疆ウイグル自治区の場合は数日間の延長

ビザを延長して新しく貼られたビザ

しか認められないケースも発生している。そのため、15日を超えそうな人は、中国入国前にビザを取得しておいたほうが無難。
※ノービザ入国、ビザの取得→P.309

外国人旅行証

未開放地区へ行くために必要な書類

　中国には、外国人が自由に旅行できない所がある。そこに行きたい場合は、公安局へ行って許可を受ける必要がある。その許可証が外国人旅行証(略して旅行証と呼ぶこともある)だ。

　これがないと、バスにも乗れないし、たどり着いたとしてもホテルにも宿泊できない。特に国境近辺を訪れる場合、旅行証の取得が必要となることが少なくない。ただ、申請すればどこへでも行けるというわけではない。

申請方法

　申請は公安局で行う。所定の用紙に姓名、年齢、パスポートナンバー、ビザナンバー、行きたい場所、行く目的などを記入し、手数料(町によって異なる)やパスポートと一緒に渡す。

　外国人旅行証は、審査後に発行されるので、受け取りまでに必要な日数はケース・バイ・ケース。その場で発行してくれる場合もある。

申請場所

　外国人旅行証の申請場所は原則として目的地の最寄りの町の公安局。事前に手配しようとしても、四川省の成都でチベット自治区の町に関する申請を行うことはできない。なお、旅行会社で旅行の手配を行う場合、旅行会社が手続きを代行してくれることもある。

チベット自治区の場合

　シルクロードはチベットへの入口でもある。チベット自治区のラサへは西安、蘭州、西寧から青蔵鉄道に乗車して行くことができる。

　ただし、2019年9月現在、外国人によるチベット自治区旅行は、中国の他地域への旅行と異なり、自治区内の旅程すべてを旅行会社で手配しなければならない。したがって、ビザの延長も外国人旅行証の手続きもどちらも個人では受け付けてもらえない。旅行会社に関しては、日本、中国どちらで探してもかまわないが、チベット旅行を専門とする旅行会社でしか対応してもらえない。

食事

食事は中国旅行の楽しみ

中国を旅行する際の楽しみのひとつが、本場の中国料理を食べることだろう。広大な国土と多民族で構成される中国では、それぞれの地方に独特の料理がある。なかでも、北京料理、上海料理、四川料理、広東料理の4つは「中国四大料理」と呼ばれるほど有名。中国旅行の際には、このうちのひとつくらいは味わってほしい。

この四大料理は、大きな町ならたいていはそれぞれ専門店がある。また、多数の民族が暮らす西北エリアには、それぞれの民族の特徴ある料理が多いので、いろいろ食べ比べてみるのもおもしろいだろう。

西北エリアの料理

中国西北エリアの料理は、漢族料理と少数民族料理に分けることができる。

陝西省や甘粛省では漢族料理が主流で、西の新疆ウイグル自治区になると少数民族料理が大多数を占めている。

西北エリアには多くの民族が居住しているので、少数民族料理といってもさまざまだが、大枠ではイスラム料理（清真菜／qīng zhēn cài）を指す。このほかに、モンゴル族やカザフ族の遊牧民族料理などがある。

■漢族料理の特徴

漢族料理はいわゆる中国料理。辛さは本場の四川料理ほどではないが味つけが濃く、油分が多い田舎料理といえる。西北エリアではイスラム教徒である少数民族と混住しているため、その影響を強く受けており、食材に羊肉をよく使い、香辛料もウイグル風のものが多い。

屋台や一般食堂の料理は、日本人の口には合わないものも少なくない。おいしい中国料理を食べたい人は、高級ホテルに入っているレストランを利用するとよいだろう。

■イスラム料理の特徴

シルクロードの主要民族であるウイグル族や回族はイスラム教徒なので、豚肉は決して口にせず、もっぱら羊肉や牛肉を食べる。また、香辛料をたくさん使うのも特徴で、どの料理も独特の香ばしさをもっており、はまるとやみつきになる。

新疆のどんな町にもあって、日本人の好みに合うのはラグメン（拉面／lāmiàn）というイスラム風うどん。米、羊肉、タマネギ、ニンジンなどを使ったイスラム風チャーハンのようなポロ（抓饭／zhuā fàn）も食べやすい料理だ。

料理の注文

中国では、レストランや食堂での料理の注文方法が2種類ある。ひとつは席に座ってオーダーする方法。もうひとつはあらかじめ食券を買っておいて、それをテーブルで渡す方法だ。中級から高級レストランが前者、食堂や小吃店では後者のことが多い。

テーブルに座って注文するタイプのレストランでは、たいてい店に入るとスタッフが案内してくれるので、それに従う。場所が気に入らなければ座る前に言うこと。席に着くとメニューが渡される。同時に皿やカップを並べ始め、高級店だとお茶が出る。注文する料理が決まったら、店員を呼び注文する。

食券制のレストランでは、必ず入口に食券を買う所があるので、食べたいものを言って食券を買う。空いている席に座ると店員が来て食券を半分にちぎって持っていき、しばらくすると料理を持ってきて、引き換えに残りの食券を持っていく。あるいは食券を持って並び、食券と交換に料理を受け取る所もある。

西安のイスラム街の食堂

支払い

テーブルオーダー式のレストランでは、食べ終わったあとにテーブルで料金を支払う。店員を呼んで、「买单／mǎidān」とか「请结帐／qǐng jiézhàng」と言えばよい。中国語ができなくても、紙に書いて渡せば、理解してくれる。領収書が欲しい場合は、この時点で頼む。「我要发票／wǒ yào fāpiào」と言えばよい。

中国にはチップの習慣はなく、高級店では10％程度のサービス料を取られることも多いので、おつりはすべて受け取ってよい。

店内が混んでいて時間がかかりそうだったら、自分でキャッシャーへ行こう。自分のテーブルを指させば伝票を出して計算してくれるので、合計金額をその場で支払う。

買い物

おみやげを買いに行こう

おみやげを選ぶ

❶お茶

お茶には、茶葉とティーバッグのものがあるが、茶葉のほうがおすすめ。種類としては、ウーロン茶、ジャスミン茶、緑茶、プーアール茶などいろいろなお茶がある。試飲できる店も増えているので、名前より自分の気に入った味のお茶を選ぶとよいだろう。

❷漢方薬

中国特産の漢方薬といえば、朝鮮人参や鹿茸。このほか万能薬タイガーバームやロイヤルゼリー、真珠の粉末などが安く購入できる。症状に効果のある漢方薬の名前がはっきりしていない場合は、薬局の店員に聞いてから買うこと。また、処方箋があれば、大きな薬局なら個人用に薬を調合してくれる。

なお、麝香の入ったものや水牛の角などはワシントン条約で取引が禁止されているので、日本に持ち込むことはできない。

❸少数民族関連グッズ

雲南省、貴州省、チベット自治区、新疆ウイグル自治区など西北・西南エリアは、独自の文化をもつ少数民族が暮らしているが、そういった所を旅行したときには、民族衣装やアクセサリーなどをおみやげにするのもよい。

❹お菓子

中国でもなかなかおいしいお菓子が作られるようになった。また、月餅など中国の伝統的なお菓子でも長持ちするものが登場している。中国では陰暦8月15日が月見（中秋節）となっているので、その前に中国を旅行したときのおみやげにおすすめ。

買い物のルール

商品チェックは念入りに

中国では、同じ商品だからといってどれも同じ品質だと思ってはいけない。だから買いたいものが決まったら、なるべくたくさんの商品を出してもらって、歪んでいないかどうか、穴は開いていないか、ちゃんと閉まるかなど細かくチェックする必要がある。

値切るのは鉄則

値札が貼っていないものは値切る。これが中国で買い物をするときの鉄則だ。

オープンプライスの商品の場合、売り手はほとんど間違いなくふっかけてくる。それを適正価格もしくはそれよりも安く買うのが買い手側の能力となる。特に相手が外国人となると、相場の何十倍もの料金を売り手が提示するのは当たり前だから、値切りに値切って買うようにしたい。あせりは禁物。じっくりと腰をすえて交渉するのがコツだ。

財布に大金を入れない

財布の中に100元札を何枚も入れたまま人混みの中に出かけるのは、防犯上避けたほうがよい。財布にはちょっと使う分（多くても200～300元程度）だけ入れておくようにしよう。

クレジットカードを使う

外国人が立ち寄るような店ならば、ほとんどの所でアメリカン・エキスプレス、JCB、Master Card、VISAのカードが使える。カードを使えば、大金を持ち歩く必要がなくとても便利だ。カードの使い方は日本とまったく同じ。注意が必要なのは決済のとき。偽造カードを作られないように、決済は必ず目の前でやってもらうようにする。複写に失敗したら用紙はきちんと破ってもらう、金額欄の数字が合っているかどうか確認するなどの作業が必要だ。

コピー商品の購入は厳禁！

中国をはじめとする海外ではコピー商品問題が深刻化している。旅行先では、有名ブランドのロゴやデザイン、キャラクターなどを模倣した偽ブランド品や、ゲームや音楽ソフトを違法に複製した「コピー商品」を、絶対に購入しないように。

これらの品物を持って帰国すると、空港の税関で没収されるだけでなく、場合によっては損害賠償請求を受けることも。「知らなかった」では済まされないのだ。

（地球の歩き方編集室）

中国の通信事情

郵便

中国の郵便事情

中国と日本とは距離が近いこともあり、手紙が5～10日間、航空小包が7～10日間、船便が1～2ヵ月で届く。郵政局（中国の郵便局）やポストはどんな町に行ってもあるから、手紙や小包（一部国際郵便業務を扱わない所もある）はいつでも出すことができる。

■中国郵政

⊕www.chinapost.com.cn（英語・中国語）

手紙とはがき

手紙に関しては特別な規則はない。切手を貼って表に「Air Mail」もしくは「航空信」と書き、投函すればよい。住所は、頭に「日本国」と漢字で書けば、あとはすべて日本語でかまわない。

速く送りたい場合は、EMS（International Express Mail Services。日本の「国際スピード郵便」に相当）を使うと便利。3～4日で日本へ着く。これは書留速達で、日本の郵便局で扱っているものと同じ。ただ、小さな郵政局では扱っていない場合がある。

国際小包

国際小包はよほど小さな郵政局でなければ、どの郵政局からも送ることができる。航空便の料金は1kgまでが124.2元、それ以降、重さに応じて加算される（右表参照）。

航空便以外には、割安な船便もあるが、日本までの所要日数は1～2ヵ月。また、両者の間を取ったようなSAL便というサービスもある。

国際小包の場合、郵便料金のほかにも、税関料（1件につき5元）、保険手数料（1件につき3元）、保険料（200元ごとに3元）などが加算される。

日本に送る場合は、本人確認のためにパスポート提示を求められる。また、荷物は郵政局内の税関で、検査を受けなければならない。封をせずに郵政局へ持っていき、申込書に送り先や内容物を記入し、荷物を箱などに詰めた状態で担当官に見せる。検査のあとに封をする。箱に宛名を書かなければならないので、油性のフェルトペンを持っていくとよい。

旅行中に記念品などを日本に送った場合は、別送品となる。箱に「別送品（Unaccompanied Baggage）」と明記し、日本帰国時に「携帯品・別送品申告書」を2部記入して提出する（→P.337）。未提出だと一般の輸入品として扱われてしまう。

なお、漢方薬、国外持ち出し禁止の書籍、証明書のない美術工芸品などは、国外に送れない。

■郵便料金（2019年9月現在）

日本への航空便料金

項目	重さなど	料金
はがき	1枚	5.0元
封書	20g以下	5.0元
	20gを超える10gごとに	1.0元加算
小型包装物 （2kgまで）	100g以下	30.0元
	100gを超える100gごとに	27.0元加算
小包 （上記以上）	1kg以下	124.2元
	1kgを超える1kgごとに	29.6元加算

日本へのEMS料金

項目	重さなど	料金
書類	500g以下	115.0元
	500gを超える500gごとに	40.0元加算
物品	500g以下	180.0元
	500gを超える500gごとに	40.0元加算

中国国内郵便料金

項目	重さなど	料金
はがき	1枚	0.8元
封書	市内100g以下20gごとに	0.8元
	100gを超える100gごとに	1.2加算
	市外100g以下20gごとに	1.2元
	100gを超える100gごとに	2.0元加算

中国国内の特快専逓便（Domestic EMS）料金

重さなど	料金
500g以下	20.0元
500gを超える 500gごとに	1区（500km以内）:4.0元加算
	2区（500kmを超え、1000km以内）:6.0元加算
	3区（1000kmを超え、1500km以内）:9.0元加算
	4区（1500kmを超え、2500km以内）:10.0元加算
	5区（2500kmを超える）:17.0元加算

郵政局のイメージカラーは緑。ポストも緑だ

国際電話

ホテルからかける

　客室からの国際電話のかけ方はホテルによって異なるので、不明な点があったら客室に置いてあるサービス案内を読んだり、フロントに問い合わせたりするなど、しっかり確認しよう。ただし、ホテルからかける国際電話は通話料が高くつくので、その点を理解したうえで利用するかどうかを決めよう。

　電話料金はチェックアウトの際に部屋代と合わせて請求される。

電話ボックスからかける

　普及しているのは、ICカード式やIPカード式の電話機。ICカードはホテルのフロントや郵政局などで売っており、20元、50元、100元、200元などの種類がある。

　カード式の電話は、日本のカード式公衆電話と同じように使える。IPカード式電話はインターネットを使った通話サービス。料金はとても安いが、必要な暗証番号の桁数がとても多い、電話機が少ないなどのデメリットもある。

■ICカード式電話のかけ方

1	カードを購入する

郵政局や町角の売店などで購入できる。金額は使用頻度を考えて購入すること。IPカードと間違えないこと！

2	IC式カード電話の表示を探す

郵政局などにあるが、携帯電話の普及により少なくなっている

3	受話器を取り、カードを差し込む

カードを差し込むとき、シールの貼ってあるほうが上なので注意

4	番号をプッシュする

まず「00」をプッシュする

次に国番号（日本にかけるなら「81」）をプッシュする

相手先の市外局番と携帯電話番号の最初の「0」を取った番号（「03-1234-5678」にかけるなら「3-1234-5678」）をプッシュする

5	電話を終える

受話器を置くと自動的にカードが出てくる機種もあるが、ボタンを押してカードを取り出すものもある。取り忘れのないように！

国際電話のかけ方（中国から日本）

　日本の電話会社でも中国から簡単に日本へ電話できる下記のサービスを扱っている。

■日本語オペレーターに申し込むコレクトコール

　中国から日本語のオペレーターを通して電話できる。支払いはクレジットカードかコレクトコール。

●アクセス番号

▼KDDI→ジャパンダイレクト
☎108-811（おもに北京など北部から）
☎108-2811（おもに上海、広州など南部から）

■国際クレジットカード通話

　クレジットカードの番号を入力してかけることのできる国際電話。日本語の音声ガイダンスに従って、操作すればよい。

●アクセス番号

▼KDDI→スーパージャパンダイレクト
☎108-810（おもに北京など北部から）
☎108-2810（おもに上海、広州など南部から）

■通話手順

1	アクセス番号を入力。前述のどれかを選ぶ

2	クレジットカードの番号＋「＃」を入力

3	暗証番号＋「＃」を入力

4	相手の電話番号を市外局番から入力し、＋「＃」を入力

■プリペイドカードを利用する

　国際電話プリペイドカードも便利だ。カードは日本出国前にコンビニや成田などの国際空港であらかじめ購入できる。上記のアクセス番号を入力し、日本語の音声ガイダンスに従って操作する。

KDDI→スーパーワールドカード
※利用法についてはKDDIまで問い合わせを

国際電話のかけ方（日本から中国）
■通話手順

《国際電話会社の番号》 （下記参照）

+

《国際電話識別番号　010》

+

《国番号》 （中国は86）

+

《相手先の電話番号》 （市外局番と携帯電話の最初の0を取る）

■国際電話会社の番号

国際電話会社名	番号
KDDI[※1]	001
NTTコミュニケーションズ[※1]	0033
ソフトバンク[※1]	0061
au（携帯）[※2]	005345
NTTドコモ（携帯）[※3]	009130
ソフトバンク（携帯）[※4]	0046

※1 「マイライン」の国際区分に登録している場合は不要。
　　詳細は🌐www.myline.org

※2 auは005345をダイヤルしなくてもかけられる
※3 NTTドコモは事前にWORLD WINGに登録が必要。
　009130をダイヤルしなくてもかけられる
※4 ソフトバンクは0046をダイヤルしなくてもかけられる
※　携帯電話の3キャリアは「0」を長押しして「+」を表示し、続けて国番号からダイヤルしてもかけられる

■日本での国際電話の問い合わせ先

通信会社名	電話番号とURL
KDDI	☎0057(無料) 🌐www.kddi.com
NTT コミュニケーションズ	☎0120-506506(無料) 🌐www.ntt.com
ソフトバンク	☎0120-03-0061(無料) 🌐www.softbank.jp
au(携帯)	☎0077-7-111(無料) 🌐www.au.kddi.com
NTTドコモ(携帯)	☎0120-800-000(無料) 🌐www.nttdocomo.co.jp
ソフトバンク(携帯)	☎157(ソフトバンクの携帯から無料) 🌐www.softbank.jp/mb

国内電話

ホテルからかける

　ホテルの部屋からかけるときには、外線番号をプッシュして外線にアクセスし、つながったら相手の電話をプッシュする。

電話ボックスからかける

　ICカード式やIPカード式の電話機も多い。ICカードはホテルのフロントや郵政局で売っている。

400の番号で始まる電話

　中国には頭3桁に400が付く10桁の電話番号が存在する。これは企業が顧客にサービスを提供するための電話番号で、発信者は市内通話のみを負担すればよい仕組み。固定電話、携帯電話ともに利用可能。なお、このサービスを利用できるのはチベット自治区、香港、マカオを除く中国国内にかぎられる。

携帯電話

　日本で使用している携帯電話で国際ローミングサービスを利用する、あるいはレンタル携帯電話を利用する。
　ほかには、モバイルWi-Fiルーターを日本の出発空港でレンタルする方法がある。定額料金なので、現地でのネット利用に便利。ただし、規制により中国で使えないTwitterやFacebook、

INFORMATION

中国でスマホ、ネットを使うには

　まずは、ホテルなどのネットサービス(有料または無料)、Wi-Fiスポット(インターネットアクセスポイント。無料)を活用する方法がある。中国では、主要ホテルや町なかにWi-Fiスポットがあるので、宿泊ホテルでの利用可否やどこにWi-Fiスポットがあるかなどの情報を事前にネットなどで調べておくとよいだろう。ただしWi-Fiスポットでは、通信速度が不安定だったり、繋がらない場合があったり、利用できる場所が限定されたりするというデメリットもある。ストレスなくスマホやネットを使おうとするなら、以下のような方法も検討したい。

☆ 各携帯電話会社の「パケット定額」

　1日当たりの料金が定額となるもので、NTTドコモなど各社がサービスを提供している。
　いつも利用しているスマホを利用できる。また、海外旅行期間を通じではなく、任意の1日だけ決められたデータ通信量を利用することのできるサービスもあるので、ほかの通信手段がない場合の緊急用としても利用できる。なお、「パケット定額」の対象外となる国や地域があり、そうした場所でのデータ通信は、費用が高額となる場合があるので、注意が必要だ。

☆ 海外用モバイルWi-Fiルーターをレンタル

　中国で利用できる「Wi-Fiルーター」をレンタルする方法がある。定額料金で利用できるもので、「グローバルWiFi」([URL]https://townwifi.com/)など各社が提供している。Wi-Fiルーターとは、現地でもスマホやタブレット、PCなどでネットを利用するための機器のことをいい、事前に予約しておいて、空港などで受け取る。利用料金が安く、ルーター1台で複数の機器と接続できる(同行者とシェアできる)ほか、いつでもどこでも、移動しながらでも快適にネットを利用できるとして、利用者が増えている。

　ほかにも、いろいろな方法があるので、詳しい情報は「地球の歩き方」ホームページで確認してほしい。
【URL】http://www.arukikata.co.jp/net/

ルーターは空港などで受け取る

LINEなどを使いたい場合はオプションでVPN付きを申し込む必要がある。
※日本でSIMフリーの機種を使用している人は、中国でSIMカードを購入して差し替えれば、中国の料金で通話やメール、ウェブ閲覧などが可能。ただし、中国のインターネット規制は受ける

■携帯電話を紛失した際の、中国からの連絡先
（利用停止の手続き。全社24時間対応）
au
☎00（国際電話識別番号）+81+3+6670-6944[※1]
NTTドコモ
☎00（国際電話識別番号）+81+3+6832-6600[※2]
ソフトバンク
☎00（国際電話識別番号）+81+92+687-0025[※3]

※1 auの携帯から無料、一般電話からは有料
※2 NTTドコモの携帯から無料、一般電話からは有料
※3 ソフトバンクの携帯から無料、一般電話からは有料

インターネット

インターネット規制

中国にはインターネット規制がある。日本で一般的なFacebookやTwitter、LINEなどのSNSがそのまま使えない、GoogleやYahooの検索が使えないなどの不便がある（→P.61）。

ウェブメール

ユーザーIDとパスワードを持っていれば、ネットカフェやホテルなどで簡単に利用できる。ただし、日本で広く普及しているGmailは規制のため中国内ではVPNを使うなどしないとアクセスできない。ビジネスや学校で常用している人は特に注意。

■自分が使っているメールを利用する

現在、会社や個人で使用しているメールを海外で利用することもできる。詳細は利用しているプロバイダーに確認してみよう。

ホテルでのネット利用

ログインパスワードを携帯電話のSNSに送信するホテルも増えている。携帯電話を持っていない人はフロントに相談するとよい。

インフォメーション

スマートフォンで飛行機や列車を検索

中国でもスマートフォンは爆発的に普及しており、旅行に便利な無料アプリもたくさん揃うようになっている。出発地と到着地、日程を入力すれば便の検索ができる下記などはインストールしておくと役に立つ。本来であればスマートフォンでチケット購入も可能なのだが、中国国内に銀行口座をもたない外国人旅行者は基本的に不可能（→P.343）。

■航班管家（航班管家）
航空券の検索が可能。入力はピンインの頭文字を入れると候補が表示されるのでそこから選択。

■鉄路12306（鉄路12306）
中国国鉄の公式アプリ。列車の検索が可能。入力は同じくピンインの頭文字を入れて候補から選択する。検索すると列車ごとに所要時間や残席数が表示される。

このほか、民間のオンライン旅行会社のTrip.comを利用すれば、日本で中国の鉄道切符を買っておくこともできる。手数料は必要になるが、国際クレジットカード決済で支払いができるため便利。

「鉄路12306」の検索結果表示画面

※アプリのインストールやご利用は自己責任でご判断ください

シルクロードの歴史

シルクロードの概念

東西交易路を「シルクロード」と名づけたのは、ドイツの地理学者リヒトホーフェンだが、彼は中国とパキスタンやアフガニスタンを結ぶ絹貿易のルートを想定していた。その後、シルクロードの範囲は拡大され、現在では東アジアとヨーロッパを結ぶ交易陸路を総称してシルクロードと呼んでいる。

さまざまなルートがあるなかで最も有名なのが、古代オアシスルート。中国の西北地方がまさにこのルートに当たる。ルートは3本。いずれも西安が起点で、蘭州、武威、張掖、酒泉、敦煌までのルートは共通。ここまでを河西回廊という。

シルクロードの交易を支えてきたラクダ（敦煌の鳴沙山）

■天山北路

敦煌から北進し、伊吾（ハミ）を通って天山山脈の北側を西へ向かうルート。高昌（トルファン）から北進しても合流できた。

■天山南路北道

天山山脈と崑崙山脈の間にあるタリム盆地（タクラマカン砂漠）を囲むようにしてできた。天山南路は北道と南道に分かれている。

北道は、敦煌を玉門関から出て、鄯善（楼蘭）、亀茲（クチャ）を通って疏勒（カシュガル）にいたる。さらに西進するとサマルカンドを経て地中海にたどり着く。鄯善を北上すると高昌経由で天山北路に合流する。

■天山南路南道

南道は、敦煌の陽関を出て、米蘭（ミーラン）、且末（チャルチャン）、干闐（ホータン）を経て莎車（ヤルカンド）にいたる。ここからカラコルム山脈を越えて南進すればガンダーラ（北インド、ネパール）にたどり着く。

また、タシュクルガンからパミールを越えれば、西トルキスタン（パキスタンやアフガニスタンがあるエリア）に抜けられた。

シルクロードの興亡

漢代まで（紀元前から2世紀）

タリム盆地のオアシスには古くから町があり、トハラ語を話すアーリア系民族が住んでいたと推測される。紀元前4世紀には、トルファン、楼蘭、ミーラン、チャルチャン、ホータン、ヤルカンド、カシュガル、クチャ、カラシャールなどは人口数千から数万の城郭都市となり、農業を行っていた。

敦煌の砂漠の中に残る、河倉城。漢代の武器庫といわれる

紀元前4世紀になると、匈奴が強勢となり、紀元前176（前漢の文帝4）年には烏孫（イーニン）や楼蘭などのオアシス都市が陥落。モンゴル高原から西北エリア全土が匈奴の支配下となった。匈奴はイランにあった安息（パルティア）と絹貿易を行って巨万の富を得たが、その絹は中国から奪い取ったものだった。

前漢は建国当初は匈奴を恐れ、毎年大量の絹や布帛を匈奴に贈っていたが、武帝が即位すると匈奴制圧に乗り出した。

紀元前139（前漢の建元2）年、武帝はまず匈奴を挟み撃ちにしようと考え、張騫を北方の月氏に使いに出した。月氏との同盟交渉は失敗に終わったが、初めて西方の正確な情報が中国に伝わり、武帝は西域経営着手を決意した。

紀元前121（前漢の元狩2）年、河西回廊（甘粛省）に進出して匈奴を北へ追いやり、武威、張掖、酒泉、敦煌の4郡をおいて直接支配した。これ以

後、敦煌までが中国と考えられ、西域は敦煌より西の地域を指すこととなった。

紀元前102（前漢の太初3）年には大宛国（フェルガナ）を討って良質の胡馬を得、紀元前60（前漢の神爵2）年には内紛に乗じて匈奴を撃破。天山南路に西域都護をおいてタリム盆地の支配権を握り、紀元前48（前漢の初元元）年、車師国（トルファン）に屯田を興し、匈奴を完全に北方に追いやった。

8（前漢の初始元）年に前漢が滅ぶと、匈奴はまた南下を開始してオアシス諸都市を圧迫した。25（後漢の建武元）年に後漢王朝が成立するが、西域経営に熱心だったのは、班超が西域都護をしていた時代の73（後漢の永平16）年から102（後漢の永元14）年までの約30年間で、それ以外の時期のオアシス都市は、匈奴などの北方遊牧民族の影響下にありながらも、独立した国家として存続し鄯善、高昌、亀茲、焉耆、于闐、疏勒が周りの小国を従えていた。

魏晋南北朝時代（3世紀から6世紀）

3世紀に入ると、群雄割拠の時代になる。中国は五胡十六国の時代で、漢族系国家と北方遊牧民族系国家が次々に建国され、隋の中国統一まで、勃興と滅亡を繰り返した。

西トルキスタンではカニシカ王で有名なクシャン朝が滅び（240年頃）、大量のアーリア系移民が西域に流入した結果、楼蘭王国などは支配層がアーリア系に取って代わった（高昌国だけは漢族系が支配する国だった）。

北には柔然や突厥などの遊牧民族が、そして青海・河西地方には吐谷渾がいたが、タリム盆地の各国は何とか独立を維持できた。

隋唐時代（6世紀から9世紀）

隋唐時代は漢族が積極的に西域経営を行った時代。隋は、鄯善、且末、西海（青海省西伏）、河源（古赤水城）に4郡を、唐代にも伊州、庭州、西州をおいて直接支配した。

619（唐の武徳2）年に河西回廊を奪還した唐は、630（唐の貞観4）年に伊州（ハミ）を、640（唐の貞観14）年には西州（トルファン）を造り、安西都護府をここにおいた。その後、天山北部にいた西突厥を攻めて庭州（ジムサール）をおいた。648（唐の貞観22）年には、焉耆、亀茲、疏勒、于闐を占領して安西四鎮をおき、西域全土の直接支配に成功した。そして、657（唐の顕慶2）年にはスイアブで西突厥の軍を撃破しソグディアナ（中央アジア）に十六都督府を設置して、康国（サマルカンド）や安国（ブハラ）などの国を唐の冊封体制下においた。

この時代が、シルクロード・オアシス路の全盛期で、中国とササン朝ペルシアの間を、香料、宝

石、ガラス、絨毯、絹、陶器などがラクダに載せられて行き来した。その貿易を担っていたのは、ソグディアナを本拠地とするソグド人で、ハミや敦煌などの主要都市に植民地を建設して中継貿易にあたった。

西安の城壁。南門付近の城壁内の風景

隆盛を誇ったササン朝は、7世紀の半ばにアラブ・イスラム勢力のウマイヤ朝に滅ぼされ、西トルキスタンにアラブ軍が進入してきた。705（唐の神龍元）年にはソグディアナが占領され、西域での唐の影響力が弱まった。そこで唐は高仙芝を派遣し、751（唐の天宝10）年、タラス川でアラブ軍と対峙することとなった。これが世に名高い「タラス河畔の戦い」である。結果は唐軍の大敗で、唐の西域西部での影響力が大幅に低下した。ちなみに、中国の製紙技術がアラブに伝わったのはこのときのことだ。

その後、唐は755（唐の天宝14）年の安史の乱を境に内乱の時代に突入し、オアシス路はチベットの吐蕃に占領されてしまった。連絡路を断たれた唐は、ウイグル族が住むモンゴル高原を経由するルートを開拓し、以後、このルートを含めた北方ステップルートが発達していく。

宋元時代（9世紀から13世紀）

トルコ系のウイグル族は、744年にモンゴルを統一するとウイグル王国を建国し、745年は突厥を滅ぼし唐の政治にも介入。しかし、839年にキルギスに破れると、天山山脈周辺や河西回廊へ南下して定住し、866年西ウイグル王国を建国した。こうして9世紀には西域の主要民族はウイグル族となり、民族構成に劇的変化をもたらした。

960年、西走したウイグル族の一派が興したカラハン朝の王がイスラム教に改宗すると、西域のイスラム化が進んだ。ウイグル族は、キリスト教、マニ教、仏教などを信仰していたが、西方の影響

を受けるにともなってイスラム教が普及し、18世紀までには西域のほとんどの民族がイスラム化した。

クチャにあるイスラム教のモスク

　13世紀はモンゴルの時代で、中国全土を含む全アジアがモンゴルの版図となり、妨害者がいなくなったシルクロードは、最後の全盛期を迎えた。

明清時代から現代（14世紀から20世紀）

明代に造られた嘉峪関

　14世紀以降主要な交易ルートは海洋ルートとなり、シルクロードは廃れていった。
　100年の間中国を支配した元は、1368（元の至正28）年に明によって、故地のモンゴルへ追われた（北元）。明は、万里の長城を大改修して、北元の南下に備えた。シルクロードでは、明の勢力は甘粛までにとどまり、長城の最西端である嘉峪関が築かれた。
　17世紀、西域はジュンガル王国の支配下にあった。清は中国の征服に成功すると1758（清の乾隆23）年から1759（清の乾隆24）年にかけて、これを撃滅して、イリの恵遠城にイリ将軍をおいて西域全体を支配した。これ以後、西域は新疆（新しい土地）と呼ばれるようになった。
　19世紀になると北からはロシア、西からはイギリスが勢力を伸ばし清と対立したので、シルクロードは完全に分断され、交易はほとんど行われなくなってしまった。
　20世紀には新疆諸民族の独立運動が活発になり、新疆が独立したこともあったが、1949年に人民解放軍がウルムチに入城すると中華人民共和国の一部となり、1955年に新疆ウイグル自治区が成立し、今日にいたった。
　そして、現在では「西部大開発」の号令のもと、国家プロジェクトによる開発が進められている。2017年7月には陝西省の宝鶏と甘粛省の蘭州とを結ぶ宝蘭高速鉄道が開通し、甘粛省、青海省、新疆ウイグル自治区は全国の高速鉄道網とつながった。

（地球の歩き方編集室）

旅の準備と技術

シルクロードの歴史

インフォメーション

VATの一部還付

　中国ではVAT（付加価値税）として、日本の消費税に当たる「増値税」があり、最大17％の税率（内税方式）。この一部（実質9％）を出国者に還付する制度を施行。適応されるのは、中国入国後183日未満の旅行者が、購入から90日以内に手続きした場合。条件などは次のとおり。
❶「退税商店 TAX FREE」の表示がある対象店舗で、同日内に同一店舗で500元以上の買い物をする。金額は合算して500元以上でかまわない。2019年9月現在、北京市、天津市、上海市、青島市、深圳市、黒龍江省、遼寧省、山東省、江蘇省、安徽省、広東省、福建省、海南省、四川省、雲南省、河南省、陝西省、寧夏回族自治区、新疆ウイグル自治区などの一部都市。
❷購入時にパスポートを提示し、「离境退税申請単（出国時税還付申請票）」と専用の機械で発行された「増値税普通発票（専用領収書）」を発行してもらう。領収書は一般のものとは異なるので注意。

❸空港や国際フェリーターミナルでパスポートと上記2種類の書類および商品現物を提示し確認印をもらうが、商品現物の提示が必要な点に注意。荷物を預ける前に税関で手続きをする。
❹空港や国際フェリーターミナル内の免税エリアにある窓口で書類を提示し、人民元または外貨現金で還付を受ける。1万元（約16万円）以上の還付を受ける場合は銀行振り込みとなるが、観光客で対象者は少ないだろう。

退税商店
TAX FREE
対象商店であることを示すマーク

旅の中国語会話

　中国では50以上の民族が独自の言葉をもって生活しており、お互いの意思の疎通を図るため、漢民族の北方方言を中心に共通語を創り出した。この共通語を中国語で「普通話」と呼び、この「普通話」こそが日本人の認識する中国語で、中国で最も多くの人が話せ、聞き取れる言葉となっている。ただし、実情は地方に行くほどにその土地のなまりが強くなるため、特に聞き取りが難しくなる。とりわけ少数民族の多く暮らす場所だと、なかなか通じないことも知っておこう。

　中国語は日本語とでは、発音も大きく異なる。加えて声調と呼ばれる抑揚があり、そのイントネーションが違っていると、中国人に理解してもらうのは難しい。したがって、話さなくても本書を指し示せるよう、例文は中国語簡体字表記とし、カタカナのほか、読み方の中国語学習経験のある人には発音と声調を知る手がかりとなるピンインを併記した。

　いろいろな場面で本を見せて筆談したり、発音を教えてもらうなど、現地の人との交流に活用してほしい。

●数字

イー	アール	サン	スー	ウー	リュウ	チー	バー	ジュウ	シー	イーバイ	イーチエン	イーワン
一	二	三	四	五	六	七	八	九	十	一百	一千	一万
yī	èr	sān	sì	wǔ	liù	qī	bā	jiǔ	shí	yì bǎi	yì qiān	yí wàn

●あいさつ

おはよう	ザオ シャン ハオ 早上好 Zǎo shàng hǎo
こんにちは	ニー ハオ ／ ニン ハオ 你好 ／ 您好 Nǐ hǎo　　Nín hǎo
こんばんは	ワン シャン ハオ 晚上好 Wǎn shàng hǎo
さようなら	ザイ ジエン 再见 Zài jiàn
ありがとう	シェ シェ 谢谢 Xiè xiè
どういたしまして	ブー カー チ ／ ブー ヨン カー チ 不客气 ／ 不用客气 Bú kè qi　　Bú yòng kè qi
ごめんなさい	ドゥイ ブ チー 对不起 Duì bù qǐ
おつかれさまでした	シン クー ラ 辛苦了 Xīn kǔ le
すみません（呼びかけ）	ダー ラオ イー シァ 打扰一下 Dǎ rǎo yí xià
おやすみなさい	ワン アン 晚安 Wǎn ān

●知っておくと便利なひと言

はい／いいえ	是／不是 Shì Bú shì
わかりました／わかりません	明白了／不明白 Míng bái le Bù míng bái
いります／いりません	我要／我不要 Wǒ yào Wǒ bú yào
いいです／ダメです	可以／不行 Kě yǐ Bù xíng
×××は何ですか?	×××是什么? shì shén me
×××はどこですか?	×××在哪里? zài nǎ lǐ
見せてください	请让我看看 Qǐng ràng wǒ kàn kàn
書いてください	请写一下 Qǐng xiě yí xià
今、何時ですか?	现在几点了? Xiàn zài jǐ diǎn le
ちょっと待ってください	请稍微等一下 Qǐng shāo wēi děng yí xià
もう一度言ってください	请再说一遍 Qǐng zài shuō yí biàn
私は日本人です	我是日本人 Wǒ shì rì běn rén
私は○○といいます	我叫○○／我的名字叫○○ Wǒ jiào Wǒ de míng zi jiào
あなたのお名前は?	你叫什么名字? Nǐ jiào shén me míng zi
あなたはどこから来ましたか?	你从哪里来的? Nǐ cóng nǎ lǐ lái de
あなたに会えてうれしいです	见到你很高兴 Jiàn dào nǐ hěn gāo xìng

旅の準備と技術

旅の中国語会話

×××に入る単語

これ：这个 ／ あれ（それ）：那个 ／ トイレ（町角などの「便所」）：厕所
zhège nàge cèsuǒ

トイレ（ホテル、レストランなどの「お手洗い」）：洗手间 ／ ホテル：宾馆／酒店
xǐshǒujiān bīnguǎn／jiǔdiàn

銀行：银行 ／ 病院：医院 ／ 警察：警察 ／ 薬局：药店
yínháng yīyuàn jǐngchá yàodiàn

●病気

医者を呼んでください	チン バン マンジャオ イー シア イーシォン 请帮忙叫一下医生 Qǐng bāng máng jiào yí xià yī shēng
病院に連れて行ってください	チン ダイ ウォ チュィ イー ユエン 请带我去医院 Qǐng dài wǒ qù yī yuàn
診察を受けたいのですが	ウォ シアン チュィ カン ビン 我想去看病 Wǒ xiǎng qù kàn bìng
日本語（英語）のできる医師か看護師はいますか?	ヨウメイ ヨウ ホイ リーユー インユー ダ イーシォン フォ ヂェ フー シー 有没有会日语（英语）的医生或者护士 Yǒu méi yǒu huì rì yǔ yīng yǔ de yī shēng huò zhě hù shì
気分がすぐれません	ブータイ シュ フー 不太舒服 Bú tài shū fú
吐き気がします	ウォ シアン トゥー 我想吐 Wǒ xiǎng tù
熱があります	ファーシャオ ラ 发烧了 Fā shāo le
昨日から下痢が止まりません	ツォンズオ ティエンチー イー ヂー ラー ドゥ ズ 从昨天起一直拉肚子 Cóng zuó tiān qǐ yì zhí lā dú zi
寒気がします	ウォ ジュエ ダ ファールン 我觉得发冷 Wǒ jué de fā lěng
痛いです（痛い所を指さす）	トン 疼 Téng
激しく痛みます	フェイ チャン トン 非常疼 Fēi cháng téng
私はアレルギーがあります	ウォ ヨウ グォ ミンヂェン 我有过敏症 Wǒ yǒu guò mǐn zhèng
1日何回飲みますか?	イー ティエン チー ジー ツー 一天吃几次? Yì tiān chī jǐ cì
食前に飲みますか? それとも食後ですか?	ファンチェン チー ハイ シ ファンホウ チー 饭前吃还是饭后吃? Fàn qián chī hái shi fàn hòu chī

知っておきたい病名と症状

風邪：感冒 ガンマオ gǎnmào ／ インフルエンザ：流行感冒 リュウシンガンマオ liúxínggǎnmào ／ 咳：咳嗽 カーソウ késòu ／ 鼻水：鼻涕 ビーティー bíti

のどの痛み：嗓子疼 サン ズ トン sǎng zi téng ／ 腹痛：腹疼 フートン fùténg ／ 便秘：便秘 ビエンミー biànmì ／ 捻挫：伤筋 シャンジン shāngjīn

骨折：骨折 グーヂェー gǔzhé ／ 打撲：扑打 プーダー pūdǎ ／ 火傷：烫伤 タンシャン tàngshàng ／ 食中毒：食物中毒 シーウーヂョンドゥ shíwùzhòngdú ／ めまい：头晕 トウユン tóuyūn

負傷：受伤 ショウシャン shòushàng ／ 歯痛：牙疼 ヤートン yáténg ／ 動悸：心悸 シンジー xīnjì ／ 湿疹：湿疹 シーヂェン shīzhěn ／ 痛風：痛风 トンフォン tòngfēng

●レストラン

店員さん！	フーウーユエン 服务员！ Fú wù yuán
メニューを見せてください	チンナーイーシアツァイダン 请拿一下菜单 Qǐng ná yí xià cài dān
×××をください	チンゲイウォ 请给我××× Qǐng gěi wǒ
もうひとつ×××をください	チンザイライイーガ 请再来一个××× Qǐng zài lái yí ge
とてもおいしいです	フェイチャンハオチー 非常好吃 Fēi cháng hǎo chī
辛くしないでください	チンブーヤオタイラー 请不要太辣 Qǐng bú yào tài là
お勘定してください	ジェチャン / マイダン 结账 / 买单 Jié zhàng / Mǎi dān

×××に入る単語

ビール：ビージュウ
啤酒
píjiǔ ／ お茶：チャー
茶
chá ／ 水（湯冷まし）：バイカイシュイ
白开水
báikāishuǐ ／ ご飯：ミーファン
米饭
mǐfàn

小皿：シャオパン
小盘
xiǎopán ／ コーヒー：カーフェイ
咖啡
kāfēi ／ 箸：クァイズ
筷子
kuàizi ／ 皿：パンズ
盘子
pánzi

●買い物

クレジットカードは使えますか？	シンヨンカーカーイーヨンマ 信用卡可以用吗？ Xìn yòng kǎ kě yǐ yòng ma
ウィーチャット／アリペイで支払います	ウェイシン チーフーバオチーフー 微信 / 支付宝支付 Wēi xìn Zhī fù bǎo zhī fù
見ているだけです	チーシースイビエンカンカン 只是随便看看 Zhǐ shì suí biàn kàn kan
別の色／サイズ はありますか？	ヨウメイヨウチーターイェンスアー チーマ 有没有其它颜色 / 尺码？ Yǒu méi yǒu qí tā yán sè chǐ mǎ
もっと×××のはありますか？	ハイヨウ マ 还有 × × × 吗？ Hái yǒu ma
×××を見せてください	チンランウォカンイーシア 请让我看一下 × × × Qǐng ràng wǒ kàn yí xià
いくらですか？	ドゥオシャオチエン 多少钱？ Duō shǎo qián
もっと安くしてください	チンザイビエンイーイーディエン 请再便宜一点 Qǐng zài pián yi yì diǎn

これはいりません	ブー ヤオ チェー ガ 不要这个 Bú yào zhè ge
あなたは、さっき10元って言ったでしょう！	ニー ガン ツァイ シュオ シー クアイ 你刚才说十块！ Nǐ gāng cái shuō shí kuài

---

×××に入る単語

全部：全部 チュエンブー quánbù	大きい：大的 ダーダ dàde	小さい：小的 シャオ ダ xiǎode	高い：贵的 グイダ guìde
安い：便宜的 ピエンイー ダ piányide	新しい：新的 シンダ xīnde	赤の：红的 ホンダ hóngde	青の：蓝的 ランダ lánde
黄の：黄的 ホアンダ huángde	白の：白的 バイダ báide	黒の：黑的 ヘイダ hēide	ほかの：其它的 チーターダ qítāde

---

●ホテルにて

空室はありますか？	ヨウ コン ファン マ 有空房吗？ Yǒu kòng fáng ma
部屋代は1泊いくらですか？	ファンフェイ イー ティエン ドゥオ シャオ チエン 房费一天多少钱？ Fáng fèi yì tiān duō shǎo qián
もっと安い部屋はありませんか？	ヨウ メイ ヨウ ゴン ビエン イー ダ ファンジエン 有没有更便宜的房间？ Yǒu méi yǒu gèng pián yi de fáng jiān
パスワードを教えてください	チン ガオ ス ウォ ミー マー 请告诉我密码 Qǐng gào sù wǒ mì mǎ
インターネットはできますか？	カー イー シャンワン マ 可以上网吗？ Kě yǐ shàngwǎng ma
×××が使えません／壊れています	ブー ノン ヨン ホウイチェ ナ ×××不能用／坏着呢 bù néngyòng　huài zhe ne
部屋を替えてください	チン ゲイ ウォ ホワン ガ ファンジエン 请给我换个房间 Qǐng gěi wǒ huàn ge fáng jiān
チェックイン／チェックアウト	ルー チュー トゥイ ファン 入住／退房 Rù zhù　Tuì fáng
もう1泊延長したいです	シアンザイ シュー イー ティエン ファンジエン 想再续一天房间 Xiǎng zài xù　yì tiān fáng jiān
荷物を預けられますか？	カー イー ジー ツン シン リー マ 可以寄存行李吗？ Kě yǐ jì cún xíng lǐ ma

---

×××に入る単語

電話：电话 ティエンホア diànhuà	シャワー：淋浴 リンユー línyù	エアコン：空调 コンティアオ kōngtiáo
シングルルーム：单人间 ダンレンジエン dānrénjiān	ツインルーム：双人间 シュアンレンジエン shuāngrénjiān	ドミトリー：多人间 ドゥオレンジエン duōrénjiān

●交通

日本語	中国語
乗車券の引き換えはここに並べばよいですか?	チンウェンシー ザイチェーリー パイドゥイチュイピャオ マ **请问是在这里排队取票吗?** Qǐng wèn shì zài zhè lǐ pái duì qǔ piào ma
×××へ行くにはどうすればいいですか?	チンウェン **请问×××怎么去?** Qǐng wèn zěn me qù
×××までは、どのくらい時間がかかりますか?	チンウェンダオ ヤオ ドゥオチャンシージエン **请问到×××要多长时间?** Qǐng wèn dào yào duō cháng shí jiān
×××まではいくらですか?	ダオ ヤオ ドゥオシャオチエン **到×××要多少钱?** Dào yào duō shǎo qián
×××行きの×××はどこですか?	チンウェンチュイ ダ ザイナーリー **请问去×××的×××在哪里?** Qǐng wèn qù de zài nǎ lǐ
この×××は×××に行きますか?	チェー ガ チュイ ブ チュイ **这个×××去不去×××?** Zhè ge qù bù qù
×××へ行ってください	チン ダオ チュイ **请到×××去** Qǐng dào qù
左折／右折してください	チン ズオ グァイ ヨウグァイ **请左拐／右拐** Qǐng zuǒ guǎi yòu guǎi
×××で停めてください	チンティンザイ **请停在×××** Qǐng tíng zài
ここで降ります	ザイ チェーリー シアチャー **在这里下车** Zài zhè lǐ xià chē
ちょっと停めてください	チンティンイー シア **请停一下** Qǐng tíng yǐ xià
ここで待っていてください	チン ザイチェービエンドン **请在这边等** Qǐng zài zhè biān děng
乗り換えは必要ですか?	シューヤオ ホアンチャー マ **需要换车吗?** Xū yào huàn chē ma
×××に着いたら教えてください	ダオ ラ チンガオ ス ウォ **到了×××请告诉我** Dào le qǐng gào su wǒ
メーターを倒してください	チン ダービャオ **请打表** Qǐng dǎ biǎo

×××に入る単語

鉄道駅：フォチャーチャン **火车站** huǒchēzhàn	／ バスターミナル：チーチャーチャン **汽车站** qìchēzhàn	／ 切符売り場：ショウピャオチュー **售票处** shòupiàochù
前：チエンミエン **前面** qiánmiàn ／ 次の角：シア ガ グァイジャオチュー **下个拐角处** xiàgeguǎijiǎochù	／ 向かい：ドゥイミエン **对面** duìmiàn ／ 空港：ジーチャン **机场** jīchǎng	／ 列車：フォチャー **火车** huǒchē
高速鉄道：ガオティエ **高铁** gāotiě ／ バス：ゴンゴンチーチャー **公共汽车** gōnggòngqìchē	／ タクシー：チューズーチャー **出租车** chūzūchē	／ 地下鉄：ディティエ **地铁** dì tiě

●バスターミナル、駅、空港、町にて

◎月●日上海行きの片道航空券を1枚ください

数字→P.362

ウォ ヤオ イーチャン　ユェ　リーダオ シャンハイ ダ ダンチョンジーピャオ
我要一张◎月●日到上海的单程机票
Wǒ yào yì zhāng yuè rì dào shàng hǎi de dān chéng jī piào

◎月●日、北京までT60の硬臥を1枚ください

数字→P.362

ウォ ヤオ イーチャン　ユェ　リーダオ ベイ ジン ダ ティー リュウシー ツー イン ウォ チャーピャオ
我要一张◎月●日到北京的T60次硬臥车票
Wǒ yào yì zhāng yuè rì dào běi jīng de tǐ liùshí cì yìng wò chē piào

---

寝台であれば、硬臥でも軟臥でもかまいません

チー ヤオ シー ウォ プー　イン ウォ ルアンウォ ウー スオウェイ
只要是臥铺，硬臥软臥无所谓
Zhǐ yào shì wò pù yìng wò ruǎn wò wú suǒ wèi

切符をキャンセルしたいのですが、どこに行けばいいですか?

ウォ シアントゥイピャオ　イン ガイ チュィナー リー
我想退票，应该去哪里?
Wǒ xiǎng tuì piào yīng gāi qù nǎ lǐ

私は大学生ですが、学生割引はありませんか?

ウォ シー ダーシュエション　ヨウ メイ ヨウ ヨウ ホイピャオ?
我是大学生，有没有优惠票?
Wǒ shì dà xué shēng yǒu méi yǒu yōu huì piào

1日車をチャーターして観光したら、いくらになりますか?

ルー グォ バオ チャー ダ ホア イーティエンドゥオシャオチエン
如果包车的话一天多少钱?
Rú guǒ bāo chē de huà yì tiān duō shǎo qián

明日▲時頃カシュガルに向かうバスの切符はありますか?

数字→P.362

ヨウ メイ ヨウ ミンティエン　ティエンズオ ヨウチュイカー シー ダ チーチャーピャオ
有没有明天▲点左右去喀什的汽车票?
Yǒu méi yǒu míng tiān diǎn zuǒ yòu qù kā shí de qì chē piào

エアポートバスはどこから出発しますか?

ジーチャンバー シー ザイ ナー リーファーチャー
机场巴士在哪里发车?
Jī chǎng bā shì zài nǎ lǐ fā chē

ここからタクシーで空港に向かうといくらくらいですか?

ズオ チューズーチャーチュイジーチャンダー ガイ ヤオ ドゥオシャオチエン
坐出租车去机场大概要多少钱?
Zuò chū zū chē qù jī chǎng dà gài yào duō shǎo qián

●いざというとき役立つフレーズ

写真を撮ってもいいですか?
カー イー パイ ヂャオピエン マ
可以拍照片吗?
Kě yǐ pāi zhào piàn ma

写真を撮ってもらえませんか?
ノン バン マン パイ ヂャンヂャオピエン マ
能帮忙拍张照片吗?
Néngbāngmáng pāi zhāngzhào piàn ma

領収書をください
チン ゲイ ウォ ファーピャオ
请给我发票
Qǐng gěi wǒ fā piào

日本に国際電話をかけたいのですが
ウォ シアンヤオ ワン リーベン ダー グォ ジーディエンホア
我想要往日本打国际电话
Wǒ xiǎng yào wǎng rì běn dǎ guó jì diàn huà

入ってもいいですか?
カー イー ジンチュィ マ
可以进去吗?
Kě yǐ jìn qù ma

もらってもいいですか?
カー イーショウシァ マ
可以收下吗?
Kě yǐ shōu xià ma

そこに連れて行ってください
チン ダイ ウォ チュィ ナー ル
请带我去那儿
Qǐng dài wǒ qù nàr

入場は有料ですか、無料ですか?
ツァングァンショウフェイ ハイ シー ブーショウフェイ
参观收费 还是不收费?
Cān guānshōu fèi hái shì bù shōu fèi

ネットカフェに行きたいのですが、どう行けばいいですか?
ウォ シアンチュィワン バー ゼン マ ゾウ
我想去网吧，怎么走?
Wǒ xiǎng qù wǎng bā zěn me zǒu

このパソコンは日本語が使えますか?
ヂェー ガ ディエンナオ ノン ブー ノン シー ヨン リーウェン
这个电脑能不能使用日文?
Zhè ge diàn nǎo néng bù néng shǐ yòng rì wén

パソコンの使用料は1時間いくらですか?
ヂェー ガ ディエンナオ シー ヨンイー ガ シャオシードゥオシャオチエン
这个电脑使用一个小时多少钱?
Zhè ge diàn nǎo shǐ yòng yí ge xiǎo shí duō shǎoqián

日本語（英語）を話せる人はいますか?
ヨウ ホイシュオ リー ユー インユー ダ レン マ
有会说日语（英语）的人吗?
Yǒu huì shuō rì yǔ yīng yǔ de rén ma

かばんをなくしました
バオ デュー ラ
包丢了
Bāo diū le

道に迷いました
ウォ ミー ルー ラ
我迷路了
Wǒ mí lù le

あーっ、どろぼう！ 誰か来てくれ！
アー シァオトウ ライ レン ナー
啊，小偷！ 来人呐！
A xiǎo tōu Lái rén nà

近寄るな！ 向こうに行け！
ビエ カオ ジン ウォ ナービエンチュィ
别靠近我！ 那边去！
Bié kào jìn wǒ Nà biān qù

警察を呼ぶぞ！
ウォ ヤオ ジャオ ジンチャー ラ
我要叫警察了！
Wǒ yào jiào jǐng chá le

旅のウイグル語会話

ウイグル語は中国の新疆ウイグル自治区の主要な構成民族であるウイグル族の言語。ウイグル族は中国以外では、カザフスタンなどの中央アジア諸国、アフガニスタン、パキスタン、トルコなどに暮らしている。

ウイグル語（正式には現代ウイグル語）はアルタイ系チュルク諸語の東部方言に属する。膠着語※1であることや語順配列が日本語と似通っていることから、学習するうえで日本人は最初のハードルを低く感じるはず。文字にはアラビア文字にいくつかの特殊な文字を加えたものを使用しており、右から左へと書く。

※1 語順や語形変化よりも助詞や助動詞などの付属語によって文法的な関係を示す言語。日本語もその仲間
[注意]日本語は左から右へ、ウイグル語は右から左へ表記するという特性上、／（スラッシュ）で分けられた選択肢のある単語、文のヨミガナとウイグル語の語順は一致していません。ヨミガナは日本語と同じく左から右への表記ですが、ウイグル語は語順も表記も右から左となっています

●数字

ビリ 1：بىر	イッキ 2：ئىككى	ウチ 3：ئۈچ	トテ 4：تۆت	バシ 5：بەش
アリタ 6：ئالته	ヤッタ 7：يەتته	サッキズ 8：سەككىز	トックズ 9：توققۇز	オン 10：ئون

●あいさつ

おはよう	ハイルリック サハル خەيىرلىك سەھەر
こんにちは	ヤヒシムスズ ياخشىمۇسىز
こんばんは	ハイルリック ケチ خەيىرلىك كەچ
さようなら	ハイル ホシ خەيىر خوش
ありがとう	ラヒマテ رەھمەت
どういたしまして	トズテ キリマン تۆزۈت قىلماڭ
ごめんなさい	アプ キリン ئەپۇ قىلىڭ
おつかれさまでした	ジャパ チャクテンズ جاپا چەكتىڭىز
すみません（呼びかけ）	カチュルン كەچۈرۈڭ
おやすみなさい	ヤヒシチュシ コルン ياخشى چۈش كۆرۈڭ

●知っておくと便利なひとこと

日本語	ウイグル語
はい／いいえ	ハア ／ ヤケ ياق / هەئە
わかりました／わかりません	ビリدم ／ ビリミدم بىلمىدىم / بىلدىم
いります／いりません	アリマン ／ アリマイマン ئالمايمەن / ئالىمەن
いいです／ダメです	ボリド ／ ボリマイド بولمايدۇ / بولىدۇ
×××は何ですか?	××× ニマ نىمە؟ ×××
×××はどこですか?	××× カヤルデ قەيەردە؟ ×××
見せてください	コリセテプ ベキン كۆرسىتىپ بىقىڭ
書いてください	イェزプ ベリン يېزىپ بېرىڭ
今、何時ですか?	ハズル サアエト ナッチャ ボリデ هازىر سائەت نەچچە بولدى؟
ちょっと待ってください	サリ サヒラプ トルン سەل ساقلاپ تۇرۇڭ
もう一度言ってください	ヤナビリ ケテム ダプ ベリン يەنە بىر قېتىم دەپ بېرىڭ
私は日本人です	マン ヤプニヤリク مەن ياپونىيەلىك
私は○○といいます	ミニン イスマム ○○ ○○ مىنىڭ ئىسمىم
あなたのお名前は?	スズニン イスミンイズ ニメ سىزنىڭ ئىسمىڭىز نىمە؟
あなたはどこから来ましたか?	スズ カヤルデン カリデンイズ سىز قەيەردىن كەلدىڭىز؟
あなたに会えてうれしいです	スズニ コルプ ホシ ボリデム سىزنى كۆرۈپ خوش بولدۇم

×××に入る単語

これ: ブ **بۇ** ／ あれ: ウ **ئۇ** ／ トイレ (町角などの「便所」): ハジャテハナ **هاجەتخانا**

トイレ(ホテル、レストランなどの「お手洗い」): ミヒマンハナ **مىھمانخانا** / コル ユユシ ウイイ **قول يۇيۇش ئۆيى** ／ ホテル: **مىھمانخانا**

銀行: バンカ **بانكا** ／ 病院: ドフトゥルハナ **دوختۇرخانا** ／ 警察: サケチ **ساقچى** ／ 薬局: ドリハナ **ئاناخى رود**

●病気

医者を呼んでください	マンア ドフトゥル チャケリプ ベリン	ماڭادوختۇر چاقىرىپ بېرىڭ
病院に連れて行ってください	ミニ ドフトルガ アピリン	منى دوختۇرغا ئاپىرىڭ
診察を受けたいのですが	ドフトルガ コリナイ デガン エデム	دوختۇرغا كۆرىنەي دىگەن ئىدىم
日本語（英語）のできる医師か看護師はいますか？	ヤプンチャ（インギリスチャ）ビリデガン ドフトル ヤキ セステラ バリム	ياپونچە(ئىنگلىزچە) بىلىدىغان دوختۇرياكى سېستىرا بارمۇ؟
気分がすぐれません	ミジャズム ヨク	مىجەزىم يوق
吐き気がします	クスキム キリワテド	قۇسقۇم كىلىۋاتىدۇ
熱があります	キズプ カプテマン	قىزىپ قاپتىمەن
昨日から下痢が止まりません	トノグン ビリ クン イチム スリデ	تۆنۆگۈن بىر كۈن ئىچىم سۈردى
寒気がします	トンラワテマン	·ن ە م ى ت ا ۋ ا ل ڭ و ت
痛いです（痛い所を指さす）	アゲリワテド	ئاغرىۋاتىدۇ
激しく痛みます	カッテク アゲリワテド	قاتتىق ئاغرىۋاتىدۇ
私はアレルギーがあります	ミニン ズヤデ セズムチャンリキム バル	مىنىڭ زىيادە سېزىمچانلىقىم بار
1日何回飲みますか？	ビリ クンデ ナッチャ ケテム イチド	ۇدى چى ئ مى تېق ەچچەن ەدن ۈك رى ب ؟
食前に飲みますか、食後ですか？	タマキテン ブルン イチマンモ ヤキ キインモ	ۇمنى يى ك ى كاي ۇمنەمى چى ئ نۇرۇب نى تق امات؟

知っておきたい病名と症状

風邪：زۇكام（ズウカム）／インフルエンザ：يۇقۇملۇق زۇكام（ユクムリク ズウカム）／咳：يۆتەل（ユタリ）／鼻水：ماڭقا（マンカ）

のど：ل اگ（ガル）／腹痛：قۇرساق ئاغرىش（クルサキ アギリシ）／便秘：ئىچى قېتىپ قېلىش（イチ ケテプ ケリシ）／捻挫：سىڭىرلار زەخىملىنىش（スンイリラリ ザヒミリニシ）

骨折：سۆڭەك سۇنۇش（スウンアケ スウヌシ）／打撲：ئۇرۇش（ウルシ）／火傷：كۆيۈپ قېلىش（クユペ ケリシ）／食中毒：يىمەكلىكتىن زەھەرلىنىش（イマケリケテン ザハリニシ）

めまい：باش قېيىش（バシ ケイイシ）／負傷：يارلىنىش（ヤリリニシ）／歯痛：چىش ئاغرىش（チシ アギリシ）／動悸：يۈرەك سېلىش（ユレキ セリシ）

湿疹：هۆل تەمرەتكە（ホリ タムレテケ）／痛風：ى ق ى رغ ائ مۇغۇب كى ل لەي（ヤッリキ ブグム アギリキ）

●レストラン

店員さん！	<ruby>مۇلازىم<rt>ムラズム</rt></ruby>!
メニューを見せてください	<ruby>تاماق تىزىملىكىنى بېرىڭ<rt>タマク テズムリキニ ベリン</rt></ruby>
×××をください	<ruby>ماڭا ××× بېرىڭ<rt>マンア ××× ベリン</rt></ruby>
もうひとつ×××をください	<ruby>ماڭا ××× نىڭدىن يەنە بىرنى بېرىڭ<rt>マンア ××× ニンデン ヤナ ビリニ ベリン</rt></ruby>
とてもおいしいです	<ruby>ئىنتايىن تەملىك ئىكەن<rt>インタイン タムリク イケン</rt></ruby>
辛くしないでください	<ruby>بەك ئاچچىق قىلىۋەتمەڭ<rt>バク アッチク キリワテマン</rt></ruby>
お勘定してください	<ruby>ھېساۋات قىلىمەن<rt>ヒサワテ キリマン</rt></ruby>

×××に入る単語

ビール：<ruby>پىۋا<rt>ピワ</rt></ruby> ／ お茶：<ruby>چاي<rt>チャイ</rt></ruby> ／ 水（湯冷まし）：<ruby>(قاينىتىلغان) سۇ<rt>スウ(カイナクスウ)</rt></ruby>

コーヒー：<ruby>قەھۋە<rt>カヒワ</rt></ruby> ／ 小皿：<ruby>كىچىك تەخسە<rt>キチク タヒサ</rt></ruby> ／ ご飯：<ruby>گۈرۈچ تاماق<rt>グルチ タマク</rt></ruby>

箸：<ruby>چوكا<rt>チョカ</rt></ruby> ／ 皿：<ruby>تەخسە<rt>タヒサ</rt></ruby>

●買い物

クレジットカードは使えますか？	<ruby>ئىناۋەتلىك كارتا ئىشلەتكىلى بولامدۇ؟<rt>イナワテリク カルタ イシラテクリ ブラムド</rt></ruby>
見ているだけです	<ruby>مۇنداقلا كۆرۈپ باقتىم<rt>ムンダケラ コルプ バケテム</rt></ruby>
別の色／サイズ はありますか？	<ruby>باشقا رەڭ／ شەكىلدىكىسى بارمۇ؟<rt>バシカ ラン ／ シャケリデキス バリム</rt></ruby>
もっと×××のはありますか？	<ruby>يەنىمۇ ××× لىكى بارمۇ؟<rt>ヤニム ××× リキ バリム</rt></ruby>
ウィーチャット／アリペイで支払います	<ruby>ۋېيشىن(ۋىيشىن)／ئالىپەي ئارقىلىق پۇل تۆلەيمەن.<rt>ウンデダリ(ウェイシン)/アリパイ ダ トライマン</rt></ruby>
×××を見せてください	<ruby>ماڭا ×××نى كۆرسىتىڭ<rt>マンア ××× ニ コリステン</rt></ruby>
いくらですか？	<ruby>قانچە پۇل؟<rt>カンチャ プル</rt></ruby>
もっと安くしてください	<ruby>باھاسىنى چۈشۈرۈپ بېرىڭ<rt>バハスニ チュシュルプ ベリン</rt></ruby>

これはいりません	ブニ アリマイマン بۇنى ئالمايمەن
あなたは、さっき10元って言ったでしょう!	スズ バヤ 10(オン) ユアン دەدىڭىزغۇ سىز بايا 10 يۈەن دەدىڭىزغۇ !

×××に入る単語

ハッミス 全部：**ھەممىسى**	チョン 大きい：**چوڭ**	キチク 小さい：**كىچىك**	キッマテ 高い：**قىممەت**
アリザン 安い：**ئەرزان**	インイ 新しい：**يېڭى**	キズリ 赤の：**قىزىل**	コク 青の：**كۆك**
セリク 黄の：**سېرىق**	アク 白の：**ئاق**	カラ 黒の：**قارا**	バシケンスイ ほかの：**باشقىسى**

●ホテルにて

空室はありますか?	ボシ ヤタク バリム بوش ياتاق بارمۇ؟
部屋代は1泊いくらですか?	ヤタク ビリ クニリキ カンチャ ブル ياتاق بىر كۈنلىكى قانچە پۇل؟
もっと安い部屋はありませんか?	ヤニム アリザン ヤタク バリム يەنمۇ ئەرزان ياتاق بارمۇ؟
パスワードを教えてください	シフィリニ ダブ ベリン پارولنى دەپ بېرىڭ
インターネットはできますか?	トルガ チッキリ ブラムド تورغا چىقىلى بولامدۇ؟
×××が使えません／が壊れています	××× ニ イシラテクリ ボリマイド ／ ガ ブズリプ カリガン ××× نى ئىشلەتكىلى بولمايدۇ / غا بۇزۇلۇپ قالغان
部屋を替えてください	ヤタクニ アリマシツルプ ベリン ياتاقنى ئالماشتۇرۇپ بېرىڭ
チェックイン／チェックアウト	ヤタッカ キリシ ／ ヤタクニ カイトルシ ياتاققا كىرىش/ ياتاقنى قايتۇرۇش
もう1泊延長したいです	ヤナ ビリ クン コナイ ダイメン يەنە بىر كۈن قۇناي دەيمەن
荷物を預けられますか?	ナリスリムニ サクラシカ バリサム ブラムド نەرسىلىرىمنى ساقلاشقا بەرسەم بولامدۇ؟

×××に入る単語

テレフォン 電話：**تېلېفون**	モンチャ シャワー：**مونچا**	ヤルグズ キシリク ヤタク シングルルーム：**يالغۇز كىشىلىك ياتاق**
	オリチャムリク ヤタク ツインルーム：**ئۆلچەملىك ياتاق**	コプ キシリク ヤタク ドミトリー：**كۆپ كىشىلىك ياتاق**

374

●交通

乗車券の引き換えはここに並べばよいですか？	ビラテニ ムシュ ヤリダ テズリプ アリマシ トラムド ب‍ىلىتنى مۇشۇ يەردە تىزىپ ئالىمەن دەپ تۇرساق بولامدۇ؟
乗車券の引き換えはここに並べばよいですか？	
×××へ行くにはどうすればいいですか？	××× ガ カンダク バルド ×××غا قانداق بارىمدۇ؟
×××までは、どのくらい時間がかかりますか？	××× ガ バルغچ カンチ リ‍ك ワキ‍ت كتد ×××غا بارغىچە قانچىلىك ۋاقىت كېتىدۇ؟
×××まではいくらですか？	××× ガ ベリシ ナッチャ プル ×××غا بېرىش نەچچە پۇل؟
×××行きの×××はどこですか？	××× ガ バリدگان ××× カヤリダ ×××غا بارىدىغان ×××قەيەردە؟
この×××は×××に行きますか？	ブ ×××، ××× ガ バラムド بۇ×××، ×××غا بارامدۇ؟
×××へ行ってください	××× ガ アペリプ コユン ×××غا ئەپرىپ قويۇڭ
左折／右折してください	オンガ ／ ソルガ アギリン ئوڭغا / سولغا ئەگىلڭك
×××で停めてください	××× ダ トフタン ×××دە توختاڭ
ここで降ります	ムシュ ヤリダ チュシマン مۇشۇ يەردە چۈشمەن
ちょっと停めてください	サリ トフタプ ベリン سەل توختاپ بېرىڭ
ここで待っていてください	ムシュ ヤリダ サキラプ トルン مۇشۇ يەردە ساقلاپ تۇرۇڭ
乗り換えは必要ですか？	マシナ アリミシ マンム ماشىنا ئالمىشمەنمۇ؟
×××に着いたら教えてください	××× ガ カリガンダ チャキリプ コユن ×××غا كەلگەندە چاقىرىپ قويۇڭ
メーターを倒してください	ムサペ オリチグチ‍ني エチン مۇسا‍پە ئۆلچىگۈچنى ئېچىڭ.

×××に入る単語

ボイズ イスタンス
鉄道駅：**پویىز ئىستانسىسى** ／ カテナシ ベ‍キテ
バスターミナル：**قاتناش بېكىتى** ／ ビラ‍تە سەتىش ئورنى
切符売り場：**بلىت سېتىش ئورنى**

アリ‍デ
前：**ئالدى** ／ キラ‍リكى دوقموشى
次の角：**كەلەركى دوقموش** ／ カリشى تا‍ра‍ップ
向かい：**قارشى تەرەپ**

アイ‍деロム
空港：**ئايدروم** ／ ボイズ
列車：**پویىز** ／ テز سۈ‍راتلىك بوイズ
高速鉄道：**تېز سۈرەتلىك پویىز**

タケシ
タクシー：**تاكسى** ／ アブトブس
バス：**ئاپتوبۇس** ／ メトロ ヤリ アستə تم‍ري ヨリ
地下鉄：**يەر ئاستى تۆمۈر يولى**

375

◎月●日上海行きの片道航空券を1枚ください

数字→P.370

マン ◎ アイニン ● クニ シャンハイ ガ バリデガン アイルプラン ベリテデン ビリニ アリマン

مەن ◎ ئاينىڭ ● كۈنى شاڭخەيگە بارىدىغان ئايروپىلان بېلىتىدىن بىرنى ئالىمەن

◎月●日、北京までT60の硬臥を1枚ください

数字→P.370

マン ◎ アイニン ● クニ ベイジン ガ バリデガン T60(テ アテミニシン) ニン カッテク オルンドクルク ベリテデン ビリニ アリマン

مەن ◎ ئاينىڭ ● كۈنى بېيجىڭغا بارىدىغان ت 60نىڭ قاتتىق ئورۇندۇقلۇق بېلىتىدىن بىرنى ئالىمەن

寝台であれば、硬臥でも軟臥でもかまいません

カリワテリク オルン ボリサ カッテク カリワテ ヤキ ユミシャケ カリワテ カイスラ ボリサ ボリウェリド

كارۋاتلىق ئورۇن بولسا قاتتىق كارۋات ياكى يۇمشاق كارۋات قايسىلا بولسا بولۇۋېرىدۇ

切符をキャンセルしたいのですが、どこに行けばいいですか?

ベラテ カイトراي デガン ナガ バリサム ボリド

بېلەت قايتۇراي دېگەن،نەگە بارسام بولىدۇ؟

私は大学生ですが、学生割引はありませんか?

マン アリイ マクタプ オクグチスイ オクグチراル ベリテ バリم

مەن ئالىي مەكتەپ ئوقۇغۇچىسى،ئوقۇغۇچىلار بېلىتى بارمۇ؟

1日車をチャーターして観光したら、いくらになりますか?

マシニニ ビリ クン クتレ アリサ ナッチャ プル

ماشىننى بىر كۈن كۆتۈرە ئالسا نەچچە پۇل؟

明日▲時頃カシュガルに向かうバスの切符はありますか?

数字→P.370

アタ ▲ ラルダ カシガル ガ バリデガン アフتبزسنин ベリテ バリム

ئەتە ▲ لەردە قەشقەرگە بارىدىغان ئاپتوبۇسىنىڭ بېلىتى بارمۇ؟

エアポートバスはどこから出発しますか?

アイデロム アプتぶ س カ ヤリデン ヨリガ チキド

ئايدروم ئاپتوبۇسى قەيەردىن يولغا چىقىدۇ؟

ここからタクシーで空港に向かうといくらくらいですか?

ブ ヤリデン アイデロムギチャ タケシダ バリサ ナッチャ プル キتド

بۇ يەردىن ئايدرومغىچە تاكسىدا بارسا نەچچە پۇل كېتىدۇ؟

●いざというとき役立つフレーズ

写真を撮ってもいいですか?	ラスムゲ タリテサム ブラムド رەسىمگە تارتىسام بولامدۇ؟
写真を撮ってもらえませんか?	ラスムゲ タリテプ コヤムスズ رەسىمگە تارتىپ قويامسىز؟
領収書をください	タロン キスプ ベリン تالون كىسىپ بېرىڭ
日本に国際電話をかけたいのですが	ヤプニヤガ ハリカラリック テレフォン キリゲリ ブラムド ياپونىيەگە خەلقارالىق تېلېفۇن قىلغىلى بولامدۇ؟
入ってもいいですか?	キリサム ブラムド كىرسەم بولامدۇ؟
もらってもいいですか?	アリサム ブラムド ئالسام بولامدۇ؟
そこに連れて行ってください	ムシュ ヤリゲ バシラプ ベリン مۇشۇ يەرگە باشلاپ بېرىڭ
入場は有料ですか、無料ですか?	キリシ ベリテ ハケルクム ハケスズム كىرىش بىلېتى ھەقلىقمۇ ھەقسىزمۇ؟
ネットカフェに行きたいのですが、どう行けばいいですか?	トルハニガ バリマケチ イデム カネダク バリド تورخانىغا بارماقچى ئىدىم.قانداق بارىمدۇ؟
このパソコンは日本語が使えますか?	ブ コムピュテル ダ ヤプン テリ イシラテキリ ブラムド بۇ كومپيۇتېردا ياپون تىلى ئىشلەتكىلى بولامدۇ؟
パソコンの使用料は1時間いくらですか?	コムピュデルニン ビリ サーアテリク ナッチャ プル كومپيۇتېرنىڭ بىر سائەتلىكى نەچچە پۇل؟
日本語(英語)を話せる人はいますか?	ヤプンチャ(インギリスチャ)ソズリヤライデガンラル バリム ياپونچە (ئىنگلىزچە) سۆزلىيەلەيدىغانلار بارمۇ؟
かばんをなくしました	チャムダンニムニ ヨクتپ コイdemム چامدىنىمنى يوقىتىپ قويدۇم
道に迷いました	ヨルденン ئ ئزپ カリdemム يولدىن ئېزىپ قالدىم
あーっ、どろぼう! 誰か来てくれ!	オギリ オギリ二 トトンラ ئوغرى ! ئوغرىنى تۇتۇۋېلىڭلا!
近寄るな! 向こうに行け!	イェキン カリマ ウ ヤッカ オテ يېقىن كەلمە !ئۇ ياققا ئۆت !
警察を呼ぶぞ!	サケチ チャケリマン マケム ساقچى چاقىرىمەن ماقىمۇ!

地球の歩き方 ホームページのご案内

海外旅行の最新情報満載の「地球の歩き方ホームページ」！ガイドブックの更新情報はもちろん、各国の基本情報、海外旅行の手続きと準備、海外航空券、海外ツアー、現地ツアー、ホテル、鉄道チケット、Wi-Fiレンタルサービスなどもご紹介。旅先の疑問などを解決するためのQ&A・旅仲間募集掲示板や現地Web特派員ブログ、ニュース＆レポートもあります。

URL https://www.arukikata.co.jp/

■ 多彩なサービスであなたの海外旅行をサポートします！

旅のQ&A・旅仲間募集掲示板

教えて！by旅コツ 旅のQ&A掲示板

世界中を歩き回った多くの旅行者があなたの質問を待っています。目からウロコの新発見も多く、やりとりを読んでいるだけでも楽しい旅行情報の宝庫です。

URL https://bbs.arukikata.co.jp/

国内外の旅に関するニュースやレポート満載

地球の歩き方 ニュース＆レポート

国内外の観光、グルメ、イベント情報、地球の歩き方ユーザーアンケートによるランキング、編集部の取材レポートなど、ほかでは読むことのできない、世界各地の「今」を伝えるコーナーです。

URL https://news.arukikata.co.jp/

航空券の手配がオンラインで可能

arukikata.com

航空券のオンライン予約なら「アルキカタ・ドット・コム」。成田・羽田のほか、全国各地の空港を発着する航空券を手配できます。期間限定の大特価バーゲンコーナーは必見。

URL https://www.arukikata.com/

空港とホテル間の送迎も予約可能

Travel 地球の歩き方 現地発着オプショナルツアー

効率よく旅を楽しめる世界各地のオプショナルツアーを取り揃えています。観光以外にも快適な旅のオプションとして、空港とホテル間の送迎や空港ラウンジ利用も人気です。

URL https://op.arukikata.com/

ホテルの手配がオンラインで可能

Travel 地球の歩き方 海外ホテル予約

「地球の歩き方ホテル予約」では、世界各地の格安から高級ホテルまでをオンラインで予約できます。クチコミなども参考に評判のホテルを探しましょう。

URL https://hotels.arukikata.com/

海外Wi-Fiレンタル料金比較

Travel 地球の歩き方 海外Wi-Fiレンタル

スマホなどによる海外ネット接続で利用者が増えている「Wi-Fiルーター」のレンタル。渡航先やサービス提供会社で異なる料金プランなどを比較し、予約も可能です。

URL https://www.arukikata.co.jp/wifi/

LAのディズニーリゾートやユニバーサルスタジオ入場券の手配

Travel 地球の歩き方 地球の歩き方 チケットオンライン

アナハイムのディズニー・リゾートやハリウッドのユニバーサル・スタジオの、現地でチケットブースに並ばずに入場できる入場券の手配をオンラインで取り扱っています。

URL https://parts.arukikata.com/

ヨーロッパ鉄道チケットがWebで購入できる「ヨーロッパ鉄道の旅」

ヨーロッパ鉄道の旅 Travelling by Train

地球の歩き方トラベルのヨーロッパ鉄道チケット販売サイト。オンラインで鉄道パスや乗車券、座席指定券などを予約できます。利用区間や日程がお決まりの方におすすめです。

URL https://rail.arukikata.com/

海外旅行の情報源はここに！ 地球の歩き方 検索

迷わない！ ハズさない！ もっと楽しい旅になる♥
地球の歩き方MOOKシリーズ

持ち歩きやすいハンディサイズ！

定価:1000円（税別）

短い滞在でも
充実した旅を
過ごせる
モデルプランと
特集

最新
アクティビティや
グルメ情報
満載

今、話題の
ショップや
ハズせない
グルメみやげ

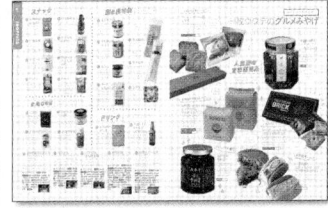

海外3	ソウルの歩き方	海外8	ホノルルの歩き方
海外4	香港・マカオの歩き方	海外9	ハワイの歩き方 ホノルル ショッピング＆グルメ
海外6	台湾の歩き方	海外10	グアムの歩き方

豊富なラインアップ
テーマ
MOOK
シリーズ

定価:890円〜
（税別）

気になる
テーマを
深掘りして紹介

続々刊行予定！

- aruco magazine
- 海外子連れ旅★
  パーフェクトガイド！
- ハワイ
  スーパーマーケット
  マル得完全ガイド

2019年10月時点

地球の歩き方 シリーズ年度一覧

地球の歩き方ガイドブックは1～2年で改訂されます。改訂時には価格が変わることがあります。表示価格は本体価格(税別)です。
●最新情報は、ホームページでもご覧いただけます。www.diamond.co.jp/arukikata/

地球の歩き方 ガイドブック

A ヨーロッパ

A01	ヨーロッパ	2018～2019	￥1700
A02	イギリス	2019～2020	￥1700
A03	ロンドン	2019～2020	￥1600
A04	湖水地方&スコットランド	2018～2019	￥1700
A05	アイルランド	2019～2020	￥1800
A06	フランス	2020～2021	￥1700
A07	パリ&近郊の町	2019～2020	￥1700
A08	南仏プロヴァンス コート・ダジュール&モナコ	2018～2019	￥1600
A09	イタリア	2019～2020	￥1700
A10	ローマ	2019～2020	￥1600
A11	ミラノ ヴェネツィアと湖水地方	2019～2020	￥1700
A12	フィレンツェとトスカーナ	2019～2020	￥1700
A13	南イタリアとシチリア	2019～2020	￥1700
A14	ドイツ	2019～2020	￥1700
A15	南ドイツ フランクフルト ミュンヘン ロマンティック街道 古城街道	2019～2020	￥1600
A16	ベルリンと北ドイツ ハンブルク ドレスデン ライプツィヒ	2018～2019	￥1700
A17	ウィーンとオーストリア	2020～2021	￥1700
A18	スイス	2019～2020	￥1700
A19	オランダ ベルギー ルクセンブルク	2019～2020	￥1600
A20	スペイン	2019～2020	￥1700
A21	マドリードとアンダルシア& 鉄道とバスで行く世界遺産	2019～2020	￥1600
A22	バルセロナ&近郊の町 イビサ島/マヨルカ島	2018～2019	￥1600
A23	ポルトガル	2019～2020	￥1650
A24	ギリシアとエーゲ海の島々&キプロス	2019～2020	￥1700
A25	中欧	2019～2020	￥1800
A26	チェコ ポーランド スロヴァキア	2019～2020	￥1700
A27	ハンガリー	2019～2020	￥1700
A28	ブルガリア ルーマニア	2019～2020	￥1800
A29	北欧	2019～2020	￥1700
A30	バルトの国々	2019～2020	￥1800
A31	ロシア	2018～2019	￥1900
A32	極東ロシア シベリア サハリン	2019～2020	￥1800
A34	クロアチア スロヴェニア	2019～2020	￥1600

B 南北アメリカ

B01	アメリカ	2019～2020	￥1900
B02	アメリカ西海岸	2020～2021	￥1700
B03	ロスアンゼルス	2019～2020	￥1700
B04	サンフランシスコとシリコンバレー	2019～2020	￥1700
B05	シアトル ポートランド ワシントン州とオレゴン州の大自然	2019～2020	￥1700
B06	ニューヨーク マンハッタン&ブルックリン	2019～2020	￥1750
B07	ボストン	2018～2019	￥1800
B08	ワシントンDC	2019～2020	￥1700
B09	ラスベガス セドナ& グランドキャニオンと大西部	2019～2020	￥1800
B10	フロリダ	2019～2020	￥1700
B11	シカゴ	2018～2019	￥1700
B12	アメリカ南部	2019～2020	￥1800
B13	アメリカの国立公園	2019～2020	￥1900
B14	ダラス ヒューストン デンバー グランドサークル フェニックス サンタフェ	2019～2020	￥1800
B15	アラスカ	2019～2020	￥1800
B16	カナダ	2019～2020	￥1700
B17	カナダ西部	2019～2020	￥1700
B18	カナダ東部	2019～2020	￥1600
B19	メキシコ	2019～2020	￥1700
B20	中米	2019～2020	￥1800
B21	ブラジル ベネズエラ	2019～2020	￥2000
B22	アルゼンチン チリ パラグアイ ウルグアイ	2018～2019	￥2000
B23	ペルー ボリビア エクアドル コロンビア	2019～2020	￥2000
B24	キューバ バハマ ジャマイカ カリブの島々	2019～2020	￥1850
B25	アメリカ・ドライブ	2020～2021	￥1800

C 太平洋 インド洋の島々&オセアニア

C01	ハワイ1 オアフ島&ホノルル	2019～2020	￥1700
C02	ハワイ2 ハワイ島 マウイ島 カウアイ島 モロカイ島 ラナイ島	2019～2020	￥1600
C03	サイパン	2018～2019	￥1400
C04	グアム	2020～2021	￥1400
C05	タヒチ イースター島	2019～2020	￥1600
C06	フィジー	2018～2019	￥1500
C07	ニューカレドニア	2018～2019	￥1500
C08	モルディブ	2019～2020	￥1700
C10	ニュージーランド	2020～2021	￥1700
C11	オーストラリア	2019～2020	￥1900
C12	ゴールドコースト&ケアンズ グレートバリアリーフ ハミルトン島	2020～2021	￥1700
C13	シドニー&メルボルン	2019～2020	￥1600

D アジア

D01	中国	2019～2020	￥1800
D02	上海 杭州 蘇州	2019～2020	￥1700
D03	北京	2019～2020	￥1600
D04	大連 瀋陽 ハルビン 中国東北地方の自然と文化	2019～2020	￥1700
D05	広州 アモイ 桂林 珠江デルタと華南地方	2019～2020	￥1800
D06	成都 重慶 九寨溝 麗江 四川 雲南 貴州の自然と民族	2020～2021	￥1800
D07	西安 敦煌 ウルムチ シルクロードと中国西北部	2020～2021	￥1800
D08	チベット	2018～2019	￥1900
D09	香港 マカオ 深圳	2019～2020	￥1700
D10	マカオ	2019～2020	￥1500
D11	台北	2019～2020	￥1500
D13	台南 高雄 屏東&南台湾の町	2019～2020	￥1700
D14	モンゴル	2017～2018	￥1800
D15	中央アジア サマルカンドとシルクロードの国々	2019～2020	￥1900
D16	東南アジア	2018～2019	￥1700
D17	タイ	2019～2020	￥1700
D18	バンコク	2019～2020	￥1600
D19	マレーシア ブルネイ	2020～2021	￥1700
D20	シンガポール	2019～2020	￥1600
D21	ベトナム	2019～2020	￥1700
D22	アンコール・ワットとカンボジア	2019～2020	￥1700
D23	ラオス	2019～2020	￥1800
D24	ミャンマー	2019～2020	￥1700
D25	インドネシア	2018～2019	￥1700
D26	バリ島	2019～2020	￥1700
D27	フィリピン	2019～2020	￥1700
D28	インド	2019～2020	￥1800
D29	ネパールとヒマラヤトレッキング	2018～2019	￥1700
D30	スリランカ	2019～2020	￥1700
D31	ブータン	2018～2019	￥1800
D32	パキスタン	2007～2013	￥1780
D33	マカオ	2019～2020	￥1600
D34	釜山・慶州	2017～2018	￥1500
D35	バングラデシュ	2015～2016	￥1900
D36	南インド	2016～2017	￥1900
D37	韓国	2019～2020	￥1700
D38	ソウル	2019～2020	￥1700

E 中近東 アフリカ

E01	ドバイとアラビア半島の国々	2018～2019	￥1900
E02	エジプト	2014～2015	￥1700
E03	イスタンブールとトルコの大地	2019～2020	￥1700
E04	ペトラ遺跡とヨルダン レバノン	2019～2020	￥1700
E05	イスラエル	2019～2020	￥1700
E06	イラン	2019～2020	￥2000
E07	モロッコ	2019～2020	￥1800
E08	チュニジア	2019～2020	￥1700
E09	東アフリカ ウガンダ エチオピア ケニア タンザニア ルワンダ	2016～2017	￥1900
E10	南アフリカ	2019～2020	￥1800
E11	リビア	2010～2011	￥1700
E12	マダガスカル	2020～2021	￥1800

女子旅応援ガイド aruco

1	パリ '19～20		￥1200
2	ソウル '19～20		￥1200
3	台北 '20～21		￥1200
4	トルコ '14～15		￥1200
5	インド		￥1400
6	ロンドン '18～19		￥1200
7	香港 '19～20		￥1200
8	エジプト		￥1200
9	ニューヨーク '19～20		￥1200
10	ホーチミン ダナン ホイアン '19～20		￥1200
11	ホノルル '19～20		￥1200
12	バリ島 '20～21		￥1200
13	上海		￥1200
14	モロッコ '19～20		￥1400
15	チェコ '19～20		￥1200
16	ベルギー '16～17		￥1200
17	ウィーン '17～18		￥1200
18	イタリア '19～20		￥1200
19	スリランカ		￥1400
20	クロアチア スロヴェニア '19～20		￥1300
21	スペイン '19～20		￥1200
22	シンガポール '19～20		￥1200
23	バンコク '20～21		￥1300
24	グアム '19～20		￥1200
27	オーストラリア '18～19		￥1200
28	ドイツ '19～20		￥1200
29	ハノイ '19～20		￥1200
30	台湾 '19～20		￥1200
31	カナダ '17～18		￥1200
32	オランダ '18～19		￥1200
33	サイパン テニアン ロタ '18～19		￥1200
34	セブ ボホール エルニド '19～20		￥1200
35	ロスアンゼルス '20～21		￥1200
36	フランス '20～21		￥1300

フィンランド エストニア '20～21 ￥1300
アンコール・ワット '18～19 ￥1200

地球の歩き方 Plat

1	パリ		￥1200
2	ニューヨーク		￥1200
3	台北		￥1000
4	ロンドン		￥1200
5	グアム		￥1000

6	ドイツ		￥1200
7	ベトナム		￥1000
8	スペイン		￥1200
9	バンコク		￥1000
10	シンガポール		￥1000
11	アイスランド		￥1400
12	ホノルル		￥1000
13	マニラ&セブ		￥1200
14	マルタ		￥1400
15	フィンランド		￥1200
16	クアラルンプール マラッカ		￥1300
17	ウラジオストク		￥1300
18	サンクトペテルブルク モスクワ		￥1400
19	エジプト		￥1200
20	香港		￥1000
21	ブルックリン		￥1200
22	ブルネイ		￥1300
23	ウズベキスタン		￥1300
24	ドバイ		￥1300

地球の歩き方 Resort Style

R01	ホノルル&オアフ島		￥1500
R02	ハワイ島		￥1500
R03	マウイ島		￥1500
R04	カウアイ島		￥1700
R05	こどもと行くハワイ		￥1400
R06	ハワイ ドライブ・マップ		￥1800
R07	ハワイ バスの旅		￥1300
R08	グアム		￥1300
R09	こどもと行くグアム		￥1500
R10	パラオ		￥1500
R11	世界のダイビング完全ガイド 地球の潜り方		￥1500
R12	プーケット サムイ島 ピピ島		￥1500
R13	ペナン ランカウイ クアラルンプール		￥1700
R14	バリ島		￥1300
R15	セブ&ボラカイ ボホール シキホール		￥1500
R16	テーマパークinオーランド		￥1700
R17	カンクン コスメル イスラ・ムヘーレス		￥1500
R18	ケアンズ& グレートバリアリーフ※		￥1700
R19	ファミリーで行くシンガポール		￥1400
R20	ダナン ホイアン ホーチミン ハノイ		￥1500

※は旧リゾートシリーズで発刊中

地球の歩き方 書籍のご案内

『地球の歩き方』を持って

中国&周辺地域を満喫!

知らなかった町や、新しい見どころ……。
都市滞在も、周遊も、長期赴任も
広大な中国の長い歴史やさまざまな文化を知る奥深い旅を、
『地球の歩き方』が応援します。

地球の歩き方● ガイドブック

中国

D01	中国	
D02	上海 杭州 蘇州	
D03	北京	
D04	大連 瀋陽 ハルビン 中国東北地方の自然と文化	
D05	広州 アモイ 桂林 珠江デルタと華南地方	
D06	成都 重慶 九寨溝 麗江 四川 雲南 貴州の自然と民族	
D07	西安 敦煌 ウルムチ シルクロードと中国西北部	
D08	チベット	
D09	香港 マカオ 深圳	
D33	マカオ	

台湾

D10	台湾
D11	台北
D13	台南 高雄 屏東&南台湾の町

女子旅応援ガイド● aruco

よくばりな旅好き女子を応援する「プチぼうけん」プランがギュッと詰まっています。

3	台北
7	香港
13	上海
30	台湾

地球の歩き方● Plat

短い滞在時間で効率的に観光したいアクティブな旅人におすすめのシリーズです。

03	台北
20	香港

地球の歩き方● トラベル会話

10	中国語+英語

地球の歩き方● GEM STONE

056	ラダック ザンスカール スピティ 北インドのリトル・チベット [増補改訂版]
059	天空列車 青海チベット鉄道の旅
061	台南 高雄 とっておきの歩き方 台湾南部の旅ガイド

地球の歩き方● BOOKS

香港 ランキング&マル得テクニック!

香港メトロさんぽ
MTRで巡るとっておきスポット&
新しい香港に出会う旅

香港 地元で愛される名物食堂

台湾おしゃべりノート

女ふたり 台湾、行ってきた。

FAMILY TAIWAN TRIP # 子連れ台湾

台北 メトロさんぽ
MRTを使って、
おいしいとかわいいを巡る旅♪

台湾を鉄道でぐるり

HONG KONG 24 hours
朝・昼・夜で楽しむ 香港が好きになる本

ONE & ONLY MACAO
produced by LOVETABI

地球の歩き方● ムック

海外4	香港・マカオの歩き方
海外6	台湾の歩き方

台湾ランキング&マル得テクニック!

制　作：高島正人／Producer：Masato Takashima
編　集：内田事務所　内田和浩　小川智史　金井千絵／
　　　　Editors：Uchida office Co., Ltd.（Kazuhiro Uchida, Satoshi Ogawa, Chie Kanai）
デザイン：株式会社クロスデザイン　イトウコウヘイ　株式会社スプーン／
　　　　Design：Cross Design Co., Ltd., Kohei Ito, spoon Co., Ltd.
表　紙：日出嶋昭男／Cover Design：Akio Hidejima
地　図：千住大輔（アルト・ディークラフト）／Maps：Daisuke Senju（Alto Dcraft）
校　正：東京出版サービスセンター／Proofreading：TOKYO SYUPPAN SERVICE CENTER
写　真：イトウコウヘイ　久保彩　浜井幸子　半田恵子　YingYing　Li Xinchi／
　　　　Photos：Kohei Ito, Aya Kubo, Sachiko Hamai, Keiko Handa, YingYing, Li Xinchi

協力：敦煌旅游集団有限責任公司、西安金橋国際旅行社、青海省中国青年旅行社有限責任公司、
　　　新疆恒信国際旅行社、王中虎、Ghappar Pattar、碓井正人

読者投稿
住〒160-0023　東京都新宿区西新宿6-15-1　セントラルパークタワー・ラ・トゥール新宿705
株式会社地球の歩き方メディアパートナーズ
地球の歩き方サービスデスク「西安 敦煌 ウルムチ編」投稿係
FAX（03）6258-0421　URL www.arukikata.co.jp/guidebook/toukou.html
「地球の歩き方」ホームページ（海外旅行の総合情報）
URL www.arukikata.co.jp
ガイドブック『地球の歩き方』（検索と購入、更新・訂正・サポート情報）
URL www.arukikata.co.jp/guidebook

地球の歩き方 D07 西安 敦煌 ウルムチ　シルクロードと中国西北部
2020～2021年版

1988年9月1日　初版発行
2019年11月27日　改訂第17版第1刷発行

Published by Diamond-Big Co., Ltd.
2-9-1 Hatchobori, Chuo-ku, Tokyo 104-0032 Japan
TEL.（81-3）3553-6667（Editorial Section）
TEL.（81-3）3553-6660　FAX.（81-3）3553-6693（Advertising Section）

著作編集　「地球の歩き方」編集室
発行所　　株式会社ダイヤモンド・ビッグ社
　　　　　〒104-0032　東京都中央区八丁堀2-9-1
　　　　　編集部 TEL.（03）3553-6667
　　　　　広告部 TEL.（03）3553-6660　FAX.（03）3553-6693
発売元　　株式会社ダイヤモンド社
　　　　　〒150-8409　東京都渋谷区神宮前6-12-17
　　　　　販　売 TEL.（03）5778-7240

印刷製本 株式会社ダイヤモンド・グラフィック社 Printed in Japan
禁無断転載©ダイヤモンド・ビッグ社／内田事務所2019
ISBN978-4-478-82409-2